Histoire 2de

NOUVEAU PROGRAMME
2019

Sous la direction de Guillaume LE QUINTREC

Caroline BARCELLINI
Agrégée d'histoire
Professeure au lycée Jean-Baptiste Corot à Savigny-sur-Orge (91)

Mathias BURGÉ
Agrégé d'histoire
Professeur au lycée Rabelais à Meudon (92)

Léo CAYEUX
Agrégé d'histoire, ancien élève de l'École normale supérieure
Professeur en section européenne au lycée Louise Weiss à Achères (78)

Valentin CHÉMERY
Agrégé d'histoire
Professeur au lycée Guillaume Apollinaire à Thiais (94)

Défendin DÉTARD
Agrégé d'histoire
Professeur au lycée Évariste Galois à Noisy-le-Grand (93)

Juliette HANROT
Agrégée d'histoire
Professeure en section internationale britannique au lycée Camille Sée à Paris (75)

Laurène JACOB
Professeure au lycée Frédéric Mistral à Fresnes (94)

Guillaume LE QUINTREC
Agrégé d'histoire, ancien élève de l'École normale supérieure
Professeur en classes préparatoires au lycée Fénelon à Paris (75)

Florian LOUIS
Agrégé d'histoire
Professeur au lycée Jean-Jacques Rousseau à Sarcelles (95)

Laurent PECH
Professeur au collège Victor Hugo à Cachan (94)

Coordination pédagogique : **Juliette HANROT**

Nathan

À la découverte de votre manuel

Chaque chapitre comporte trois temps

REPÈRES ET COURS

La première partie rassemble toutes les connaissances et les repères indispensables.

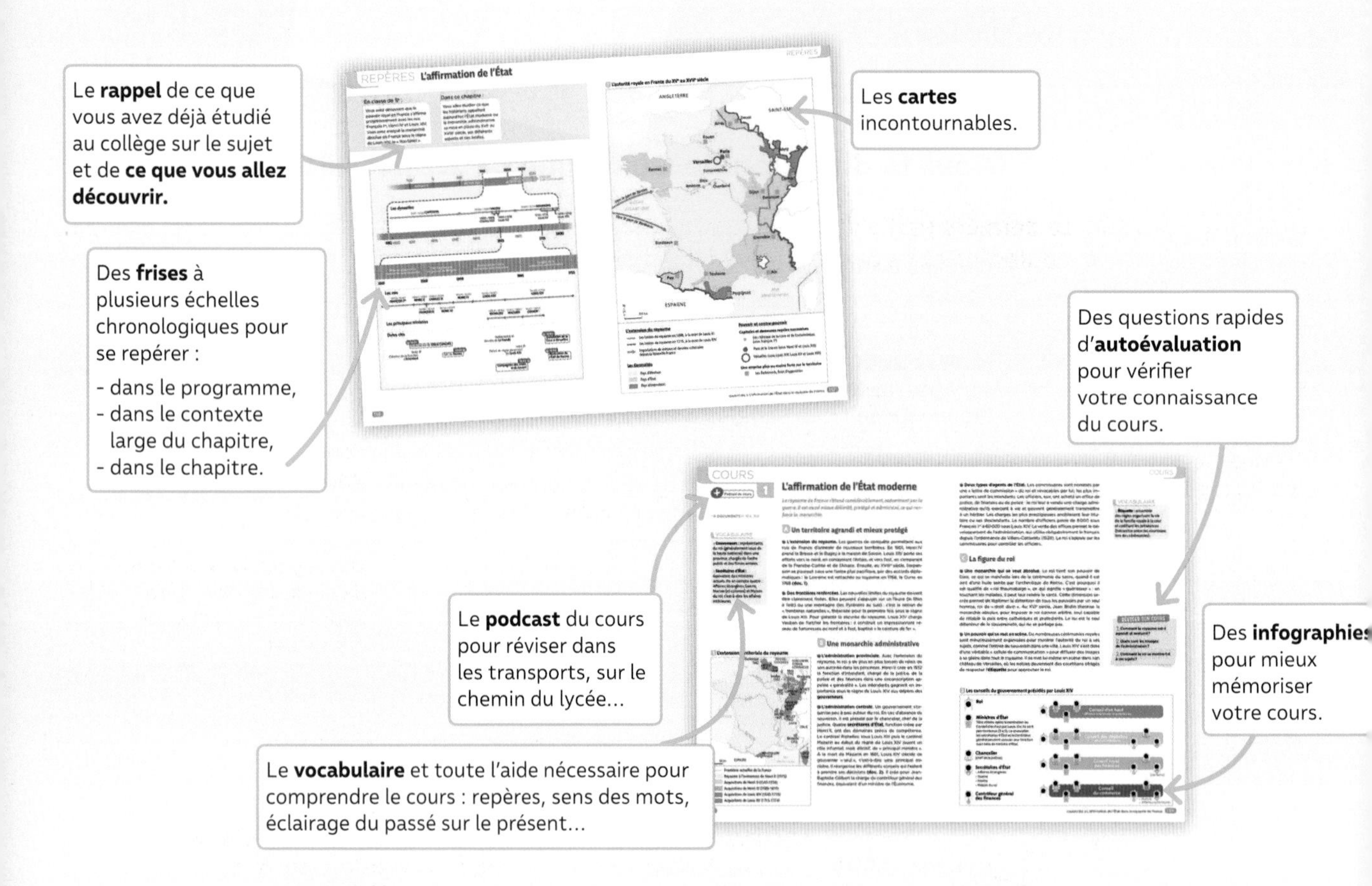

DOCUMENTS

Dans cette partie, vous trouverez les documents sur lesquels vous allez travailler toute l'année.

© Nathan 2019 – 25, avenue Pierre de Coubertin, 75013 Paris – ISBN : 978-2-09-172827-8

L'histoire est une science vivante ! Des activités innovantes, testées en classe : jeux de rôles, mises en scène, débats.

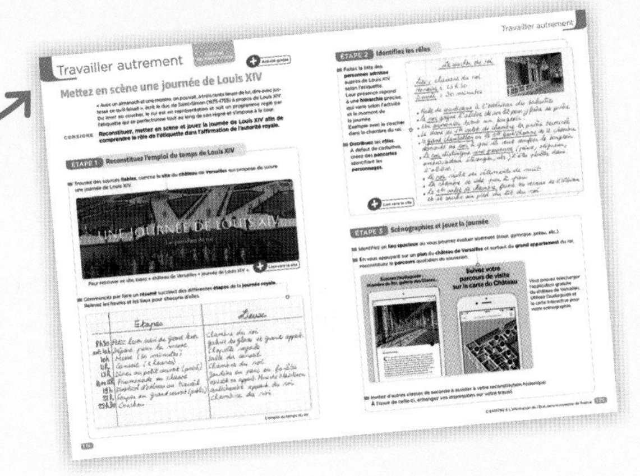

Révisions

La dernière partie du chapitre vous donne toutes les clés pour préparer efficacement vos révisions.

Une **page** pour réviser et construire **votre propre fiche** : connaissez-vous bien le plan du chapitre ? Les idées, les dates et les notions clés ?

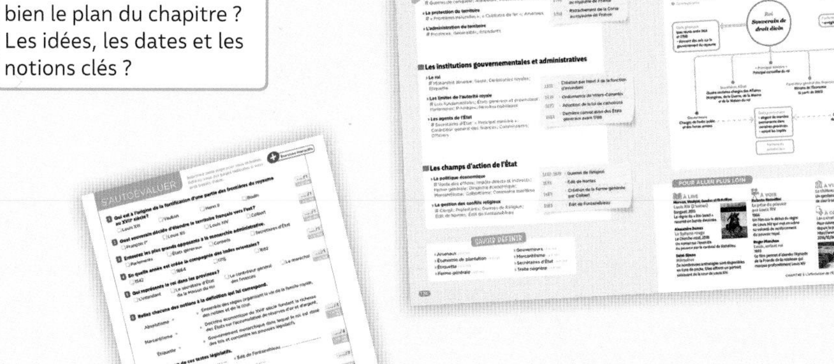

Un **schéma de synthèse** pour retenir l'essentiel de chaque chapitre sous une forme plus visuelle.

Des **suggestions** de livres, de films, de sites... pour approfondir ou préparer un exposé.

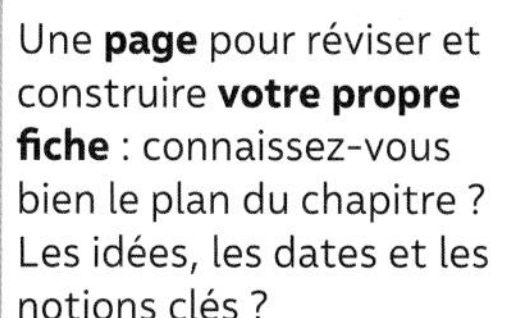

Une page d'exercice de vérification de connaissances. Vous pouvez l'imprimer pour vous entraîner ou flasher la page avec **Nathan Live !** pour retrouver ces exercices sous forme interactive. Les corrigés se trouvent p. 273-274.

Mais également...

VERS LE BAC

Des pages pour acquérir les capacités spécifiques à l'enseignement de l'histoire et commencer à se préparer aux épreuves communes de contrôle continu en classe de 1re.

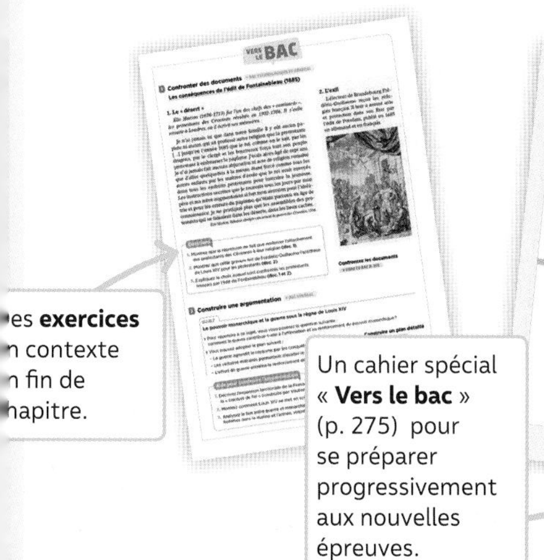

[D]es **exercices** [e]n contexte [e]n fin de [c]hapitre.

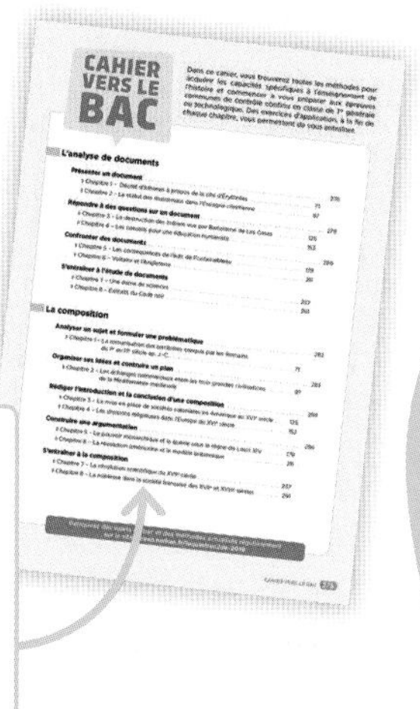

Un cahier spécial « **Vers le bac** » (p. 275) pour se préparer progressivement aux nouvelles épreuves.

Et le lycée ?

Nouvelles méthodes de travail, nouveaux enseignements et orientation... pas facile de s'y retrouver !

Votre guide (p. 13) est là pour vous aider à y voir plus clair.

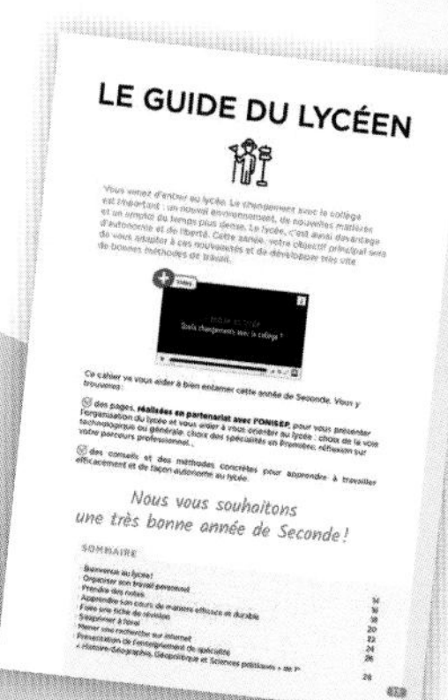

SOMMAIRE

Grandes étapes de la formation du monde moderne

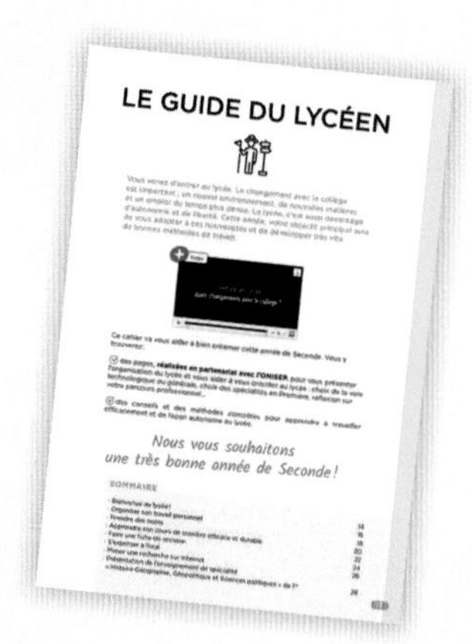

CHAPITRE 2 La Méditerranée médiévale : espace d'échanges et de conflits à la croisée de trois civilisations

THÈME 2 XVe-XVIe siècles : un nouveau rapport au monde, un temps de mutation intellectuelle

THÈME 3 L'État à l'époque moderne : France et Angleterre

THÈME 4 Dynamiques et ruptures dans les sociétés des XVIIe et XVIIIe siècles

Travailler autrement

Découvrez au fil des chapitres une approche pédagogique et stimulante.

LES MÉTHODES POUR SE PRÉPARER AU BAC — VERS LE BAC

Retrouvez p. 274 un cahier spécial « Vers le Bac » pour acquérir les capacités spécifiques à l'enseignement de l'histoire et commencer à se préparer aux épreuves communes de contrôle continu en classe de 1re.

Découvrez votre manuel augmenté !

Grâce aux différents outils proposés par Nathan, votre manuel papier prend vie.

▶ Toutes les ressources numériques sont repérables par des pictos qui vous indiquent le type de ressource proposé.

« Comment accéder à ces ressources ?

- En flashant les pages grâce à l'appli Nathan Live !
- Sur le site Nathan du manuel : **lyceen.nathan.fr/lequintrec2de-2019**
- Sur votre manuel numérique.
- **Mode d'emploi des différents accès sur le rabat de couverture, p. I.**

LES RESSOURCES À LA LOUPE

TOUS LES COURS ET LES DOCUMENTS TEXTES EN VERSION AUDIO

▶ Tous les documents textes et les cours du manuel sont disponibles en version audio, lue par un(e) comédien(e). Vous pouvez les télécharger ou les podcaster.

▶ **Rendez-vous sur toutes les pages Documents et Cours du manuel.**

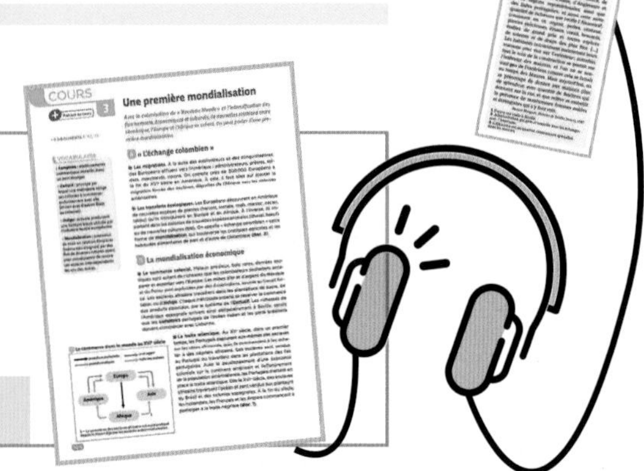

DES EXERCICES INTERACTIFS

▶ Pour s'entraîner facilement et à tout moment, de nombreux exercices pour vous assurer que vous maîtrisez les connaissances de chaque chapitre.

▶ **Rendez-vous sur les pages S'autoévaluer de chaque chapitre !**
p. 70, 96, 124, 152, 178, 210, 236, 260

DES SCHÉMAS BILANS INTERACTIFS À COMPLÉTER

▶ Des schémas de synthèse avec des champs à compléter pour s'exercer et vérifier les acquis de façon autonome.

▶ **Rendez-vous sur les pages Révisions de chaque chapitre !**
p. 69, 95, 121, 151, 177, 219, 215, 259

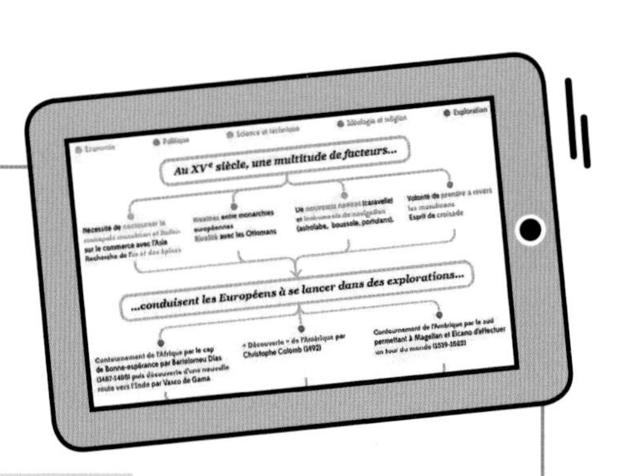

PLUS DE 150 RESSOURCES NUMÉRIQUES SUPPLÉMENTAIRES À VOTRE DISPOSITION !

LES CARTES INTERACTIVES

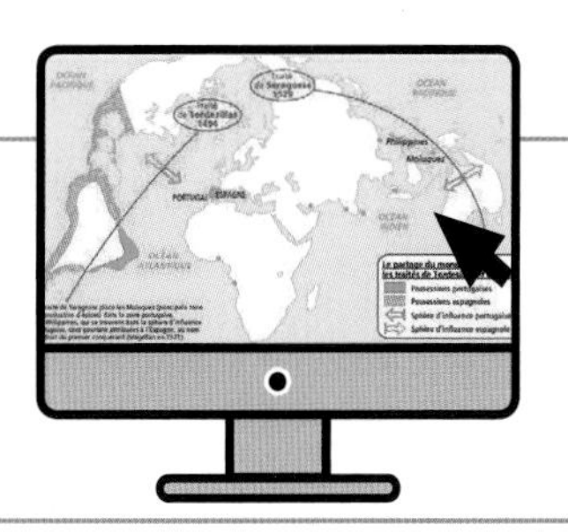

- Toutes les cartes de ce manuel sont disponibles en version interactive : cliquez sur la légende pour faire apparaître les figurés sur la carte.

SPÉCIAL ACCESSIBILITÉ LES TEXTES EN VERSION DYS

- Tous les documents textes de ce manuel sont disponibles dans une version imprimable adaptée aux DYS (police, interlignage).

- **Téléchargez-les facilement sur le site lyceen.nathan.fr/lequintrec2de-2019**

DES ANIMATIONS

- Des animations pour découvrir des œuvres d'art au fil de votre manuel.

- **Rendez-vous** p. 53, 57, 59, 88, 90, 99, 114, 126, 140, 142, 167, 173, 190, 193, 223, 224, 248, 252, 255

UNE FRISE INTERACTIVE

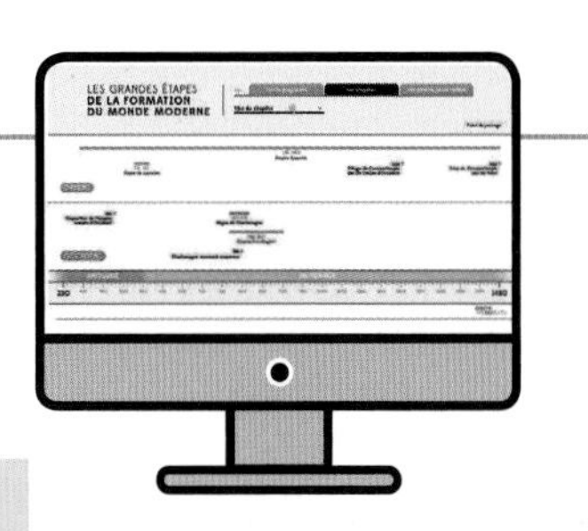

- La frise du programme, de l'Antiquité à la veille de la Révolution française, à consulter tout au long de l'année.

- **Rendez-vous p. II de la couverture**

HISTOIRE 2DE

BO spécial n° 1 du 22 janvier 2019

Grandes étapes de la formation du monde moderne

- La classe de seconde répond à un triple objectif : consolider les acquis de la scolarité obligatoire, nourrir la culture générale des élèves et étudier la formation du monde moderne. Pour cela, le programme s'ouvre sur un repérage chronologique d'ensemble qui invite à conduire une réflexion sur la périodisation en histoire. Le premier thème vise à réactiver et à enrichir les connaissances des élèves. Sont ainsi d'abord convoqués, autour du thème directeur de la Méditerranée, quelques jalons et héritages essentiels de l'Antiquité et du Moyen Âge. Les thèmes qui suivent couvrent la période allant du XVe au XVIIIe siècle ; ils ambitionnent de faire saisir aux élèves les grandes dynamiques politiques, culturelles, économiques et sociales qui sont au principe de la formation du monde contemporain : élargissement des horizons, autonomisation culturelle des individus, affirmation du rôle de l'État, émergence de nouveaux modèles politiques qui entrent en conflit. Ces dynamiques sont nourries par l'accroissement de la circulation des hommes, des biens, des capitaux, des connaissances et des idées ainsi que par le progrès scientifique et technique.

Introduction : la périodisation *(2 heures)*

- L'introduction est l'occasion de rappeler comment l'histoire a été divisée en quatre grandes périodes, avec, pour marquer chacune d'entre elles, le choix d'une date clé (476, 1453/1492, 1789). On montre que le choix de ces dates qui servent de marqueurs ne va pas de soi : ainsi, on retient 1453 ou 1492 pour les débuts de l'époque moderne, selon ce qu'on souhaite mettre en exergue. Il convient aussi de présenter les formes de périodisation (exemples : dynasties, ères, époques, âges, siècles...). Le but n'est pas de réaliser un inventaire mais d'introduire l'idée que le temps a lui-même une histoire et que cette histoire a été soumise à des évolutions, dans le temps et dans l'espace.
- Une frise chronologique peut être construite puis enrichie au fil de l'année, y compris sous forme numérique.

THÈME 1 Le monde méditerranéen : empreintes de l'Antiquité et du Moyen Âge *(10-12 heures)*

CHAPITRE 1 La Méditerranée antique : les empreintes grecques et romaines	
Objectifs du chapitre	• Ce chapitre vise à rappeler que l'Antiquité méditerranéenne est le creuset de l'Europe. • On peut pour cela : – distinguer des temps, des figures et des constructions politiques ayant servi de référence dans les périodes ultérieures ; – montrer comment Athènes associe régime démocratique et établissement d'un empire maritime ; – montrer comment Rome développe un empire territorial immense où s'opère un brassage des différents héritages culturels et religieux méditerranéens.
Points de passage et d'ouverture	• Périclès et la démocratie athénienne. • Le principat d'Auguste et la naissance de l'empire romain. • Constantin, empereur d'un empire qui se christianise et se réorganise territorialement.
CHAPITRE 2 La Méditerranée médiévale : espace d'échanges et de conflits à la croisée de trois civilisations	
Objectifs du chapitre	• Ce chapitre vise à montrer comment des civilisations entrent en contact, nouent des relations et connaissent des conflits dans un espace marqué par les monothéismes juif, chrétien et musulman. • On peut mettre en avant : – l'émergence de grands ensembles de civilisation ; – les contacts et les heurts entre Chrétienté et Islam ; – l'hétérogénéité religieuse et politique entre Rome et Byzance et au sein du monde musulman ; – la persistance de la circulation de biens, d'hommes et d'idées dans cet espace méditerranéen relié à l'Europe du Nord, à l'Asie et l'Afrique.
Points de passage et d'ouverture	• Bernard de Clairvaux et la deuxième croisade. • Venise, grande puissance maritime et commerciale.

THÈME 2 XVe-XVIe siècle : un nouveau rapport au monde, un temps de mutation intellectuelle
(11-12 heures)

CHAPITRE 3 L'ouverture atlantique : les conséquences de la découverte du « Nouveau Monde »	
Objectifs du chapitre	• Ce chapitre vise à montrer le basculement des échanges de la Méditerranée vers l'Atlantique après 1453 et 1492, ainsi que le début d'une forme de mondialisation. • On peut mettre en avant les conséquences suivantes en Europe et dans les territoires conquis : – la constitution d'empires coloniaux (conquistadores, marchands, missionnaires...) ; – une circulation économique entre les Amériques, l'Afrique, l'Asie et l'Europe ; – l'esclavage avant et après la conquête des Amériques ; – les progrès de la connaissance du monde ; – le devenir des populations des Amériques (conquête et affrontements, évolution du peuplement amérindien, peuplement européen, métissage, choc microbien).
Points de passage et d'ouverture	• L'or et l'argent, des Amériques à l'Europe. • Bartolomé de Las Casas et la controverse de Valladolid. • Le développement de l'économie « sucrière » et de l'esclavage dans les îles portugaises et au Brésil.

CHAPITRE 4 Renaissance, humanisme et réformes religieuses : les mutations de l'Europe	
Objectifs du chapitre	• Ce chapitre vise à montrer comment l'effervescence intellectuelle et artistique de l'époque aboutit à la volonté de rompre avec le « Moyen Âge » et de faire retour à l'Antiquité. • On peut mettre en avant : – l'imprimerie et les conséquences de sa diffusion ; – un nouveau rapport aux textes de la tradition ; – une vision renouvelée de l'Homme qui se traduit dans les lettres, arts et sciences ; – les réformes protestante et catholique qui s'inscrivent dans ce contexte.
Points de passage et d'ouverture	• 1508 – Michel-Ange entreprend la réalisation de la fresque de la Chapelle Sixtine. • Érasme, prince des humanistes. • 1517 – Luther ouvre le temps des réformes.

THÈME 3 L'État à l'époque moderne : France et Angleterre
(11-12 heures)

CHAPITRE 5 L'affirmation de l'État dans le royaume de France	
Objectifs du chapitre	• Ce chapitre vise à montrer l'affirmation de l'État en France dans ses multiples dimensions ainsi qu'à caractériser la monarchie française. • On peut mettre en avant : – le rôle de la guerre dans l'affirmation du pouvoir monarchique ; – l'extension du territoire soumis à l'autorité royale ; – le pouvoir monarchique et les conflits religieux ; – le développement de l'administration royale, la collecte de l'impôt et le contrôle de la vie économique ; – la volonté du pouvoir royal de soumettre la noblesse ; les limites de l'autorité royale.
Points de passage et d'ouverture	• 1539 – L'ordonnance de Villers-Cotterêts et la construction administrative française. • Colbert développe une politique maritime et mercantiliste, et fonde les compagnies des Indes et du Levant. • Versailles, le « Roi-Soleil » et la société de cour. • L'édit de Nantes et sa révocation.

CHAPITRE 6 **Le modèle britannique et son influence**	
Objectifs du chapitre	• Ce chapitre vise à montrer comment l'ébauche d'un gouvernement représentatif ainsi que la définition de grands principes et de droits fondamentaux inspirent les philosophes au cours du XVIIIe siècle, et aboutit à la fondation d'un nouveau régime politique doté d'une constitution écrite avec la naissance des États-Unis d'Amérique. • On peut mettre en avant : – l'évolution politique et sociale anglaise à la fin du XVIIe siècle ; – l'affirmation des droits du Parlement face à la couronne anglaise, autour de la révolution de 1688 ; – l'influence du régime britannique sur des philosophes des Lumières ; – le retournement par les colons américains des valeurs anglaises contre leur métropole ; – la rédaction d'une constitution et ses enjeux ; – les limites de l'application des principes démocratiques (esclaves, Indiens d'Amérique...) ; – l'influence de l'intervention française sur les esprits et la situation financière du royaume de France.
Points de passage et d'ouverture	• 1679 et 1689 – L'*Habeas corpus* et le *Bill of Rights*, le refus de l'arbitraire royal. • Voltaire, l'Angleterre et la publication des *Lettres philosophiques* ou *Lettres anglaises* : 1726-1733. • Washington, premier président des États-Unis d'Amérique.

THÈME 4 Dynamiques et ruptures dans les sociétés des XVIIe et XVIIIe siècles *(11-12 heures)*

CHAPITRE 7 **Les Lumières et le développement des sciences**	
Objectifs du chapitre	• Ce chapitre vise à montrer le rôle capital de l'esprit scientifique dans l'Europe des XVIIe et XVIIIe siècles. • On peut mettre en avant : – l'essor de l'esprit scientifique au XVIIe siècle ; – sa diffusion et l'extension de ses champs d'application au XVIIIe siècle (par exemple par L'*Encyclopédie*) ; – le rôle des physiocrates en France ; – l'essor et l'application de nouvelles techniques aux origines de la « révolution industrielle » ; – le rôle des femmes dans la vie scientifique et culturelle.
Points de passage et d'ouverture	• Galilée, symbole de la rupture scientifique du XVIIe siècle. • 1712 – Thomas Newcomen met au point une machine à vapeur pour pomper l'eau dans les mines. • Émilie du Châtelet, femme de science.
CHAPITRE 8 **Tensions, mutations et crispations de la société d'ordres**	
Objectifs du chapitre	• Ce chapitre vise à montrer la complexité de la société d'ordres. • On peut mettre en avant : – le poids de la fiscalité et des droits féodaux sur le monde paysan ; – une amélioration progressive de la condition des paysans au XVIIIe siècle ; – le monde urbain comme lieu où se côtoient hiérarchies traditionnelles (juridiques) et hiérarchies nouvelles (économiques) ; – le maintien de l'influence de la noblesse ; – les femmes d'influence dans le monde politique, littéraire, religieux...
Points de passage et d'ouverture	• 1639 – La révolte des Va Nu-pieds et la condition paysanne. • Riches et pauvres à Paris. • Un salon au XVIIIe siècle (le salon de madame de Tencin par exemple). • Les ports français et le développement de l'économie de plantation et de la traite.

LE GUIDE DU LYCÉEN

Vous venez d'entrer au lycée. Le changement avec le collège est important : un nouvel environnement, de nouvelles matières et un emploi du temps plus dense. Le lycée, c'est aussi davantage d'autonomie et de liberté. Cette année, votre objectif principal sera de vous adapter à ces nouveautés et de développer très vite de bonnes méthodes de travail.

Ce cahier va vous aider à bien entamer cette année de Seconde. Vous y trouverez :

- des pages, **réalisées en partenariat avec l'ONISEP**, pour vous présenter l'organisation du lycée et vous aider à vous orienter au lycée : choix de la voie technologique ou générale, choix des spécialités en Première, réflexion sur votre parcours professionnel...

- des conseils et des méthodes concrètes pour apprendre à travailler efficacement et de façon autonome au lycée.

Nous vous souhaitons une très bonne année de Seconde !

SOMMAIRE

BIENVENUE AU LYCÉE

VOTRE ANNÉE DE SECONDE

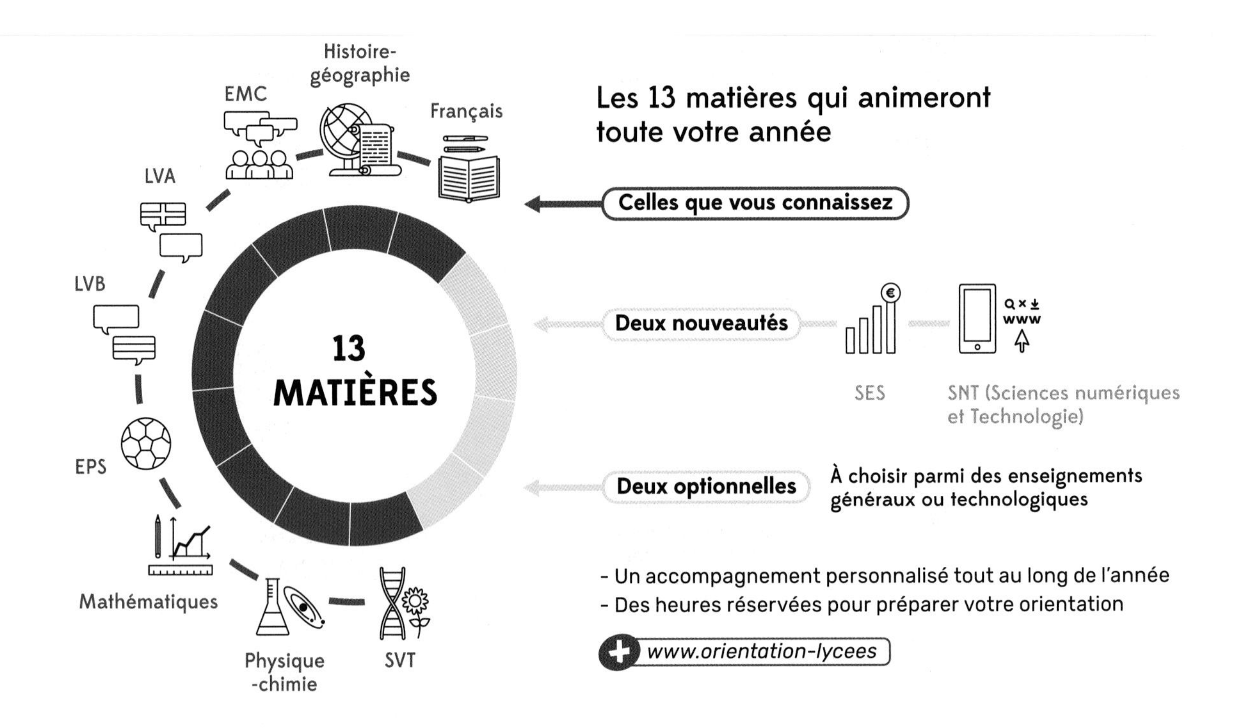

Préparez vos choix pour la Première

LA VOIE TECHNOLOGIQUE

Les séries technologiques sont organisées autour de grands domaines de connaissances appliquées aux différents secteurs d'activités et proposent l'étude de situations concrètes.

LA VOIE GÉNÉRALE

Un tronc commun et trois enseignements de spécialités qui ouvrent des horizons. Un choix très ouvert: vous poursuivrez deux de ces spécialités en Terminale.

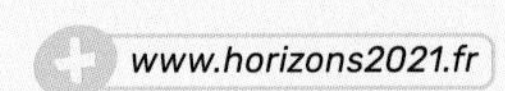

Votre Bac démarre dès la Première

BULLETINS

Vos bulletins scolaires de Première et de Terminale seront pris en compte dans la note finale.

ÉPREUVES

En Première et en Terminale, vous serez évalué en contrôle continu dans votre lycée. Vous passerez aussi des épreuves nationales.

GRAND ORAL

Une nouvelle épreuve pour tous en Terminale.

Construisez votre parcours professionnel

VOUS

- Explorez le monde professionnel.
- Découvrez les formations du Supérieur.
- Interrogez-vous sur vos centres d'intérêt et vos atouts.

VOTRE LYCÉE

- Bénéficiez de l'accompagnement personnalisé et des Semaines de l'orientation.
- Adressez-vous à votre professeur principal, aux psychologues de l'éducation nationale (au lycée ou au CIO).

LES OUTILS NUMÉRIQUES

Posez directement vos questions aux conseillers ONISEP sur la plate-forme gratuite et personnalisée Mon Orientation.

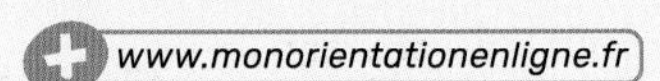

AUTOUR DE VOUS

Journées portes ouvertes, Salons, stages d'immersion, visites d'entreprise…

Retrouvez tous les liens utiles pour votre orientation sur le site 

DEMAIN, LA PREMIÈRE

Deux voies d'orientation s'offrent à vous

Le conseil de classe du 3e trimestre étudiera votre choix et le chef d'établissement prendra une décision.

UN BACCALAURÉAT GÉNÉRAL

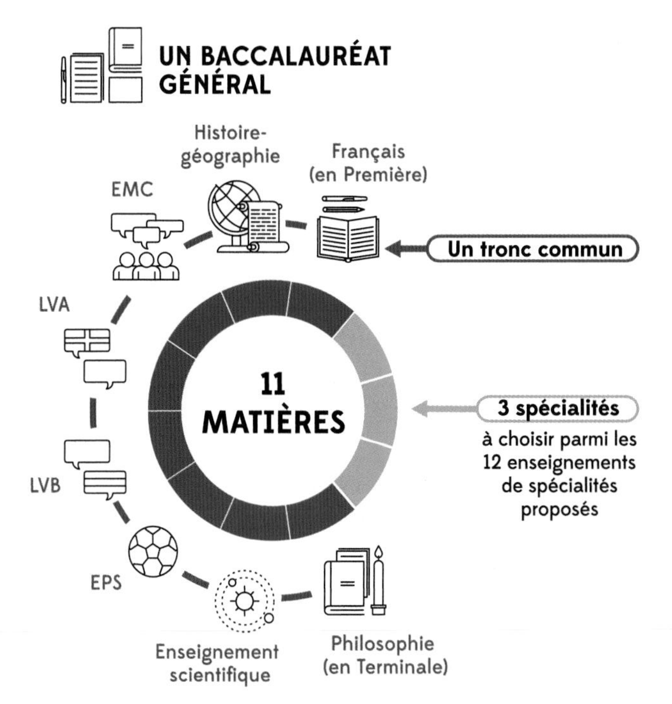

12 enseignements de spécialités

 Histoire-géographie, géopolitique et sciences politiques

 Langues, littératures et cultures étrangères

 Sciences de la vie et de la Terre

 Sciences économiques et sociales

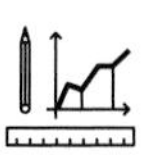 Mathématiques

 Numérique et sciences informatiques

 Humanités, littérature et philosophie

 Sciences de l'ingénieur

 Littérature, langues et cultures de l'Antiquité

 Physique-chimie

 Arts

 Biologie-écologie *(dispensé en lycées agricoles)*

Découvrez les horizons que vous ouvrent vos choix d'enseignement de spécialités 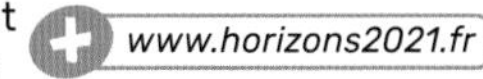

UN BACCALAURÉAT TECHNOLOGIQUE

Disciplines communes à tous les Baccalauréats technologiques (sauf TMD) avec des programmes adaptés à chaque série.

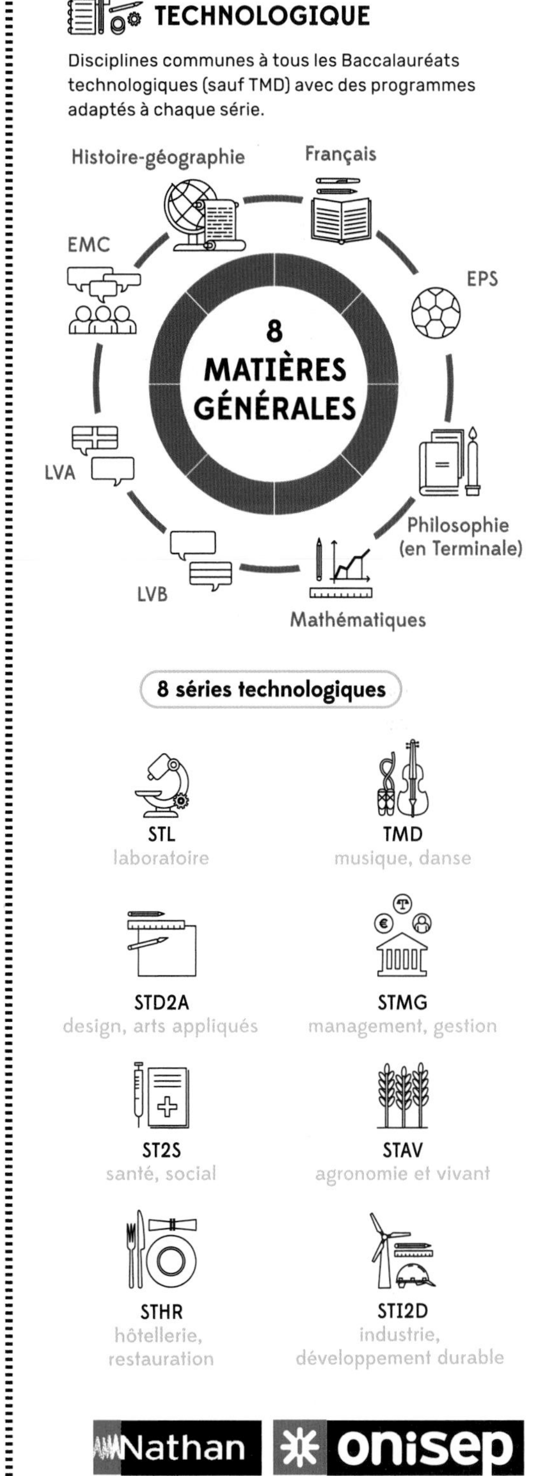

8 séries technologiques

 STL
laboratoire

 TMD
musique, danse

 STD2A
design, arts appliqués

 STMG
management, gestion

 STAV
agronomie et vivant

ST2S
santé, social

 STHR
hôtellerie, restauration

 STI2D
industrie, développement durable

ORGANISER SON TRAVAIL PERSONNEL

L'année de seconde est une année d'apprentissage de l'autonomie. Prenez de bonnes habitudes de vie et de travail qui vous accompagneront tout au long de vos études. Vous gagnerez en efficacité et en rapidité.

SOYEZ RIGOUREUX ET À JOUR

Soyez rigoureux

- Si vous êtes un peu désorganisé, continuez à **privilégier les cahiers** plutôt que les classeurs. Collez ou rangez directement les feuilles distribuées en cours. Numérotez-les.
- **Notez les devoirs dans votre agenda.** Un professeur peut toujours oublier de saisir un devoir dans l'espace numérique de travail (ENT).
- **Préparez votre sac la veille au soir.**

Connectez-vous

- **Consultez quotidiennement l'ENT** de votre lycée (Pronote, la-vie-scolaire, etc.).
- **Créez un dossier « favoris »** sur votre navigateur personnel. Regroupez-y les sites utiles : l'ENT de votre établissement, le site du lycée, le site compagnon Nathan, éventuellement votre Google drive, les blogs des professeurs, etc.

Communiquez et soyez collaboratif

- **N'hésitez pas** à créer **un groupe de type WhatsApp** avec toute votre classe. Posez-y vos questions et partagez les informations : cours déplacé, devoir reporté, etc. S'il est d'accord et que votre établissement l'accepte, vous pouvez inclure votre professeur principal : c'est une garantie de sérieux.
- Si vous êtes absent, **faites-vous envoyer une photo des cours et des documents distribués**, sans attendre votre retour au lycée.

Conseil

Équipez-vous !

Les fournitures scolaires sont de moins en moins imposées au lycée. Votre **trousse** doit être **complète** et contenir tout ce qu'il faut pour ne pas avoir à déranger vos voisins.

Conseil

- **Téléchargez les applications** correspondantes (Pronote, Nathan Live, etc.) sur votre smartphone.
- **Enregistrez vos identifiants et mots de passe** ; notez-les aussi dans un carnet.

FAITES UN PLANNING

Pourquoi faire un planning ?

- **Le planning crée des automatismes :** vous aurez moins de mal à vous mettre au travail, car cela deviendra un réflexe.
- **Le planning libère la tête :** vous éviterez le stress d'agir dans l'urgence, et la culpabilité de repousser à plus tard.

15/11
DM de math à rendre
17/11
évaluation d'anglais
25/11
exposé
27/11
évaluation d'histoire

Comment être efficace ?

- **Notez votre emploi du temps** sur le planning et ajoutez :
  - les **activités extrascolaires** que vous pratiquez ;
  - les **temps de travail personnel** dont vous disposez.

  Utilisez une couleur différente par catégorie.

EMPLOI DU TEMPS

lundi	mardi	mercredi	jeudi	vendredi	samedi	dimanche
8 h	8 h	8 h	8 h	8 h	8 h	8 h
9 h	9 h	9 h	9 h	9 h	9 h	9 h
10 h	10 h	10 h	10 h	10 h	10 h	10 h
11 h	11 h	11 h	11 h	11 h	11 h	11 h
12 h	12 h	12 h	12 h	12 h	12 h	12 h
13 h	13 h	13 h	13 h	13 h	13 h	13 h
14 h	14 h	14 h	14 h	14 h	14 h	14 h
15 h	15 h	15 h	15 h	15 h	15 h	15 h
16 h	16 h	16 h	16 h	16 h	16 h	16 h
17 h	17 h	17 h	17 h	17 h	17 h	17 h
18 h	18 h	18 h	18 h	18 h	18 h	18 h
19 h	19 h	19 h	19 h	19 h	19 h	19 h
20 h	20 h	20 h	20 h	20 h	20 h	20 h

Accrochez ce planning au-dessus de votre bureau, ainsi que le calendrier des semaines A et B. Si vous êtes en résidence alternée, faites-le apparaître.

+ Emploi du temps

- **Établissez un planning de travail spécifique** si vous abordez une période particulièrement chargée (plusieurs contrôles dans la semaine, devoirs maison à rendre, etc.).

TROUVEZ UN BON ÉQUILIBRE PERSONNEL

- Continuez à pratiquer vos **activités extrascolaires** et faites du sport ou de l'exercice quotidien.
- Mangez à tous les **repas**, sans oublier un solide **petit déjeuner**.
- Préservez votre temps de **sommeil**. Le manque s'accumule et a des impacts réels sur votre travail. Les heures de sommeil avant minuit sont les plus récupératrices !
- Ménagez-vous du **temps sans écran** notamment le soir avant le coucher, car la lumière des écrans freine la sécrétion de l'hormone d'**endormissement**. Les moments **sans écran** permettent aussi de **mieux se concentrer** pour travailler et de **lire** davantage. Pour cela, laissez votre smartphone dans une autre pièce ou **éteignez-le complètement.** Si vous n'arrivez pas à vous réguler seul, demandez à vos **parents** de **prendre** cela **en charge**.

Conseil

Regardez cette vidéo de l'Inserm. Elle explique comment la lumière, et surtout la lumière bleue des écrans, peut modifier nos performances intellectuelles, notre sommeil, notre humeur, mais aussi notre mémoire.

https://www.youtube.com/watch?v=8o5qnNzM_BO

+ Lien vers le site

PRENDRE DES NOTES

Savoir prendre des notes est indispensable, car le contenu des cours de lycée est trop dense pour être restitué mot à mot.
Prendre des notes vous oblige à une écoute active et amorce le processus de mémorisation tout en vous faisant gagner du temps.

COMMENT PRENDRE DES NOTES ?

- Chacun a sa propre manière de prendre des notes. Cependant, certaines **règles** sont **communes** à toutes les méthodes :
  - les notes doivent **faire apparaître** les **relations** et les **connexions** entre les différentes parties d'un **raisonnement** ;
  - elles doivent **favoriser la mémorisation** et la **compréhension** du sujet.

LA TECHNIQUE DU RÉSUMÉ IMMÉDIAT

C'est une technique difficile, mais **efficace**. Elle demande de **l'entraînement** et un peu d'**organisation**.

Vous devez préparer vos copies en les divisant en trois parties. →

A	B
C	

1. En cours, résumez dans le cadre B ce que dit le professeur en **faisant des phrases plus courtes** que lui, tout en **conservant le sens**. Sautez des lignes afin de pouvoir compléter plus tard.

   Par exemple, **si votre professeur dit** :

   L'ébauche d'un gouvernement représentatif en Angleterre inspire les philosophes tels Voltaire ou Montesquieu au cours du XVIIIe siècle.

   Vous pouvez écrire :

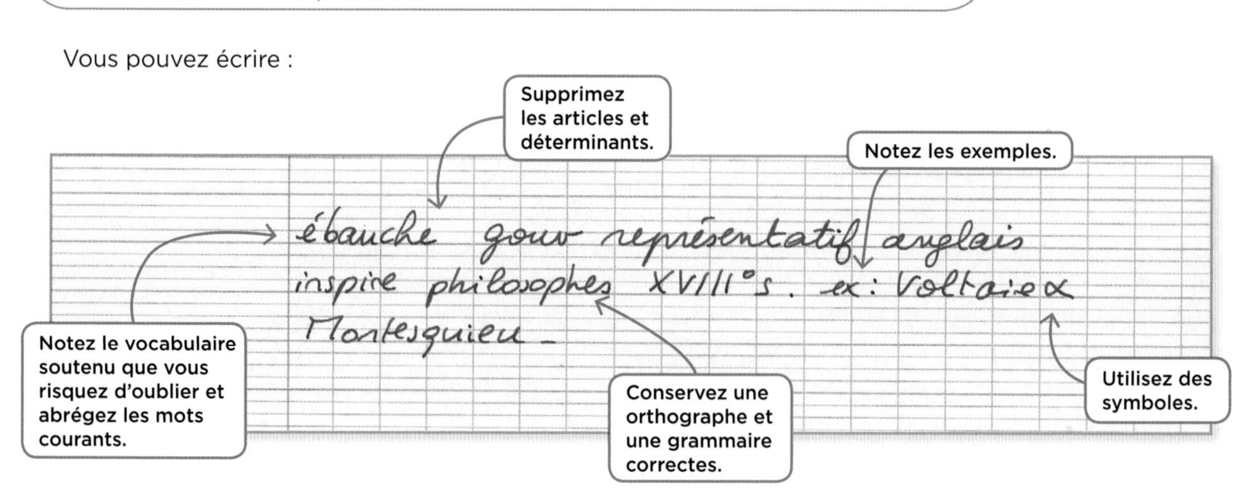

2. Après le cours, relisez vos notes. **Corrigez-les** et **complétez-les** pendant que vos souvenirs sont encore frais. Dans le cadre A, relevez les mots clés et résumez votre cours sous forme de questions.

3. **Résumez** les **points principaux** de la page avec vos propres mots dans le cadre C. Cela vous permettra de vous **approprier l'information** et de la **mémoriser**.

- Pour **réviser** votre cours, vous pouvez par exemple cacher les cadres B et C et **exercer votre mémoire** en retrouvant leur contenu à partir du cadre A.

Questions & mots-clés	NOTES
Obstacles à l'essor scientifique ?	3. Obstacles et limites au triomphe de la science au siècle des Lumières.
compétition	a. Une compétition féroce → forte compétition entre savants.
querelles de priorité	par ex : nombreuses querelles de priorité (conflit entre 2 savants revendiquant la même découverte)
compétition entre Etats	→ compet entre Etats. ex : Fr / Angl. ex : jusqu'aux années 1740, Fr défendent physique de Descartes contre celle de Newton.
club fermé	b. Club fermé & très masculin modèle du savant est masculin
ex en Fr	ex : en Fr, la 1ère scientifique Emilie du Châtelet + connue car Voltaire est son amant que pour ses travaux.
ex en It	1732 Italie : Laura Bassi, 1ère femme nommée prof à l'Université (physique) + membre Académie des sciences.
dérives ?	c. Des frontières encore floues Encore des dérives, charlatans ex : Mesmer, médecin all. A partir de 1778 à Paris célèbre car promet la guérison grâce à un "magnétisme animal" !

RÉSUMÉ Au XVIIIe s progrès des sciences se heurtent à des obstacles : compétitions entre savants & Etats, femmes exclues, charlatanisme qui perdure.

APPRENDRE SON COURS DE MANIÈRE EFFICACE ET DURABLE

L'oubli est un mécanisme naturel et systématique qui opère dans le cerveau jour et nuit. Les sciences cognitives nous apprennent que, pour conserver des savoirs et méthodes en mémoire, il faut suivre quelques règles d'or.

FAITES DES EFFORTS DE REMÉMORATION

- Plus l'**effort** fourni est grand, plus l'apprentissage est solide. Relire ses notes est donc une technique passive peu efficace.
- Il faut être **actif**, **s'interroger** sur sa leçon et **se tester**.

Utilisez le manuel

- Votre **manuel** est un outil **fiable** et **riche**, rédigé par des enseignants. Certaines pages ont été spécifiquement conçues pour que vous les utilisiez **en autonomie**, pensez à les consulter pour vos révisions :

- les questions à la fin de chaque cours ;
- les pages **S'autoévaluer** ;
- les pages **Réviser**.

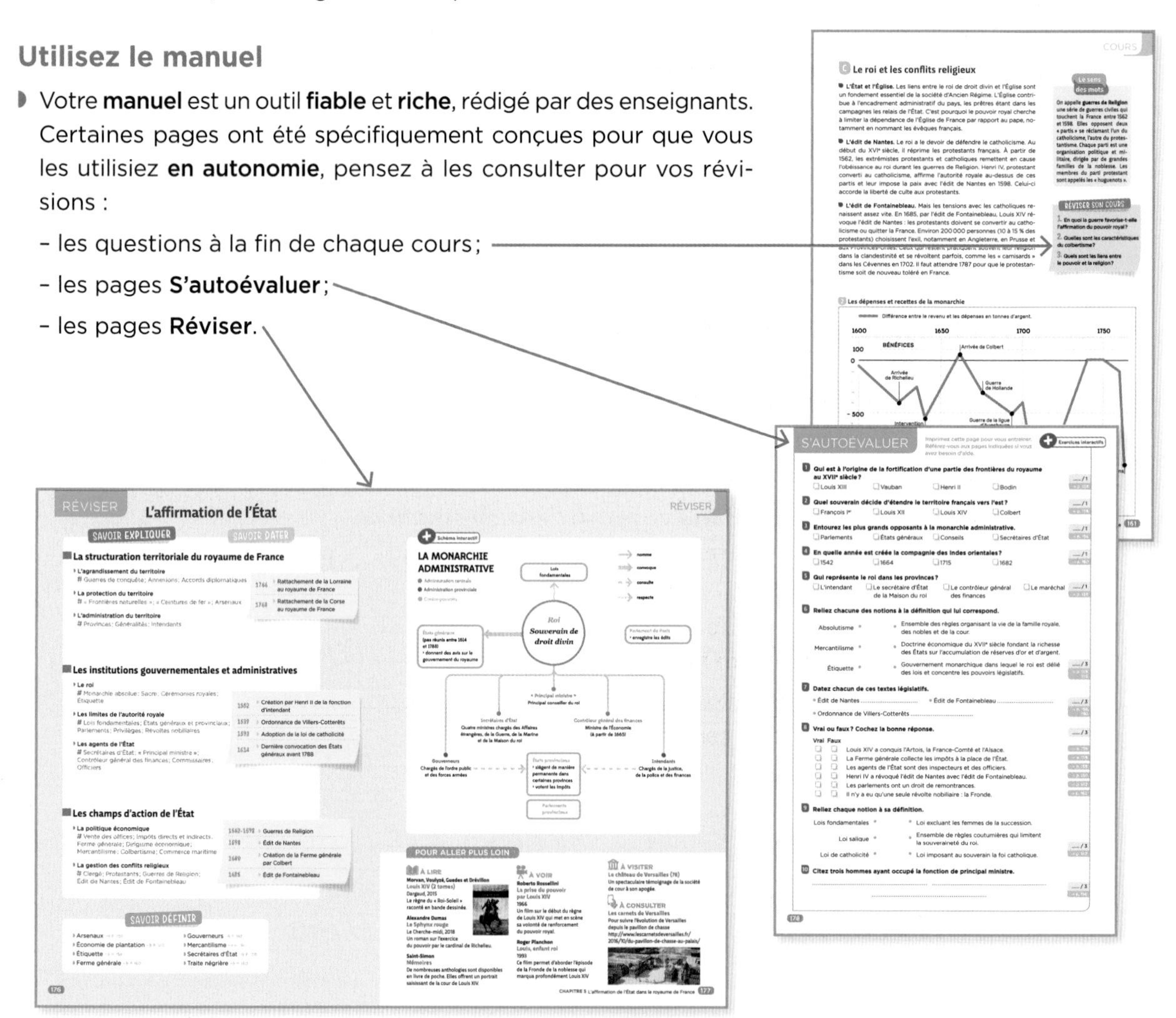

Alternez

- Changez régulièrement d'exercices, de thèmes ou de matières. Cela demande un **effort supplémentaire** au cerveau et vous mémoriserez donc mieux.

Soyez créatifs

- Fabriquez des **fiches de révision** (voir p. 22).
- **Créez** des **questionnaires** sur le cours.
- **Transformez** votre cours en **schémas** (voir p. 23).
- **Réfléchissez** aux **liens** entre ce que vous apprenez et vos **expériences personnelles, d'autres matières** ou **l'actualité** : plus vous créez de **connexions**, mieux vous retenez.

> **Conseil**
>
> Il est impossible au cerveau de faire deux choses conscientes en même temps. Par exemple : faire ses devoirs en écoutant de la musique ou en consultant Snapchat de temps à autre.

Si vous travaillez seul

- **Vocalisez** : comme un acteur qui apprend son texte, prononcer les informations à haute voix aide à les retenir.
- **Cachez** vos notes ou une partie de votre schéma et faites un effort de remémoration.

Si vous travaillez en groupe

- **Échangez** vos questionnaires, **interrogez-vous à tour de rôle**.
- **Expliquez** des points difficiles **à vos camarades** : l'effort de remémoration fourni vous sera encore plus bénéfique qu'à eux !

RENOUVELEZ ET ESPACEZ VOS APPRENTISSAGES

- Pour bien comprendre et retenir un savoir, il faut **s'entraîner** un grand nombre de fois.

  Préparez un **planning** de travail sur la semaine (voir p. 17).
- Apprenez votre leçon **au fur et à mesure** des cours en la reprenant **à chaque fois depuis le début**.
- **Révisez** votre cours **deux ou trois fois durant la semaine** qui précède l'évaluation. Vous le connaîtrez mieux, et vous vous en souviendrez plus longtemps.
- À chaque séance, vous mettrez de moins en moins de temps et graverez vos souvenirs dans votre **mémoire à long terme**.
- Il ne sert à rien de relire quatre fois de suite votre leçon. **Espacez** vos apprentissages : vos efforts seront plus importants et votre mémorisation plus solide.

> **Conseil**
>
> 
>
> Recopiez les règles d'or et affichez-les au-dessus de votre bureau.
> Souvenez-vous : plus on apprend, plus on peut retenir !

FAIRE UNE FICHE DE RÉVISION

Faire une fiche de révision vous oblige à vous poser des questions et à vérifier que vous comprenez votre cours. En la créant, vous apprenez déjà, sans vous en rendre compte. Elle est ensuite un outil utile pour mémoriser vos connaissances.

QUELLES INFORMATIONS SÉLECTIONNER ?

- Il faut **trier**, **sélectionner** et **reformuler** vos notes.
- **Conservez le plan** du cours : c'est lui qui est à la **base du raisonnement**.
- **Reformulez les titres** du cours sous forme de **questions** : cela vous permet d'anticiper celles du professeur et vous exerce à la problématisation.

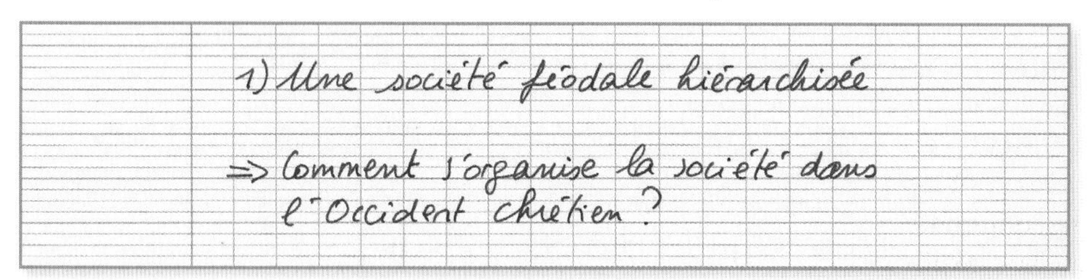

- **Réfléchissez à l'utilité des informations** que vous avez sélectionnées. Que prouvent-elles ? Comment les **relier** aux autres ? Pour cela, n'oubliez pas les **connecteurs logiques**.

Par exemple :

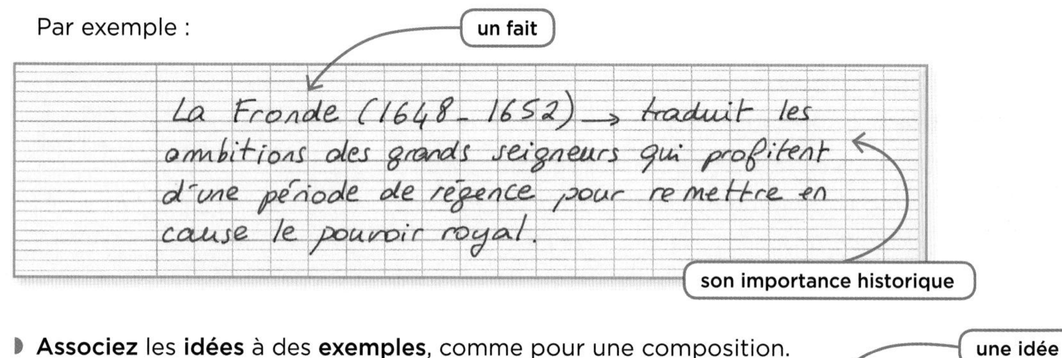

- **Associez** les **idées** à des **exemples**, comme pour une composition.

une idée

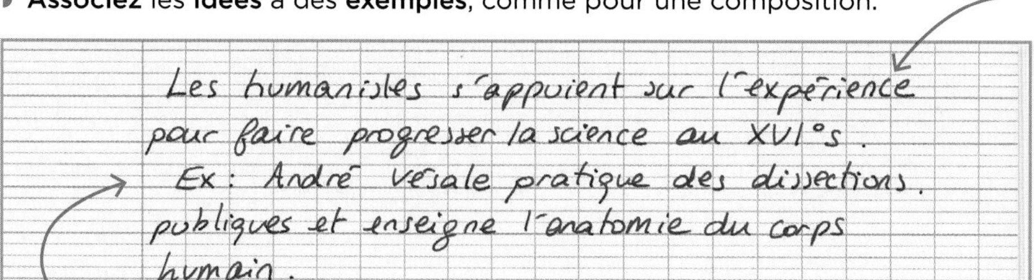

un exemple précis et daté

QUELLE FORME DONNER À VOTRE FICHE DE RÉVISION ?

- **Variez** la mise en pages en fonction de vos besoins. Soyez inventifs ! En transformant du texte en **schéma** ou **tableau**, vous faites un **effort** qui va vous aider à **comprendre** et à **mémoriser**.

- Réaliser une **chronologie** est utile lorsqu'une **évolution** doit être mise en valeur.

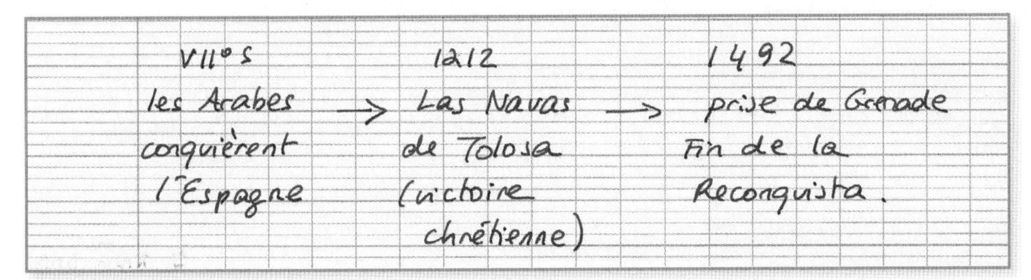

- Les **tableaux** sont intéressants lorsqu'il faut **comparer** des phénomènes.

	Empire Byzantin	Islam	Occident chrétien
organisation politique	Empire théocratique	unité théorique mais émirats multiples	Royaumes (avec système féodal)

- Les **schémas** mettent en valeur un raisonnement et les **connexions** entre différents éléments. Ils peuvent **expliquer les origines** d'un phénomène et ses **conséquences**.

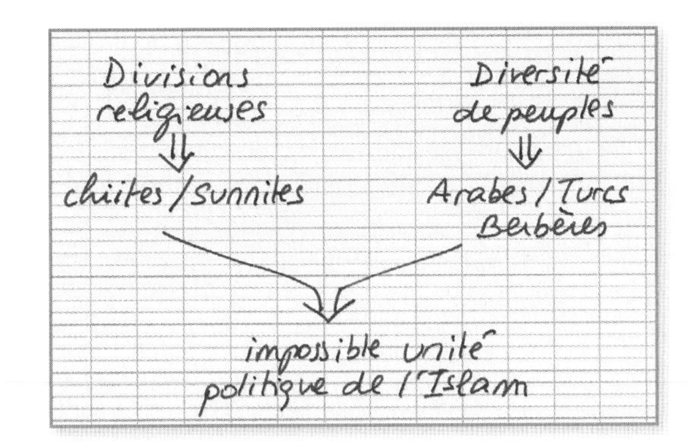

- Les **cartes mentales** exercent à catégoriser logiquement les connaissances.

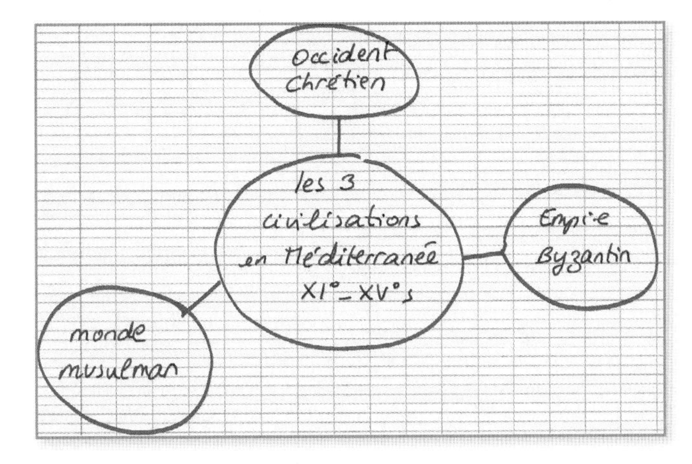

COMMENT UTILISER VOS FICHES ?

- Concevez-les de manière à pouvoir vous autoévaluer, c'est-à-dire à en **cacher une partie** et **répondre aux questions** ainsi posées.

Questions	Réponses	Exemples
organisation politique de l'Islam ?	uni en théorie (califat) mais divisé en Émirats multiples	- sultanat Mamelouk en Égypte - Émirat de Cordoue en Espagne

S'EXPRIMER À L'ORAL

Lorsque vous vous exprimez à l'oral, votre auditoire perçoit un message verbal (le sens de vos mots), un message vocal (l'intonation, le rythme, le volume et le son de votre voix) et un message visuel (les expressions de votre visage et votre langage corporel). Comme un acteur, l'orateur se donne en spectacle pour faire passer un message à un public. L'oral est un exercice technique qui s'apprend.

PRÉPARER VOTRE PROPOS

- **Ciblez :**
  - **votre public** : demandez-vous ce qu'il sait déjà. Est-ce un **examinateur**, votre **classe** ? Comment susciter son intérêt ?
  - **votre objectif** : plus encore qu'informer, vous devez **chercher à convaincre**. Quel message voulez-vous faire passer ?
- **Structurez votre propos :**
  - préparez un **plan clair** et **logique** ;
  - prévoyez de l'annoncer en **introduction** ;
  - soignez vos **transitions** : **mots de liaison** et **connecteurs logiques** sont essentiels à l'oral ;
  - **répétez les idées clés** pour qu'elles soient entendues et mémorisées par tous ;
  - **concluez** clairement votre propos.
- **Illustrez votre propos :**
  - **oralement**, en utilisant des **exemples**, des **citations**, des **chiffres** frappants ;
  - **visuellement**, en préparant un **diaporama**. Les diaporamas sont faits pour être vus et non lus : contentez-vous d'**images** bien choisies, de quelques **mots** ou **phrases clés**. Souvenez-vous qu'on ne peut pas lire et écouter quelqu'un en même temps.
- **Préparez votre trace écrite.**

  Vos notes sont un **aide-mémoire**, vous devez pouvoir vous y référer avec **aisance** et **rapidité**.

Exemple d'aide-mémoire pour un oral portant sur Périclès.

2. Périclès accentue la domination d'Athènes sur les cités alliées

454 : trésor de la ligue transféré de Délos à Athènes
→ finance la reconstruction de l'Acropole (DIAPO 3)
448 : paix conclue avec la Perse
→ la ligue perd sa raison d'être
Pourtant P. la maintient : Athènes mate les révoltes des cités qui veulent en sortir. certaines doivent payer le phoros + accueillir une garnison athénienne ! (DIAPO 4)

3. Périclès perfectionne la démocratie athénienne
• crée le misthos en 450.
→ indemnité versée par l'État aux citoyens qui participent à la vie pol.

4)

Conseil

- Utilisez de préférence des fiches cartonnées.
- Aérez votre texte. Écrivez gros, sur le recto seulement.
- Notez le plan et les mots clés en couleur.
- Ne rédigez pas de phrases, cela vous évitera de lire mot à mot.
- Notez à quel moment présenter vos diapositives.
- Numérotez vos fiches clairement ; si ce sont des feuilles, agrafez-les.

GÉREZ LE TRAC

Détendez votre corps et travaillez votre articulation

- Entraînez-vous à **respirer lentement**, par le ventre en posant la main dessus.
- Vos muscles, comme ceux des épaules, peuvent se tendre. Prenez-en conscience et ayez l'habitude de vous **étirer**.
- Comme la **respiration**, le débit s'accélère avec la montée du stress. Pour avoir une **diction claire** et **limpide**, entraînez-vous à articuler. Répétez des phrases comme « je veux et j'exige ».

Répétez votre oral

- Mettez à contribution **famille** ou **amis**. À défaut, répétez devant un **miroir**.
- Pensez à **ralentir le débit** de votre parole.
- **Chronométrez-vous** pour évaluer la durée de votre présentation.

Conseil

Le trac est le stress ressenti à l'idée d'affronter un public. Il est normal. Apprenez à l'accepter pour vous apaiser. Visualisez la scène à l'avance : faites-la se dérouler mentalement à la perfection. Cette autosuggestion met votre cerveau dans les conditions du succès.

PENDANT L'ORAL

Contrôlez votre langage corporel

- **Soignez votre entrée.** Arrivez la **tête haute**, avec le **sourire**, et **regardez l'assemblée**. Attendez un peu avant de commencer pour **capter** son **attention**.
- **Souriez.** Quel que soit le sujet, le sourire crée une **relation à l'autre positive**.
- **Regardez** votre **interlocuteur** ou votre **auditoire** en balayant la salle du regard.
- **Adoptez la bonne posture.** Que vous soyez **assis ou debout**, **tenez-vous droit**. Vous dégagez une **énergie** et une **confiance en soi** que l'auditoire perçoit. Utilisez l'espace disponible et occupez une **position centrale**.
- **Parlez avec les mains.** Faites des **gestes larges**, **variés** et **calmes** qui accompagnent votre propos.

Si vous projetez un diaporama : touchez ou montrez l'écran pour désigner ce dont vous parlez. Retournez-vous ensuite vers votre public avant de continuer à parler.

Maîtrisez votre voix

- **Donnez du rythme à votre discours** pour maintenir l'attention du public :
  - parlez fort et variez rythme et intonations ;
  - pensez à la **ponctuation** et **articulez**, sans vous précipiter ;
  - utilisez la **puissance** de votre voix ou faites des **pauses** pour mettre en relief ou **insister** sur les points importants.
- **Partagez vos émotions.** Sentez-vous **concerné par le sujet**. L'auditoire veut être touché par la **conviction** de votre propos.

MENER UNE RECHERCHE SUR INTERNET

Pour obtenir des résultats pertinents et gagner du temps, il faut se demander : « qu'est-ce que je cherche exactement ? » et « pour quoi faire ? » Il faut aussi apprendre à trouver l'information, évaluer sa fiabilité et son utilité, l'exploiter efficacement.

TROUVEZ L'INFORMATION GRÂCE À UN MOTEUR DE RECHERCHE

Commencez par le CDI

Le catalogue du CDI est accessible via le site du lycée et **adapté** à vos **besoins**. Vous y trouverez :

- des grands titres de **presse** accessibles **gratuitement**, car le CDI y est **abonné** (*Le Monde*, *L'Histoire*, etc.);
- des **tutoriels** pour guider vos recherches documentaires;
- des **sitographies** thématiques qui regroupent des adresses web sur des thèmes précis.

Votre recherche vous renverra à des articles précis, des livres, et des sites **accessibles** et **fiables**.

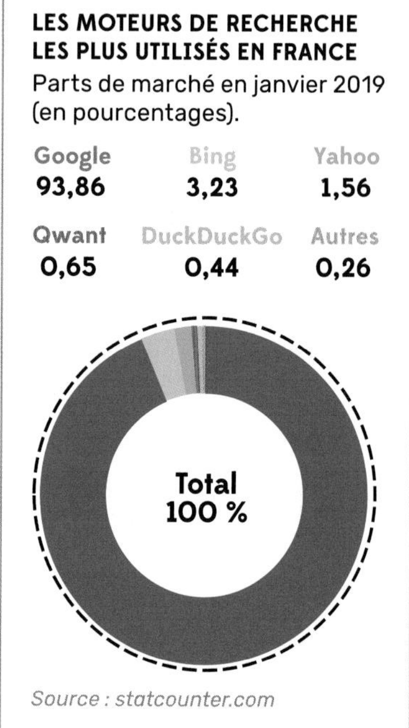

Sachez formuler votre requête

Pour obtenir des réponses pertinentes, utilisez des **mots clés précis**. Attention aux **homonymes** et à **l'orthographe**, première **cause d'échec** d'une recherche.

Par exemple, pour trouver des images dans le cadre d'un exposé sur le rôle de Bernard de Clairvaux dans la deuxième croisade :

ÉVALUEZ LA FIABILITÉ ET L'UTILITÉ DE L'INFORMATION

Au cours de la recherche

- L'adresse d'un site permet déjà une première évaluation.
  Exemple : la recherche « Bernard de Clairvaux deuxième croisade » donne des résultats inégaux.

Deuxième croisade — Wikipédia
https://fr.wikipedia.org/wiki/Deuxième_croisade ▾

Un article de Wikipédia.
Wikipédia est une encyclopédie **collaborative**. La **fiabilité** des articles que chacun peut écrire ou modifier est très **variable**.
Évitez les articles signalés « à caution » ou « ne cite pas assez ses sources ».
Privilégiez les **labels** « bon article » ou « article de qualité ».
Servez-vous de la **bibliographie** et des **liens externes** indiqués en bas de page.

Histoire médiévale (ou presque) : deuxième croisade, « Quantum ...
https://www.moyenagepassion.com/.../histoire-medievale-ou-presque-deuxieme-croisa... ▾
16 avr. 2016 -

Un site d'amateur passionné, mais n'offrant aucune garantie.

Saint Bernard justifie la violence des croisades - Classes BnF
classes.bnf.fr/idrisi/pedago/croisades/bernard.htm ▾

Un site de la Bibliothèque nationale de France (BNF) à l'usage du public scolaire.

Une fois sur le site

Évaluez la qualité du document selon plusieurs critères.

- **La crédibilité de l'auteur**

→ Est-il un **spécialiste** (chercheur, professeur), un **amateur** (adulte passionné, élève) ?
Si l'auteur n'est pas identifiable, méfiez-vous.

- **La fiabilité de la source**
  Vérifiez si l'auteur :
  - cite ses sources et propose une bibliographie ;
  - s'est contenté d'un **copier-coller** (le plus souvent de Wikipédia).
- **L'objectivité de la source**
  Identifiez les **motivations** de l'auteur : éduquer, informer, divertir, convaincre ? Son langage est-il neutre ou partial ?

EXPLOITEZ CORRECTEMENT L'INFORMATION

- Retravaillez **les données** trouvées pour les **adapter** au **sujet** et faire la **synthèse** de **plusieurs sources** d'information. Ne vous contentez jamais d'un copier-coller.
- Fournissez l'**origine de vos informations** : copiez l'**adresse complète** de la page que vous avez utilisée, notez le **nom du site** et la **date de consultation**.

L'ENSEIGNEMENT DE SPÉCIALITÉ
HISTOIRE-GÉOGRAPHIE, GÉOPOLITIQUE ET SCIENCES POLITIQUES

La spécialité Histoire-géographie, géopolitique et sciences politiques est un enseignement nouveau qui croise quatre disciplines universitaires pour analyser, comparer et comprendre les grands enjeux politiques, sociaux et économiques de notre monde.

QUEL EST L'OBJECTIF DE CE NOUVEL ENSEIGNEMENT?

La classe de 1re permet d'analyser et d'interroger les fondements de nos sociétés : les fragilités des régimes démocratiques, les fondements des puissances internationales, les enjeux sur les questions de frontières, la construction de l'information et sa manipulation, enfin les rapports entre les États et les religions.

QUELS SONT LES ATTRAITS DE CET ENSEIGNEMENT?

Un des attraits de cet enseignement est le temps qu'il offre pour travailler autrement. Cette spécialité est conçue comme un approfondissement du tronc commun, un temps pour travailler à plusieurs, pour réaliser des productions innovantes et numériques, mener des projets et proposer des exposés oraux dans la perspective de se préparer pour le grand oral de fin de Terminale. Une place conséquente est réservée aux recherches d'informations. Il sera question d'acquérir une progressive autonomie qui sera la clé de la réussite dans ses études supérieures.

À QUEL(LES) ÉLÈVES S'ADRESSE CETTE SPÉCIALITÉ?

En définitive, cet enseignement questionne les sociétés actuelles, au-delà du programme de tronc commun d'histoire et géographie. Il s'adresse bien entendu à tous les élèves qui se destinent vers des études en Sciences humaines, mais également à tous ceux qui veulent renforcer leur culture générale et leur compréhension du monde dans lequel nous vivons.

Quelques exemples d'études facilitées par cette spécialité.

- Licence histoire, géographie, sciences sociales, droit, sciences politiques,
- Classes préparatoires économiques, littéraires,
- Écoles de commerce, Institut d'études politiques
- BTS* tourisme, communication édition
- DUT* carrières juridiques, information-communication, gestion logistique et transport

* Il existe près d'une centaine de BTS et une vingtaine de DUT dans les domaines de la production et des services. Les bacheliers professionnels (BTS) et technologiques (DUT) sont prioritaires sur ces formations.

VERS QUELS MÉTIERS ?

Stéphane, journaliste sur une radio musicale

- **Licence** d'histoire (université de Créteil)
- **École de journalisme** (CFJ Paris)

Pourquoi avez-vous choisi des études d'histoire ?

Mon éducation, l'engagement politique de mes parents ont aiguisé mon rapport à l'histoire. Ma famille a également été impactée par elle. Je suis d'origine juive et cela a exposé mes grands-parents à des odyssées particulières. Cela marque.

En quoi vous servent-elles dans votre métier ?

L'histoire est utile dans mon métier de journaliste lorsque je présente des journaux d'information, que je réalise des interviews et que j'anime des magazines. Elle me permet de décrypter certains faits de l'actualité qui demandent d'avoir une culture historique. Si je raconte l'histoire d'un mouvement musical, d'un musicien, d'un album, je dois les replacer dans leur contexte.

Hugo, urbaniste dans une entreprise parapublique

- **Licence 3** de géographie en aménagement du territoire et développement durable (université de Bordeaux-Montaigne)
- **Master 2** en urbanisme et aménagement (université de Bordeaux-Montaigne)

Pourquoi avez-vous choisi des études de géographie ?

J'avais à cœur d'analyser mon environnement pour savoir comment le temps avait forgé les paysages.

En quoi vous servent-elles dans votre métier ?

Concrètement, je fais beaucoup de cartographie via un logiciel qui m'aide à réaliser des calculs précis. Par exemple, si on considère l'emplacement d'une voie ferrée, on peut demander au logiciel d'extraire toutes les habitations qui pourraient être exposées au bruit. Cela permet de construire au meilleur endroit un mur antibruit. Je peux indiquer à un promoteur privé ce qu'il est possible de faire ou pas en termes de développement durable ou d'aménagement du territoire.

Lucie, auto entrepreneure d'une entreprise viti-vinicole

- **Institut d'Études politiques** à Lyon
- **Master 2** mention marketing vente, parcours commerce des vins et spiritueux (université de Bordeaux)

Pourquoi avez-vous choisi des études de sciences politiques ?

J'ai toujours été douée en langues et je voulais faire des études à l'international. J'avais l'ambition de passer le concours de cadre d'Orient pour travailler dans la diplomatie, mais je ne pouvais pas financer mes études. Et puis j'ai découvert l'univers du vin...

En quoi vous servent-elles dans votre métier ?

Je constate que ma formation me permet de réfléchir de manière carrée. Je possède un bon esprit de synthèse et d'analyse que j'ai acquis pendant ces études, une façon de décortiquer un sujet qui est très estampillé « Sciences Po ». Ces méthodes de travail me servent pour être claire lorsque je présente un projet.

Portraits et témoignages à retrouver dans leur intégralité sur le site + nathan.fr/orientation

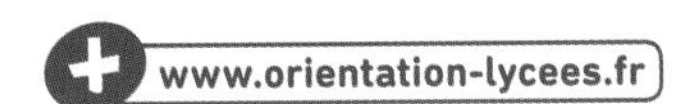

Bien entendu, il existe de multiples autres métiers possibles !

INTRODUCTION

Périodiser l'histoire

COURS

DOCUMENTS

Une représentation de l'histoire au XIXe siècle

À la fin du XIXe siècle, le pasteur américain Sebastian Adams réalise une gigantesque frise illustrée retraçant l'histoire de l'humanité. Il y propose un découpage en périodes de l'histoire de chaque partie du monde.

Adams' Illustrated Panorama of History (détail), lithographie de Sebastian C. Adams, 1881, 660,4 x 68,5 cm, David Rumsey Historical Map Collection.

COURS

Périodiser l'histoire

En France, l'histoire est divisée en quatre périodes, mais cette vision occidentale n'est pas forcément adaptée aux autres cultures. Le temps lui-même a en effet son histoire et chaque civilisation le voit et le « découpe » à sa manière.

→ DOCUMENTS P. 34, 36, 37

VOCABULAIRE

Âge d'or : période considérée rétrospectivement comme particulièrement prospère ou glorieuse.

Calendriers : systèmes de mesure du temps par division en jours, semaines, mois et années.

Hégire : exil de Mohammed contraint de quitter La Mecque pour Médine.

Périodisation : division du temps en séquences chronologiques.

A Maîtriser le temps

Calendrier et périodisation. La volonté humaine de maîtriser le temps s'est traduite, dès l'apparition des premières civilisations, par l'élaboration de **calendriers**. Fondés sur le Soleil, la Lune ou les saisons, ils permettaient d'organiser la vie quotidienne. Dans chaque calendrier, le choix de l'an 1 témoigne de ce qui est considéré comme un tournant historique fondateur. Fixer l'an 1 revient en effet à séparer un avant d'un après autour d'une date qui se trouve ainsi érigée en point d'origine d'une séquence historique cohérente **(doc. 1)**.

La multiplicité des périodes. Le découpage binaire entre un avant et un après l'an 1, quel que soit l'événement choisi pour fixer ce dernier, ne permet toutefois pas de rendre compte dans le détail des évolutions historiques d'une société sur la longue durée. C'est pourquoi les hommes ont recours à des systèmes de **périodisation** plus complexes. Selon les cas, on évoquera ainsi une succession de siècles, de dynasties, d'ères, d'âges ou d'époques.

B Ordonner le passé

La vision occidentale de l'histoire. La division de l'histoire humaine en trois grandes périodes – l'Antiquité, le Moyen Âge et les Temps modernes – est apparue en Europe au XVe siècle. Elle repose sur une vision cyclique de l'histoire. Pour les penseurs européens d'alors, l'« Antiquité » gréco-romaine, qu'ils assimilent à un **âge d'or**, a pris fin au Ve siècle. Le millénaire suivant n'est qu'un âge intermédiaire ou « moyen », une longue parenthèse de barbarie et d'ignorance, dont la « Modernité » marque la fin en faisant « renaître » l'Antiquité.

Une périodisation mouvante. En France, s'est imposée au XIXe siècle l'idée d'une quatrième période historique qualifiée de contemporaine, dont le début se situerait en 1789. À la même époque apparaît la notion de Préhistoire pour désigner la période précédant l'invention de l'écriture, pour laquelle l'archéologie est la seule source d'information. On intercale parfois une période appelée Protohistoire, caractérisée par le développement de l'agriculture et de la métallurgie, entre la Préhistoire et l'Antiquité. Cette dernière marque le début de l'écriture, donc de l'histoire.

1 Quand fixer l'an 1 ? Quelques exemples

Calendrier	Événement choisi pour fixer l'an 1	Correspondance dans le calendrier grégorien
hébraïque	Date supposée de la Genèse	3761 av. J.-C.
chinois	Naissance de l'empereur Houang-Ti	2697 av. J.-C.
grégorien	Naissance supposée de Jésus	1
islamique	**Hégire**	622
révolutionnaire ou républicain	Proclamation de la Ire République française	1792-1793

C Questionner les périodisations

Des découpages arbitraires? L'une des unités de découpe du temps les plus communément utilisées est le siècle. Pourtant, elle est très arbitraire puisqu'elle suppose qu'un changement significatif intervient tous les cent ans. C'est pourquoi les historiens n'ont pas du siècle une définition purement chronologique : pour eux, le XIXe siècle commence plutôt en 1789 (déclenchement de la Révolution française) ou en 1815 (chute de Napoléon) qu'en 1801, et il s'achève plutôt en 1914 (début de la Première Guerre mondiale) qu'en 1900.

Ruptures et transitions. Découper le passé en périodes, c'est supposer que chacune d'elles présente des caractéristiques qui lui donnent son unité. Ce qui nécessite de choisir un critère (politique, social ou économique) au détriment d'autres. Les ruptures censées marquer le passage d'une période à une autre sont donc toujours relatives. La fin de l'Empire romain d'Occident en 476, qui marque généralement le passage de l'Antiquité au Moyen Âge, est certes un tournant sur le plan politique, mais pas forcément du point de vue culturel **(doc. 2)**.

Situer les périodes. L'Occident a imposé au reste du monde sa périodisation, mais celle-ci s'avère peu adaptée à l'histoire des autres civilisations : peut-on parler d'Antiquité pour décrire l'histoire de l'Océanie au premier siècle de notre ère? De Modernité pour décrire celle du Japon du XVIe siècle? L'anthropologue britannique Jack Goody (1919-2015) parle d'un « vol de l'histoire » pour dénoncer le fait que « l'Europe a imposé le récit de son passé au reste du monde ». L'historien indien Dipesh Chakrabarty (né en 1948) appelle en conséquence à « provincialiser l'Europe », autrement dit à ne plus lire l'histoire du reste du monde à partir des outils forgés pour décrire celle de l'Europe, mais en adoptant pour chaque espace une périodisation propre qui y fasse sens.

Le sens des mots

Le **calendrier grégorien** doit son nom au pape Grégoire XIII. Il en confia l'élaboration au mathématicien allemand Christophorus Clavius pour remplacer le calendrier julien, en vigueur depuis l'Antiquité. Utilisé dans les pays catholiques depuis 1582, il s'est progressivement diffusé dans le reste du monde.

RÉVISER SON COURS

1. Pour quelles raisons et de quelle manière les hommes périodisent-ils leur passé?
2. Quelles sont les périodisations les plus répandues?
3. Pourquoi les périodisations doivent-elles toujours être questionnées?

2 La périodisation occidentale conventionnelle

Période débattue, non reconnue par tous les historiens.
Durée approximative (en siècles).

PRÉHISTOIRE	PROTOHISTOIRE	HISTOIRE			
		ANTIQUITÉ	MOYEN ÂGE	ÉPOQUE MODERNE	ÉPOQUE CONTEMPORAINE (uniquement en France)
APPARITION DU GENRE HUMAIN IL Y A 3 MILLIONS D'ANNÉES	RÉVOLUTION NÉOLITHIQUE (APPARITION DE L'AGRICULTURE, VERS 10000 AV. J.-C.)	INVENTION DE L'ÉCRITURE (VERS 3500 AV. J.-C)	CHUTE DE L'EMPIRE ROMAIN D'OCCIDENT (476)	CHUTE DE L'EMPIRE ROMAIN D'ORIENT (1453) OU « DÉCOUVERTE » DE L'AMÉRIQUE (1492)	RÉVOLUTION FRANÇAISE (1789)
30 000	65	40	10	3,5	En cours

Une période débattue : le Moyen Âge

Pourquoi la notion de Moyen Âge est-elle problématique ?

→ COURS P. 32

1 Le repoussoir médiéval

Le Moyen Âge porte jusque dans son nom les stigmates de sa dévalorisation. *Medium tempus, medium aevum* et les expressions équivalentes dans les langues européennes, c'est l'âge du milieu, un entre-deux qui ne saurait être nommé positivement, une longue parenthèse entre une Antiquité prestigieuse et une époque nouvelle enfin moderne. Ce sont les humanistes italiens – tel Giovanni Andrea, bibliothécaire du pape, en 1469 – qui commencent à utiliser de telles expressions pour glorifier leur propre temps, en le parant des prestiges littéraires et artistiques de l'Antiquité et en le différenciant des siècles immédiatement antérieurs. […]

Au XVIIIe siècle, avec les Lumières, cette vision de l'histoire se généralise, tandis que se noue l'assimilation entre Moyen Âge et obscurantisme, dont on perçoit les effets aujourd'hui encore. Qu'il s'agisse des humanistes du XVIe siècle, des érudits du XVIIe siècle ou des philosophes du XVIIIe siècle, le Moyen Âge apparaît clairement comme le résultat d'une construction visant à valoriser le présent, à travers une rupture proclamée avec le passé proche. […]

La plupart des cultures ont grand besoin, pour se définir elles-mêmes comme civilisations, de l'image des barbares (ou des primitifs), appartenant à un lointain exotique ou présents au-delà de leurs frontières. L'Occident ne fait pas exception, mais il présente cette particularité d'une époque barbare logée au sein même de sa propre histoire. Dans tous les cas, l'ailleurs ou l'avant barbare sont décisifs pour constituer, par contraste, l'image d'un ici et maintenant civilisé.

Jérôme Baschet, *La Civilisation féodale*, Flammarion, 2018.

Le sens des mots

Dans la langue française, deux adjectifs permettent de faire référence au Moyen Âge. Le premier, **médiéval**, dérivé du latin *medium ævum*, est plus neutre que le second, **moyenâgeux**, dérivé du français « Moyen Âge », qui a une forte connotation péjorative renvoyant à l'archaïsme et à l'obscurantisme prêtés à la période.

LEÇON 10. — JEAN-LE-LABOUREUR

1. La chaumière de Jean-le-Laboureur

Jean-le-Laboureur avait **sa chaumière** construite au pied du château de Paul-le-Barbu. Cette chaumière avait une seule pièce. D'un côté vivaient les gens, de l'autre les **animaux :** un âne, un porc, quatre moutons.

Aussi, quand on entrait, sentait-on une forte odeur de **fumier.** Cette pièce était sombre. Elle n'avait qu'une fenêtre en bois plein. Le verre coûtait alors trop cher pour que Jean-le-Laboureur pût en acheter. Dans la pièce ne se trouvait qu'un seul **lit;** le père et la mère couchaient à la tête, les cinq enfants au pied.

2. La vie de Jean-le-Laboureur

Tout ce monde vivait dans un état voisin de la misère. Jean-le-Laboureur était vêtu d'un **pantalon** et d'une **tunique** de laine à laquelle était fixé un capuchon. Il marchait souvent pieds-nus en été pour éviter d'user ses chaussures. Aussi, l'appelait-on parfois un **va-nu-pieds.**

Ses journées de travail étaient très longues. En ce temps-là, les cultivateurs n'employaient pas d'engrais en dehors du fumier. Ils n'avaient que des charrues grossières dont le couteau ne pénétrait pas dans le sol à une grande profondeur.

2 Le Moyen Âge vu par un manuel scolaire de 1946

Eugène Bonne, *Grandes figures et grands faits de l'histoire de France*, Cours élémentaire, Bibliothèque d'Éducation, 1946.

3 Un ou des Moyen(s) Âge(s) ?

Le Moyen Âge n'est pas une période facilement appréhensible : longtemps définie uniquement en négatif par rapport aux époques l'ayant précédé ou suivi, couvrant dix siècles, on la divise généralement en trois, distinguant le haut Moyen Âge (Ve-Xe siècles) du Moyen Âge classique (XIe-XIIIe siècles) et du bas Moyen Âge (XIVe-XVe siècles).

Le haut Moyen Âge s'ouvre, traditionnellement, en 476 lorsque l'Empire romain d'Occident cède la place aux royaumes germaniques. […]

Le Xe et le XIe siècles ont souvent été vus comme un temps de ruptures radicales. Sur le plan politique, en 843, l'Empire disparaît au profit de royaumes et de principautés. La puissance est exercée, à partir du milieu du XIe siècle, par de petits seigneurs, châtelains, qui tirent parti de la croissance démographique et économique qui s'installe. […]

Dès le début du XIVe siècle s'amorcent des crises en partie dues à des changements climatiques qui entraînent une série de mauvaises récoltes entre 1315 et 1317. Les conflits armés, notamment la guerre de Cent Ans, les épidémies de peste, deviennent endémiques et plongent l'Occident dans une récession démographique et économique dont il ne sortira qu'au milieu du XVe siècle.

Laure Verdon, *Le Moyen Âge*, Le Cavalier Bleu, 2014.

4 Quelles bornes chronologiques pour le Moyen Âge ?

Aujourd'hui, elles sont fixées de 476, quand meurt officiellement l'Empire romain d'Occident, à 1492, quand Christophe Colomb découvre le Nouveau Monde. Ces dates sont des repères commodes que nécessite la division du temps historique en périodes, mais elles ne concernent en premier lieu que l'Occident et n'ont pas de sens pour l'Orient. La notion de Moyen Âge est donc très connotée par son aspect européocentrique, et ne recouvre que la chrétienté latine. Par ailleurs, l'histoire économique, sociale et culturelle ne suit pas ces coupures événementielles, essentiellement politiques. La seigneurie existe en France jusqu'à la Révolution et l'abolition des privilèges ; le mode de production industriel fondé sur l'artisanat subsiste jusque vers 1840 et au-delà. À l'inverse, l'Occident bénéficie des apports de l'Empire romain très au-delà de sa disparition officielle, par exemple sous la forme du droit que véhiculent l'Église et les villes, et les dernières recherches tendent même à minimiser la portée des invasions du Ve siècle.

Claude Gauvard, « Moyen Âge », in *Dictionnaire de l'historien*, Puf, 2015.

5 Un autre Moyen Âge

Dans sa présentation du livre, l'éditeur explique pourquoi l'auteur utilise l'adjectif « médiéval » dans cette étude sur l'histoire du Japon.

À travers l'ascension des samouraïs et la naissance d'une société guerrière qu'on a pu qualifier de féodale, ce livre nous plonge dans les temps troubles du Moyen Âge japonais (XIIe-XVIe siècle).

Pierre-François Souyri, *Histoire du Japon médiéval. Le monde à l'envers*, Perrin, 2013.

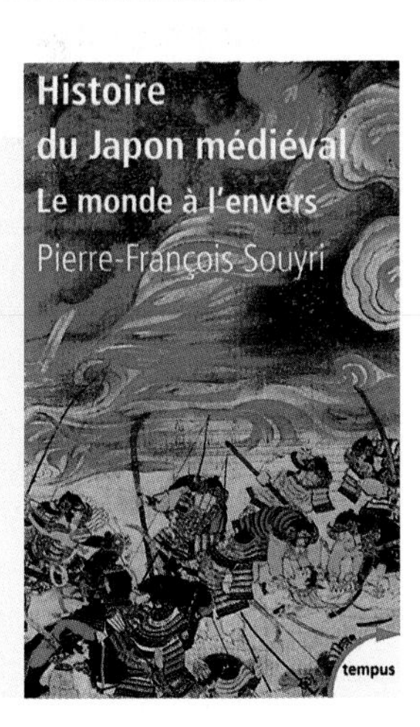

Pourquoi la notion de Moyen Âge est-elle problématique ?

Répondre aux questions

1. **Datez** l'invention de la notion de « Moyen Âge » et **montrez** que l'expression est péjorative pour ses inventeurs (**doc. 1**).
2. **Décrivez** l'image et **montrez** que la vision du Moyen Âge donnée par ce manuel scolaire est conforme à celle qu'avaient les inventeurs de la notion (**doc. 1 et 2**).
3. **Justifiez** cette affirmation : la notion de Moyen Âge est européocentrique (**doc. 1 et 4**).
4. **Citez** et **caractérisez** les divisions du Moyen Âge (**doc. 3**).
5. **Montrez** que les dates marquant le début et la fin du Moyen Âge sont discutables (**doc. 4**).
6. **Expliquez** pourquoi Pierre-François Souyri parle de « Japon médiéval » et **critiquez** cette notion (**doc. 4 et 5**).
7. À l'aide des réponses précédentes, **montrez** que la notion de Moyen Âge est problématique.

Réaliser une carte mentale

1. Écrivez « Le Moyen Âge » au milieu d'une page. Tracez cinq branches partant de ce titre :
   - **Une invention du XVIe siècle européen**
   - **Une notion à connotation péjorative**
   - **Une période aux limites chronologiques discutables**
   - **Une période aux limites géographiques discutables**
   - **Une période hétérogène**
2. Complétez chaque branche avec des informations extraites des documents. N'écrivez que des grandes idées ou des mots clés.

Périodiser l'histoire au Niger : l'exemple d'un manuel scolaire des années 1960

Pourquoi est-il nécessaire d'adapter la périodisation à l'espace dont on fait l'histoire ?

→ COURS P. 32

1 Extrait du manuel *Histoire du Niger*

Dans sa recherche des faits passés, l'homme a dû remonter de proche en proche, et de plus en plus haut, à partir du présent. Ainsi font les griots[1] qui dévident les généalogies des souverains, en commençant par le chef vivant et en remontant d'une génération à la précédente, jusqu'à l'ancêtre de la race ! Mais il a bien fallu s'arrêter à une époque au-delà de laquelle c'est la nuit. Une nuit d'où rien ne surnage plus, un temps très long dont rien n'est resté dans la mémoire des hommes. Cette « longue nuit » de la vie des hommes est appelée « préhistoire ». [...] La période dite historique nous est révélée par des documents : images évocatrices gravées sur la roche ou le papyrus, écrits en langues anciennes aujourd'hui déchiffrées, monuments datés de quelque manière. [...] De l'arrivée des Arabes islamisés date la première connaissance sérieuse de l'Afrique noire.

Boubou Hama (président de l'Assemblée nationale) et M. Guilhem (professeur d'histoire), « Préface », *Histoire du Niger. L'Afrique – Le Monde*, Cours moyen, Ligel, 1965.

1. Poètes et conteurs, qui transmettent la tradition orale.

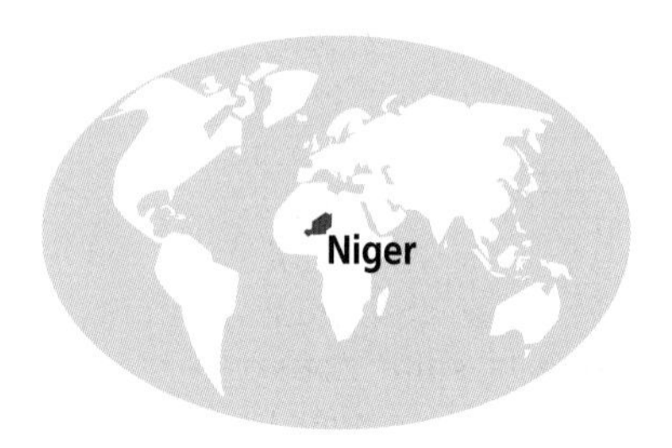

2 Sommaire du manuel *Histoire du Niger*

Première Partie : les Anciens Empires. Elle conduit à la date de 1591, qui est celle de la conquête marocaine et de l'éclatement de l'empire songhaï. À cet éclatement est due la formation des principaux royaumes nigériens de l'époque « moderne ». Cet important événement clôt, dans l'Ouest africain, la longue période de dix siècles appelée Moyen Âge que nous faisons débuter à l'Hégire, puisque c'est de l'arrivée des Arabes islamisés au Soudan que date la première connaissance sérieuse de l'Afrique noire.

Deuxième partie : les Temps modernes. Elle relate d'abord l'histoire des royaumes qui résultèrent de l'effritement de l'immense empire des Askia de Gao, et, plus particulièrement, les royaumes situés entre Niger et Tchad. Puis elle fait connaître les événements du XXe siècle qui ont abouti à la grande date de 1960, année de l'indépendance retrouvée pour tous les peuples de l'Afrique noire.

Op. cit.

Répondre aux questions

1. **Expliquez** pourquoi les auteurs utilisent la métaphore de la « nuit » pour caractériser la Préhistoire (doc. 1).
2. **Caractérisez** ce qui distingue l'histoire de la Préhistoire. Le passage de l'une à l'autre s'effectue-t-il au même moment au Niger et en Europe (doc. 1) ?
3. **Comparez** la périodisation de l'histoire du Niger à celle utilisée par l'histoire européenne, en expliquant les points communs et les différences entre les deux (doc. 2 et 2 p. 33).
4. **Expliquez** en quoi l'année 1960 constitue un tournant (doc. 2).
5. À partir des réponses précédentes, **expliquez** pourquoi il est nécessaire d'adapter la périodisation à l'espace dont on fait l'histoire.

DOCUMENTS

Le XXe siècle : court ou long?

Pourquoi est-il difficile de fixer les limites d'un siècle?

→ COURS P. 32

1 Le « court XXe siècle » selon Eric J. Hobsbawm

Historien britannique, Eric J. Hobsbawm (1917-2012) est l'auteur d'un livre consacré au « court XXe siècle ».

Comment dégager le sens du court vingtième siècle – du début de la Première Guerre mondiale à la fin de l'URSS –, de ces années qui, comme nous le voyons avec le recul, forment une période historique cohérente désormais terminée? Nous ignorons ce que la suite nous réserve, à quoi ressemblera le troisième millénaire, mais nous pouvons être certains que le court vingtième siècle l'aura façonné. On ne saurait cependant sérieusement douter qu'une ère de l'histoire mondiale s'est achevée à la fin des années 1980 et au début des années 1990, et qu'une ère nouvelle a commencé. [...] La structure du court vingtième siècle apparaît comme une sorte de triptyque ou de sandwich historique. À une ère de catastrophes, de 1914 aux suites de la Seconde Guerre mondiale, succédèrent vingt-cinq ou trente années de croissance économique et de transformation sociale extraordinaires [...]. Avec le recul, on peut y déceler une sorte d'âge d'or, et c'est bien ainsi qu'on l'a perçu presque au moment où il touchait à sa fin, au début des années 1970. La dernière partie du siècle a été une nouvelle ère de décomposition, d'incertitude et de crise – et pour une bonne partie du monde, telle que l'Afrique, l'ex-URSS et l'ancienne Europe socialiste, de catastrophes.

Plan de l'ouvrage :
Partie I : L'Ère des catastrophes
Partie II : L'Âge d'or
Partie III : La débâcle

Eric J. Hobsbawm, *L'Âge des extrêmes. Histoire du court XXe siècle*, André Versaille, 1994.

2 Le XXe siècle selon René Rémond

René Rémond (1917-2007) est un historien français spécialiste d'histoire politique.

On s'accorde à penser que le XXe siècle a commencé avec le conflit qui a éclaté en Europe aux premiers jours d'août 1914 [...]. Tantôt de plein fouet, tantôt indirectement, cette guerre a transformé profondément les peuples qui y ont participé, les autres aussi. Elle a renversé, ou altéré, les régimes, bousculé les économies, bouleversé les sociétés, remanié de fond en comble le système des relations internationales, modifié celui des forces politiques. [...] À quelle date conviendrons-nous que le XXe siècle a pris fin, indépendamment du moment imposé par l'arithmétique? Il y a dix ans, la réponse ne faisait de doute pour personne : le 9 novembre 1989[1]. Ce jour-là, l'opinion unanime dans le monde entier a eu le sentiment de vivre un événement historique et la certitude que se fermait un cycle [...]. Depuis, un événement inouï est venu bouleverser la perspective et remettre en question jusqu'à cette définition du vingtième siècle : les attentats du 11 septembre 2001 auxquels l'opinion mondiale octroya d'emblée une importance historique au moins aussi grande qu'au 9 novembre 1989, relativisant *ipso facto* la portée de celui-là.

Plan de l'ouvrage :
Partie I : D'une guerre à l'autre (1914-1939)
Partie II : La Seconde Guerre mondiale et l'après-guerre

René Rémond, *Le XXe siècle de 1914 à nos jours*, Seuil, 2002.

1. Chute du mur de Berlin.

Réaliser une comparaison sous forme de tableau

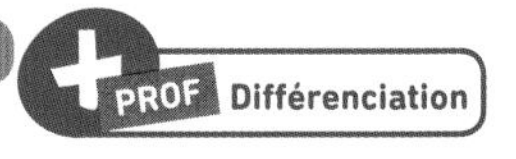

Complétez le tableau en citant précisément les documents.

	Eric Hobsbawm	René Rémond
Nationalité		
Date de rédaction du texte		
Événement marquant le début du XXe siècle		
Événement(s) marquant(s) la fin du XXe siècle		
Durée du XXe siècle (en années)		
Subdivision du XXe siècle		

Créez votre propre périodisation

« Faut-il vraiment découper l'histoire en tranches ? » titrait l'historien Jacques Le Goff en 2013. Pour enrichir une réflexion critique sur la périodisation, rien de mieux que de s'atteler à la création de sa propre frise chronologique.

CONSIGNE **Créez une chronologie numérique que vous enrichirez tout au long de l'année.**

ÉTAPE 1 Choisissez des dates et événements

- Sélectionnez d'abord les incontournables : les quatre grandes périodes de l'histoire de France et leurs dates clés : 476, 1453/1492, 1789.
- Complétez votre frise au fil des chapitres traités. Aidez-vous du **cours** et pensez à inclure les **points de passage**.
- Pour une **approche critique** de la périodisation :
  - penchez-vous sur celle en vigueur dans d'autres pays, comme au Royaume-Uni ;
  - ou bien tentez **différents angles** : un découpage par « époque » ou « âge », par dynastie ou siècle.

Un manuel de collège britannique.

Au Royaume-Uni, le Moyen Âge commence avec les invasions normandes...

... et se termine avec l'avènement de Henri VIII.

ÉTAPE 2 Choisissez un outil de création

- Le Web regorge de **ressources en ligne** pour créer des frises chronologiques. Les deux sites suggérés ici sont gratuits et sans publicité.
- **Timeline :** un outil facile d'utilisation.

L'interface est très simple, bien qu'en anglais.

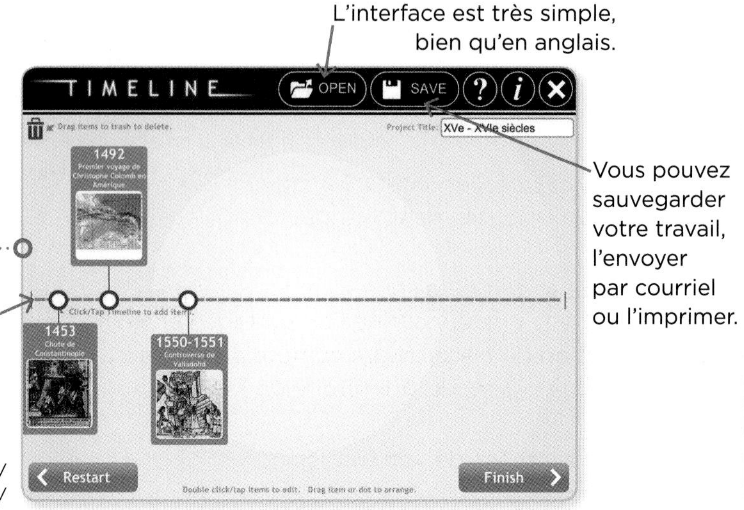

Vous pouvez sauvegarder votre travail, l'envoyer par courriel ou l'imprimer.

Les images, les dates et la courte explication que vous insérez (les items) apparaissent sur une ligne.

http://www.readwritethink.org/files/resources/interactives/timeline_2/

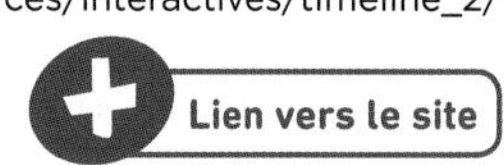

Free Timeline : un outil aux fonctionnalités plus nombreuses.

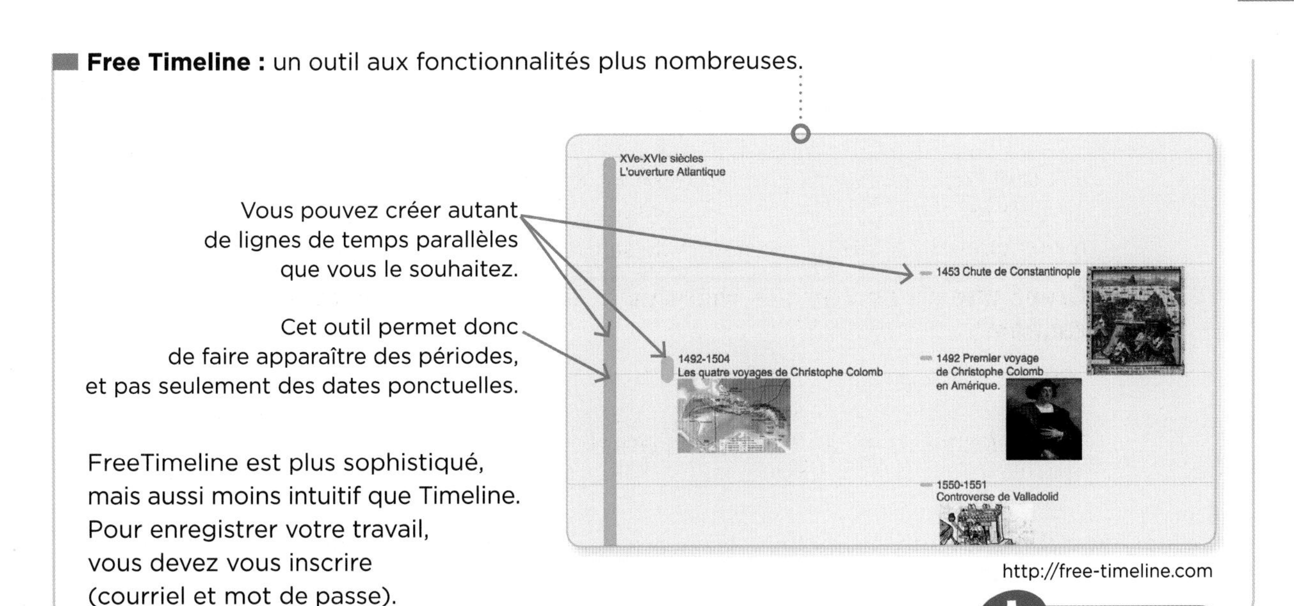

Vous pouvez créer autant de lignes de temps parallèles que vous le souhaitez.

Cet outil permet donc de faire apparaître des périodes, et pas seulement des dates ponctuelles.

FreeTimeline est plus sophistiqué, mais aussi moins intuitif que Timeline. Pour enregistrer votre travail, vous devez vous inscrire (courriel et mot de passe).

http://free-timeline.com

Lien vers le site

ÉTAPE 3 Créez et illustrez vos items

Notez la source de votre image dès que vous la trouvez. Dans Timeline, indiquez-la dans la zone « description ».

Cliquez sur la ligne de temps, l'outil de saisie apparaît. Saisissez un titre très court, ici une date.

La brève description est visible sur la frise.

Ce texte n'apparaît que sur la version imprimée.

À l'impression, votre frise sera accompagnée de la liste des sources.

ÉTAPE 4 Commentez et partagez votre travail

Utilisez un espace collaboratif où chaque élève peut partager ses créations : l'ENT de votre établissement, mais aussi Padlet, Google Classroom, etc.

Ces échanges et comparaisons vont nourrir votre analyse :
L'histoire est-elle une et continue ou partagée en compartiments ?
La périodisation doit-elle rendre compte de lentes évolutions ou de ruptures ?
Peut-on vraiment périodiser l'histoire de France à l'heure de la mondialisation ?

Rédigez une synthèse de votre réflexion.

CHAPITRE

1 La Méditerranée antique : grecques et romaines

les empreintes

Théâtre ou odéon d'Hérode Atticus,
construit en 160 au pied de l'Acropole à Athènes.
Ce théâtre, héritage vivant de l'Antiquité, est utilisé aujourd'hui pour de nombreux spectacles.
Hérode Atticus fut un célèbre écrivain athénien, précepteur de l'empereur romain Marc Aurèle.

REPÈRES **Athènes**

EN CLASSE DE 6e

Vous avez étudié l'organisation politique des cités-États grecques et le rôle des citoyens dans la démocratie athénienne.

DANS CE CHAPITRE

Vous allez analyser la mise en place du régime démocratique à Athènes et l'affirmation de son empire maritime.

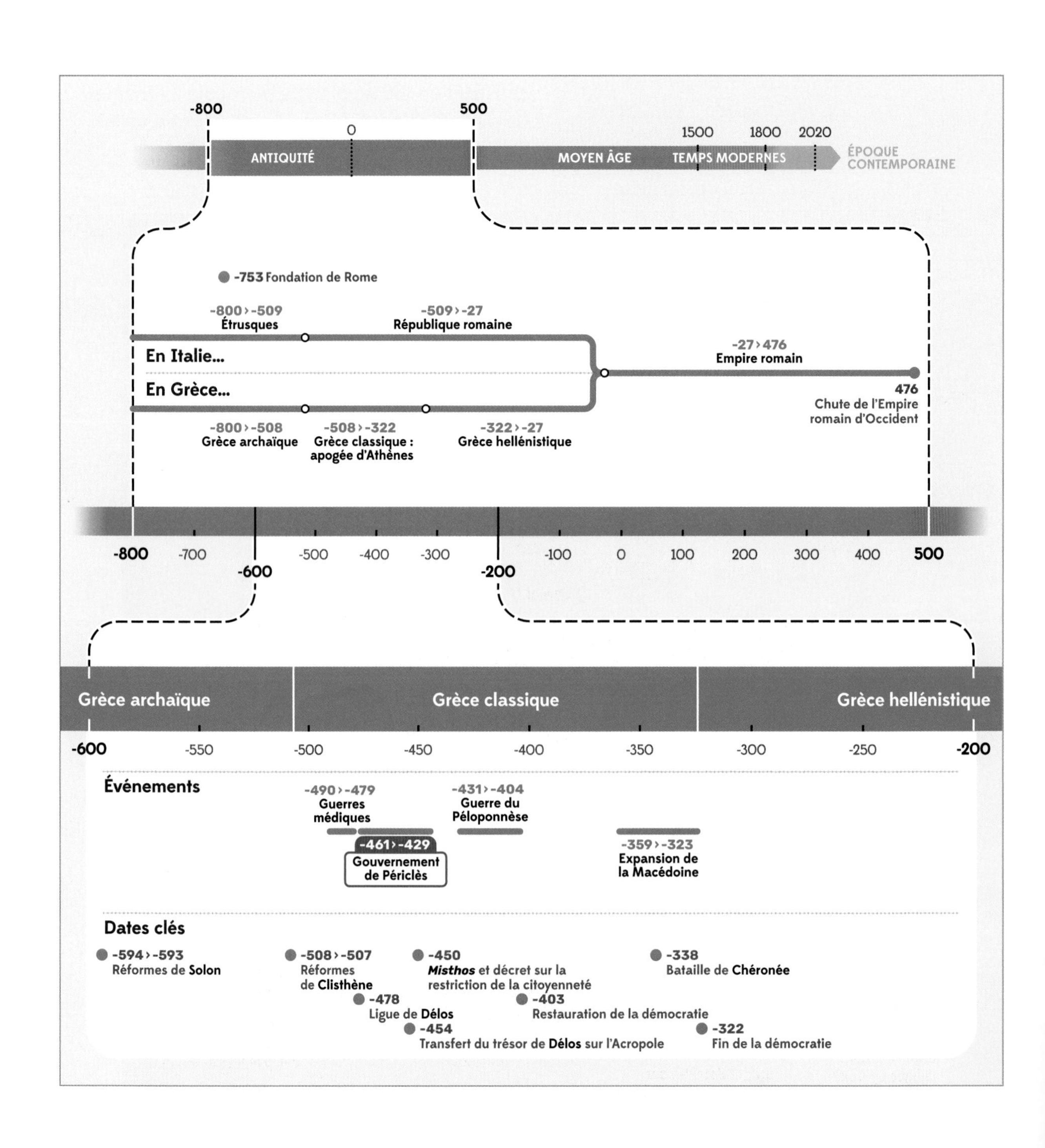

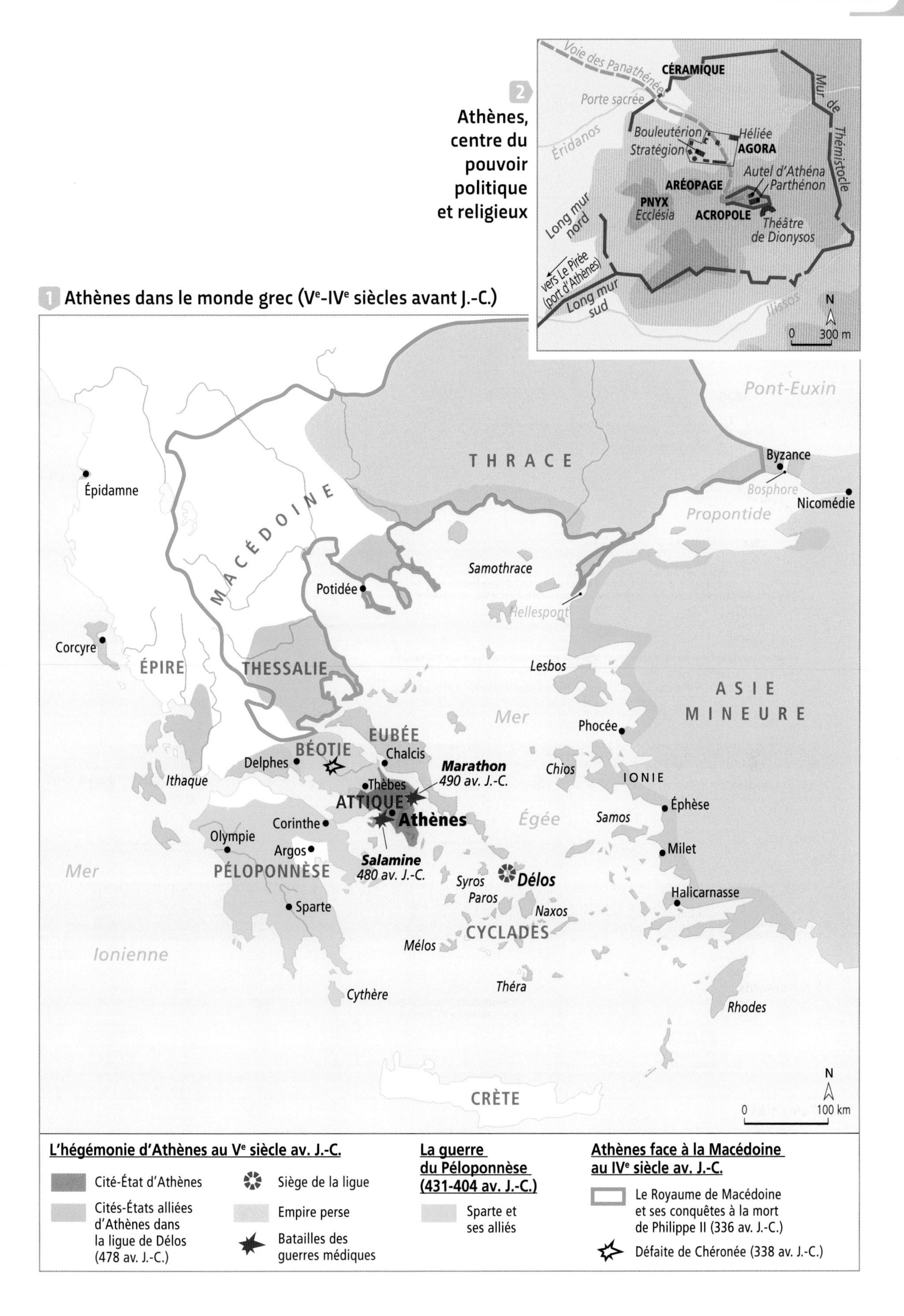

2 Athènes, centre du pouvoir politique et religieux
Voie des Panathénées
CÉRAMIQUE
Porte sacrée
Éridanos
Bouleutérion
Stratégion
Héliée
AGORA
Mur de Thémistocle
Autel d'Athéna
Parthénon
ARÉOPAGE
PNYX
Ecclésia
ACROPOLE
Théâtre de Dionysos
Long mur nord
vers Le Pirée (port d'Athènes)
Long mur sud
Ilissos
N
0 300 m
1 Athènes dans le monde grec (Ve-IVe siècles avant J.-C.)
Pont-Euxin
THRACE
Byzance
Bosphore
Nicomédie
Propontide
Épidamne
MACÉDOINE
Samothrace
Potidée
Hellespont
Corcyre
ÉPIRE
THESSALIE
Lesbos
ASIE MINEURE
Mer
Phocée
EUBÉE
BÉOTIE
Chalcis
Delphes
Marathon 490 av. J.-C.
Chios
IONIE
Ithaque
Thèbes
ATTIQUE
Athènes
Égée
Samos
Éphèse
Corinthe
Olympie
Argos
Milet
Mer
PÉLOPONNÈSE
Salamine 480 av. J.-C.
Syros
Délos
Paros
Halicarnasse
Sparte
Naxos
CYCLADES
Mélos
Ionienne
Cythère
Théra
Rhodes
CRÈTE
N
0 100 km
L'hégémonie d'Athènes au Ve siècle av. J.-C.
Cité-État d'Athènes
Cités-États alliées d'Athènes dans la ligue de Délos (478 av. J.-C.)
Siège de la ligue
Empire perse
Batailles des guerres médiques
La guerre du Péloponnèse (431-404 av. J.-C.)
Sparte et ses alliés
Athènes face à la Macédoine au IVe siècle av. J.-C.
Le Royaume de Macédoine et ses conquêtes à la mort de Philippe II (336 av. J.-C.)
Défaite de Chéronée (338 av. J.-C.)

REPÈRES **Rome**

EN CLASSE DE 6e

- Vous avez étudié l'organisation de l'Empire romain et le rôle de l'empereur pour assurer l'unité de l'Empire.
- Vous avez découvert que la citoyenneté romaine s'était étendue progressivement de Rome à tout l'empire.

DANS CE CHAPITRE

Vous allez voir comment l'extension de l'Empire romain a permis un brassage des différents héritages culturels et religieux dans le bassin méditerranéen.

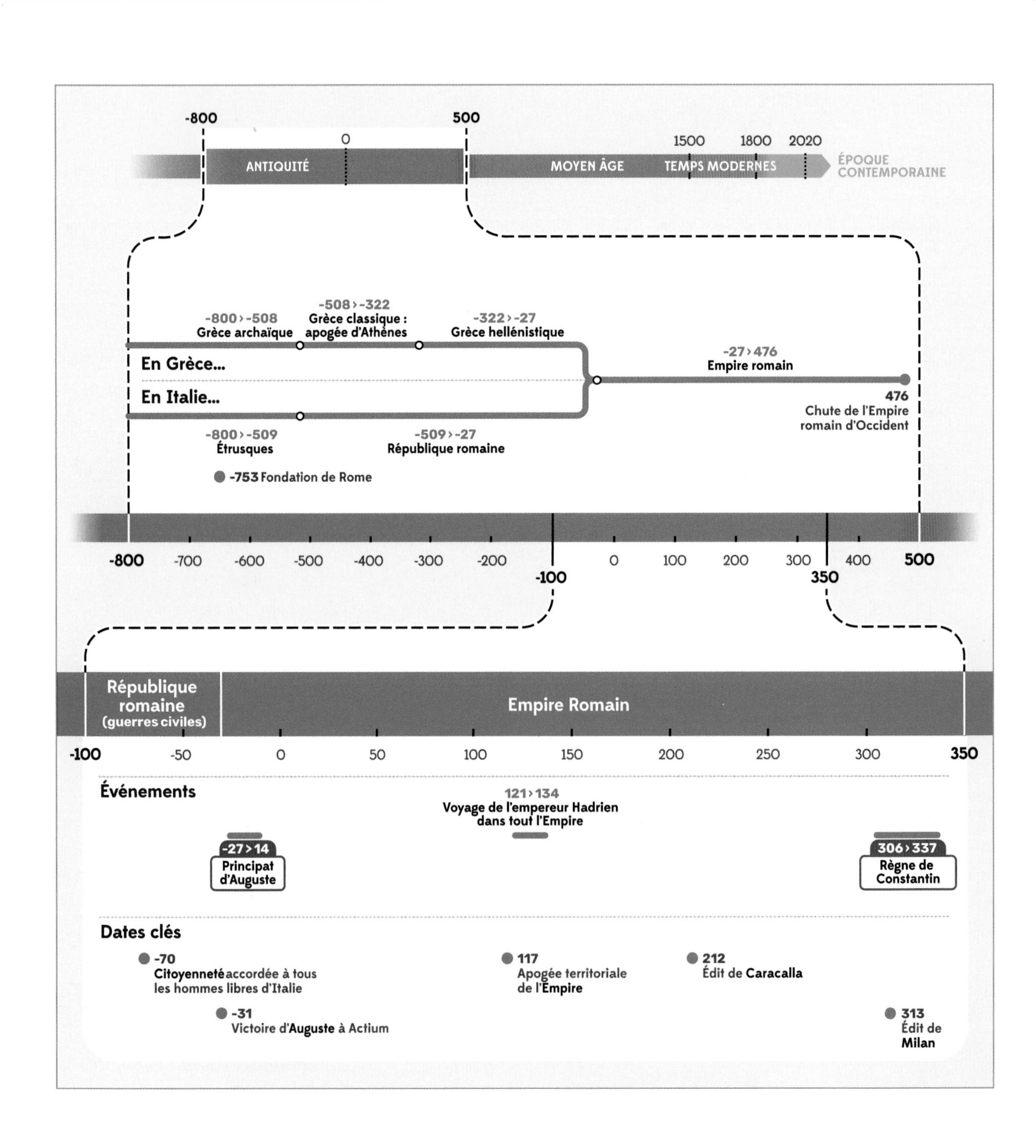

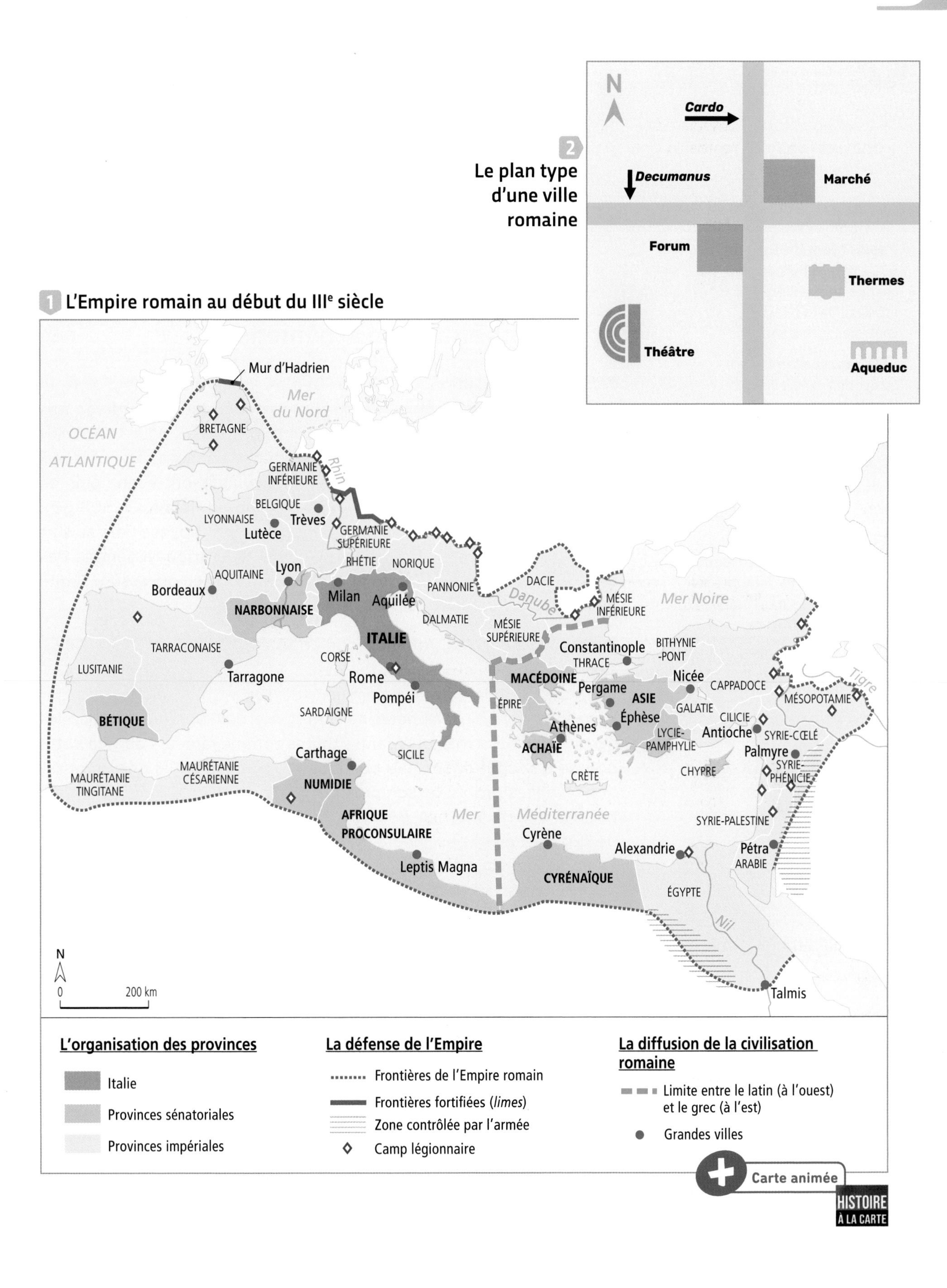

2 Le plan type d'une ville romaine
N
Cardo
Decumanus
Marché
Forum
Thermes
Théâtre
Aqueduc
1 L'Empire romain au début du IIIe siècle
Mur d'Hadrien
Mer du Nord
OCÉAN ATLANTIQUE
BRETAGNE
GERMANIE INFÉRIEURE
Rhin
BELGIQUE
LYONNAISE
Trèves
Lutèce
GERMANIE SUPÉRIEURE
RHÉTIE
NORIQUE
AQUITAINE
Lyon
Bordeaux
NARBONNAISE
Milan
Aquilée
PANNONIE
DACIE
Danube
MÉSIE INFÉRIEURE
Mer Noire
DALMATIE
MÉSIE SUPÉRIEURE
ITALIE
TARRACONAISE
CORSE
Constantinople
THRACE
BITHYNIE -PONT
LUSITANIE
Tarragone
Rome
MACÉDOINE
Nicée
CAPPADOCE
Tigre
Pompéi
Pergame
ASIE
MÉSOPOTAMIE
ÉPIRE
GALATIE
BÉTIQUE
SARDAIGNE
Éphèse
CILICIE
Athènes
LYCIE-PAMPHYLIE
Antioche
SYRIE-CŒLÉ
ACHAÏE
Palmyre
Carthage
SICILE
SYRIE-PHÉNICIE
MAURÉTANIE TINGITANE
MAURÉTANIE CÉSARIENNE
NUMIDIE
CRÈTE
CHYPRE
AFRIQUE PROCONSULAIRE
Mer Méditerranée
SYRIE-PALESTINE
Cyrène
Alexandrie
Pétra
ARABIE
Leptis Magna
CYRÉNAÏQUE
ÉGYPTE
Nil
N
0 200 km
Talmis
L'organisation des provinces
Italie
Provinces sénatoriales
Provinces impériales
La défense de l'Empire
Frontières de l'Empire romain
Frontières fortifiées (limes)
Zone contrôlée par l'armée
Camp légionnaire
La diffusion de la civilisation romaine
Limite entre le latin (à l'ouest) et le grec (à l'est)
Grandes villes
Carte animée
HISTOIRE À LA CARTE

1

Impérialisme et démocratie à Athènes

→ DOCUMENTS P. 50, 52, 53, 54, 64

VOCABULAIRE

- ***Boulè* :** conseil formé de 500 citoyens tirés au sort chaque année. Il prépare le travail de l'*Ecclésia* et contrôle les magistrats.
- **Classes censitaires :** catégories dans lesquelles les citoyens sont répartis en fonction de leur richesse et qui déterminent leurs droits (exercice des magistratures) et leurs devoirs (type de service militaire, impôts).
- ***Ecclésia* :** assemblée du peuple, dont les citoyens sont membres de droit. Elle vote les lois, élit certains magistrats, décide de la paix et de la guerre.
- **Guerres médiques :** guerres menées par les Grecs contre les Perses de 490 à 479 av. J.-C. Les Mèdes sont un peuple apparenté aux Perses.
- **Héliée :** tribunal du peuple, formé de citoyens tirés au sort qui rendent la justice, dans des procès souvent politiques.

Dans le monde grec des cités-États, Athènes élabore, à partir de la fin du VIe siècle av. J.-C., une démocratie qui se substitue à un régime aristocratique. Ce processus politique est étroitement lié à son impérialisme sur le monde grec.

A La naissance de la démocratie et de l'impérialisme athéniens

La démocratisation d'Athènes. Depuis les réformes de Solon en 594-593, les citoyens sont répartis en quatre **classes censitaires**. Les droits et les devoirs ne sont plus déterminés par la naissance, mais par la fortune. Si les fonctions de commandement sont réservées aux plus riches, les citoyens pauvres, les thètes, jouissent néanmoins de droits politiques, en participant à l'***Ecclésia*** et à l'**Héliée**. En 508-507, Clisthène crée un conseil, la ***Boulè***, formé de 500 citoyens tirés au sort chaque année parmi dix tribus **(doc. 1)**. Chaque tribu rassemble des citoyens de la ville, de la côte et de la campagne, ce qui assure l'unité de la cité.

La ligue de Délos. Athènes joue un rôle décisif pour arrêter l'invasion perse. Les victoires des fantassins, les hoplites, à Marathon (490 av. J.-C.) et de la flotte à Salamine (480 av. J.-C.) sont célébrées par Hérodote. Il y voit la supériorité du régime démocratique sur la monarchie perse. Le rôle joué par les thètes comme rameurs dans la flotte pousse à accroître leur rôle politique et à poursuivre la démocratisation. Athènes profite de son prestige et du retrait de Sparte, absorbée par des débats internes, pour créer en 478 une alliance avec les cités de l'Égée et de l'Asie Mineure dont elle prend la tête : la ligue de Délos. Le centre en est le sanctuaire de l'île de Délos, qui conserve le tribut (*phoros*) versé par les cités alliées et destiné à financer une flotte commune, prête à intervenir contre les Perses.

1 Organigramme des institutions athéniennes

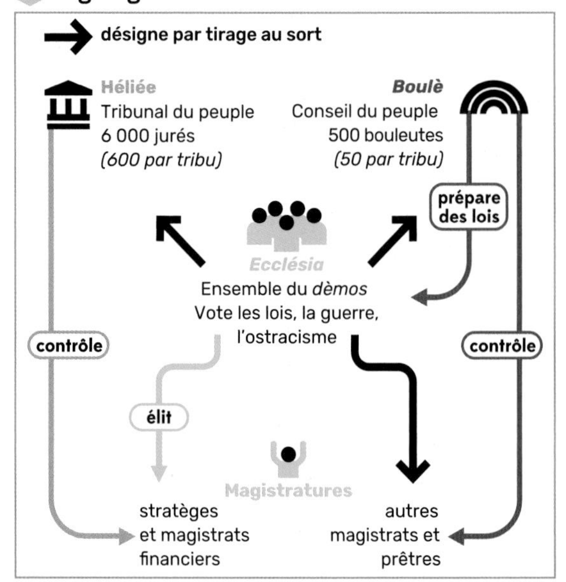

B Le « siècle de Périclès »

L'impérialisme d'Athènes. Au milieu du Ve siècle, la domination d'Athènes sur les cités alliées s'accentue. En 454, le trésor de la ligue est transféré à Athènes, qui en utilise une partie pour financer la reconstruction de l'Acropole incendiée par les Perses. En 448, la paix conclue avec les Perses fait perdre à la ligue sa principale raison d'être. Pourtant, Athènes la maintient, matant la révolte de plusieurs cités qui veulent en sortir. Désormais, certaines d'entre elles doivent non seulement payer le *phoros*, mais se voient aussi imposer une garnison athénienne.

L'apogée de la démocratie. Périclès domine la vie politique de 461 à 429. Fort de la prospérité apportée par l'empire maritime, il consolide la démocratie en instaurant le *misthos*. Cette indemnité est versée par l'État aux citoyens qui participent à la vie politique, pour les dédommager du manque à gagner d'une journée de travail. Les citoyens bénéficient aussi de distributions de blé. Toutefois, pour limiter les dépenses, une loi restreint les conditions d'accès à la citoyenneté en 451 av. J.-C **(doc. 2)**. En outre, le système censitaire est maintenu ; les thètes restent exclus des fonctions dirigeantes.

C L'affaiblissement de la puissance athénienne et la démocratie en crise

La démocratie en crise. De 431 à 404 av. J.-C., Athènes affronte sa grande rivale, Sparte, dans la guerre du Péloponnèse. Elle en sort vaincue. Les partisans de l'aristocratie attribuent cette défaite à son régime : la démocratie est renversée brièvement en 411, puis en 404-403 avec le soutien de Sparte. Elle est rétablie en 403. Mais la dissolution de la ligue de Délos ne permet plus à Athènes de compter sur le tribut des alliés pour assurer son rayonnement et financer sa démocratie. On voit arriver sur le devant de la scène politique des « hommes nouveaux ». Alors qu'au Ve siècle, les **stratèges** exaltaient l'hégémonie athénienne sur le monde grec, au IVe siècle, les orateurs s'adressent à un ***dèmos*** qui a perdu ses illusions et est inquiet face aux difficultés économiques.

La chute de la démocratie. Au milieu du IVe siècle, la Macédoine, dirigée par le roi Philippe II, menace l'indépendance des cités grecques. En dépit de la résistance organisée à l'appel de Démosthène, les Grecs sont vaincus à la bataille de Chéronée en 338. En 322, la démocratie athénienne est abolie : une garnison macédonienne s'installe au Pirée et le régime aristocratique est restauré.

Passé Présent

Le mot **magistrats** désigne dans l'Antiquité tous ceux qui exercent les fonctions de commandement et non les juges comme aujourd'hui.

VOCABULAIRE

- ***Dèmos*** : le peuple. Comme en français, le terme désigne à la fois le peuple souverain (le corps civique) et le petit peuple (par opposition aux riches).
- **Stratèges** : magistrats élus exerçant le commandement des armées.

RÉVISER SON COURS

1. Pourquoi l'ouverture de la vie politique aux citoyens les plus pauvres coïncide-t-elle avec une période de guerre ?
2. Pourquoi peut-on parler d'un impérialisme athénien sur les cités alliées ?
3. Pourquoi les défaites militaires subies par Athènes au cours du IVe siècle av. J.-C. fragilisent-elles le régime démocratique ?

2 La population athénienne au milieu du Ve siècle av. J.-C.

Non libres | Libres

entre 295 000 et 340 000

esclaves 110 à 150 000 (non libres)	femmes et enfants de citoyens 110 000
	métèques 40 000
	citoyens 35 à 40 000

ESCLAVES
Droits : aucun.
Devoirs : obéir à leur maître, servir l'État athénien (esclaves publics).

FEMMES ET ENFANTS DE CITOYENS
Les femmes jouent un rôle essentiel dans la transmission de la citoyenneté et participent à certaines fêtes.
Les garçons doivent effectuer leur service militaire de 18 à 20 ans (éphébie).

MÉTÈQUES
Droits : résider et commercer sur le territoire de la cité d'Athènes.
Devoirs : verser une taxe, le *métoikion* ; financer certains services publics (liturgies) ; servir dans la flotte en cas de guerre.

CITOYENS
Hommes nés de deux parents athéniens (loi de 451) et ayant effectué leur service militaire (éphébie).
Droits : siéger dans toutes les institutions et être magistrats.
Devoirs : servir dans l'armée et, pour les plus riches, financer un service public (liturgies).

COURS

2

Rome et son empire

Fondée selon la légende en 753 av. J.-C., la cité de Rome est à l'origine une République aristocratique. Au fil des siècles, elle impose sa domination sur le monde méditerranéen, ce qui s'accompagne de la mise en place d'un nouveau régime : l'Empire.

→ DOCUMENTS P. 56, 58, 60, 62, 65

VOCABULAIRE

Limes : frontières de l'Empire romain. Il s'agit soit d'une frontière linéaire clairement délimitée et fortifiée, soit d'une zone tampon à la délimitation approximative.

Empire : régime monarchique qui succède à la République romaine. Le terme dérive d'*imperium* (pouvoir de commandement des plus hauts magistrats) et d'*imperator* (général victorieux).

Principat : régime fondé par Auguste, qui prend le titre de *princeps* (« le premier »). Devient un synonyme d'Empire.

République : régime de Rome de 509 à Auguste, pendant lequel la « chose publique » (*res publica*) est gouvernée par le peuple et le Sénat.

Le sens des mots

Le nom **Empire** avec une majuscule désigne le régime politique et le mot **empire** avec une minuscule un vaste État rassemblant de nombreux territoires sous une seule autorité.

A De la République à l'Empire

Une République en crise. À partir du IIe siècle av. J.-C., la **République** romaine traverse de graves crises. L'expansion territoriale déstabilise un régime créé à l'échelle d'une cité. Ainsi, en 70 av. J.-C., la citoyenneté romaine est accordée à tous les hommes libres de la péninsule italienne : le nombre de citoyens romains passe de 400 000 à 1 million. En outre, les conquêtes territoriales accroissent la richesse et le prestige des généraux qui se disputent le pouvoir. Rome est en proie à la guerre civile.

La naissance de l'Empire. Après avoir vaincu son rival Antoine à Actium en 31 av. J.-C., Octave devient le seul maître de Rome. Il fonde le **principat**, un nouveau régime appelé aussi l'**Empire**. Il concentre tous les pouvoirs et reçoit, en 27 av. J.-C., le titre quasiment divin d'Auguste. Mais il veut apparaître comme le restaurateur de la paix civile et de la République. C'est pourquoi les institutions républicaines (Sénat, assemblées du peuple) conservent une existence théorique. Cela n'empêche pas Auguste d'organiser la succession en faveur de son fils adoptif, Tibère.

B L'organisation institutionnelle d'un empire territorial

Le gouvernement des provinces. Au sein de l'Empire, l'Italie conserve un statut à part : tous ses habitants sont citoyens. Le reste de l'Empire est divisé en provinces, astreintes au versement d'un impôt, le *tributum*. Les provinces sénatoriales, pacifiées depuis longtemps, ont à leur tête un gouverneur nommé par le Sénat. Les provinces impériales, de conquête plus récente, dépendent directement de l'empereur. La sécurité de l'Empire est assurée par une armée permanente stationnée sur le ***limes***. Elle est constituée de légionnaires romains et de troupes formées de provinciaux, qui reçoivent la citoyenneté à l'issue de leur service.

1 Comment devient-on citoyen romain ?

À PARTIR DE 70 AVANT J.-C.

À l'origine, statut réservé aux seuls hommes libres de la cité de Rome puis de l'Italie...

Puis privilège accordé :
- par décision impériale
- pour avoir servi dans l'armée pendant 25 ans
- pour avoir exercé une magistrature dans une cité latine

EN 212 APRÈS J.-C.

Enfin, droit conféré à tous les hommes libres de l'Empire par l'édit de Caracalla.

Un ensemble de cités. La cité reste le cadre essentiel de la vie politique et culturelle, notamment dans les régions de culture grecque. Une hiérarchie complexe existe entre les cités. Les habitants des cités de droit romain (Italie et **colonies**) bénéficient tous de la citoyenneté romaine. Dans les cités latines, seuls les anciens magistrats peuvent devenir citoyens romains, les autres habitants ont moins de droits. Enfin, dans les cités pérégrines, c'est-à-dire étrangères, les hommes libres sont des sujets et non des citoyens. Ces distinctions disparaissent avec l'édit de Caracalla en 212 ap. J.-C **(doc. 1)**. Il accorde la citoyenneté à tous les hommes libres de l'Empire, ce qui favorise la **romanisation**.

C Romanisation et brassage des héritages culturels et religieux

La ville au cœur de la romanisation. Dans les colonies comme dans les villes préexistantes, le modèle romain d'urbanisme se diffuse, notamment à travers un plan type **(doc. 2 p. 45)**. Les villes se dotent d'équipements typiques de la civilisation gréco-romaine sur le modèle de Rome : théâtres, amphithéâtres, aqueducs pour acheminer l'eau vers les thermes et les fontaines **(doc. 2)**.

Un brassage religieux. Le **culte impérial** revêt avant tout une dimension politique. Il est le ciment de l'Empire et témoigne de la loyauté des provinces, qui doivent organiser ce culte auquel tous les habitants sont tenus de participer. Mais d'un point de vue strictement religieux, les Romains ne cherchent pas à imposer leurs croyances et divinités. Les cultes locaux restent présents, notamment dans les campagnes. Des sanctuaires pourtant édifiés sur le modèle gréco-romain sont consacrés aux dieux indigènes dans toutes les provinces.

Les chrétiens dans l'Empire. La persécution des chrétiens dans l'Empire, très inégale selon les périodes, n'est pas due à leur croyance elle-même, mais à leur refus de participer au culte impérial, un rite païen. Certains chefs militaires romains voient dans la force spirituelle des chrétiens un moyen de rendre à l'Empire sa cohésion. L'empereur Constantin autorise ainsi la pratique de la religion chrétienne avec l'édit de Milan, en 313 ap. J.-C., puis se convertit à sa mort.

VOCABULAIRE

Colonies : cités créées par l'État, dont les institutions sont calquées sur celles de Rome.

Culte impérial : culte dédié aux empereurs et à d'autres membres de la famille impériale, divinisés après leur mort sur décision du Sénat.

Romanisation : influence exercée par Rome sur la vie politique et culturelle des peuples qu'elle a conquis.

Repères

Les droits du citoyen romain

Droits civils :
- Droit de conclure un mariage légal avec une Romaine
- Droit de propriété ou de vendre
- Droit d'entamer une action judiciaire

+ Droits politiques :
- Droit de vote
- Droit d'accès aux magistratures et aux prêtrises
- Droit d'appel devant le tribunal de l'empereur

= Citoyenneté de plein droit

RÉVISER SON COURS

1. Dans quel contexte Auguste prend-il le pouvoir et institue-t-il un nouveau régime?
2. Comment s'organise la domination romaine sur un empire territorial très vaste?
3. Quels sont les éléments qui témoignent d'un véritable brassage culturel dans les provinces de l'Empire romain?

2 Rome, capitale impériale

1 Forum de Trajan.
2 Forum d'Auguste.
3 Forum de Vespasien.
4 Temple de Vénus et de Rome.
5 Amphithéâtre flavien (Colisée).
6 Thermes de Trajan.
7 Temple de Claude.
8 Palais impériaux
9 Grand Cirque (*Circus Maximus*).

Périclès et la démocratie athénienne

Comment Périclès parvient-il à perfectionner la démocratie athénienne et à en assurer le rayonnement sur le monde grec?

→ COURS P. 46

Périclès
(495 av. J.-C. à 429 av. J.-C.)

454 av. J.-C. : fait déplacer le trésor de la ligue de Délos à Athènes.

451 av. J.-C. : est à l'origine d'un décret restreignant la citoyenneté aux enfants « nés de deux citoyens de souche ».

450 av. J.-C. : institue le *misthos*.

447 av. J.-C. : début des travaux de reconstruction de l'Acropole.

443 av. J.-C. : réélu stratège pendant 15 années consécutives.

440 av. J.-C. : dirige l'expédition qui réprime la révolte de Samos, cité voulant quitter la ligue de Délos.

1 Le portrait de Périclès

Périclès avait de l'influence en raison de la considération qui l'entourait et de la profondeur de son intelligence; il était d'un désintéressement absolu sans attenter à la liberté. […] N'ayant acquis son influence que par des moyens honnêtes, il n'avait pas à flatter la foule. Grâce à son autorité personnelle, il pouvait lui tenir tête […]. Ce gouvernement portait le nom de démocratie, en réalité c'était le gouvernement d'un seul homme.

Thucydide, *Histoire de la guerre du Péloponnèse*, II, 65, fin du Ve siècle av. J.-C, Garnier-Flammarion.

2 L'instauration du *misthos*

Périclès prit ensuite la direction du parti populaire. Il s'était déjà rendu célèbre en attaquant, jeune encore, Cimon[1] […]. Avec lui la constitution devint encore plus démocratique. […] Il tourna l'ambition d'Athènes vers l'empire maritime, si bien que la multitude enhardie tira de plus en plus à elle tout le gouvernement. […]

Périclès est aussi le premier qui établit le salaire des tribunaux, mesure populaire prise contre l'opulence de Cimon. Celui-ci, qui avait une vraie fortune de tyran, ne se contentait pas de s'acquitter avec magnificence des services publics dont il était chargé, mais il nourrissait encore bon nombre de ses concitoyens. […] La fortune de Périclès ne lui permettait pas de rivaliser avec un si grand seigneur, […] il devait donner au peuple l'argent du peuple. C'est ainsi que Périclès établit le salaire des juges.

Aristote, *La Constitution d'Athènes*, XXVII, IVe siècle av. J.-C.

1. Cimon fut stratège plusieurs fois entre 478 et 450 av. J.-C. Grand rival politique de Périclès, il gouverne avec l'appui des grandes familles aristocratiques.

3 La grandeur d'Athènes

Mais ce qui causa le plus de plaisir à Athènes, l'embellit le plus et frappa d'admiration le reste des hommes, l'unique témoignage qui nous prouve aujourd'hui que la fameuse puissance et l'antique splendeur de la Grèce ne sont pas des inventions, ce fut la construction des monuments sacrés. Cette mesure suscita, plus que toutes les décisions politiques de Périclès, la jalousie de ses ennemis. Ils l'accusaient dans les assemblées : « Le peuple, criaient-ils, est déshonoré ! Il s'est attiré les insultes de tous, pour avoir transporté de Délos à Athènes le trésor commun des Grecs. […] La Grèce s'estime victime d'une terrible injustice et d'une tyrannie manifeste : elle voit qu'avec les sommes qu'elle a fournies sous la contrainte pour faire la guerre, nous couvrons d'or et de parures notre cité, comme une fille coquette, l'ornant de pierres précieuses, de statues, de temples qui coûtent mille talents. »

Mais Périclès donnait au peuple les explications suivantes : « Vous ne devez aucun compte de ces sommes aux alliés, puisque vous faites la guerre pour eux et maintenez les Barbares au loin. Les alliés ne fournissent pas un cheval, pas un navire, pas un hoplite, mais seulement de l'argent. […] Puisque la cité est convenablement équipée pour la guerre, il faut qu'elle emploie ses ressources à des travaux qui lui procureront, après leur achèvement, une gloire éternelle, et durant leur exécution, une prospérité immédiate. »

Plutarque, *Vie de Périclès*, XII, IIe siècle ap. J.-C.

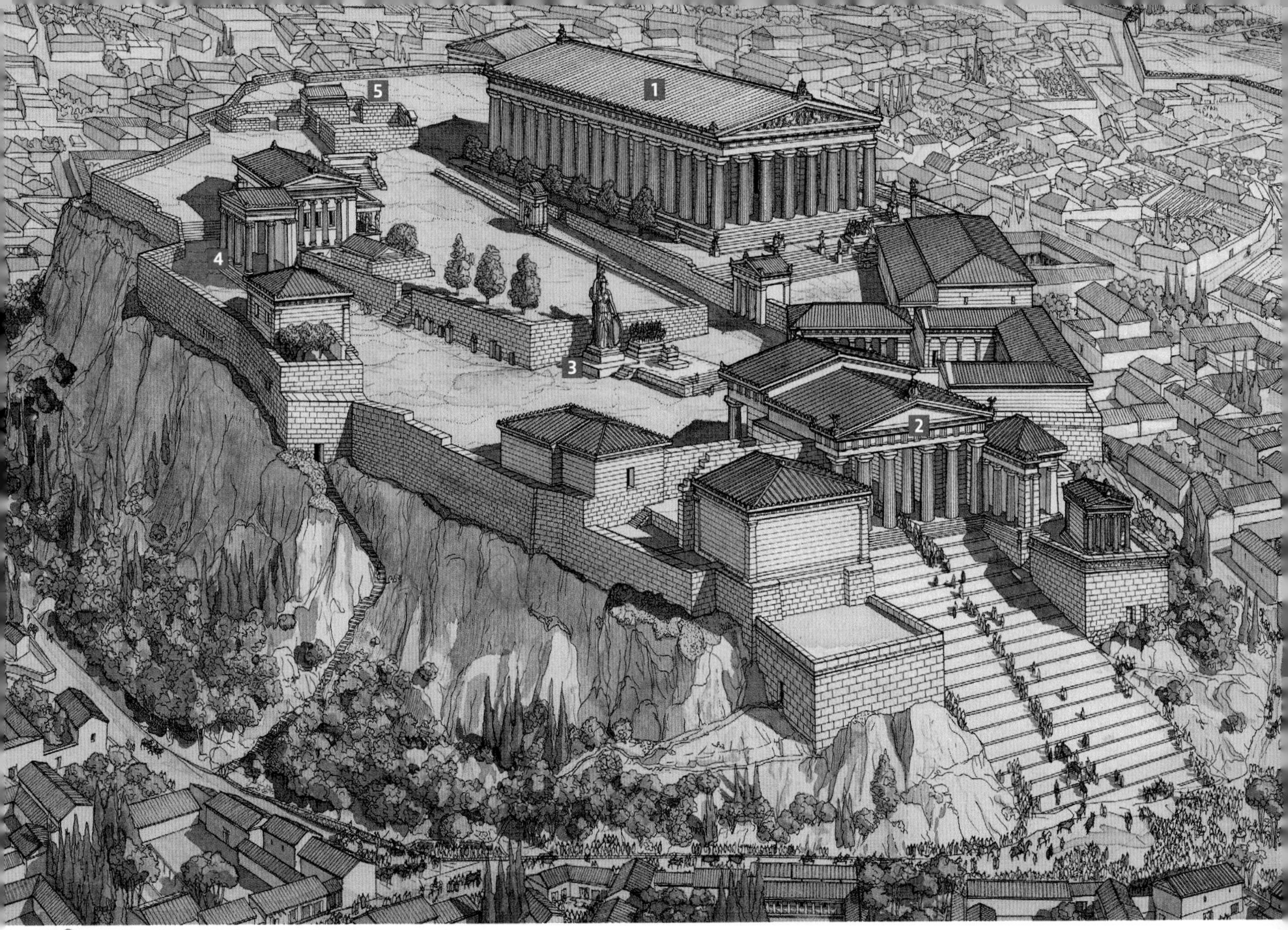

4 L'Acropole après les travaux de reconstruction

L'Acropole, grand sanctuaire consacré principalement au culte d'Athéna, a été détruit en 480-479 par les Perses. Périclès supervise de grands travaux de reconstruction. 1 **Le Parthénon**, construit entre 447 et 438 av. J.-C., abrite le trésor de la ligue de Délos et la statue chryséléphantine d'Athéna Parthénos [vierge] réalisée par Phidias. 2 **Les Propylées**, construites entre 437 et 432 av. J.-C., constituent l'entrée monumentale du site. 3 **La statue d'Athéna Promachos** [qui combat au premier rang], en bronze, est haute de 10 mètres; on voit briller au loin la pointe de sa lance. 4 **L'Erechthéion**, achevé en 406 av. J.-C., est le principal temple, dédié à Athéna, Poséidon et Erechtée (roi légendaire d'Athènes). 5 **Le grand autel d'Athéna** est le lieu des sacrifices lors de la fête des Panathénées.

Reconstitution de l'Acropole pendant les Panathénées, aquarelle de Jean-Claude Golvin, musée départemental Arles Antique.

Comment Périclès parvient-il à perfectionner la démocratie athénienne et à en assurer le rayonnement sur le monde grec?

Répondre aux questions

1. **Caractérisez** les qualités d'homme d'État de Périclès selon Thucydide (**doc. 1**).
2. **Expliquez** en quoi consiste l'opposition politique entre Périclès et Cimon (**doc. 2**).
3. **Montrez** que la création du *misthos* par Périclès a permis de perfectionner le régime démocratique (**doc. 2**).
4. **Analysez** l'œuvre de Périclès dans la ville d'Athènes et l'image qu'il a voulu en donner dans le monde grec. **Précisez** comment les travaux ont pu être financés (**doc. 3 et 4**).
5. À l'aide des réponses précédentes, **montrez** que Périclès parvient à perfectionner la démocratie athénienne tout en assurant son rayonnement sur le monde grec.

Réaliser un diaporama

1. Réalisez le diaporama en vous aidant du plan suivant.
   A. Périclès perfectionne la démocratie athénienne...
   B. ... et assure le rayonnement culturel de la ville...
   C. ... dans un contexte d'expansion maritime et de domination du monde grec.
2. Présentez le diaporama à l'oral devant vos camarades de classe.

La ligue de Délos : une forme d'impérialisme athénien

Comment les cités alliées devinrent-elles des sujets soumis à la puissance athénienne ?

→ COURS P. 46

1 L'évolution de la ligue de Délos

Placée originairement à la tête d'une coalition de cités indépendantes, ayant chacune voix délibérative dans les assemblées communes, Athènes allait, dans les années qui s'écoulèrent entre la guerre médique et notre guerre, affirmer sa suprématie dans le domaine militaire comme dans la conduite générale des affaires. Au cours de cette période, elle se trouva aux prises […] avec ceux de ses alliés qui voulaient secouer le joug. […] Plusieurs raisons expliquaient ces défections. Elles se produisaient surtout quand une cité ne s'était pas acquittée des contributions qu'elle devait fournir soit en argent soit en navires, ou quand elle voulait se dérober à ses obligations militaires. […] Ainsi, d'une manière générale, les cités n'acceptaient plus sans mauvaise humeur de se trouver soumises à l'autorité des Athéniens.

Thucydide, *La Guerre du Péloponnèse*, I, 97-99, fin du Ve siècle av. J.-C., Gallimard.

Les sources de l'historien

Des décisions gravées dans la pierre

Les Athéniens avaient pour habitude de graver sur des stèles de pierre les décisions de l'*Ecclésia*. Les archéologues ont retrouvé 25 000 inscriptions athéniennes environ. On peut souvent les dater grâce à la mention de l'*archonte éponyme*, le magistrat qui donne son nom à l'année.

3 Décret sur les monnaies

Ce décret impose l'usage des poids, mesures et monnaies athéniennes dans tout l'Empire.

[…] Que les gouverneurs[1] dans les cités placent ce décret après l'avoir fait graver sur une stèle de pierre sur la place de chaque cité et que les préposés le fassent devant l'atelier monétaire ; voilà ce que les Athéniens leur imposent, même s'ils ne le veulent pas ; que le héraut[2] envoyé chez eux exige d'eux ce que les Athéniens ordonnent ; que le secrétaire du conseil ajoute ces mots aux serments des conseillers : « Si quelqu'un, dans les cités, frappe une monnaie d'argent et n'utilise pas les monnaies, poids et mesures d'Athènes, mais des monnaies, des poids et des mesures d'une cité étrangère, je le condamnerai et le punirai […]. »

Inscription retrouvée sur plusieurs fragments de marbre dans les cités grecques, vers 425-422 av. J.-C.

1. Magistrats athéniens résidant dans les cités alliées. **2.** Messager officiel.

2 Athènes et la cité de Chalcis

Chalcis et d'autres cités de l'île d'Eubée se soulèvent contre la domination d'Athènes après la paix de 448. La répression est menée par Périclès.

Que les Chalcidiens prononcent le serment en ces termes : « Je ne me séparerai du peuple des Athéniens ni par manœuvre, ni par ruse, ni en parole, ni en acte, et je ne suivrai pas qui voudrait me séparer d'eux ; si quelqu'un se prépare à se séparer d'eux, je le dénoncerai aux Athéniens ; je paierai aux Athéniens le tribut que je les aurai persuadés de fixer et serai aussi bon et aussi juste allié que possible ; je me porterai au secours du peuple des Athéniens et je le défendrai, si quelqu'un fait tort au peuple des Athéniens et j'obéirai au peuple des Athéniens. » Que tous les Chalcidiens qui sont en âge de le faire prononcent ce serment, si quelqu'un ne le prête pas, qu'il soit privé de ses droits et que ses biens soient confisqués […].

Décret des Athéniens concernant la cité de Chalcis, inscription retrouvée sur l'Acropole, 446-445 av. J.-C.

Répondre aux questions

1. **Expliquez** dans quel contexte la ligue de Délos s'est constituée en 478 av. J.-C. (**doc. 1**).
2. **Présentez** son fonctionnement initial (**doc. 1**).
3. **Analysez** comment a évolué la ligue de Délos (**doc. 1 et 2**).
4. **Précisez** ce qui est institué par le décret et **présentez** l'intérêt économique et politique de cette mesure (**doc. 3**).
5. À l'aide des réponses précédentes, **expliquez** comment les cités alliées sont devenues des sujets soumis à la puissance athénienne.

DOCUMENTS

La fête des Panathénées, Athènes en représentation

En quoi la fête des Panathénées est-elle une fête religieuse et civique assurant le rayonnement d'Athènes?

→ COURS P. 46

1 La procession des Panathénées

Fragments de la frise sculptée par Phidias, située sur le mur intérieur du Parthénon. À gauche, des sacrificateurs et un taureau destiné au sacrifice. À droite, sans doute des métèques portant des vases.

Frise du Parthénon, bas-relief, 447-432 av. J.-C.

2 L'organisation de la fête

Lors des Panathénées, Athéna est vénérée sous plusieurs épithètes, notamment celle qui protège la Cité (Polias) et celle qui apporte la Victoire (Nikè).

Après avoir fait le sacrifice à Athéna Polias et Athéna Nikè, ils distribueront au peuple athénien au Céramique[1], les chairs de toutes les vaches [...] en répartissant les portions entre les différents dèmes[2] d'après le nombre de citoyens que chaque dème aura délégués à la procession. [...] Que les hiéropes[3] qui organiseront les Panathénées annuelles célèbrent avec le plus d'éclat possible la veillée nocturne en l'honneur de la déesse; qu'ils mettent la procession en mouvement dès le lever du soleil. [...]

Décret réorganisant les Panathénées, inscription trouvée sur un fragment de stèle de marbre découvert sur l'Acropole, vers 335 avant J.-C.

1. Le Céramique est le quartier des potiers, au nord-ouest d'Athènes.
2. Municipalité (l'État athénien est divisé en 139 dèmes).
3. Magistrats chargés de l'organisation des fêtes et des sacrifices.

3 Décret augmentant le tribut versé par les alliés

À l'avenir, que l'annonce pour chaque cité à propos de son tribut soit faite avant les Grandes Panathénées. [...] Que chacune des cités, sans exception, dont le tribut a été fixé sous le Conseil dont le premier secrétaire était Pleistas, sous l'archontat de Stratoclès, apporte un bœuf et une panoplie[1] lors des Grandes Panathénées. Qu'elles participent à la procession au même titre que les colons.

Décret dit de Thoudippos, 425-424.

1. Équipement complet d'un hoplite (bouclier, casque, cuirasse, etc.).

Répondre aux questions

1. **Décrivez** le parcours de la procession et **caractérisez** les deux grands moments de la fête (**doc. 1, 2** et **2 p. 43**).
2. **Identifiez** les différents acteurs de la fête (**doc. 1 et 2**).
3. **Expliquez** comment cette fête témoigne de l'égalité des citoyens (**doc. 2**).
4. **Analysez** la place occupée par les étrangers et les cités alliées (**doc. 1 et 3**).
5. **Montrez** que cette fête religieuse et civique assure le rayonnement d'Athènes.

Guerre et démocratie à Athènes

Comment les Athéniens pensent-ils le lien entre leur démocratie et la guerre ?

→ COURS P. 46

Repères

Les quatre catégories de citoyens

Solon a réparti les citoyens athéniens en quatre catégories selon leurs revenus fonciers afin de définir les modalités de participation à la vie politique et à la défense.

	Pentacosiomédimnes	*Hippeis*	*Zeugites*	Thètes
Milieu social	Familles aristocratiques, très grands propriétaires terriens	Athéniens très aisés	Paysans propriétaires (possèdent un attelage)	Pauvres qui ne possèdent rien
Fonction dans l'armée	Cavaliers		Hoplites	Rameurs
Place dans la vie politique	• Détiennent l'essentiel du pouvoir politique jusqu'au début du Ve siècle av. J.-C. • Peuvent exercer toutes les magistratures		• Ont accès à toutes les fonctions à partir de 457 av. J.-C.	• Siègent à l'*Ecclésia* • Accèdent progressivement à toutes les magistratures au cours du IVe siècle

1 La supériorité de la démocratie

La puissance d'Athènes fut augmentée. Il est évident que l'isagorie[1] est une excellente chose ; sous les tyrans, les Athéniens n'étaient à la guerre supérieurs à aucun de leurs voisins ; délivrés des tyrans, ils devinrent de beaucoup les premiers. Ils ont donc prouvé par là que, privés de liberté, ils n'agissaient qu'à contrecœur, comme quand on travaille pour un maître ; libres, chacun s'est mis avec ardeur à l'œuvre pour soi-même. Ainsi firent les Athéniens.

Hérodote, *Histoires*, V, 78, vers 445 av. J.-C.

1. Égalité à l'agora, liberté de discussion.

2 Démocratie et service dans l'armée

Ce que je tiens à dire, dès le début, c'est qu'il paraît juste qu'à Athènes les pauvres et le peuple l'emportent sur les nobles et les riches, car c'est le peuple qui fait naviguer les vaisseaux de guerre et qui donne à la cité sa puissance, car ce sont les pilotes, les chefs de rameurs [...] qui font la puissance de la cité, beaucoup plus que les hoplites, les nobles et les honnêtes gens. Donc, puisqu'il en est ainsi, il paraît juste que tout le monde participe aux magistratures, par tirage au sort et élection et que la parole soit accordée à tout citoyen qui la demande.

Pseudo-Xénophon, *La Constitution d'Athènes*, fin du Ve siècle av. J.-C.

3 Athènes face à la menace macédonienne

Démosthène, orateur athénien, appelle à la résistance contre Philippe II de Macédoine.

Athéniens, ayez cette conviction bien arrêtée que Philippe est en guerre avec Athènes, que la paix est rompue par son fait, et cessez de vous accuser les uns les autres à ce sujet.

Croyez qu'il n'a que de mauvaises intentions à votre égard, qu'il est l'ennemi de la cité tout entière [...].

Mais c'est, par-dessus tout, notre système politique qu'il combat, contre lequel il dirige ses machinations ; sa plus constante préoccupation c'est de le détruire.

Et il a, pour agir ainsi, d'excellentes raisons ; il sait clairement que lorsqu'il aura dompté tout le reste, sa puissance sera fragile tant que vous resterez en démocratie.

Démosthène, *Sur les affaires de Chersonèse*, 341 av. J.-C.

4 Une trière athénienne

La trière est mue par des rameurs situés sur trois rangs superposés.

Bas-relief, v. 400 av. J.-C, musée de l'Acropole, Athènes.

5 L'éloge de la démocratie par Périclès

Extrait du discours prononcé par Périclès à l'occasion des funérailles officielles des morts athéniens au début de la guerre du Péloponnèse (431-430 av. J.-C.).

Vous savez les exploits guerriers qui nous ont valu toutes ces conquêtes et la résistance victorieuse que notre énergie et celle de nos pères ont opposée aux agresseurs barbares ou grecs. [...] Mais à quel régime devons-nous notre grandeur ? [...]

Telle est la puissance de notre cité que les biens de la mer y affluent. Nous en arrivons à consommer les productions des autres peuples comme si elles étaient, autant que celles de l'Attique, notre propre bien.

Nous nous distinguons de nos adversaires par la façon dont nous nous préparons à la guerre. [...] Car plutôt que sur les préparatifs et les effets de surprise, nous comptons sur le courage avec lequel nos hommes se battent. [...]

Nous intervenons tous personnellement dans le gouvernement de la cité au moins par notre vote ou même en présentant à propos nos suggestions. Car nous ne sommes pas de ceux qui pensent que les paroles nuisent à l'action. Nous estimons plutôt qu'il est dangereux de passer aux actes, avant que la discussion nous ait éclairés sur ce qu'il y a à faire. [...] Parmi toutes les cités, Athènes est aujourd'hui la seule qui puisse repousser un assaillant sans qu'il ait à rougir d'une défaite par de tels adversaires ; la seule qui règne sur des sujets sans qu'ils puissent se plaindre de se trouver soumis à une nation indigne d'exercer cette autorité. [...] Il n'est pas de terre, il n'est pas de mer que nous n'ayons contrainte d'ouvrir une route à notre audace et nous avons laissé partout des monuments impérissables de nos entreprises.

Thucydide, *La Guerre du Péloponnèse*, II, 37-41, fin du Ve siècle av. J.-C, Gallimard.

Comment les Athéniens pensent-ils le lien entre leur démocratie et la guerre ?

Répondre aux questions

1. **Relevez** les informations sur le fonctionnement de la démocratie athénienne (**doc. 2, 5 et Repères**).
2. **Montrez** que l'accès des citoyens les plus pauvres aux fonctions politiques résulte de leur rôle stratégique dans l'armée athénienne (**doc. 2, 4 et Repères**).
3. **Analysez** le lien existant entre régime démocratique et victoires militaires (**doc. 1, 2 et 5**).
4. **Présentez** le danger que Philippe de Macédoine fait peser sur Athènes aux yeux de Démosthène (**doc. 3**).
5. À l'aide des réponses précédentes, **montrez** les liens étroits entre la démocratie athénienne et la guerre.

Réaliser un schéma explicatif

À l'aide des documents, complétez le schéma fléché.

Caractéristiques du régime athénien → Fonctionnement de l'armée → Victoires militaires

Le principat d'Auguste et la naissance de l'Empire romain

Quelle est la nature du nouveau régime créé par Auguste?

→ COURS P. 48

Auguste
(63 av. J.-C. à 14 ap. J.-C.)

43 av. J.-C. : est intégré au Sénat, puis élu consul et *triumvir* pour 5 ans.

31 av. J.-C. : remporte la bataille d'Actium contre Antoine et Cléopâtre.

27 av. J.-C. : restitue la *res publica* au Sénat et au peuple; partage les provinces avec le Sénat; reçoit un *imperium* pour dix ans et le titre d'« Auguste ».

18 av. J.-C. : associe son gendre Agrippa au pouvoir.

12 av. J.-C. : élu grand pontife (chef de la religion romaine officielle).

2 ap. J.-C. : est nommé « père de la patrie ».

4 ap. J.-C. : adopte Tibère, fils de sa seconde épouse Livie.

Les sources de l'historien

Les hauts faits du divin Auguste
Auguste dressa lui-même son bilan politique à la fin de sa vie : les *Res Gestae Divi Augusti*. Il les fit graver sur deux tables de bronze, aujourd'hui disparues, et placer à l'entrée de son mausolée. Recopié dans de nombreuses cités, comme ici sur le temple d'Auguste à Ankara, ce texte se divise en trois parties : l'énumération des charges et des honneurs reçus par Auguste, le bilan des dépenses réalisées en l'honneur de l'État et du peuple romain, les exploits d'Auguste pacificateur et conquérant.

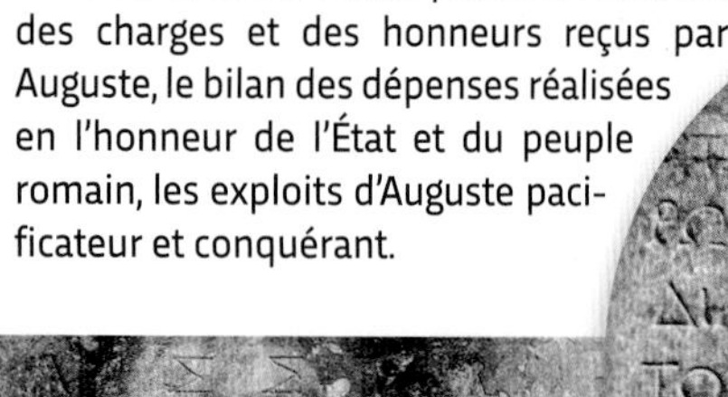

1 Auguste vu par lui-même

À l'âge de dix-neuf ans, par décision personnelle et à mes propres frais, j'ai levé une armée avec laquelle j'ai rendu la liberté à la République opprimée par la tyrannie d'une faction. Pour cette raison, le Sénat, par des décrets honorifiques, me coopta dans son ordre [...]; en outre il m'accorda l'*imperium*[1]. Il me confia le soin de veiller [...] à ce que la République ne connût pas de dommage. [...]

J'ai fait souvent des guerres sur terre et sur mer, civiles ou extérieures, dans le monde entier, et après la victoire j'ai épargné tous les citoyens qui demandaient grâce. Quant aux peuples étrangers à qui on pouvait pardonner en toute sécurité, j'ai préféré les conserver que les exterminer. [...]

De son plein gré, l'Italie tout entière m'a prêté serment d'allégeance et m'a réclamé comme chef pour la guerre dans laquelle j'ai remporté la victoire d'Actium. Les provinces des Gaules, des Hispanies, de l'Afrique, de la Sicile et de la Sardaigne prêtèrent serment dans les mêmes termes. [...] Pendant mon sixième et mon septième consulat[2], après avoir éteint les guerres civiles, étant en possession du pouvoir absolu avec le consentement universel, je transférai la République de mon pouvoir dans la libre disposition du Sénat et du peuple romain. Pour ce mérite je fus appelé Auguste [...].

Depuis ce temps, je l'emportais sur tous en autorité, mais je n'avais pas plus de pouvoir que tous ceux qui ont été mes collègues dans toutes les magistratures.

Res Gestae Divi Augusti, 14 ap. J.-C.

1. En 43 av. J.-C.
2. En 28-27 av. J.-C.

Animation

2 La famille impériale

Détail de l'*Ara Pacis*, grand autel de la Paix édifié à Rome en 13 av. J.-C. pour célébrer les victoires d'Auguste en Espagne et en Gaule. 1 Auguste ; 2 Agrippa, son gendre ; 3 Caïus César, son petit-fils ; 4 Livie, sa femme ; 5 Tibère, son fils adoptif.

Procession de l'Ara Pacis, bas-relief, 13-9 av. J.-C.

3 Auguste vu par Dion Cassius

En fait César[1], puisqu'il était maître des finances [...], et puisqu'il avait l'autorité militaire, devait exercer en tout et toujours un pouvoir souverain. [...] Le nom d'Auguste lui fut donné par le Sénat et par le peuple. Car, comme il avait été décidé de lui donner un titre en quelque manière spécial, [...] César [...] se fit appeler Auguste[2], ce qui signifiait qu'il avait quelque chose de plus que les hommes. [...] Ce fut ainsi que la puissance du peuple et du Sénat passa tout entière à Auguste, et qu'à partir de cette époque fut établie une monarchie pure.

Dion Cassius, *Histoire romaine*, LIII, 16-17, début du IIIe siècle ap. J.-C.

1. Octave, qui avait été adopté par Jules César, devient, après l'assassinat de ce dernier, César le jeune.
2. Ce qui signifie vénérable, sacré.

4 Le culte impérial en Gaule narbonnaise

Bons, bénis et heureux soient l'empereur César Auguste, fils de César divinisé, père de la Patrie, pontife suprême, revêtu de la 34e puissance tribunitienne, son épouse, ses enfants, sa lignée, le Sénat et le peuple romain. La plèbe[1] de Narbonne a placé sur le forum un autel, auprès duquel, chaque année le neuvième jour avant les calendes d'octobre[2] [...], trois chevaliers[3] romains recommandés par la plèbe et trois affranchis immoleront individuellement des victimes à leurs frais, ce jour-là assurent l'encens et le vin aux colons et aux domiciliés pour adresser des prières à sa puissance divine.

Inscription trouvée sur l'autel dédié à l'empereur Auguste par la plèbe de Narbonne.

1. Masse des citoyens. 2. 23 septembre, anniversaire d'Auguste.
3. Membres de l'ordre équestre, regroupant les plus riches citoyens.

Quelle est la nature du nouveau régime créé par Auguste ?

Répondre aux questions

1. **Caractérisez** les pouvoirs détenus par Auguste et **montrez** que le fondement de son pouvoir réside dans la victoire militaire (**doc. 1, 2 et 3**).
2. **Comparez** la vision qu'a chaque auteur du pouvoir exercé par Auguste (**doc. 1 et 3**).
3. **Analysez** la stratégie d'Auguste pour mettre en place une dynastie (**doc. 2 et Repères**).
4. **Montrez** que le culte dont Auguste est l'objet après sa mort permet de consolider le pouvoir impérial de Rome sur son empire (**doc. 4**).
5. À l'aide des réponses précédentes, **expliquez** la nature du nouveau régime créé par Auguste.

Réaliser une carte mentale

1. Écrivez le titre « L'empereur Auguste » au centre de la page.
2. Tracez quatre branches partant de ce titre :
   - **Le pouvoir politique**
   - **Le pouvoir militaire**
   - **Le pouvoir religieux**
   - **La stratégie dynastique**
3. Complétez avec des informations extraites des documents. Sur chacune des trois premières branches, indiquez de qui Auguste a obtenu son pouvoir.

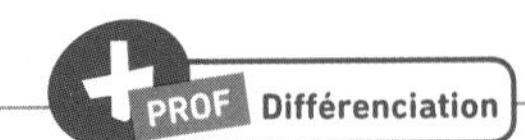

La civilisation romaine dans l'Empire

Faut-il parler de romanisation ou de brassage culturel dans l'Empire romain ?

→ COURS P. 48

1 Le temple de Kalabsha

Temple érigé sous Auguste dans la province romaine de Basse-Nubie. 1 Thot, représenté en homme à tête d'ibis, est le dieu du savoir. 2 Purification de l'empereur Auguste, représenté en pharaon. 3 Horus, représenté en homme à tête de faucon, symbolise l'ordre et la légitimité ; il est le dieu protecteur des pharaons. 4 Horus, coiffé de la double couronne portée par les pharaons, regarde avec bienveillance la scène de purification.

3 L'exemple de la Bretagne

Tacite fait la biographie d'Agricola, gouverneur de Bretagne (Angleterre actuelle) de 77 à 83-84.

L'hiver suivant fut consacré aux mesures les plus salutaires. En effet, pour accoutumer au repos et au loisir, par l'appât des plaisirs, ces hommes dispersés, grossiers, et par là même portés à guerroyer, il les encouragea à titre privé et les aida par des subventions publiques à construire des temples, des forums, des maisons, louant les plus actifs et réprimandant les paresseux : ainsi, la rivalité d'honneur remplaçait la contrainte. De plus il faisait donner une éducation libérale aux fils de notables, déclarant préférer les qualités naturelles des Bretons aux talents acquis des Gaulois, si bien que ces gens, qui récemment encore rejetaient la langue de Rome, désirèrent acquérir son éloquence. Notre costume lui-même fut à l'honneur, et l'on vit de nombreuses toges ; peu à peu, on céda aux séductions du vice : portiques, bains, banquets raffinés. Dans leur inexpérience, ils parlaient de civilisation, alors que c'était un élément de leur esclavage.

Tacite, *Vie d'Agricola*, XXI, 98 ap. J.-C.

2 La prière d'un officier romain

Cette prière a été gravée à la demande d'un officier de l'armée romaine dans la cour du temple de Kalabsha. Sa garnison était stationnée dans la ville la plus proche, Talmis.

Sois bienveillant, Ô Mandoulis[1], fils de Zeus et incline la tête vers moi pour exprimer ton assentiment ! Sauve-moi et sauve ma femme bien-aimée et mes chers enfants ! Je fais constamment appel à Toi pour que mes compagnons et mes esclaves féminines soient délivrés de toute maladie et de tout travail pénible, et pour que nous puissions retourner dans notre patrie. Combien heureux sont les gens qui vivent dans la ville sainte de Talmis, aimée de Mandoulis, le dieu-soleil, et qui est sous l'autorité souveraine d'Isis[2], la déesse à la belle chevelure et aux nombreux noms !

Inscription retrouvée dans la cour du temple de Kalabsha, Ier-IIe siècle ap. J.-C.

1. Forme locale du dieu Horus. **2.** Mère d'Horus.

4 Le temple d'Isis à Pompéi

Attesté depuis le IIe siècle av. J.-C., détruit par un tremblement de terre en 62 ap. J.-C., ce temple fait partie des premiers bâtiments à être reconstruits.

5 Inscription gravée à l'entrée du temple d'Isis à Pompéi

« Numerius Pompidius Celsinus, fils de Numerius[1], a entièrement reconstruit, à ses frais, le temple d'Isis qui s'était effondré à la suite du tremblement de terre ; du fait de ses libéralités, il a été accueilli gratuitement dans l'ordre des décurions[2] alors qu'il avait à peine six ans. »

1. Numerius est un affranchi, ancien esclave libéré par son maître. 2. Les citoyens de l'ordre des décurions siègent à l'assemblée de la cité et fournissent les magistrats locaux.

Faut-il parler de romanisation ou de brassage culturel dans l'Empire romain ?

Répondre aux questions

1. **Caractérisez** les éléments de la culture égyptienne et de la culture romaine présents dans ce temple (**doc. 1 et 2**).
2. **Décrivez** les actions menées par Agricola afin de romaniser les Bretons (**doc. 3**).
3. **Interprétez** la vision de Tacite en citant les expressions négatives qu'il emploie à propos de la civilisation romaine (**doc. 3**).
4. **Localisez** Pompéi (carte p. 45) et **expliquez** ce que nous apprend la présence du temple d'Isis sur ce site (**doc. 4 et 5**).
5. À l'aide des réponses précédentes, **argumentez** pour savoir s'il faut parler de romanisation ou de brassage culturel dans l'Empire.

Extraire et classer des informations

Complétez le tableau afin de répondre à la problématique.

	Document(s) exploité(s) et informations
Romanisation : diffusion en profondeur de la culture romaine dans l'Empire	
Intégration des éléments de la culture romaine au sein des cultures locales	
Incorporation dans la culture romaine d'éléments de civilisation des régions conquises	

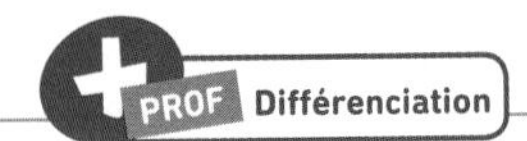

Rome et son empire territorial

Comment les empereurs contrôlent-ils leur immense empire territorial?

→ COURS P. 48

1 Une voie romaine

La Via Appia partait de Rome et longeait la côte tyrrhénienne vers le sud.

2 Une voiture romaine

Bas-relief de Maria Saal (Autriche) représentant une voiture à quatre roues appelée *rheda* (mot d'origine gauloise).

3 La création de la poste par Auguste

Il établit aussi sur toutes les routes militaires, et à de très courtes distances, de jeunes courriers et ensuite des voitures, pour être informé plus tôt de ce qui se passait dans les provinces. Le procédé a paru plus commode, car les mêmes hommes qui apportent des lettres d'un lieu donné peuvent aussi être interrogés en cas de nécessité.

Suétone, *Vie d'Auguste, Vies des douze Césars*, XLIX, Ier-IIe siècle ap. J.-C.

5 L'aqueduc de Nicomédie

Pline le Jeune, gouverneur de Bithynie, écrit à l'empereur Trajan (98-117 ap. J.-C.).

Maître, pour un aqueduc les Nicomédiens ont dépensé 3318000 sesterces, aqueduc qui jusqu'ici n'a pas été terminé, a été abandonné et même démoli. On en a, pour un autre aqueduc, dépensé 200000. Ce dernier a été abandonné aussi et il faut un nouveau crédit pour fournir de l'eau à des gens qui ont gaspillé tant d'argent. [...] Mais surtout, il est nécessaire que tu envoies soit un ingénieur des eaux, soit un architecte pour éviter le retour de ce qui est arrivé. Ce que je puis t'affirmer, c'est que l'utilité de l'ouvrage et sa beauté sont tout à fait dignes de ton règne.

Réponse de l'empereur Trajan :

Il faut s'occuper d'amener de l'eau à Nicomédie. Je suis sûr que tu te mettras à l'ouvrage avec zèle à rechercher les responsables qui ont fait jusqu'ici perdre tant d'argent aux Nicomédiens; il ne faut pas qu'ils aient commencé et abandonné ces aqueducs en se partageant les crédits. Porte donc à ma connaissance tout ce que tu apprendras.

Pline le Jeune (61-114 ap. J.-C.), *Lettres*.

4 Un éloge de l'Empire romain

P. Aelius Aristide (117-189) est un orateur grec originaire d'Asie Mineure.

Les gouverneurs envoyés aux cités et aux provinces gouvernent chacun les hommes placés sous leur autorité [...]. En cas de doute, si léger soit-il, à propos d'actions judiciaires et de requêtes engagées par leurs administrés, ils envoient aussitôt un message à l'empereur en demandant ce qu'il faut faire et attendent jusqu'à ce qu'ils donnent une indication, tout comme un chœur attend le signal de son chef. [...] Il lui est très facile de diriger le monde entier sans se déplacer, au moyen de lettres qui arrivent presque sitôt écrites, comme portées sur des ailes. [...]

Vous avez divisé en deux parts toute la population de l'Empire – en disant cela, j'ai désigné la totalité du monde habité –; la part la plus distinguée et noble et la plus puissante, vous l'avez faite partout citoyenne. Ni mer ni distance terrestre n'excluent de la citoyenneté, et entre l'Asie et l'Europe, il n'y a pas de différence sur ce point. [...] Du fait de cette division, il y a dans chaque cité beaucoup d'hommes qui sont vos concitoyens tout autant que ceux de leurs compatriotes, bien que certains d'entre eux n'aient même pas encore vu Rome, et il n'est nul besoin de garnisons qui tiennent les acropoles. Les habitants les plus importants et les plus puissants de chaque endroit gardent pour vous leur propre patrie. [...] Aussi les cités sont-elles libres de garnisons. Des compagnies et des escadrons suffisent pour garder des provinces entières.

P. Aelius Aristide, *Éloge grec de Rome*, 144 ap. J.-C.

Comment les empereurs contrôlent-ils leur immense empire territorial ?

Répondre aux questions

1. **Décrivez** le fonctionnement de la poste romaine (doc. 1, 2 et 3).
2. **Montrez** l'importance de la poste pour l'administration de l'Empire romain (doc. 4 et 5).
3. **Expliquez** à qui est accordée la citoyenneté romaine dans l'Empire (à la date du texte) et quel est l'intérêt politique de cette mesure (doc. 4).
4. **Localisez** Nicomédie (carte 1 p. 43) et **résumez** le problème que veut régler le gouverneur de la province (doc. 5).
5. À l'aide des réponses précédentes, **montrez** comment les empereurs contrôlent leur immense empire territorial.

Réaliser une carte mentale

1. Écrivez la question « Comment les empereurs contrôlent-ils leur immense empire territorial ? » au centre de la page.
2. Tracez quatre branches partant de ce titre :
   - **Les vecteurs d'information**
   - **Les représentants de l'empereur en province**
   - **La population locale**
   - **L'armée**
3. Complétez chaque branche avec des informations extraites des documents.

Constantin à la tête d'un empire qui se réorganise et se christianise

Pourquoi le règne de Constantin inaugure-t-il une nouvelle période de l'Empire romain ?

→ COURS P. 48

Constantin
(272. à 337 ap. J.-C.)

306 : il devient empereur (l'Empire est alors gouverné par quatre empereurs).

312 : il écarte du pouvoir l'un de ses rivaux et se partage l'Empire avec Lucinius. Constantin hérite de l'Occident, Lucinius de l'Orient. Il se convertit au christianisme.

313 : édit de Milan.

324 : victorieux de Lucinius, il contrôle tout l'Empire.

324-330 : il fait construire une nouvelle capitale, Constantinople.

325 : il convoque à Nicée le premier concile de la chrétienté.

1 L'édit de Milan

Nous, Constantin et Lucinius, avons décidé d'accorder aux chrétiens et à tous les autres la liberté de pratiquer la religion qu'ils préfèrent, afin que la divinité qui réside dans le ciel soit propice et favorable aussi bien à nous qu'à tous ceux qui vivent sous notre domination. Il nous est apparu que c'était un système très bon et très raisonnable de ne refuser à aucun de nos sujets, qu'il soit chrétien ou qu'il appartienne à un autre culte, le droit de suivre la religion qui lui convient le mieux. [...] Nous avons tenu à vous le faire connaître de la façon la plus précise, pour que vous n'ignoriez pas que nous laissons aux chrétiens la liberté la plus complète, la plus absolue, de pratiquer leur culte. Et puisque nous l'accordons aux chrétiens, Votre Excellence[1] comprendra bien que les autres doivent posséder le même droit.

Constantin et Licinius, *Préambule de l'édit de Milan*, 313.

1. Ce texte est adressé aux gouverneurs de province.

2 Aqueduc de Valens

La structure de l'aqueduc, encore intacte aujourd'hui, a une longueur de 971 mètres.

3 La fondation de Constantinople

Constantin, empereur digne de louanges, quittant Rome pour Nicomédie, capitale de la Bithynie, fit un long séjour à Byzance. Il y rebâtit le mur primitif de la cité, le dotant de nombreuses adjonctions qu'il relia à l'ancienne enceinte, et donna à la ville le nom de Constantinople. [...] Il construisit aussi un forum vaste et d'une extrême somptuosité, au centre duquel il plaça une haute et admirable colonne en porphyre rouge de Thèbes. [...] L'empereur Constantin enleva subrepticement de Rome ce qu'on appelle le Palladium[1] pour le placer sur le forum qu'il avait créé.

[...] L'an 301 après l'ascension du Seigneur et 25 du règne de l'empereur, le très pieux Constantin, [...] après avoir bâti une ville très vaste, magnifique, opulente et dotée d'un Sénat, la nomma Constantinople, alors qu'elle s'appelait antérieurement Byzance, et proclama qu'elle prenait le titre de « seconde Rome ». [...]

Le très divin empereur Constantin continua à régner à Constantinople qu'il détacha de la province d'Europe. Il installa à Constantinople un préfet du prétoire, un préfet de la Ville et le reste des hauts fonctionnaires. Il y a 1080 ans de la fondation de Rome à celle de Constantinople.

Chronique pascale, Années 328 et 330, VIIe siècle ap. J.-C.

1. Statue de Pallas Athéna qu'Énée aurait apportée à Rome.

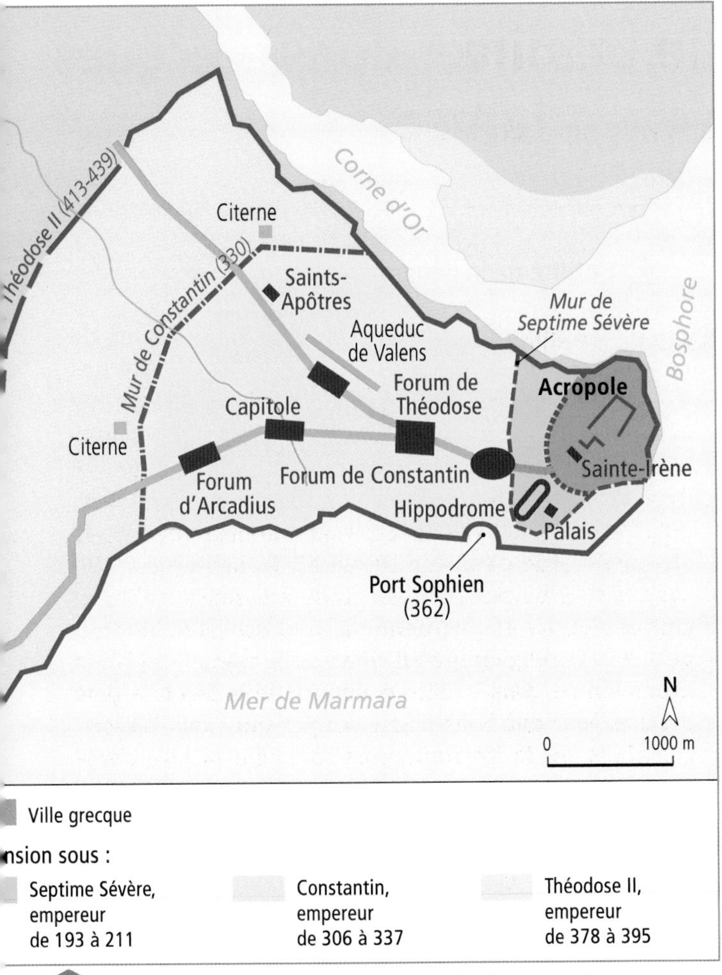

4 Plan de Constantinople au IVe siècle ap. J.-C.

La ville grecque se transforme en capitale de l'Empire chrétien d'Orient.

5 Regard d'historiens

Constantin est le fondateur du Bas-Empire. Ses réformes administratives et militaires fixent pour plusieurs siècles les structures de l'Empire romain, puis de l'Empire byzantin. Ses mesures économiques et sociales fixent également les cadres de la vie du monde romain. S'il laissa quelque amertume dans le cœur du Sénat romain, c'est par suite de la fondation de Constantinople, décidée en 324, dont la dédicace fut célébrée le 11 mai 330. Il ne s'agit pas de l'acte de vanité d'un souverain désireux d'affirmer des prérogatives royales, mais avant tout d'une décision politique mûrement réfléchie. Depuis la crise du IIIe siècle, Rome n'était plus, en réalité, la capitale de l'Empire. […] C'était une écharpe de capitales qui longeait la grande voie stratégique de l'Empire, des bords du Rhin au Bosphore. Rome, capitale d'un empire méditerranéen, ne jouait plus le rôle de capitale, lorsque les menaces se multipliaient aux frontières. Elle n'avait plus qu'un prestige millénaire.

Michel Christol et Daniel Nony, *Rome et son empire*, Hachette supérieur, 2003.

Pourquoi le règne de Constantin inaugure-t-il une nouvelle période de l'Empire romain ?

Répondre aux questions

1. **Résumez** la décision prise par l'édit de Milan et **expliquez** pourquoi il s'agit d'un changement majeur pour l'Empire romain (**doc. 1**).
2. **Identifiez** les raisons qui ont poussé Constantin à fonder une nouvelle capitale (**doc. 3, 4 et 5**).
3. **Montrez** que l'auteur adopte un point de vue très favorable à Constantin (**doc. 3**).
4. **Expliquez** pourquoi on a pu qualifier Constantinople de « seconde Rome » (**doc. 2, 3, 4 et 5**).
5. À l'aide des réponses aux questions précédentes, **montrez** que l'œuvre de Constantin inaugure une nouvelle période de l'Empire romain.

Réaliser une carte mentale

1. Écrivez le titre « L'œuvre de l'empereur Constantin » au centre de la page.
2. Tracez trois branches partant de ce titre :
   - **Pourquoi Constantinople ?**
   - **Quelle décision avec l'édit de Milan ?**
   - **Quels types de réformes ?**
3. Complétez chaque branche avec des informations extraites des documents.

L'histoire et la géographie, des inventions grecques

Quels sont les objectifs et les méthodes mis au point par les Grecs pour l'histoire et la géographie ?

→ COURS P. 46

1 Le métier d'historien

Thucydide explique comment il a procédé pour écrire La Guerre du Péloponnèse *(vers 399 av. J.-C.).*

En ce qui concerne les discours que les uns ou les autres ont prononcés, soit juste avant, soit pendant la guerre, il était difficile de les retranscrire exactement, aussi bien pour moi quand je les avais personnellement entendus que pour ceux qui me les rapportaient de telle ou telle provenance. J'ai prêté aux orateurs les propos qui correspondaient le mieux à la situation tout en m'efforçant de respecter le mieux possible l'esprit de leur discours. Quant aux actions accomplies au cours de cette guerre, j'ai évité de prendre mes informations du premier venu et de me fier à mes impressions personnelles. Aussi bien pour les faits dont j'ai été moi-même témoin que pour ceux qui m'ont été rapportés par autrui, j'ai procédé à des vérifications aussi scrupuleuses que possible. Ce ne fut pas un travail facile, car à chaque fois les témoins d'un même événement en présentaient des versions différentes, variant selon leur engagement dans l'un ou l'autre camp, ou bien selon leur mémoire.

Thucydide, Préface à *La Guerre du Péloponnèse*, I, 22, vers 399 av. J.C, Gallimard.

2 L'utilité de la géographie

La géographie répond surtout aux besoins de la vie politique. Où s'exerce, en effet, l'activité humaine, si ce n'est sur cette terre, sur cette mer que nous habitons et qui offre à la fois de petits théâtres aux petites actions, de grands théâtres aux grandes, [...] et les plus grands capitaines étant ceux qui parviennent à dominer sur la plus grande étendue de terre et de mer, et à réunir cités et nations en un seul et même empire, en un seul et même corps politique ? Il est donc évident que la géographie [...] exerce une influence directe sur la conduite des chefs d'État [...]. On conçoit, en effet, que ces chefs s'acquitteront mieux du détail de leur administration, connaissant l'étendue et la situation exacte du pays et toutes les variétés de climat et de sol qu'il peut présenter. [...] Dans les grandes opérations, l'évidence de l'utilité de la géographie devient encore plus éclatante. [...] J'en trouve une preuve suffisante soit dans la récente campagne des Romains contre les Parthes, soit dans leurs expéditions contre les Germains et les Celtes, où l'on voit ces barbares retranchés au fond de leurs marais, de leurs forêts de chênes, [...] combattre en s'aidant de leurs connaissances des lieux contre un ennemi qui les ignore, le trompant sur les distances, lui fermant des passages et interceptant ses convois de vivres.

Strabon, *Géographie*, I, 1, entre 20 av. J.-C.-23 ap. J.-C.

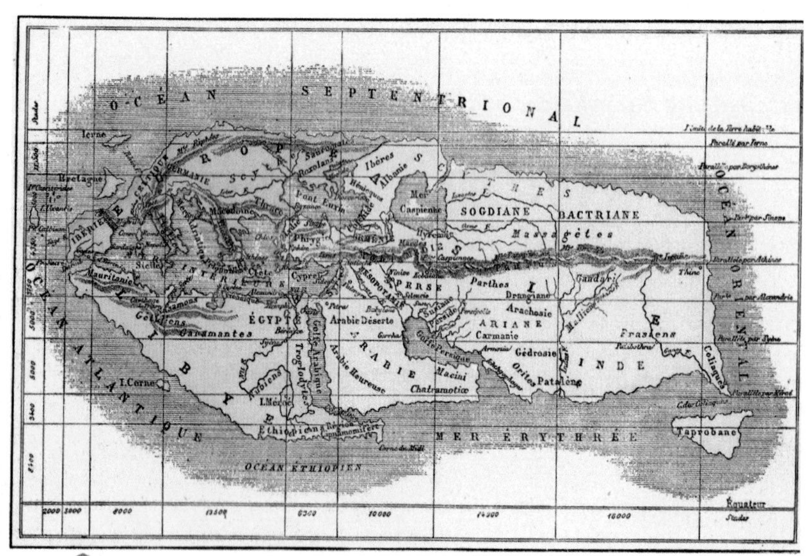

3 Le monde selon Strabon

Gravure, 1860.

Répondre aux questions

1. **Caractérisez** les difficultés rencontrées par l'historien et la méthode de travail qu'il doit adopter (**doc. 1**).
2. **Illustrez** le propos de Thucydide en trouvant dans ce chapitre un exemple de discours qu'il a retranscrit (**doc. 1**).
3. **Montrez** que la géographie, selon Strabon, est intimement liée à la politique et à la guerre (**doc. 2**).
4. **Identifiez** les continents différenciés par les trois couleurs et indiquez quelle partie du monde est représentée de la manière la plus conforme à la réalité (**doc. 3**).
5. **Expliquez** les objectifs et les méthodes mis au point par les Grecs pour l'histoire et la géographie.

De la Rome antique à la Rome fasciste

Comment l'héritage romain a-t-il été instrumentalisé par Mussolini ?

→ COURS P. 48

1 Le Colisée de Rome
Construit au Ier siècle ap. J.-C., c'est le plus grand amphithéâtre de l'Empire.

2 Le palais de la Civilisation et du Travail (1938-1942)
Cet édifice, surnommé « le Colisée carré », était au cœur du projet de Mussolini : aménager une nouvelle Rome, « vaste, ordonnée, puissante comme elle le fut au temps de l'Empire d'Auguste ».

3 Mussolini saluant la foule devant la statue de Jules César, 1935, Rome

Répondre aux questions

1. **Comparez** les deux édifices et **expliquez** comment l'architecture a été utilisée par le régime fasciste (**doc. 1 et 2**).
2. **Indiquez** à qui Mussolini cherche à s'identifier et la manière dont il s'y prend (**doc. 3**).
3. À l'aide des réponses précédentes, **montrez** comment l'héritage romain a été instrumentalisé par Mussolini.

Mettez en images votre leçon d'histoire

En histoire antique, l'archéologie, l'architecture et l'art sont des sources d'autant plus précieuses que les textes sont rares sur certains sujets. Parfois transmises mais déformées par des traductions tardives et nombreuses, les sources écrites doivent ainsi être complétées pour mieux appréhender la civilisation grecque ou romaine.

CONSIGNE **Mettez en images une leçon de votre choix sous forme de diaporama afin de présenter à la classe un outil supplémentaire de compréhension et de révision du cours.**

ÉTAPE 1 Choisissez un thème et un outil de création

- Sélectionnez une leçon du chapitre. Ici, Rome et son Empire (p. 48).
- En fonction de vos connaissances techniques et de votre équipement, choisissez un outil de création de diaporamas. Vous pouvez utiliser PowerPoint, OpenOffice (téléchargeable gratuitement) ou de nombreux outils de création gratuits disponibles en ligne.

ÉTAPE 2 Effectuez votre recherche documentaire

- Soyez rigoureux. Vérifiez l'**origine** de vos **sources** pour éviter anachronismes et erreurs.
- Privilégiez les **documents d'époque** par rapport aux éléments purement illustratifs.
- Vous pouvez aussi intégrer des **vidéos**. Pour la leçon « Rome et son Empire », la romanisation peut être illustrée par un survol de l'aqueduc de Nîmes, ouvrage de plus de 50 km, et notamment sa pièce maîtresse, le pont du Gard.

Retrouvez cette vidéo en tapant « pont du gard - des racines et des ailes » sur YouTube.

ÉTAPE 3 Créez votre diaporama

Chaque **image** doit correspondre à une **idée** de votre cours afin que l'ensemble constitue un **raisonnement clair**. Vous pouvez cependant **insérer** des **légendes**, quelques **mots clés** ou **données chiffrées**.

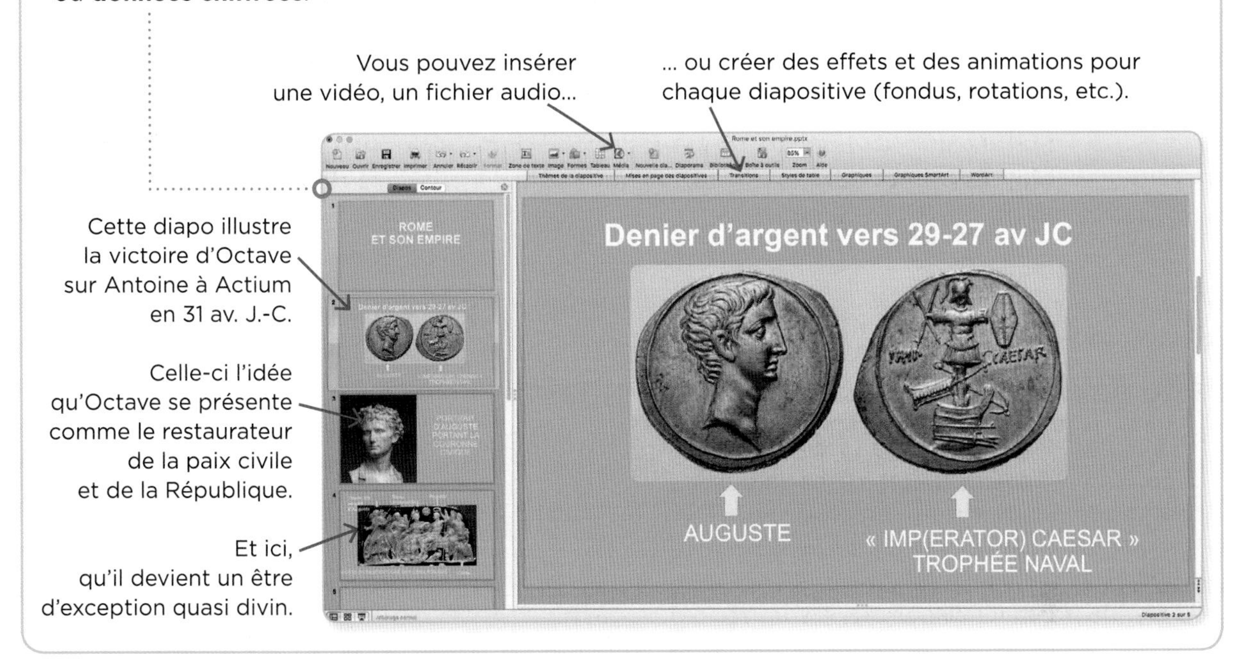

ÉTAPE 4 Créez la bande-son

Votre bande-son est simplement constituée du **cours** de la leçon en **voix off**. Vous y ajouterez une rapide **présentation** des **documents** utilisés.

PowerPoint enregistre votre discours et le minutage de votre diaporama en même temps. Ainsi, la **bande-son** et le défilement des **diapositives** seront **synchronisés**.

Exemple de voix off reprenant le cours :

Octave concentre sur sa personne tous les pouvoirs et devient un être d'exception quasi divin dont atteste l'épithète « Auguste » que le Sénat lui attribue.

Puis commentant la source :

Ce camée taillé dans une pierre d'onyx aux environs de l'an 10 présente Auguste divinisé sous les traits de Jupiter avec l'aigle impérial à ses pieds. Il est assis à côté de la déesse Roma qu'il a sauvée de la guerre civile…

Pensez à **parler lentement** et **distinctement**, afin d'être **compréhensible** et de **laisser le temps** à votre public de comprendre et profiter des images sélectionnées.

RÉVISER

La Méditerranée antique

SAVOIR EXPLIQUER

SAVOIR DATER

Le lien entre démocratie et impérialisme à Athènes

- **La démocratie athénienne**
  # Cité-État ; Hoplite ; Thète ; Héliée ; *Ecclésia* ; *Boulè* ; *Dèmos* ; *Misthos*
- **L'impérialisme athénien**
  # Ligue de Délos ; Phoros ; Stratège ; Guerre du Péloponnèse

– 508-507	Les réformes de Clisthène
– 478	La création de la ligue de Délos
– 461 à – 429	Le « gouvernement de Périclès »
– 431 à – 404	La guerre du Péloponnèse
– 322	La fin de la démocratie athénienne

Le développement de l'Empire romain

- **La crise de la République**
  # Expansion territoriale ; Extension de la citoyenneté ; Guerre civile
- **La naissance de l'Empire**
  # Principat ; Empire
- **Le fonctionnement de l'Empire**
  # Provinces (sénatoriales, impériales) ; Culte impérial ; *Tributum* ; *Limes*

– 31	La victoire d'Octave sur Antoine à Actium
– 27	La fin de la République romaine et la mise en place du principat par Auguste
212	L'édit de Caracalla

La civilisation gréco-romaine

- **Un héritage politique**
  # Démocratie ; Empire ; Cité
- **Un héritage culturel**
  # Christianisme ; Romanisation ; Urbanisme

IVe siècle	Conversion de l'Empire romain au christianisme

SAVOIR DÉFINIR

- *Boulè* → P. 46
- Colonie → P. 49
- Culte impérial → P. 49
- *Dèmos* → P. 47
- *Ecclésia* → P. 46
- Empire → P. 48
- Guerre médiques → P. 46
- Héliée → P. 46
- *Limes* → P. 48
- Principat → P. 48
- République → P. 48
- Romanisation → P. 49
- Stratège → P. 47

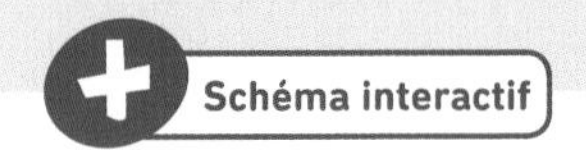

ATHÈNES, VERS LA DÉMOCRATIE

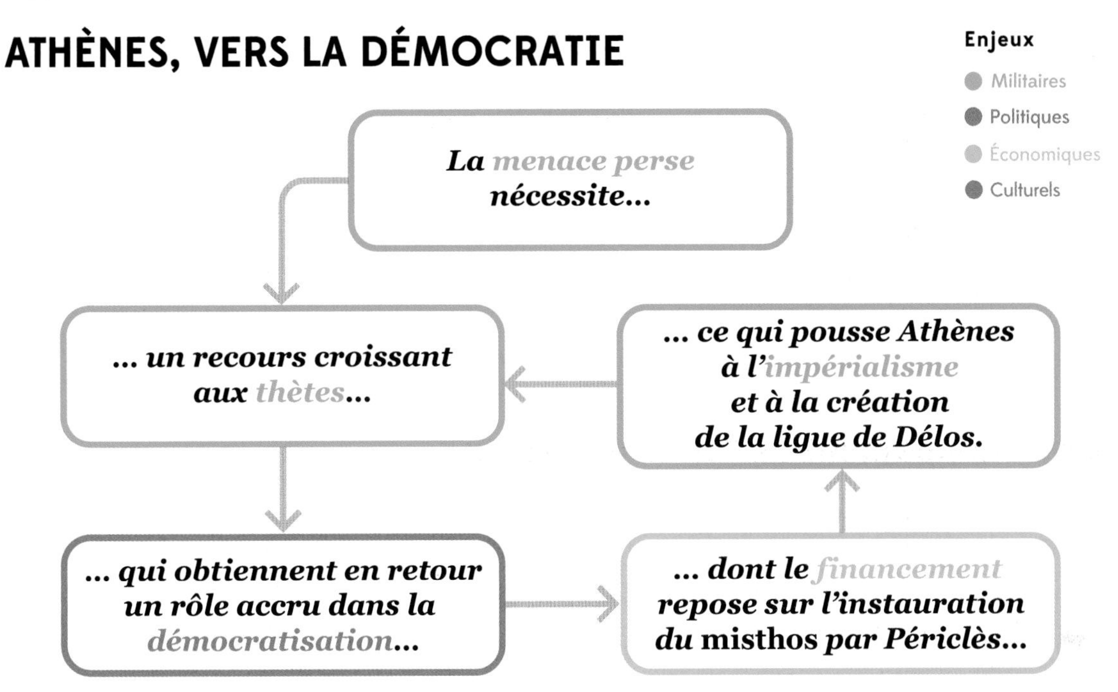

L'EMPIRE ROMAIN

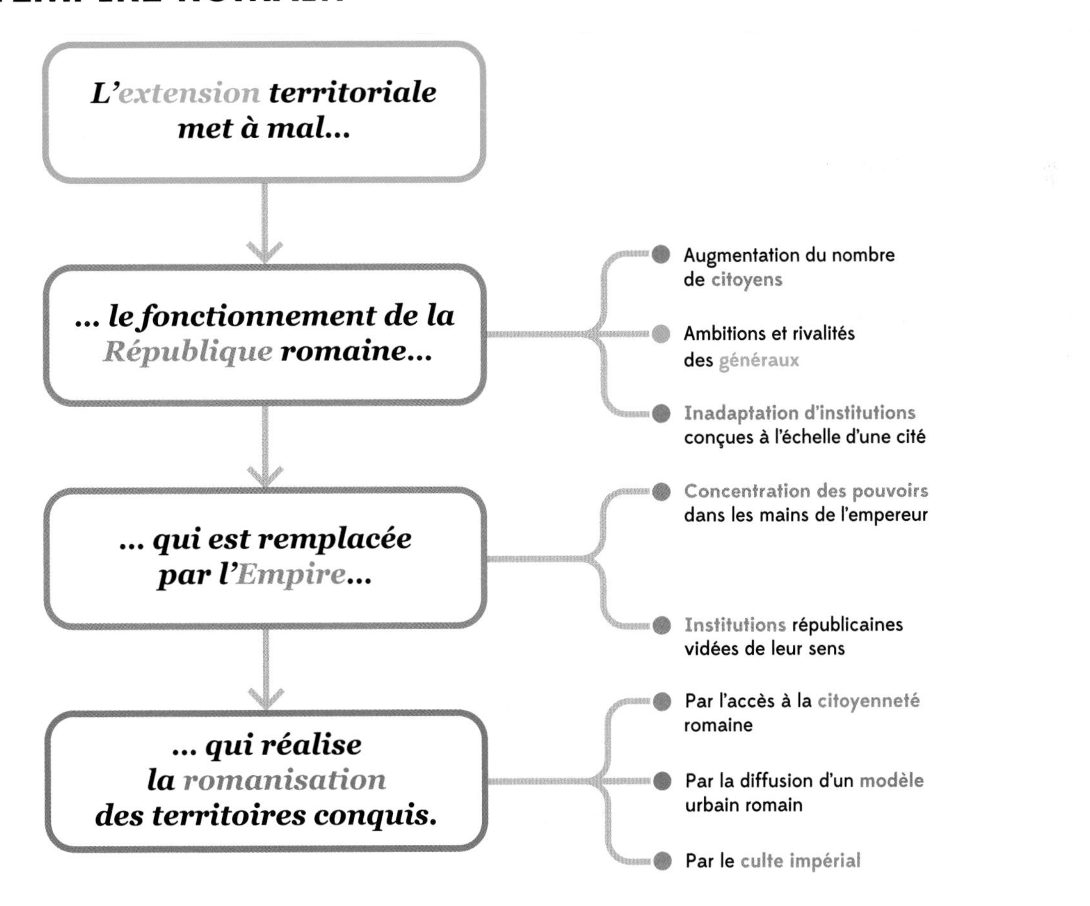

S'AUTOÉVALUER

Imprimez cette page pour vous entraîner. Référez-vous aux pages indiquées si vous avez besoin d'aide.

Exercices interactifs

1 La ligue de Délos est :

- ☐ une alliance religieuse de cités grecques.
- ☐ une alliance militaire de cités grecques.
- ☐ une organisation destinée à diffuser la démocratie dans le monde grec.

.... / 1 → p. 46

2 Le pouvoir politique à Athènes est exercé par :

- ☐ tous les habitants de la cité.
- ☐ une minorité d'hommes qui ont la citoyenneté.
- ☐ tous les hommes et les femmes de plus de 18 ans.

.... / 1 → p. 46

3 Athènes est une cité impérialiste, car :

- ☐ elle fait du commerce avec les cités de la mer Égée.
- ☐ elle impose la démocratie, son régime politique, dans tout le monde grec.
- ☐ elle refuse aux cités grecques de sortir de la ligue de Délos après la paix de 448 av. J.-C.

.... / 1 → p. 46

4 Indiquez le nom de la catégorie de citoyens les plus pauvres à Athènes, leurs pouvoirs politiques et leur rôle dans l'armée.

....

....

.... / 2 → p. 54

5 Dans son empire territorial, Rome a imposé aux citoyens romains :

☐ le culte des divinités romaines. ☐ la langue latine. ☐ le culte impérial.

.... / 1 → p. 48

6 La poste impériale est :

- ☐ un service permettant à l'empereur d'assurer des échanges officiels et administratifs avec les provinces.
- ☐ l'ancêtre de notre poste pour faire circuler le courrier des particuliers.
- ☐ un édifice situé sur le forum et destiné à accueillir le courrier.

.... / 1 → p. 60

7 Indiquez pour chacune de ces personnalités deux réalisations majeures.

Périclès	Auguste	Constantin
....	....	....
....	....	....

.... / 6 → p. 50...

8 Justifiez l'affirmation suivante en citant deux exemples.
« Rome n'a pas cherché à faire disparaître les cultures locales des territoires de son empire. »

....

....

.... / 2 → p. 58, 56, 62

9 Numérotez chronologiquement ces événements.

.... Victoire de Sparte sur Athènes à l'issue de la guerre du Péloponnèse

.... Début du principat d'Auguste

.... Conversion de Constantin au christianisme

.... Apogée de la démocratie athénienne

.... / 2 → p. 43...

10 Indiquez qui la cité d'Athènes a affronté lors :

- des guerres médiques : ....
- de la guerre du Péloponnèse : ....

.... / 2 → p. 46

11 Citez le nom d'un historien grec. ....

.... / 1 → p. 64

1 Répondre à des questions de connaissances ▸ BAC TECHNOLOGIQUE

1. Pourquoi peut-on dire que l'accès à la citoyenneté athénienne est fermé, contrairement à l'accès à la citoyenneté romaine?
2. En quoi l'impérialisme athénien a-t-il permis de perfectionner la démocratie à Athènes au Vᵉ siècle av. J.-C.?
3. Comment les empereurs romains assuraient-ils le contrôle de leur immense empire territorial?

2 Présenter un document ▸ BAC TECHNOLOGIQUE ET GÉNÉRAL

Décret d'Athènes à propos de la cité d'Érythrées (vers 465-450 av. J.-C.)

Il a plu au Conseil et au peuple [...] que les Érythréens apportent du blé pour les Grandes Panathénées, pas moins de trois mines [...]. Que l'on institue par tirage au sort à la fève un Conseil (*Boulè*) de cent vingt hommes [...]. Que l'on ne puisse pas être membre du Conseil en dessous de trente ans et qu'il y ait poursuite vis-à-vis des contrevenants. Que l'on ne puisse pas être conseiller sans laisser passer quatre années et que le surveillant (*episkopos*) et le chef de la garnison (*phrourarque*) procèdent au tirage au sort à la fève et installent à présent le Conseil. [...] Que le Conseil prête serment en ces termes : « Je jure d'exercer ma charge de conseiller de la meilleure et de la plus juste des façons pour la communauté (*plèthos*) des Érythréens, des Athéniens et des alliés. Je ne me séparerai pas de la communauté des Athéniens et des alliés des Athéniens [...].

Stèle découverte sur l'Acropole, aujourd'hui disparue et conservée par une copie.

Présentez le document

▸ VERS LE BAC P. 276

Aide

1. Présentez le contexte historique de ce document. Demandez-vous notamment quel est le statut de la cité d'Érythrées par rapport à Athènes.
2. Identifiez le ou les auteurs de ce document.
3. Précisez la nature de ce document et interrogez-vous sur la localisation initiale de la stèle pour comprendre quels en sont les destinataires.
4. Montrez que ce document atteste de l'impérialisme de la cité d'Athènes.

3 Répondre à une question problématisée ▸ BAC GÉNÉRAL

SUJET

Peut-on parler d'une romanisation des territoires conquis par les Romains du Iᵉʳ au IIIᵉ siècle ap. J.-C ?

Répondez à la question problématisée

▸ VERS LE BAC P. 282

Aide pour répondre

Vous pouvez adopter le plan suivant :

1. La romanisation : un outil de la domination de Rome
2. La romanisation : la diffusion de la civilisation romaine dans les territoires conquis
3. Devenir romain sans la romanisation : le brassage des héritages culturels

CHAPITRE 2

La Méditerranée médiévale et de conflits à la croisée de

espace d'échanges
trois civilisations

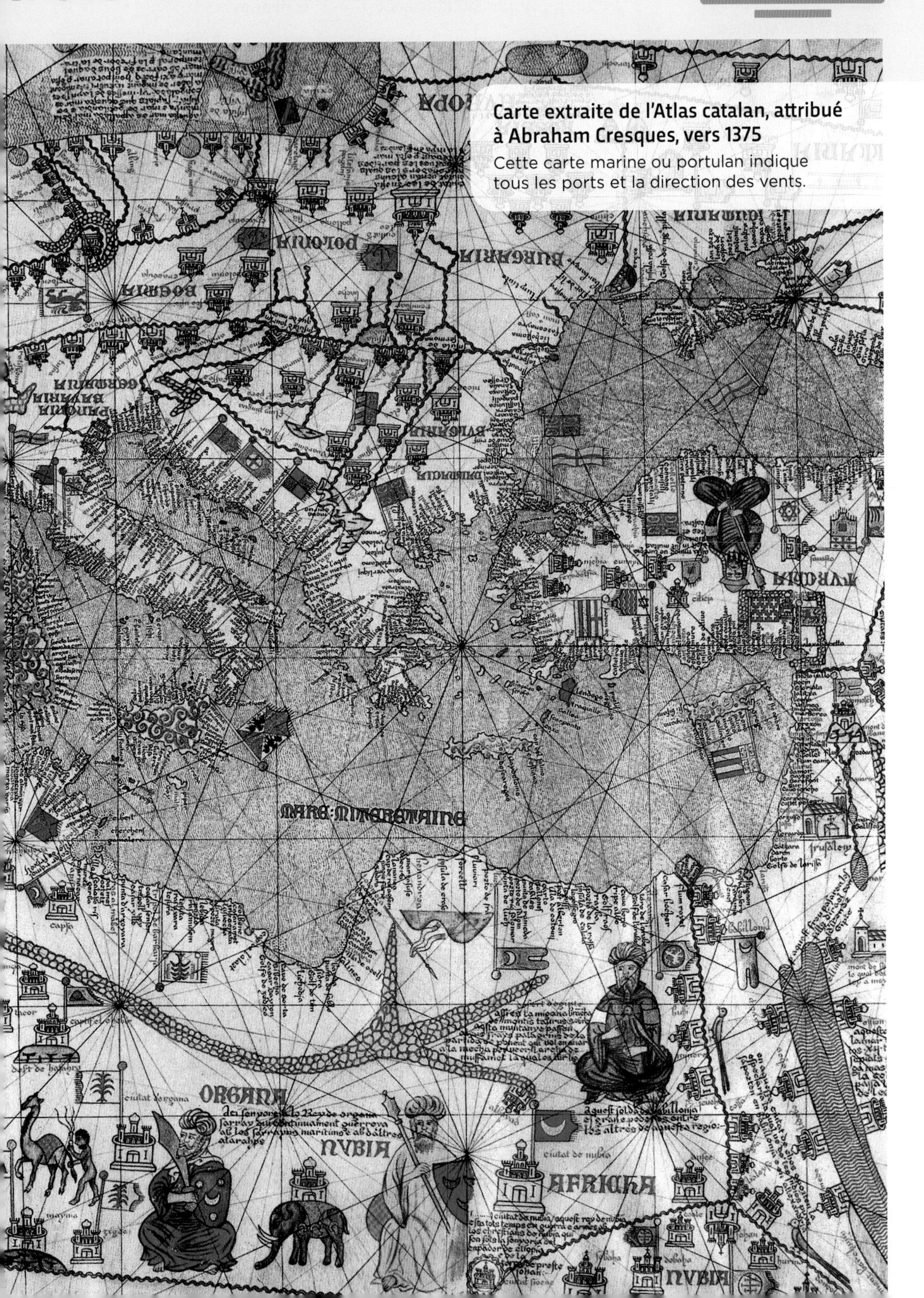

Carte extraite de l'Atlas catalan, attribué à Abraham Cresques, vers 1375
Cette carte marine ou portulan indique tous les ports et la direction des vents.

REPÈRES La Méditerranée médiévale

EN 5e

Vous avez découvert la civilisation chrétienne, divisée entre orthodoxes et latins, puis la civilisation musulmane et enfin les contacts entre chrétiens et musulmans en Méditerranée.

DANS LE CHAPITRE 1

Vous avez vu qu'Athènes a fondé un empire maritime dans la mer Égée, puis que l'Empire romain s'est organisé autour de la mer Méditerranée.

DANS CE CHAPITRE

Vous allez étudier les relations entre les civilisations riveraines de la mer Méditerranée au Moyen Âge, entre conflits et échanges.

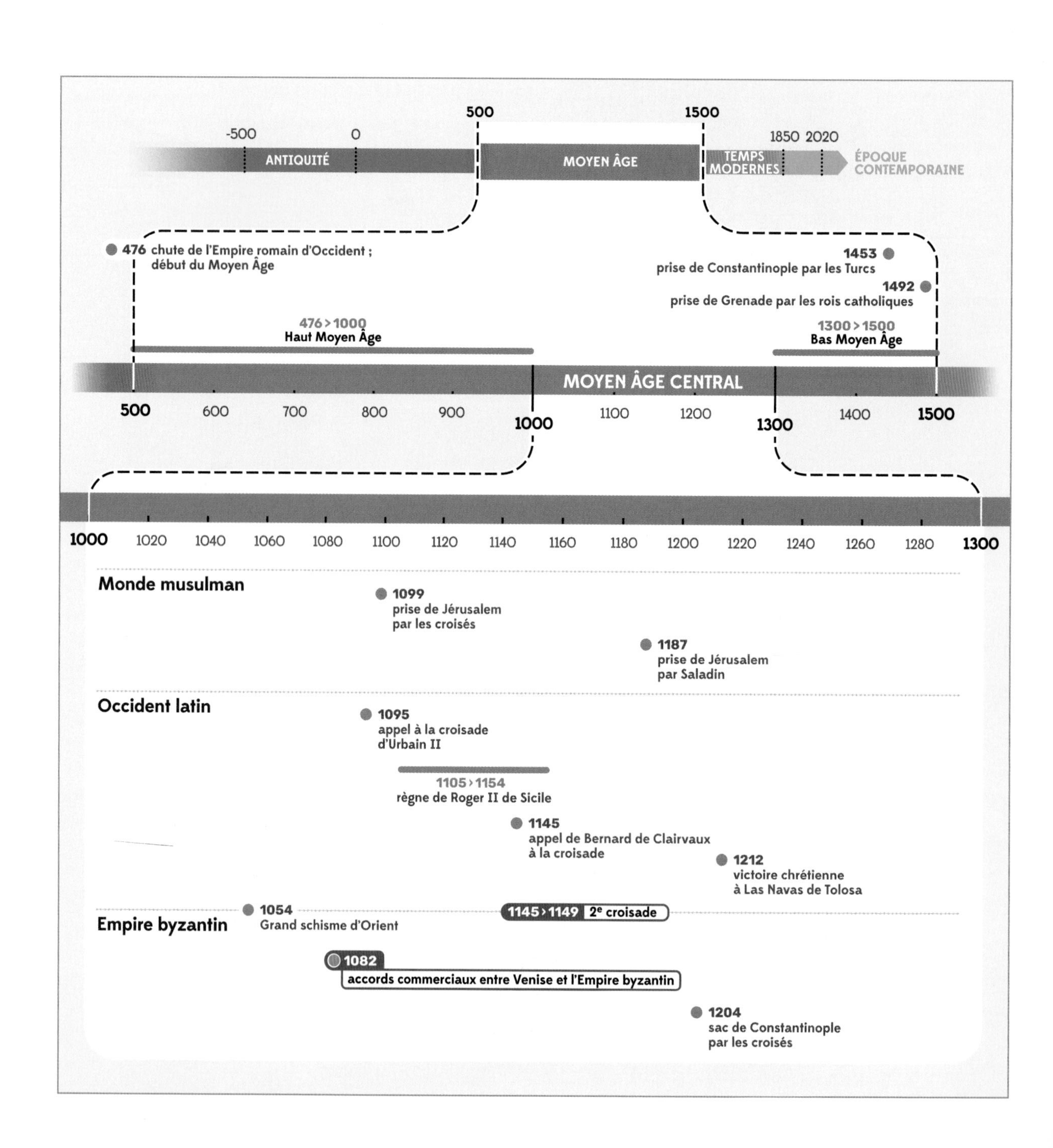

1 La Méditerranée médiévale

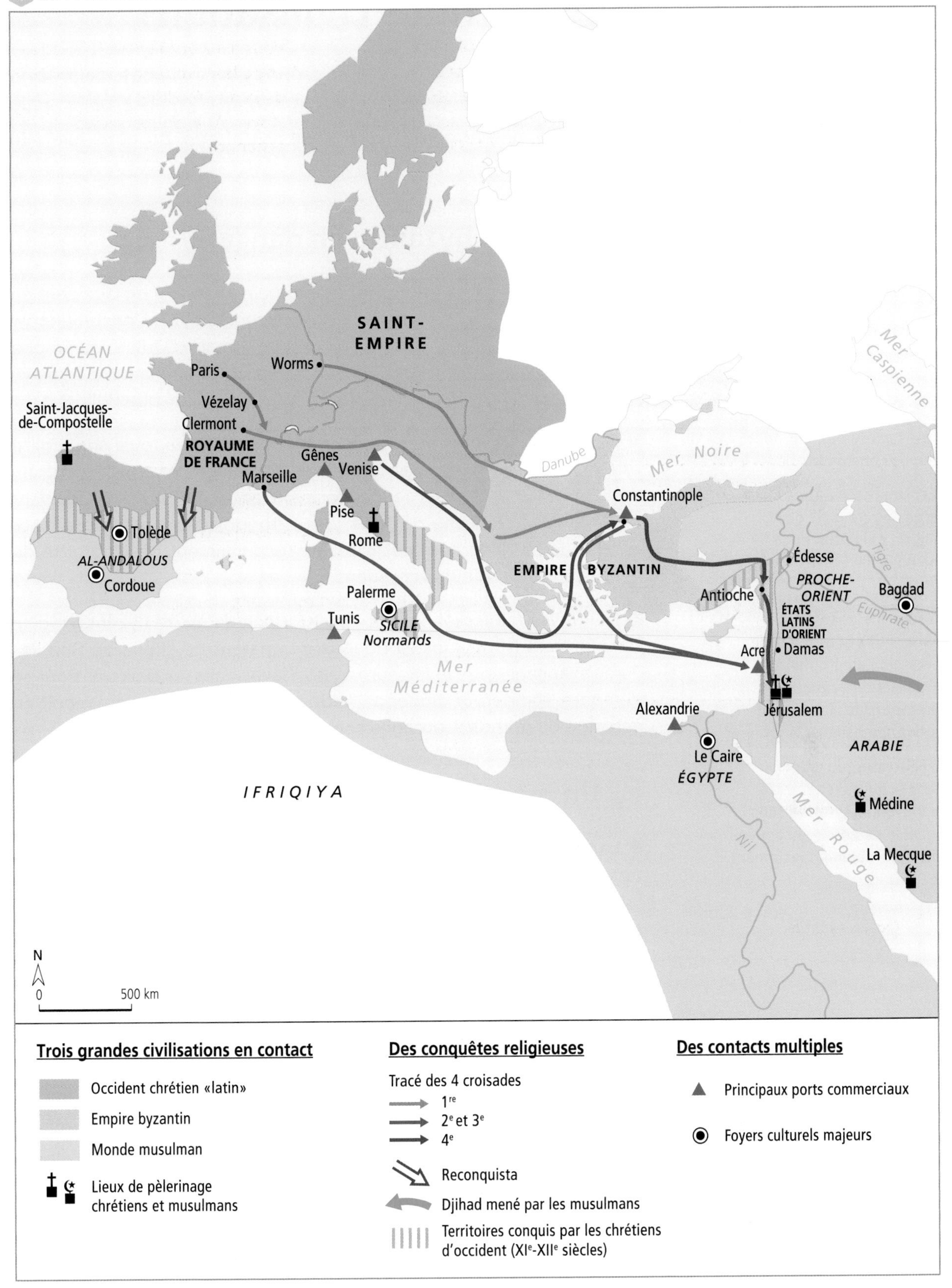

1 Autour de la Méditerranée, trois grandes civilisations

→ DOCUMENTS P. 82, 84, 88, 90

Entre le XIe et le XVe siècle, trois grands ensembles de civilisation sont en contact autour de la mer Méditerranée : au nord-est l'Empire byzantin, à l'est et au sud le monde musulman, au nord-ouest la chrétienté occidentale.

VOCABULAIRE

- **Calife :** successeur du prophète et chef de la communauté musulmane.
- **Chiites :** partisans d'Ali, gendre et fils adoptif de Mohamed, évincé de la succession du prophète.
- **Patriarche :** titre donné à quelques évêques importants choisis par l'empereur, dont celui de Constantinople.
- **Schisme :** séparation d'une partie des croyants d'une religion, qui décident de fonder une nouvelle Église.
- **Sunnites :** communauté musulmane opposée aux chiites sur la question de la succession du prophète. Ils se considèrent comme les défenseurs de la tradition (*Sunna*) de l'islam.
- **Théocratie :** du grec *theos* (« dieu ») et *kratos* (« pouvoir »), système dans lequel le détenteur du pouvoir affirme le détenir directement de Dieu.

A L'Empire byzantin en danger

Un empire théocratique. L'Empire romain a disparu en Occident en 476, mais il s'est maintenu en Orient, avec pour capitale Constantinople (appelée auparavant Byzance). Cet Empire romain d'Orient, ou Empire byzantin, est une **théocratie** : l'empereur est considéré comme l'envoyé de Dieu sur Terre, ses pouvoirs sontt autant religieux que politiques.

Le christianisme orthodoxe. L'Empire byzantin s'appuie sur l'Église orthodoxe dirigée par le **patriarche** de Constantinople, sous le contrôle de l'empereur. Des divergences fortes avec les chrétiens d'Occident ont abouti au **schisme** de 1054. Les orthodoxes prient en grec, autorisent le mariage des prêtres et ne reconnaissent pas l'autorité du pape sur l'ensemble des chrétiens.

De graves faiblesses. À partir du XIe siècle, l'Empire byzantin recule sur plusieurs fronts : les Normands s'emparent de l'Italie du Sud, les Turcs avancent en Asie Mineure et les Slaves dans les Balkans. Pour se défendre, l'empereur demande l'aide militaire de Venise, qui reçoit en échange de grands avantages commerciaux.

B Un monde musulman brillant mais divisé

La troisième religion du Livre. L'islam, né au VIIe siècle en Arabie autour des villes saintes de La Mecque et Médine, a connu une expansion fulgurante. En un siècle, il s'est étendu de la Mésopotamie à l'Espagne, en passant par l'Égypte et le Maghreb.

Une civilisation urbaine. Au Moyen Âge, les villes musulmanes comme Bagdad, Le Caire ou Cordoue sont parmi les plus peuplées du monde. La vie publique s'organise autour des mosquées, le commerce autour des marchés couverts, les souks. Une vie intellectuelle se développe : les savants arabes et persans sont influencés à la fois par les savoirs indiens et chinois et par l'héritage de l'Antiquité grecque.

1 Les trois grandes civilisations

	Empire byzantin	Monde musulman	Occident chrétien
Religion	Christianisme orthodoxe	Islam	Christianisme romain
Organisation politique	Empire théocratique	Unité théorique (califat) Émirats multiples	Royaumes (avec système féodal) et cités-États
Langue de la religion	grec	arabe	latin

L'impossible unité. L'islam repose sur l'idéal d'unité de l'*Umma*, la communauté des musulmans, dirigée par le **calife**. Mais il est divisé dès l'origine sur le plan religieux : les **chiites** et les **sunnites** ne s'entendent pas sur la succession du prophète. Et il se fragmente très vite en différents

États. La domination des Arabes est ainsi remise en cause par les Turcs Seldjoukides venus d'Asie centrale ou par les Berbères du Maghreb qui prennent le contrôle de l'Espagne.

C Un Occident chrétien en plein renouveau

Le dynamisme des campagnes et des villes. À partir de l'an 1000, la population de l'Europe occidentale augmente fortement. Les campagnes se modernisent. Pour permettre l'extension des villages et des surfaces cultivées, les paysans défrichent les forêts. Ce dynamisme des campagnes favorise le renouveau des villes. Les produits de l'agriculture et de l'artisanat urbain sont vendus dans des foires. Les villes gagnent en autonomie face aux seigneurs. En Italie, des républiques se constituent à Venise ou Gênes.

Une société féodale hiérarchisée. La seigneurie est la base de la société féodale. Les seigneurs sont liés par des relations personnelles de fidélité entre **suzerains** et **vassaux**. La concurrence entre les seigneurs conduit à un morcellement politique des royaumes d'Occident. Leurs guerres privées entraînent des violences dans la société féodale. À partir du XIIe siècle, les rois commencent cependant à imposer leur autorité en se plaçant au sommet de la féodalité.

L'Église romaine s'affirme. Le pape tente de renforcer son autorité à partir du XIe siècle. Il affirme l'indépendance du clergé face aux seigneurs et restaure la discipline dans le clergé en encourageant la fondation d'**ordres religieux**. Pour réguler les violences de la société, l'Église diffuse l'idée de guerre « juste » contre les non-chrétiens, à travers la lutte contre les musulmans en Espagne puis la **croisade** lorsqu'en 1095 le pape Urbain II appelle à libérer Jérusalem.

VOCABULAIRE

Croisade : pèlerinage armé pour délivrer un lieu saint chrétien ou pour combattre des populations jugées ennemies du christianisme.

Ordres religieux : communautés de religieux respectant une règle de vie commune. Ils vivent généralement dans un monastère, mais il peut s'agir aussi d'ordres militaires.

Suzerains : seigneurs ayant reçu l'hommage d'autres seigneurs inférieurs, qui leur ont juré fidélité.

Vassaux : seigneurs ayant juré fidélité à d'autres seigneurs qui leur sont supérieurs.

RÉVISER SON COURS

Quelles sont, pour chacun des trois ensembles de civilisations, ses principales caractéristiques, ses forces et ses faiblesses?

2 Les grandes puissances chez les musulmans au Moyen Âge

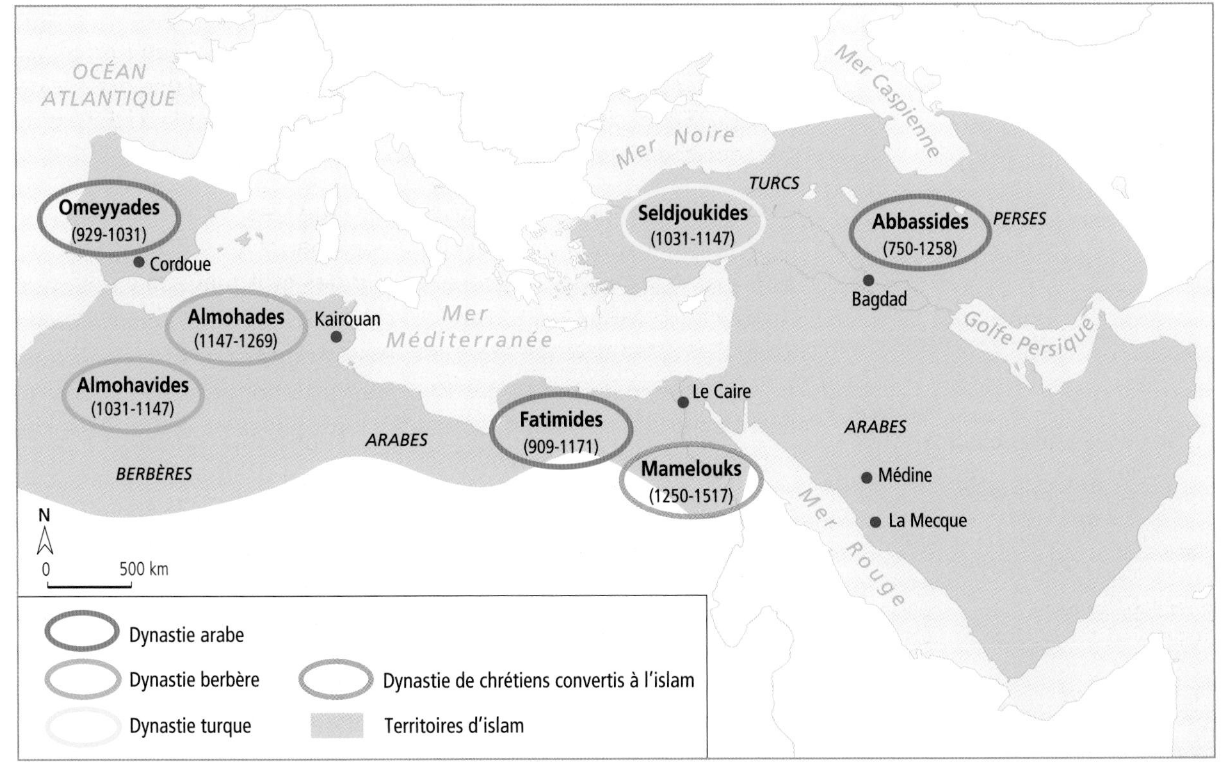

2

Les affrontements religieux en Méditerranée

→ DOCUMENTS P. 82, 86, 87, 88

Durant le Moyen Âge, les trois civilisations riveraines de la Méditerranée entrent en concurrence et s'affrontent afin d'étendre ou de défendre leurs territoires.

VOCABULAIRE

- **Al-Andalous :** nom donné par les Arabes à la partie de la péninsule espagnole occupée par les musulmans.
- **Pèlerinage :** voyage entrepris vers un lieu saint pour des raisons religieuses.
- ***Reconquista* :** nom donné par les rois chrétiens à la conquête progressive des territoires musulmans d'Espagne par les chrétiens.

A Les conquêtes des chrétiens d'Occident

- **La croisade.** En 1095, le pape appelle la chevalerie d'Occident à la croisade par solidarité chrétienne, pour venir en aide aux orthodoxes menacés par les Turcs musulmans. En réalité, le pape souhaite surtout renforcer son pouvoir en Occident en se plaçant au-dessus des rois. Il veut aussi canaliser la violence des seigneurs qui perturbe les royaumes d'Occident. De nombreux chevaliers partent dans le but de s'enrichir.

- **Protéger les lieux saints d'Orient.** La croisade est un **pèlerinage** armé. Le pape promet aux croisés le pardon de leurs péchés. Il s'agit de reconquérir la Terre sainte, lieu de pèlerinage pour les chrétiens depuis plusieurs siècles, et de protéger les lieux sacrés du christianisme que l'on estime menacés par les musulmans. Les ordres religieux militaires jouent un grand rôle dans les croisades : les moines-soldats comme les Templiers ont pour tâche de défendre les lieux saints. La première croisade aboutit à la prise de Jérusalem en 1099.

- **Chasser les musulmans d'Espagne.** À partir du XIe siècle, les royaumes chrétiens du nord de l'Espagne entament la ***Reconquista***, c'est-à-dire la lente reconquête d'**Al-Andalous (doc. 3)**. Profitant de la division des musulmans, les chrétiens prennent Tolède en 1085. Deux dynasties berbères parviennent à réunifier un temps les musulmans d'Al-Andalous : les Almoravides, à la fin du XIe siècle, puis les Almohades à partir de 1147. La victoire chrétienne à Las Navas de Tolosa en 1212 amorce le recul définitif des musulmans. Seul l'émirat de Grenade résiste jusqu'en 1492.

1 Les États latins d'Orient

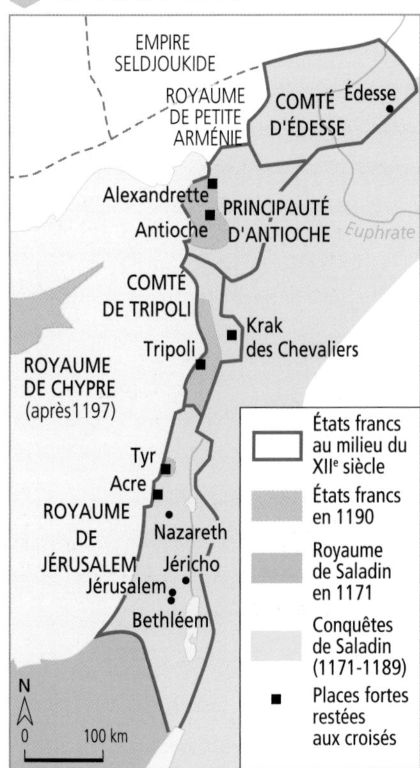

B Les situations conflictuelles

- **Les États latins d'Orient.** À la suite de la première croisade, quatre États latins sont créés en Orient **(doc. 1)**. Les conquérants sont des seigneurs occidentaux, qui importent le modèle féodal en Orient et vivent dans des forteresses. Ils sont appelés Latins ou Francs par les populations musulmanes, juives et orthodoxes qui supportent mal leur domination.

- **La fracture entre les chrétiens.** Peu à peu, l'idée de croisade s'affaiblit. En 1204, la quatrième croisade aboutit au pillage de Constantinople par les croisés, à l'initiative des Vénitiens, furieux d'avoir perdu leurs avantages dans l'Empire byzantin. Plus que les divergences religieuses, c'est cet événement qui marque la rupture entre les Byzantins et les Occidentaux.

Les minorités dans les États. Les conquêtes menées autour de la Méditerranée entraînent des changements politiques qui affectent profondément la vie des communautés locales. En Espagne, les rois chrétiens réglementent la présence des non-chrétiens : les **mudéjars** et les juifs sont placés dans une situation d'infériorité juridique et fiscale. Dans les territoires musulmans, les autorités tolèrent les communautés chrétiennes et juives en leur imposant le statut de ***dhimmi***.

C La riposte musulmane et l'échec des croisades

Le Jihad, une guerre menée au nom d'Allah. Depuis ses origines en Arabie, l'islam s'est étendu par des conquêtes militaires. Les califes promettent aux combattants un pardon de toutes leurs fautes et une place au paradis. Après les premiers succès de la *Reconquista* et des croisades, le **Jihad** devient une guerre défensive, lancée pour tenter de repousser les chrétiens.

Le Jihad en Orient. Les États latins d'Orient subissent ainsi les assauts menés depuis les territoires musulmans voisins. Quand la ville latine d'Édesse est attaquée, le pape et Bernard de Clairvaux appellent à la deuxième croisade. Puis Jérusalem est prise en 1187 par Saladin, fondateur d'une dynastie unifiant l'Égypte, la Syrie et l'Irak. Les croisades suivantes échouent à reprendre la Ville sainte.

VOCABULAIRE

Dhimmi : statut juridique fixant la situation des chrétiens et des juifs en territoire musulman, leur assurant une protection contre des droits limités et un impôt spécial à payer.

Jihad : guerre sainte menée par les musulmans. On distingue le « grand Jihad » (lutte intérieure menée par le croyant pour se purifier) du « petit Jihad » (guerre pour défendre ou étendre les territoires de l'Islam).

Mudéjars : populations musulmanes passées sous domination chrétienne après la *Reconquista*.

RÉVISER SON COURS

1. **Quels sont les objectifs des conquérants occidentaux?**
2. **En quoi les affrontements entre les trois civilisations modifient-ils leurs relations?**
3. **Quelle réaction le monde musulman a-t-il face aux conquêtes chrétiennes?**

2 Les croisades

	Dates	Objectif de la croisade	Résultat de la croisade
1re	1095 -1099	Conquérir la Terre sainte	Prise de Jérusalem, création des États latins d'Orient
2e	1145 -1149	Protéger le Comté d'Édesse menacé par les musulmans.	Échec : perte d'Édesse.
3e	1189 -1192	Reprendre Jérusalem, prise en 1187 par Saladin.	Échec : mort de Frédéric Barberousse, empereur germanique.
4e	1202 -1204	Reprendre Jérusalem.	Échec : les croisés sont réorientés par Venise vers Constantinople. Ils pillent la ville.
5e	1217 -1221	Conquérir des territoires en Égypte pour les échanger contre Jérusalem.	Échec : seule la ville de Damiette est temporairement conquise, entre 1219 et 1221.
6e	1228 -1229	Frédéric II, empereur germanique, part reconquérir Jérusalem	Réussite : les croisés récupèrent Jérusalem par négociation (jusqu'en 1244).
7e	1248 -1254	Saint Louis part récupérer Jérusalem.	Échec : saint Louis est fait prisonnier par les mamelouks.
8e	1270	Saint Louis part récupérer Jérusalem	Échec : saint Louis meurt en Tunisie.

3 La *Reconquista*

3

La Méditerranée, zone d'échanges culturels et commerciaux

→ DOCUMENTS P. 84, 88, 90

VOCABULAIRE

- ***Colleganza*** **:** association de marchands et d'investisseurs pour financer une opération commerciale et en partager les bénéfices.
- **Comptoirs :** ports établis en pays étranger permettant à une puissance de faire du commerce.
- **Contrat de change :** système de change et de crédit permettant à un marchand de partir à l'étranger sans emporter d'argent liquide et de régler ses fournisseurs en monnaie locale. Cela suppose que le marchand soit client d'une banque présente dans les deux pays.
- ***Funduqs*** **:** dans les ports arabes, quartiers réservés aux commerçants étrangers et à leurs marchandises.
- **Nefs :** navires à coque large, munis d'un ou deux mâts, utilisés pour le transport de marchandises.

Au Moyen Âge, la navigation sur la mer Méditerranée permet aussi des contacts pacifiques entre les trois civilisations qui la bordent. Les échanges commerciaux, dominés par les marchands italiens, facilitent la circulation des savoirs.

A Un commerce très intense

Un carrefour entre Asie, Afrique et Europe. Les richesses de l'Orient sont rapportées dans les ports méditerranéens par les navires et les caravanes des marchands arabes : la soie de Chine, les épices de l'océan Indien, l'or d'Afrique. L'Occident chrétien commence à exporter ses surplus agricoles et sa production artisanale (draps de laine).

La domination des marchands italiens. Venise, puis Gênes et Pise s'imposent dans le commerce maritime à partir du XIIe siècle, grâce à leurs navires marchands, les **nefs**. Les négociants italiens bénéficient des nombreux privilèges commerciaux accordés par l'empereur byzantin et les autorités musulmanes, qui leur permettent d'échapper aux droits de douane. Des quartiers leurs sont réservés à Constantinople et dans les ports musulmans, les ***funduqs***. Le commerce est facilité par des techniques financières comme la ***colleganza*** et le **contrat de change**.

La puissance de Venise. La principale **thalassocratie** est Venise, qui s'est constitué un empire commercial autour de la Méditerranée en créant de nombreux **comptoirs** (voir p. 89). Sa flotte transporte les croisés et protège les routes maritimes. Les dirigeants venitiens n'hésitent pas en 1204 à détourner la quatrième croisade pour piller Constantinople et régler ainsi leurs comptes avec l'Empire byzantin.

B L'Occident à l'école de l'Orient

Les savoirs arabes. La civilisation musulmane a conservé les œuvres de l'Antiquité grecque en les traduisant en arabe et elle a développé des savoirs scientifiques inspirés des Indiens et des Chinois. Al-Andalous est un grand foyer culturel de l'Islam, notamment Cordoue avec ses 70 bibliothèques.

Le retard occidental. Jusqu'au XIIe siècle, la culture est cantonnée en Occident aux monastères, car seuls les clercs maîtrisent l'écrit. L'Occident souffre d'un retard scientifique important par rapport à la civilisation musulmane, il a perdu la connaissance d'une grande partie des auteurs latins et grecs.

1 Les grands savants du monde musulman

Nom	Lieu d'activité	Discipline
Al-Khwarizmi (780-850), Perse, en latin *Algorismus*	Bagdad	Mathématiques
Ibn Sina (980-1037), Perse, en latin *Avicenne*	Iran	Médecine
Ibn Rushd (1126-1198), Arabe andalou, en latin *Averroès*	Cordoue	Philosophie, traduction en arabe et commentaire d'Aristote
Moïse Maïmonide (1135-1204), Juif andalou	Cordoue	Médecine
Al Idrisi (1110 ?-1165 ?), Arabe	Palerme	Géographie

Un effort de traduction. Les savants d'Occident prennent conscience de ce retard au XIIe siècle. Dans les territoires reconquis par les chrétiens, Tolède devient un centre de traduction en latin des ouvrages arabes. L'Occident découvre ainsi la science musulmane **(doc. 1)** et redécouvre à travers elle les auteurs grecs de l'Antiquité. Les juifs et les **mudéjares** jouent un rôle important dans la transmission de ces savoirs.

VOCABULAIRE

Mudéjars : voir p. 79

Thalassocratie : du grec *thalassa* (« mer ») et *kratos* (« pouvoir »), empire fondé sur la puissance maritime, commerciale et militaire.

C La Sicile, synthèse des trois civilisations

Des rois normands ouverts aux autres civilisations. La Sicile, possession arabe, est conquise par des aventuriers normands au XIe siècle. Roger II unifie la Sicile et l'Italie du Sud et se fait couronner roi en 1130. Le système féodal, importé d'Occident, est implanté. Mais il est contrôlé par un État très centralisé dont la capitale est Palerme. L'administration s'inspire des modèles byzantin et musulman; elle utilise le latin, le grec et l'arabe.

La coexistence de différentes communautés religieuses. Les musulmans sont maintenus dans une situation d'infériorité, mais les rois encouragent la coexistence des communautés religieuses car ils ne peuvent se passer des compétences des différentes populations de l'île. Roger II et ses descendants s'entourent de savants arabes et juifs. Ils encouragent la traduction d'œuvres en latin. Cette cohabitation pacifique est cependant entrecoupée de poussées de violence au XIIe siècle.

Une production artistique originale. Ces influences multiples se mêlent dans des réalisations artistiques originales. Les églises latines de Palerme sont décorées de mosaïques inspirées de l'art byzantin et d'arabesques empruntées à l'art musulman.

RÉVISER SON COURS

1. Pourquoi les cités italiennes sont-elles les principales bénéficiaires du commerce méditerranéen?
2. Quelle influence culturelle le monde musulman a-t-il sur l'Occident chrétien?
3. En quoi la Sicile est-elle un territoire de contacts intenses entre les trois civilisations?

2 Les apports de l'Orient à l'Occident chrétien

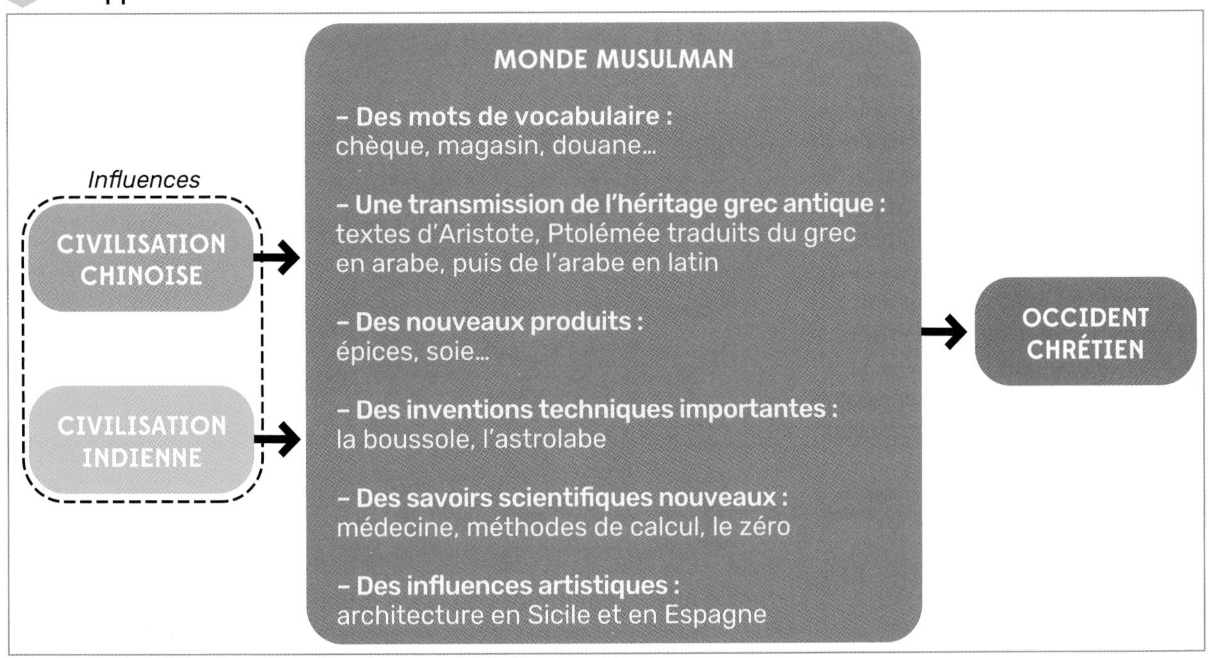

La Méditerranée, une zone d'affrontements violents

Comment la religion légitime-t-elle la guerre entre chrétiens et musulmans ?

→ COURS P. 78

1 L'appel du pape Urbain II à la première croisade

Le 27 novembre 1095, à l'occasion du concile de Clermont durant lequel tous les évêques sont réunis, le pape Urbain II s'adresse à son auditoire pour demander de partir secourir les chrétiens orientaux.

Il importe que, sans tarder, vous vous portiez au secours de vos frères qui habitent les pays d'Orient et qui déjà bien souvent ont réclamé votre aide. En effet, comme la plupart d'entre vous le savent déjà, un peuple venu de Perse, les Turcs, a envahi leur pays. [...] Ils s'étendent continuellement au détriment des terres des chrétiens [...]. Ces Turcs détruisent les églises ; ils saccagent le royaume de Dieu. Si vous demeuriez encore quelque temps sans rien faire, les fidèles de Dieu seraient encore plus largement victimes de cette invasion. Aussi je vous exhorte et je vous supplie – et ce n'est pas moi qui vous y exhorte, c'est le Seigneur lui-même – à persuader à tous, à quelque classe de la société qu'ils appartiennent, chevaliers ou piétons, riches ou pauvres, par vos fréquentes prédications, de se rendre à temps au secours des chrétiens et de repousser ce peuple néfaste loin de nos territoires. [...] À tous ceux qui y partiront et qui mourront en route, que ce soit sur terre ou sur mer, ou qui perdront la vie en combattant les païens, la rémission de leurs péchés sera accordée. [...] Qu'ils aillent donc au combat contre les Infidèles.

Foucher de Chartres, *Histoire du pèlerinage de Jérusalem*, XIIe siècle.

Saladin
(1138-1193)
Officier d'origine kurde, il conquiert l'Égypte en 1171, renversant la dynastie des Fatimides. Il fonde la dynastie des Ayyubides, qui règne sur un grand État musulman unifiant l'Égypte et la Syrie. Champion du jihad contre les croisés de Palestine, il prend Jérusalem en 1187. Il doit ensuite faire face à la troisième croisade, dirigée contre lui (1189-1192).

Louis IX (saint Louis)
(1214-1270)
Roi de France de 1226 à 1270, Louis IX dirige la septième croisade (1248-1254) contre l'Égypte. Il est capturé en 1250 et libéré contre une énorme rançon. Il reste en Terre sainte jusqu'en 1254 pour en renforcer les défenses. Il lance la huitième croisade en 1270, visant à convertir l'émir de Tunis. Il meurt de maladie devant Tunis. Il est canonisé en 1297 et devient ainsi saint Louis.

2 Affrontement lors de la *Reconquista*.
Enluminure tirée des *Cantigas de Alfonso*, XIIIe siècle.

3 Le départ en croisade du roi Saint Louis

Miniature tirée de *Vie et miracles de Monseigneur Saint Louis*, Guillaume de Saint-Pathus, XIVe siècle.

4 Saladin appelle au djihad

Cet appel, dans les années 1170, est cité par le chroniqueur du XIIIe siècle Abû Shama.

Aussi longtemps que la mer apportera des renforts à l'ennemi et que la terre ne les repoussera point, nos provinces en souffriront perpétuellement et nos cœurs seront sans cesse affligés par les dommages qu'ils nous causent. [...] C'est pour nous un constant sujet d'étonnement que de voir combien les Infidèles se soutiennent les uns les autres, et combien les musulmans sont réticents. Aucun d'eux ne répond à l'appel, aucun ne vient redresser ce qui est tordu ; regardez au contraire à quel point en sont arrivés les Francs, quelle alliance ils ont nouée [...] ! Pas un roi, dans leurs pays et leurs îles, pas un grand seigneur qui n'ait rivalisé avec son voisin dans le concours de l'aide à fournir, qui n'ait lutté avec son égal pour un sérieux effort de guerre ! [...] Il n'est pas un seul des Francs qui ne comprenne que, si nous procédons à la reconquête du littoral [de Syrie], ce pays leur tombera des mains et que nous pourrons alors étendre nos mains pour aller à la conquête du leur. Les musulmans, en revanche, se sont relâchés et démoralisés. [...] C'est pourtant le moment de combler tout retard, de rassembler tous ceux, proches ou lointains, qui ont du sang dans les veines. Mais, grâce à Dieu, nous avons confiance dans le secours qu'Il nous enverra ; nous avons confiance en Lui du fond de notre âme et de notre dévotion : s'il Lui plaît, les mécréants périront et les croyants obtiendront sécurité et salut.

Abû Shâma, II, 148.

Extrait de F. Gabrieli, *Chroniques arabes des croisades, Sindbad*, 1977.

Comment la religion légitime-t-elle la guerre entre chrétiens et musulmans ?

Répondre aux questions

1. **Résumez** les arguments du pape pour convaincre les chrétiens de partir en croisade (**doc. 1**).
2. **Nommez** les catégories de la population chrétienne qui doivent partir en croisade (**doc. 1 et 3**).
3. **Identifiez** les symboles religieux visibles sur ces images (**doc. 2 et 3**).
4. **Expliquez** comment les musulmans doivent réagir aux croisades selon Saladin (**doc. 4**).
5. À l'aide des réponses aux questions précédentes, **répondez** à la problématique.

Faire un tableau de synthèse

À l'aide des documents, complétez le tableau suivant et répondez à la problématique :

	Dans l'Occident chrétien	Dans les territoires musulmans
Les personnes appelées à combattre		
Les motifs de la guerre		
La récompense assurée aux combattants		
La vision de l'ennemi		

PROF Différenciation

La mer Méditerranée, un espace commercial majeur

Comment le commerce en Méditerranée contribue-t-il à pacifier les relations entre chrétiens et musulmans ?

→ COURS P. 80-81

1 Traité entre le sultan mamelouk Qalâwûn et la République de Gênes (13 mai 1290)

La dynastie des mamelouks règne sur l'Égypte et la Syrie de 1250 à 1517.

I. Que tous les Génois soient garantis dans leur personne et leurs biens dans les territoires que possède et possèdera le sultan, ainsi qu'en cas de naufrage.
II. Qu'ils aient libre circulation, y compris en Syrie, même lors des expéditions militaires du sultan. [...]
VIII. Les Génois doivent acquitter à la douane d'Alexandrie, sur les marchandises pesées, 12 %, et ce seulement après vente faite et prix touché. [...]
XI. Aucun Génois ne doit être forcé de vendre les marchandises apportées ; s'il désire les remporter, il le peut sans droit à payer. [...]
XVII. Que les Génois aient des magasins suffisants, fermant à clé, et que la douane affecte des gardiens.
XVIII. La douane n'a aucune autre taxe à leur faire payer, ni les agents chargés de visiter les navires. [...]
XXV. Qu'aucun Génois ne soit obligé d'acheter d'autres marchandises que celles qu'il veut.

C. Cahen, *Orient et Occident au temps des croisades*, © Aubier, 1983.

2 Contrat entre un marchand marseillais et un marchand égyptien

Sachant tous que moi, Alfaquin, sarrasin d'Alexandrie, confesse et reconnais que j'ai reçu à titre d'achat à crédit de toi, Bernard de Manduel, 2 quintaux d'aloès[1] et 1 quintal et 80 livres de casse[2] et 2 centeniers de corail, pour lesquels je te dois 135 besants[3] de bonne monnaie vieille et de juste poids, renonçant en toute connaissance de cause à toutes réclamations pour biens non reçus. Ces 135 besants de bonne monnaie vieille et de juste poids, libres de douane et de toutes charges, je promets par contrat de les remettre à toi Bernard ou à ton représentant qualifié à Ceuta, dans le délai de 20 jours après que la nef Le Faucon ait accosté en ce port. Pour cette dette, je mets en gage toutes les marchandises énumérées *supra* que j'ai reçues de vous pour la valeur de 135 besants, de sorte que si, au terme du délai prévu, je ne les paye pas, qu'il te soit permis, de ta seule initiative, de mettre en vente ledit gage en sa totalité et d'en faire ce qu'il te plaira jusqu'à ce qu'il te soit donné satisfaction au sujet des 135 besants, selon ce qui est dit plus haut. De mon côté, je promets de bonne foi et sous la garantie de tous mes biens, de respecter ces engagements.

Contrat conclu à Marseille le 2 avril 1227 entre Bernard de Manduel, marchand de Marseille, et Alfaquin, marchand d'Alexandrie.
L. Blancard, *Documents inédits sur le commerce de Marseille au Moyen Âge*, Marseille, 1884.

1. Plante asiatique dont on tire un médicament.
2. Écorce de cannelle.
3. Monnaie dont le nom vient de « byzantin ».

3 Dinar, monnaie d'or frappée dans la ville d'Acre au milieu du XIIIe siècle

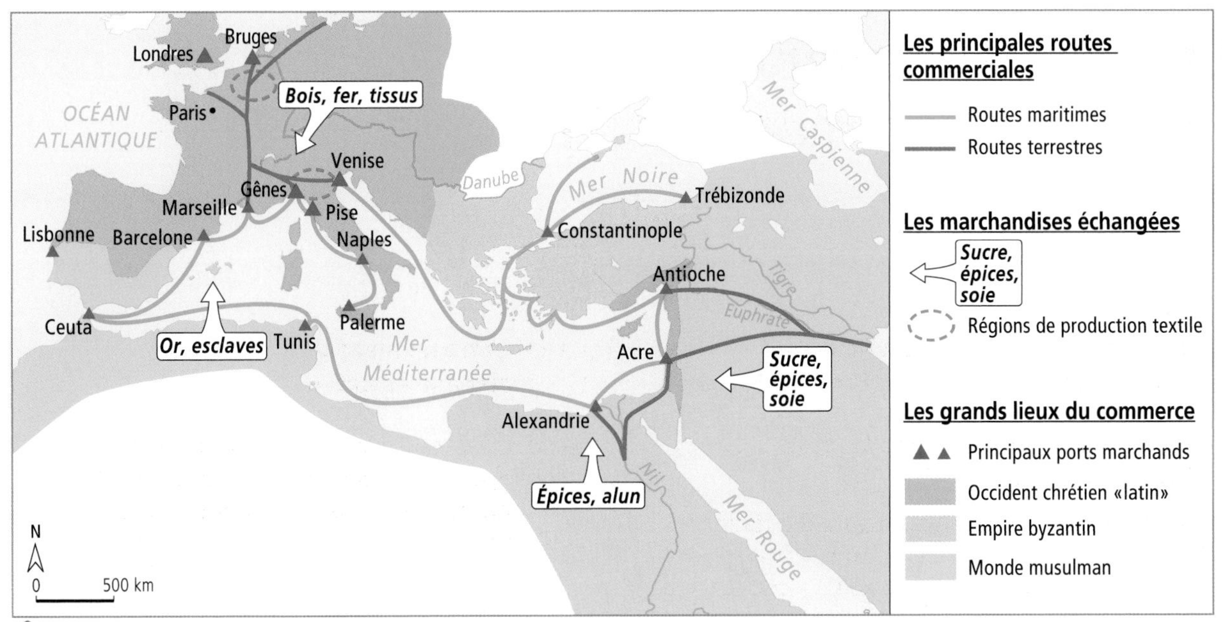

4 Les routes commerciales en Méditerranée.

5 Le commerce dans les États latins d'Orient

L'auteur de ce journal de voyage, Ibn Jubayr, est un musulman d'Al-Andalous. Il passe dans la ville d'Acre lors de son pèlerinage à La Mecque en 1184.

Le va-et-vient des caravanes d'Égypte vers Damas à travers le pays franc ne fut pas interrompu ainsi que celui des musulmans de Damas à Acre. On n'empêchait aucun marchand de commercer, ni ne l'inquiétait. Les chrétiens font payer une taxe aux musulmans qui traversent leur territoire, ceux-ci jouissant d'une sécurité extrême ; les marchands chrétiens versent aussi en territoire islamique une taxe sur leurs produits, l'entente régnant entre eux et l'équité étant de rigueur en toutes circonstances. Les hommes de guerre s'occupent de leurs conflits pendant que les autres sont en paix [...].

Nous arrivâmes le matin à Acre. On nous conduisit vers la douane qui est un caravansérail[1] réservé au logement des caravanes. Devant la porte, on vit [...] des secrétaires chrétiens de la douane [...]. Ils écrivaient et parlaient l'arabe. [...] Les marchands déposèrent leurs marchandises dans le caravansérail et logèrent dans la partie supérieure. [...]

Acre est la capitale des Francs en Syrie, l'escale des bateaux aussi grands que des montagnes, le port que fréquentent tous les navires, comparable par son importance à celui de Constantinople, le rendez-vous des vaisseaux et des caravanes, le lieu de rencontre des marchands musulmans et chrétiens venus de tous les horizons. Ses places et ses rues sont si animées qu'on ne peut y mettre un pied.

Ibn Jubayr, *Voyage*, 1184-1185.

1. Bâtiment dans lequel les marchands peuvent faire une halte.

Comment le commerce en Méditerranée contribue-t-il à pacifier les relations entre chrétiens et musulmans ?

Répondre aux questions

1. **Nommez** et **localisez** les principaux acteurs du commerce méditerranéen (**doc. 1, 2, 4, 5**).
2. **Localisez** le port d'Acre et **situez** l'État auquel il appartient (**doc. 4**).
3. **Montrez** que cette pièce témoigne d'un contact entre deux civilisations (**doc. 3**).
4. **Décrivez** et **expliquez** l'attitude des pouvoirs chrétien et musulman face aux marchands (**doc. 1 et 5**).
5. **Résumez** ce contrat en présentant les deux marchands, les marchandises et les modalités de la transaction (**doc. 2**).
6. À l'aide des réponses aux questions précédentes, répondez à la problématique.

Mettre en récit

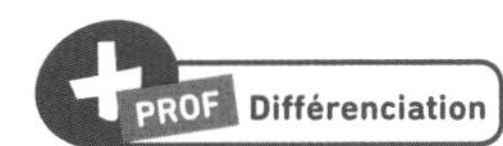

Utilisez les informations contenues dans chacun des documents pour rédiger la lettre qu'aurait pu écrire un marchand génois du XIIIe siècle à son fils afin de lui transmettre son expérience du commerce avec les musulmans en Méditerranée.

Les juifs : une minorité dans l'Espagne chrétienne

Quelle est la situation des juifs dans l'Espagne chrétienne du XIIIᵉ siècle ?

→ COURS P. 78

1 Partie d'échecs entre un juif et un musulman vue par des chrétiens

Le jeu d'échecs est originaire d'Inde. Les Arabes l'ont découvert en Perse et l'ont diffusé en Europe par l'Espagne.

Livre des jeux d'Alphonse X de Castille, Madrid, Bibliothèque de l'Escorial, 1283.

2 La législation du roi de Castille Alphonse X sur les juifs

Loi I : Les juifs doivent faire leur vie parmi les chrétiens docilement et sans trouble, en observant leur propre loi et sans mal parler de la foi de Notre Seigneur Jésus-Christ que les chrétiens observent. De même, ils doivent faire attention à ne pas prêcher ou convertir des chrétiens au judaïsme [...]. Quiconque désobéit à cela, mourra et perdra tous ses biens.

Loi II : Nous défendons aussi à tout juif de sortir de sa maison ou de son quartier le jour du Vendredi Saint, jour de commémoration de la Passion de Notre Seigneur Jésus Christ. Et ils doivent rester enfermés jusqu'au matin du samedi. S'ils ne respectent pas cette règle, nous ordonnons qu'il n'y ait aucune réparation pour des dégâts ou des humiliations infligés par les chrétiens. [...]

Loi IV : Une synagogue est un lieu dans lequel les juifs prient. Aucun nouveau bâtiment de ce genre ne peut être érigé dans notre royaume, à moins que nous en donnions l'ordre. Quand cependant d'anciennes synagogues qui existaient auraient été démolies, il sera possible d'en reconstruire au même endroit où elles se tenaient à l'origine. [...]

Loi VII : Quand un chrétien a le malheur de devenir juif, nous ordonnons qu'il soit condamné à mort comme s'il était hérétique. Et nous décrétons que ses biens soient confisqués de la même façon que nous le faisons pour un hérétique.

Loi VIII : Nous interdisons à tout chrétien, homme ou femme, d'inviter un juif ou une juive, ou d'accepter une invitation de ceux-ci, de manger ou de boire avec eux ou de boire un vin produit de leurs mains.

Lois des Siete Partidas du roi Alphonse X de Castille, 1256-1265.

Répondre aux questions

1. **Montrez** qu'Alphonse X autorise les juifs à pratiquer leur religion (**doc. 2**).
2. **Caractérisez** toutes les interdictions pesant sur les juifs (**doc. 2**).
3. **Décrivez** l'image et **analysez** l'impression qu'elle peut donner sur la cohabitation des différentes communautés religieuses en Espagne (**doc. 1**).
4. À l'aide des réponses aux questions précédentes, **expliquez** quelle est la situation des juifs dans l'Espagne chrétienne du XIIIᵉ siècle.

Bernard de Clairvaux et la deuxième croisade

Quel rôle l'Église d'Occident et Bernard de Clairvaux jouent-ils lors de la deuxième croisade?

→ COURS P. 78

1 Les Templiers partant au combat
Fresques de la chapelle des Templiers à Cressac (Charente), vers 1170.

Bernard de Clairvaux
(1090-1153)

1112 : Bernard de Clairvaux entre comme moine à l'abbaye de Cîteaux. L'année suivante, il fonde un nouveau monastère à Clairvaux, en Champagne.

1129 : il rédige la règle de l'ordre des Templiers, qui vient d'être fondé pour protéger militairement la Terre sainte.

1144 : chute de la ville chrétienne d'Édesse, prise par un émir musulman.

1146 : le jour de Pâques, devant la basilique de Vézelay, Bernard de Clairvaux relaie un appel du pape à partir en croisade pour libérer Édesse. Il promet l'absolution de tous les péchés aux chrétiens qui se feront croisés. Le roi de France, Louis VII, est présent.

1148 : la deuxième croisade échoue; Louis VII rentre en France.

1153 : mort de Bernard de Clairvaux. Il est canonisé dès 1174 par le pape.

2 Les recommandations de Bernard de Clairvaux aux Templiers

Les soldats du Christ mènent en pleine sécurité les combats de leur Seigneur, car ils n'ont point à craindre d'offenser Dieu en tuant un ennemi et ils ne courent aucun danger, s'ils sont tués eux-mêmes, puisque c'est pour Jésus-Christ qu'ils donnent ou reçoivent le coup de la mort [...]. Ainsi le chevalier du Christ donne la mort en pleine sécurité et la reçoit dans une sécurité plus grande encore. Ce n'est pas en vain qu'il porte l'épée; il est le ministre de Dieu, et il l'a reçue pour exécuter ses vengeances, en punissant ceux qui font de mauvaises actions et en récompensant ceux qui en font de bonnes. [...] Il exécute à la lettre les vengeances du Christ sur ceux qui font le mal, et acquiert le titre de défenseur des chrétiens [...].

Repoussez donc sans crainte ces nations qui ne respirent que la guerre, taillez en pièces ceux qui jettent la terreur parmi nous, massacrez loin des murs de la cité du Seigneur, tous ces hommes qui commettent l'iniquité et qui brûlent du désir de s'emparer des inestimables trésors du peuple chrétien qui reposent dans les murs de Jérusalem, de profaner nos saints mystères et de se rendre maîtres du sanctuaire de Dieu. [...] Livre-toi donc aux transports de la joie, ô Jérusalem, et reconnais que voici les jours où Dieu te visite. [...] Jette tes yeux tout autour de toi et regarde; tous ces hommes se sont réunis pour venir à toi; voilà le secours qui t'est envoyé d'en haut.

Bernard de Clairvaux, *De laude novae militiae*, Chapitre III : « Des soldats du Christ », 1129.

Répondre aux questions

1. **Décrivez** les personnages représentés. Pourquoi sont-ils équipés de la sorte (**doc. 1**)?
2. **Expliquez** comment Bernard de Clairvaux justifie l'utilisation de la violence par les croisés (**doc. 2**).
3. **Nommez** les récompenses que les croisés peuvent espérer en tuant les musulmans (**doc. 2**).
4. **Caractérisez** le rôle de Bernard de Clairvaux dans la deuxième croisade (**doc. 2** et **biographie**).
5. Réalisez un exposé à l'aide des documents pour expliquer le rôle joué par l'Église d'Occident et Bernard de Clairvaux dans la deuxième croisade en suivant ce plan :
   I - Le rôle de l'Église dans le lancement de la deuxième croisade.
   II - Le rôle de l'Église pendant les combats de la croisade.

Venise, grande puissance méditerranéenne

Comment Venise est-elle devenue une grande puissance maritime et commerciale?

→ COURS P. 80-81

Repères

1082 : l'empereur byzantin accorde des avantages commerciaux aux Vénitiens en échange de leur aide militaire.

1104 : Venise construit l'Arsenal, un grand port militaire.

1123-1124 : les Vénitiens aident les Francs (royaume de Jérusalem) à prendre le port de Tyr aux musulmans.

1171 : les Vénitiens sont expulsés de l'empire byzantin, qui veut réduire leur influence.

1204 : Venise détourne les croisés vers Constantinople.

1244 : le sultan d'Égypte accorde des privilèges commerciaux aux Vénitiens.

1 Accord entre l'empereur byzantin et Venise (1082)

Ma Majesté Impériale a bien voulu, suivant la teneur de ce présent chrysobulle[1], que les Vénitiens reçoivent chaque année, au temps des fêtes, un revenu de 20 livres et que cet argent soit distribué dans leurs propres églises suivant leurs volontés. [...] En plus, elle leur donne aussi les magasins qui sont dans le quartier réservé de Perama [...] et trois débarcadères maritimes, délimités au même endroit. [...] elle leur a aussi accordé de commercer toutes les marchandises dans toutes les régions de la Romanie[2] [...] sans qu'ils aient à payer de droits d'aucune sorte pour aucune transaction.

Chrysobulle d'Alexis Comnène en faveur de Venise, mai 1082.

1. Décret de l'empereur byzantin, scellé d'une bulle d'or.
2. La Romanie désigne ici l'Empire byzantin.

2 Une vision de Venise

Marco Polo au départ de Venise en 1271, miniature illustrant le *Livre des merveilles* de Marco Polo, vers 1400. Au premier plan, on voit une nef (voir définition p. 80), et derrière elle une galère. À l'arrière-plan, la place Saint-Marc et le palais des Doges.

Animation

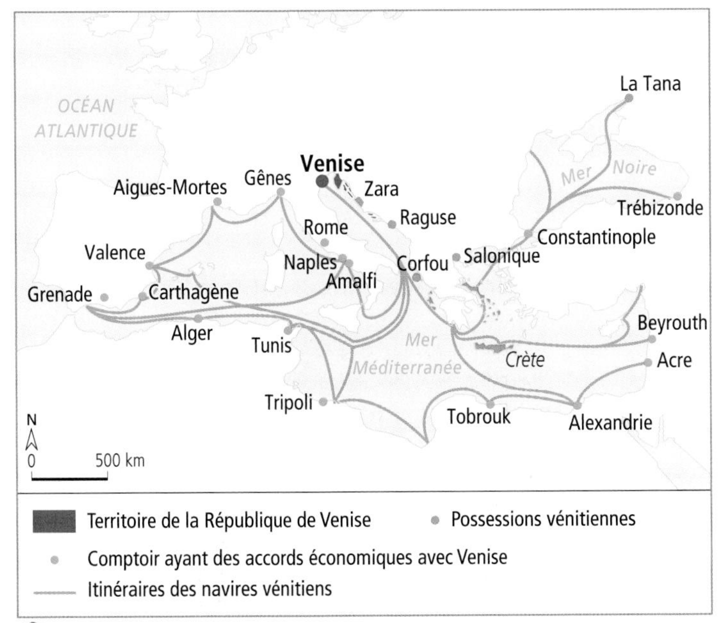

3 Le réseau commercial de Venise au XIIIe siècle

5 Le pillage de Constantinople par les croisés (1204)

Robert de Clari (vers 1170 – après 1216) est un petit chevalier picard qui a participé à la quatrième croisade.

Je ne crois pas, quant à moi, que dans les quarante plus riches cités du monde, il y aurait autant de richesses qu'on en trouva à Constantinople [...]. Et ceux-là mêmes qui devaient garder le butin, ceux-là prenaient les joyaux d'or et ils volaient le butin. Chacun des riches hommes prenaient ou des joyaux d'or ou des étoffes de soie brodées d'or et puis il les emportait. C'est de cette façon qu'ils commencèrent à voler, si bien qu'on ne fit jamais de partage pour le commun de l'armée ou les pauvres chevaliers ou les sergents qui avaient aidé à gagner le butin [...]. Les Vénitiens en eurent néanmoins la moitié.

Robert de Clari, *Chronique de la croisade*, début du XIIIe siècle.

4 Accord entre les barons francs de Syrie et Venise (1123)

Guillaume de Tyr, nommé archevêque de Tyr en 1175, a écrit l'histoire des États latins d'Orient.

Les barons demandèrent au doge[1] et à ses compagnons s'ils avaient envie de rester en Terre sainte pour rendre à notre Seigneur le service de chasser ses ennemis[2]. Ils répondirent d'une seule voix que c'était pour cela qu'ils avaient quitté leur pays, et qu'ils avaient bien l'intention de tenir leurs promesses, s'ils le pouvaient. Puis ils se mirent d'accord sur les modalités du traité, et les Vénitiens promirent fermement d'aller assiéger un port, Tyr ou Ascalon. [...] Il fut conclu et accordé entre les barons que dans toutes les villes qui feraient partie du domaine royal et que dans toutes celles que l'on tiendrait du roi en fief, les Vénitiens posséderaient une rue entière, une église, des bains et un four, pour toujours, en héritage, le tout quitte et franc, libre de toute servitude, de la même façon que le roi tient librement ses biens. [...] En la douane de Tyr, si la ville était conquise, le doge et le peuple de Venise se verraient octroyer une rente perpétuelle de 300 besants sarrasins, à recevoir le jour de la Saint-Pierre-et-Paul.

Guillaume de Tyr (v. 1130 - v. 1184), *Historia rerum in partibus transmarinis gestarum*. éd. et trad. par G. Brunel et E. Lalou, *Sources d'histoire médiévale*, 1992.

1. Dirigeant de la république de Venise.
2. Il s'agit des musulmans qui occupent le port de Tyr.

Comment Venise est-elle devenue une grande puissance maritime et commerciale ?

Répondre aux questions

1. **Décrivez** les avantages commerciaux recherchés par Venise. Dans votre réponse, vous **définirez** le terme « comptoir » (**doc. 1, 3 et 4**).
2. **Expliquez** l'évolution des relations entre Venise et l'Empire byzantin (**repères, doc. 1 et 4**).
3. **Montrez** que la thalassocratie vénitienne est à la fois commerciale et militaire (**doc. 2 et 5**).
4. À l'aide des réponses aux questions précédentes, répondez à la problématique.

Réaliser un diaporama

Réalisez un diaporama dans lequel vous expliquerez comment Venise est devenue une grande puissance méditerranéenne. Après avoir défini dans l'introduction le mot « thalassocratie », vous pourrez suivre le plan suivant :

I - Le réseau commercial
II - Le rôle militaire
III - L'évolution des relations avec l'Empire byzantin

La Sicile, un carrefour entre les civilisations de Méditerranée

Quelle est la place des différentes civilisations dans le royaume normand de Sicile ?

→ COURS P. 80-81

Repères

827-901 : les musulmans conquièrent la Sicile aux dépens des Byzantins.
1071 : les Normands conquièrent le Sud de l'Italie.
1091 : après avoir conquis Palerme, les Normands contrôlent toute la Sicile.
1130 : Roger II prend le titre de roi de Sicile.
1161, puis **1189-1194 :** violences contre les musulmans.
1168-1189 : Guillaume II roi de Sicile
1194 : Henri VI, empereur germanique, s'empare du royaume normand de Sicile.

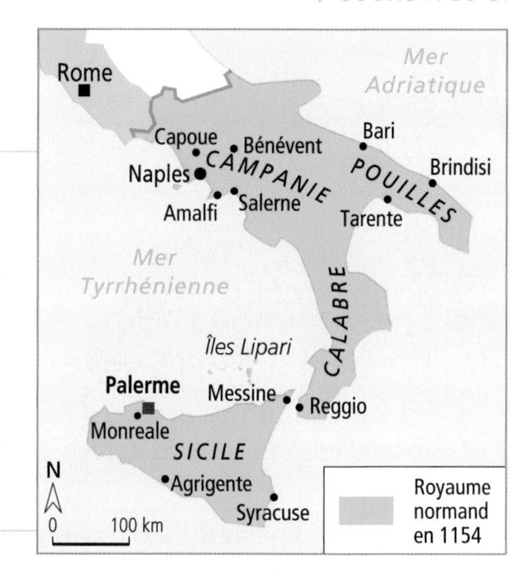

1 Roger II couronné roi de Sicile par le Christ

Mosaïque du XIIe siècle, Palerme, église de la Martonara. L'inscription *Rogerios Rex* (Roger Roi) est en langue latine et en caractères grecs.

2 Un voyageur arabe à Palerme

Ibn Jubayr est un lettré andalou qui visite la Sicile vers 1185.

L'attitude du roi est vraiment extraordinaire. Il a une conduite parfaite envers les musulmans ; il leur confie des emplois, il choisit parmi eux ses officiers, et tous, ou presque tous, gardent secrète leur foi et restent attachés à la foi de l'islam. Le roi a pleine confiance dans les musulmans et se repose sur eux de ses affaires et de l'essentiel de ses préoccupations, à tel point que l'intendant de sa cuisine est un musulman. [...] Un autre trait que l'on rapporte de lui et qui est extraordinaire, c'est qu'il lit et écrit l'arabe. [...]

En cette cité, les musulmans conservent quelques restes de leur foi ; ils fréquentent la plupart de leurs mosquées et ils y célèbrent la prière rituelle sur un appel clairement entendu. Ils ont des faubourgs qu'ils habitent seuls, à l'exclusion des chrétiens. Les souks en sont fréquentés par eux, et ils en sont les marchands. [...] En somme, ces gens sont des isolés, séparés de leurs frères les musulmans, sous tutelle des infidèles, et ils n'ont aucune sécurité, ni pour leurs biens, ni pour leurs femmes, ni pour leurs fils. Dieu veuille les rétablir en leur état, grâce à une intervention favorable. [...] Dans cette ville, la parure des chrétiennes est celle des femmes des musulmans. La langue alerte, enveloppées et voilées, elles sont dehors à l'occasion de la fête (de Noël), vêtues d'étoffes de soie brochées d'or. Elles portent en somme toute la parure des femmes des musulmans, y compris les bijoux, les teintures et les parfums.

Ibn Jubayr, *Voyages* (1184), trad. M. Godefroy-Demombynes, 1952-1957.

4 Une administration plurilingue

Le chancelier du roi Guillaume II (1168-1189) dicte à trois notaires de langue différente.

Manuscrit du XIIe siècle, Berne.

3 Le manteau de Roger II

Sur le bord du manteau, une inscription en caractères coufiques (type d'écriture arabe) indique qu'il a été réalisé en l'an 528 de l'hégire (1133-1134) dans l'atelier royal de Palerme. Le lion, emblème du roi de Sicile, terrasse un chameau.

Vienne, Kunsthistorisches Museum.

Quelle est la place des différentes civilisations dans le royaume normand de Sicile ?

Répondre aux questions

1. **Montrez** que cette mosaïque témoigne d'une influence byzantine (**doc. 1**).
2. **Expliquez** pourquoi trois langues sont utilisées en Sicile (**repères, doc. 1, 2, 3 et 4**).
3. **Montrez** que ce manteau témoigne d'une influence musulmane, puis **interprétez** la scène avec les deux animaux (**doc. 3**).
4. **Montrez** que la communauté musulmane est tolérée en Sicile, au sens strict du verbe « tolérer » (autoriser quelque chose que l'on juge négativement) (**doc. 2**).
5. **Citez** les passages du texte témoignant d'une influence du mode de vie musulman sur les chrétiens (**doc. 2**).
6. À l'aide des réponses aux questions précédentes, répondez à la problématique.

Faire un tableau de synthèse

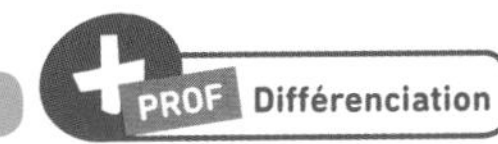

À l'aide des documents, complétez le tableau suivant qui synthétise l'influence des différentes civilisations dans le royaume normand de Sicile :

	Doc. 1	Doc. 2	Doc. 3	Doc. 4
Influence byzantine (grecque)				
Influence musulmane				
Influence normande ou latine				
Statut des chrétiens				
Statut des musulmans				

Concevez une évaluation en ligne

Les méthodes pédagogiques traditionnelles imposent le plus souvent à l'élève d'assimiler, puis de restituer les connaissances acquises. Lorsque l'élève crée sa propre évaluation, les rôles s'inversent. En se mettant à la place du professeur, il apprend à identifier les idées clés et à anticiper les questions qui peuvent lui être posées.

CONSIGNE **Créez un quiz en ligne afin de comprendre et d'apprendre votre cours de manière ludique et efficace. Mutualisez ensuite vos productions avec les autres élèves.**

ÉTAPE 1 Choisissez un outil de création de quiz

- Sur Internet, de nombreux outils gratuits permettent de créer des questionnaires à choix multiple, des textes à trous, des mots croisés, etc.
  Par exemple : *Hot Potatoes, Questy, Drag'n Survey, Google Forms, La QuiZinière.*
  Aucune connaissance technique n'est nécessaire.
- Vous pouvez aussi intégrer du multimédia à vos quiz : images, sons, vidéos.

ÉTAPE 2 Formulez vos questions

- Certaines questions de vérification de connaissances sont utiles pour apprendre votre cours.

Vous pouvez personnaliser l'apparence de votre quiz en modifiant le thème et les couleurs et en insérant des images.

- Les questions de réflexion, plus élaborées, sont plus intéressantes. Elles permettent de vérifier votre compréhension du sujet étudié.

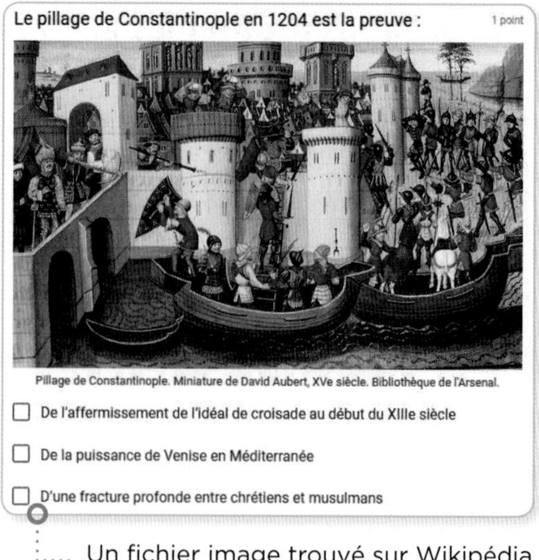

Un fichier image trouvé sur Wikipédia a été inséré.

ÉTAPE 3 Formulez les réponses

Vous devez penser au corrigé et rédiger les réponses automatiques générées par le logiciel. Votre commentaire permettra de comprendre le sens des événements étudiés. Vous pouvez aussi attribuer un certain nombre de points par question pour générer une note.

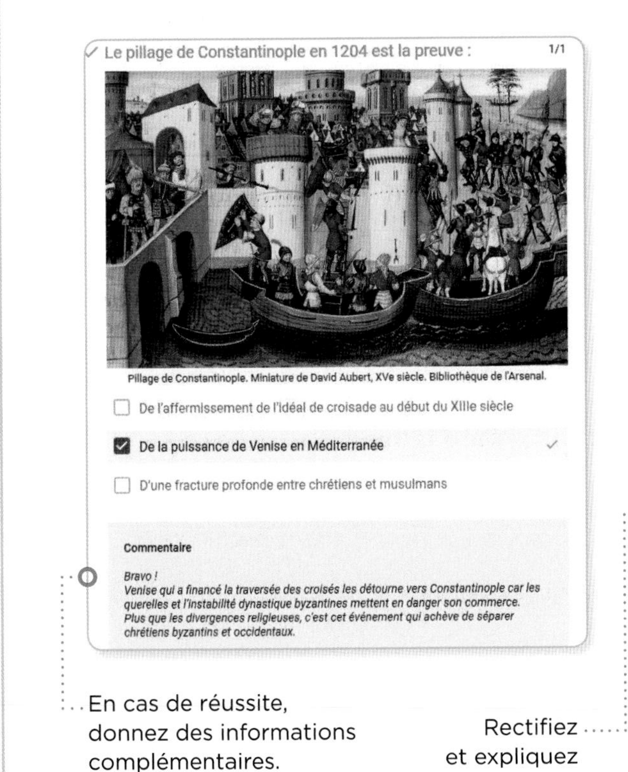

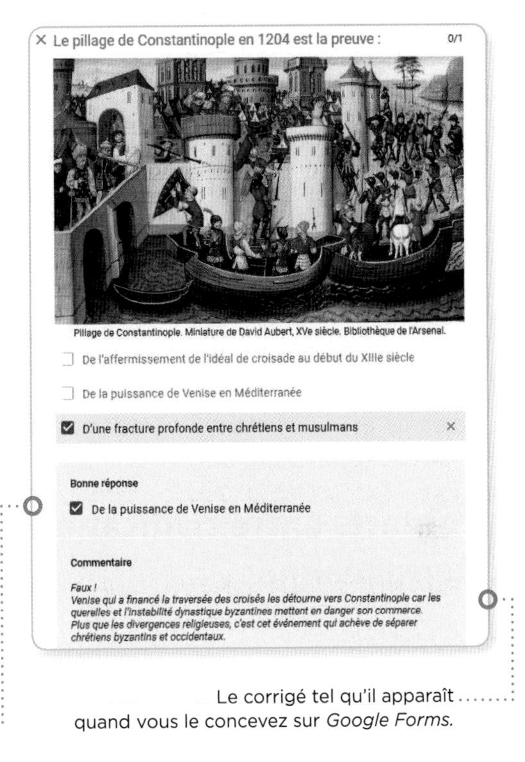

En cas de réussite, donnez des informations complémentaires.

Rectifiez et expliquez les erreurs.

Le corrigé tel qu'il apparaît quand vous le concevez sur *Google Forms.*

ÉTAPE 4 Faites profiter les autres de votre travail

Concevoir le quiz vous a permis d'apprendre votre leçon, mais aussi de raisonner en développant votre esprit critique.

Mutualisez votre travail en publiant vos quiz sur l'ENT de votre classe. Vous pouvez aussi organiser des échanges avec d'autres classes de seconde, voire créer une base de données pour les élèves des années suivantes.

RÉVISER

La Méditerranée médiévale

SAVOIR EXPLIQUER

La division de la Méditerranée médiévale en trois civilisations

- **L'empire byzantin**
  # Empereur ; Patriarche ; Théocratie ; Orthodoxie
- **L'Occident chrétien**
  # Morcellement politique ; Féodalité ; Pape ; Ordres religieux
- **Le monde musulman**
  # Calife ; *Umma* ; Arabes ; Berbères ; Turcs ; Sunnites ; Chiites

Les contacts entre civilisations méditerranéennes

- **Des cohabitations**
  # Al-Andalous ; *Dhimmi* ; Mudéjars ; Juifs
- **Des circulations**
  # Commerce ; Comptoir ; *Funduq* ; Pèlerinage ; Thalassocratie ; Traductions
- **Des confrontations**
  # Croisade ; États latins d'Orient ; Jihad ; *Reconquista*

SAVOIR DATER

476	chute de l'Empire romain d'Occident
VIIe siècle	Naissance de l'islam en Arabie
1054	schisme entre orthodoxes et catholiques

1095	appel à la croisade du pape Urbain II
1187	reconquête de Jérusalem par Saladin
1204	pillage de Constantinople par les Croisés
1492	prise de Grenade par les chrétiens, fin de la *Reconquista*

SAVOIR DÉFINIR

- Calife → P. 76
- Croisade → P. 77
- Jihad → P. 79
- *Reconquista* → P. 78
- Schisme → P. 76
- Suzerain → P. 77
- Thalassocratie → P. 81
- Théocratie → P. 76
- Vassal → P. 77

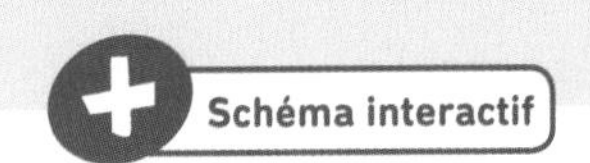

LES RELATIONS ENTRE LES TROIS CIVILISATIONS

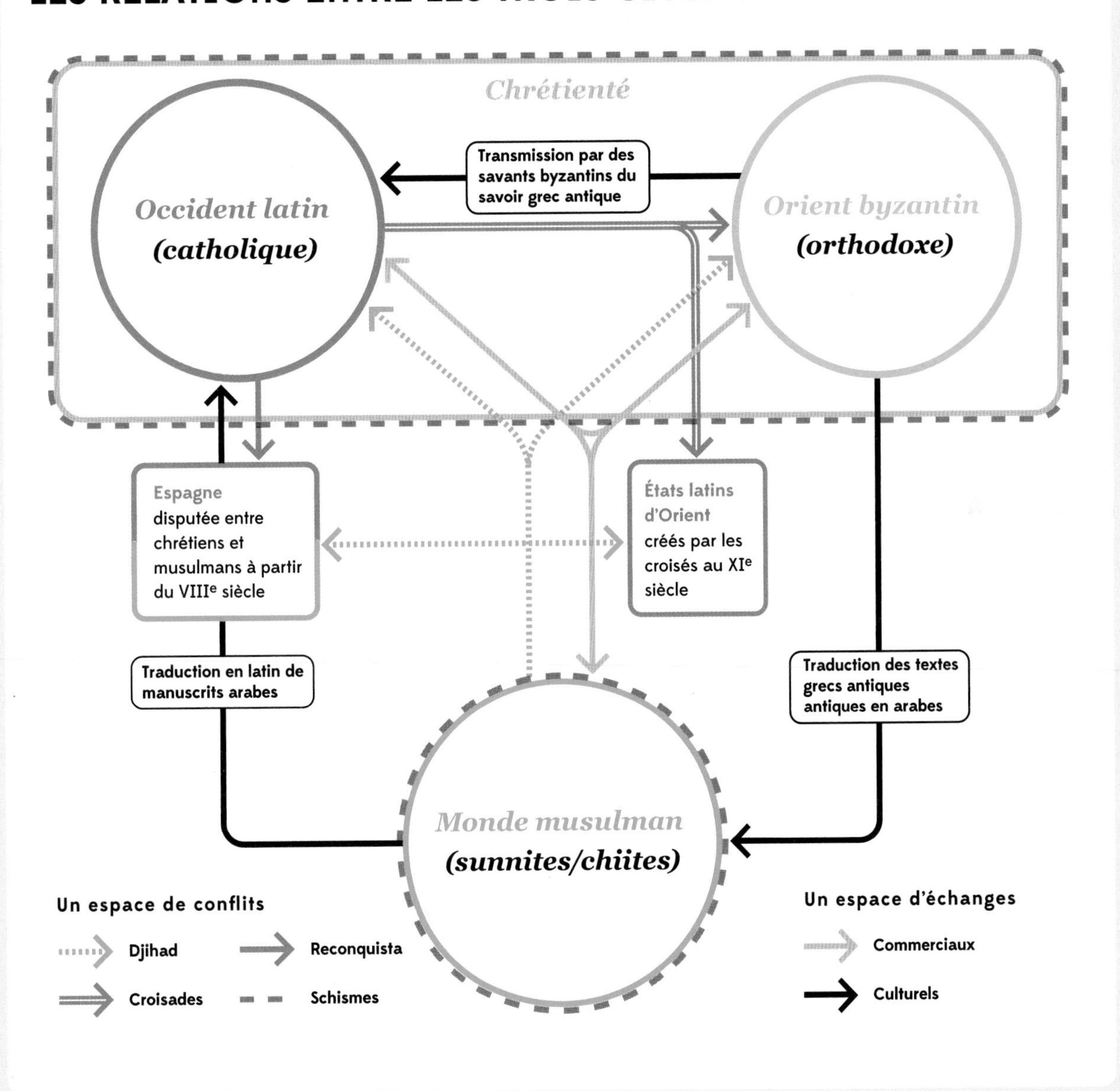

POUR ALLER PLUS LOIN

À LIRE

Amin Maalouf
Les croisades vues par les Arabes
J'ai Lu, 1999

Atlas de la Méditerranée
Hors-série de la revue *L'Histoire*, 2012.
Pour une approche par les cartes de l'histoire de la Méditerranée médiévale.

À VOIR

R. Freda
Théodora, impératrice de Byzance (1954)
Théodora, ancienne esclave, épouse l'empereur byzantin Justinien.

Ridley Scott
Kingdom of Heaven (2005)
La croisade d'un forgeron français pour défendre Jérusalem contre les troupes de Saladin.

À VISITER

Le département des arts de l'islam du musée du Louvre à Paris
Il présente de nombreuses œuvres provenant du monde musulman médiéval.

Le musée de Cluny à Paris
Il dispose de riches collections sur le Moyen Âge occidental et byzantin.

À ÉCOUTER

Prise de Constantinople. Les Croisades de 1204
La Fabrique de l'histoire, France Culture, 2016
https://www.franceculture.fr/

S'AUTOÉVALUER

Imprimez cette page pour vous entraîner. Référez-vous aux pages indiquées si vous avez besoin d'aide.

+ Exercices interacti

1 Complétez ce tableau, présentant les trois grandes civilisations présentes en Méditerranée :

	L'Empire byzantin	Les territoires musulmans	L'Occident chrétien
Religion	....	islam	....
Langue de la religion	....	....	latin

.... / 6
→ p. 76

2 Reliez les dates aux événements auxquels elles correspondent :

1085 • • Appel à la croisade de Bernard de Clairvaux à Vézelay
1099 • • Conquête de Tolède par les chrétiens
1145 • • Prise de Jérusalem par les croisés
1204 • • Sac de Constantinople par les croisés
1187 • • Prise de Jérusalem par Saladin

.... / 5
→ p. 78-79

3 Quelle est la réaction des dirigeants musulmans face à l'arrivée des croisés en Orient ?

- ☐ Ils demandent de l'aide à l'Empire byzantin.
- ☐ Ils appellent tous les musulmans au Jihad.
- ☐ Ils concluent un traité de paix avec les croisés.

.... / 2
→ p. 79

4 Comment s'appellent les guerres menées par les chrétiens au nom de la religion (deux bonnes réponses sont attendues) ?

☐ Le Jihad ☐ la croisade ☐ la *Reconquista* ☐ le schisme

.... / 2
→ p. 78

5 Reliez les mots suivants à la définition qui convient.

Thalassocratie • • Dans les ports arabes, ensemble de bâtiments qui accueillent les commerçants d'un pays étranger et leurs marchandises.

Colleganza • • Empire fondé sur la puissance maritime commerciale et militaire.

Funduq • • Association de plusieurs marchands vénitiens avec un financier pour partager les risques et les bénéfices des convois maritimes.

Chiites • • Populations musulmanes passées sous domination chrétienne après la *Reconquista*.

Mudéjars • • Partisans d'Ali, gendre et fils adoptif de Mohamed, évincé de la succession du prophète.

.... / 5
→ p. 76, 80

1 Répondre à des questions de connaissances ▸ BAC TECHNOLOGIQUE

1. Quels sont les trois espaces méditerranéens où se trouvent des minorités musulmanes sous domination chrétienne ?
2. En quoi consistent les croisades ?
3. Pourquoi peut-on dire que l'Empire byzantin est en recul à partir du XIe siècle ?

2 Présenter un document ▸ BAC TECHNOLOGIQUE ET GÉNÉRAL

Le statut des musulmans dans l'Espagne chrétienne

Le roi d'Aragon, après avoir pris la ville de Tudela en 1119, passe un accord avec sa population musulmane.

Les musulmans conserveront leur droit et leurs affaires relèveront de leur *alcudi* et de leurs *alguaziles*[1], comme cela se faisait à l'époque musulmane. En cas de procès entre un musulman et un chrétien ou un chrétien et un musulman, l'*alcudi* des musulmans jugera son coreligionnaire selon sa loi et l'*alcudi* des chrétiens le sien selon son droit. Aucun chrétien ne pourra contraindre un musulman sans disposition correspondante du droit musulman. [...] On ne placera les musulmans que sous l'autorité de notables chrétiens qui soient de bons chrétiens, religieux, fiables, de bonne naissance et sans mauvaises intentions. On ne convoquera pas de force un musulman à la guerre, ni contre les musulmans ni contre les chrétiens. Aucun chrétien n'entrera de force dans la maison ni dans le jardin d'un musulman. [...] Le roi Alphonse a ratifié cette charte, s'engageant à en respecter la teneur et l'esprit et à la faire observer par ses hommes.

Accord entre le roi d'Aragon Alphonse le Batailleur et les musulmans de Tudela, 1119.
P. Guichard, *L'Espagne et la Sicile musulmanes aux XIe et XIIe siècles*, Presses universitaires de Lyon, 1990.

1. L'*alcudi* est un juge (*cadi* en arabe), auquel sont subordonnés des magistrats inférieurs appelés *alguaziles* (*wasir* en arabe).

Présentez le document
▸ VERS LE BAC P. 274-275

Aide

1. Situez le document dans le contexte historique de l'Espagne.
2. Présentez l'auteur et définissez la nature du texte.
3. Présentez les destinataires de ce texte, c'est-à-dire les deux parties signataires de l'accord.
4. Résumez l'objet de cet accord.

3 Répondre à une question problématisée ▸ BAC GÉNÉRAL

SUJET

Le commerce permet-il de surmonter les tensions entre les trois grandes civilisations de la Méditerranée médiévale ?

Répondez à la question problématisée
▸ VERS LE BAC P. 282

Aide pour répondre

Vous pouvez adopter le plan suivant :

1. Des échanges commerciaux intenses
2. Les contacts pacifiques entre marchands
3. Une concurrence qui crée aussi des tensions

CHAPITRE

3

L'ouverture atlantique : de la découverte du

les conséquences « Nouveau Monde »

Amerigo Vespucci découvrant l'Amérique

Amerigo Vespucci fut l'un des premiers explorateurs à considérer les terres découvertes en 1492 comme un nouveau continent.

Gravure de Théodore Galle, Anvers, vers 1590 (d'après un tableau de Jan Van der Straet).

Animation

REPÈRES L'ouverture atlantique

EN 5e

Vous avez vu que l'Europe a découvert, à partir du XVe siècle, de « Nouveaux Mondes » et que le Portugal et l'Espagne ont joué un rôle majeur dans cette expansion européenne.

Dans ce chapitre

Vous allez analyser en profondeur cette période que l'on a appelée au XIXe siècle les « grandes découvertes » et qui correspond à une première mondialisation dirigée par les puissances européennes.

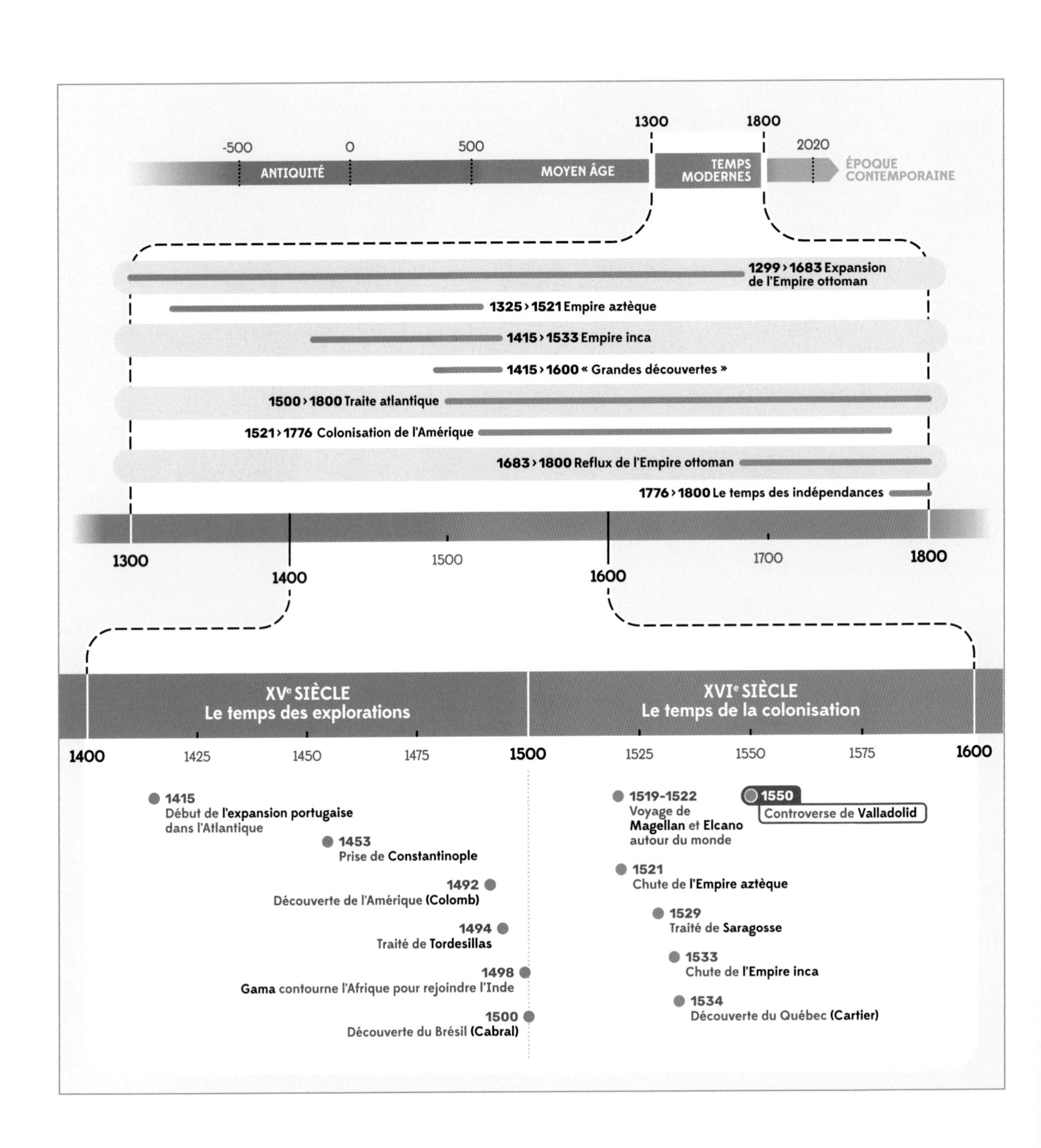

1 L'élargissement des horizons géographiques des Européens

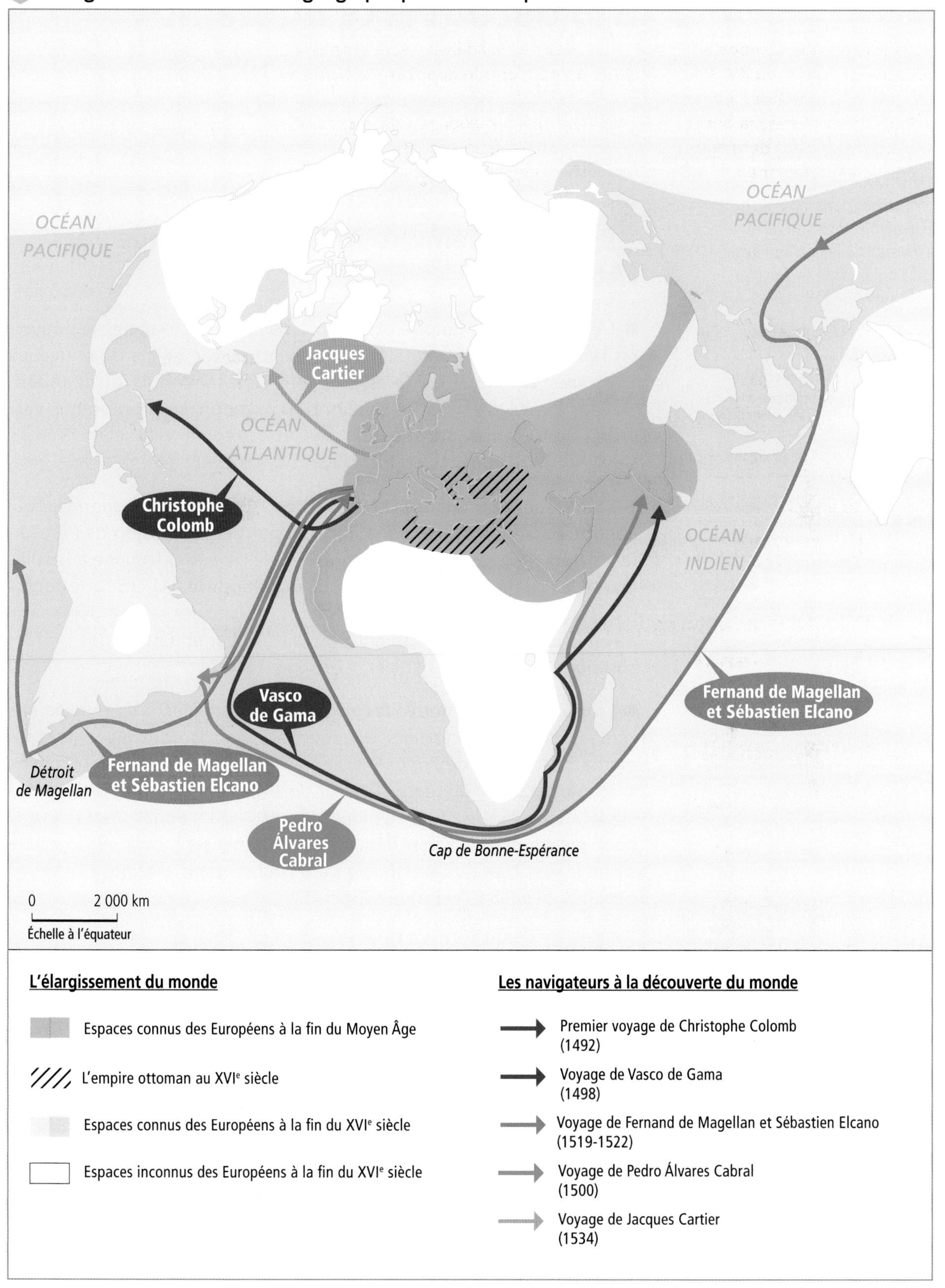

COURS

1 Les Européens à la découverte du monde

→ DOCUMENTS P. 108

Dans un contexte géopolitique agité en Méditerranée, les Européens se lancent à la fin du XVe siècle à la recherche de nouvelles routes commerciales vers l'Asie. Ces explorations les amènent à découvrir de nouveaux territoires.

A Le basculement de la Méditerranée vers l'Atlantique

L'expansion de l'Empire ottoman. La dynastie ottomane, au pouvoir en Turquie depuis le XIVe siècle, conquiert au XVe siècle de nouveaux territoires. En 1453, les Turcs prennent Constantinople qu'ils rebaptisent Istanbul : c'est la fin de l'Empire byzantin. Ils progressent vers l'ouest de l'Europe, dans les Balkans, et assiègent Vienne en 1529. Ils s'emparent de l'Égypte en 1517.

La chrétienté menacée? À l'ouest de l'Europe, la *Reconquista*, qui aboutit en 1492 à la prise de Grenade, permet l'expulsion des musulmans hors de la péninsule Ibérique. Mais la percée ottomane à l'est inquiète les puissances chrétiennes. Le pape appelle à la croisade contre les Turcs. Les puissances européennes veulent reprendre Jérusalem aux musulmans et elles croient pouvoir trouver en Orient des princes chrétiens avec lesquels s'allier.

La recherche de nouvelles routes commerciales. Les musulmans sont aussi des concurrents commerciaux car ils contrôlent le commerce des épices de l'océan Indien à la Méditerranée orientale avec leurs partenaires vénitiens. À partir de 1415, les Portugais lancent des explorations vers le sud de l'Atlantique : ils veulent contourner l'Afrique pour entrer dans l'océan Indien. D'autres pensent qu'il est possible d'ouvrir une route commerciale vers l'ouest, pour atteindre l'Asie en traversant l'océan Atlantique **(doc. 1)**.

VOCABULAIRE

- **Astrolabe :** instrument de mesure de la position des astres qui permet de calculer la latitude.
- **Boussole :** instrument de navigation utilisant le champ magnétique de la Terre qui permet de s'orienter dans l'espace.
- **Portulans :** cartes de navigation représentant les éléments utiles aux marins (ports, courants, vents dominants, récifs...).

1 La recherche de nouvelles routes vers l'Asie

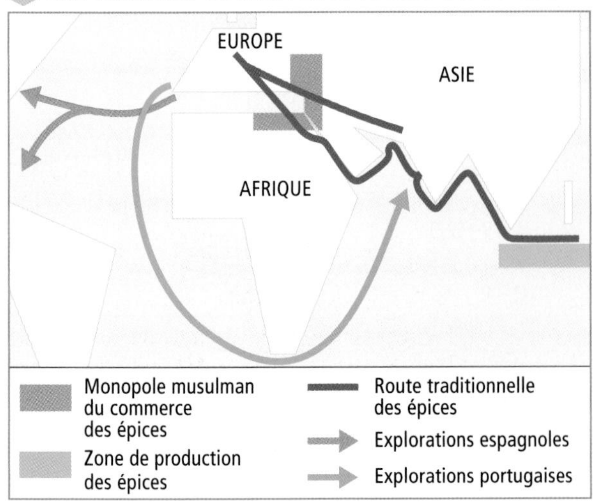

B Le temps des explorations

Le Portugal et l'Espagne en compétition. En 1492, Christophe Colomb, un Génois au service de l'Espagne, tente de gagner les Indes par la route de l'ouest. Il débarque aux Caraïbes et appelle ses habitants les « Indiens », car il est persuadé d'être en Asie. En 1498, le Portugais Vasco de Gama arrive à Calicut (Inde) après avoir contourné l'Afrique. Parti en 1519, Fernand de Magellan, un Portugais au service de l'Espagne, contourne le continent américain par le sud (détroit de Magellan) puis traverse l'océan Pacifique. Il meurt en 1521 aux Philippines, mais son second, Sebastián Elcano, rentre en Espagne en 1522 après avoir fait le tour du monde.

Des progrès scientifiques et techniques. Ces explorations sont stimulées par la redécouverte des travaux du Grec Ptolémée, le fondateur de la cartographie scientifique au IIe siècle. Diffusée par l'imprimerie, son œuvre montre que la Terre est ronde et que les Européens n'en connaissent qu'une petite partie. La **boussole** et l'**astrolabe**, instruments transmis par les savant arabes, permettent aux navigateurs de s'orienter. La caravelle, navire mis au point par les Portugais vers 1440, peut à la fois naviguer en haute mer et s'approcher des côtes **(doc. 2)**.

C De « grandes découvertes » ?

Une nouvelle vision du monde. Les Européens sont ainsi les premiers à avoir une vision globale et précise du monde et à la diffuser. De nombreux atlas, mappemondes, **portulans** sont publiés au cours du XVIe siècle, intégrant la géographie des territoires découverts. On prend peu à peu conscience de l'existence d'un nouveau continent, séparé de l'Asie par le Pacifique : ce « Nouveau Monde » est baptisé *Amérique*.

Une expression discutée. Pour désigner cette expansion européenne des XVe et XVIe siècles, les historiens du XIXe siècle ont inventé l'expression « grandes découvertes ». Elle traduit l'importance des expéditions européennes et leur médiatisation par des récits de voyages. Mais elle est aujourd'hui critiquée, parce qu'elle donne l'impression d'un projet cohérent dès le départ et surtout parce qu'elle se place du seul point de vue européen. La « découverte » d'un territoire par les Européens signifie le plus souvent son appropriation, sa conquête, et l'expression tend à donner un rôle purement passif à la population rencontrée.

Le sens des mots

Amérique : nom donné au « Nouveau Monde » par le géographe allemand Martin Waldseemüller en 1507. Il reprend le prénom du navigateur florentin Amerigo Vespucci, qui fut l'un des premiers à comprendre qu'il était face à un nouveau continent, alors que Christophe Colomb était persuadé d'être arrivé en Asie.

RÉVISER SON COURS

1. Quelles motivations poussent les Européens à élargir leurs horizons ?
2. Quels sont les acteurs et les moyens de ces expéditions ?
3. L'expression « grandes découvertes » est-elle appropriée ?

2 Une caravelle

Ce navire est assez grand (25 mètres de long) pour naviguer en haute mer, mais peut aussi s'approcher des côtes et remonter les fleuves grâce à son faible tirant d'eau. Grâce à ses voiles carrées et triangulaires, il peut naviguer dans toutes les conditions, même contre le vent.

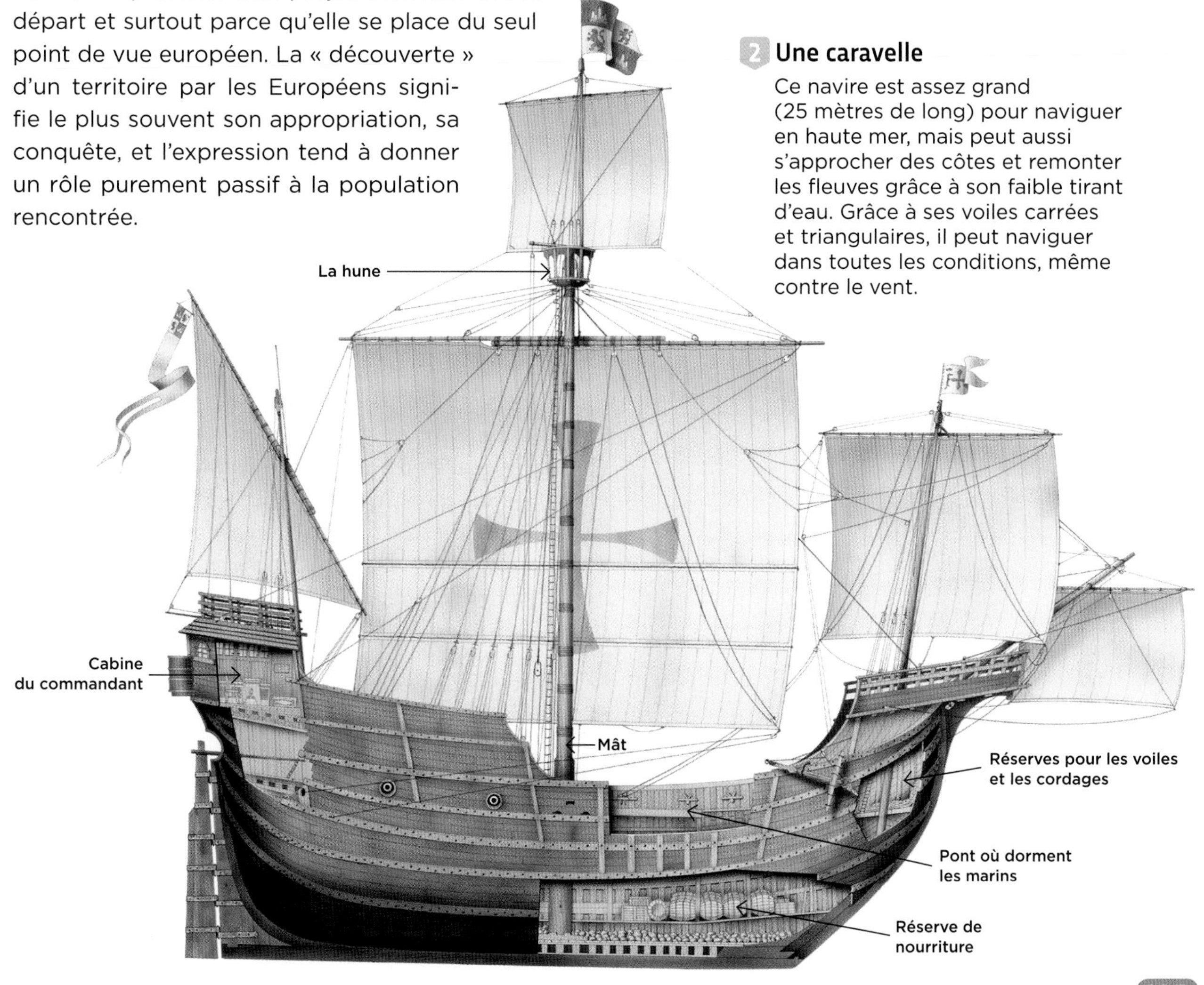

Conquête et colonisation du « Nouveau Monde »

→ DOCUMENTS P. 110, 112, 114, 116

Les puissances européennes sont avides d'exploiter les richesses du « Nouveau Monde ». C'est pourquoi l'Amérique devient le laboratoire du colonialisme, qui est légitimé par l'évangélisation.

VOCABULAIRE

- **Amérindiens :** terme désignant les populations autochtones d'Amérique.
- ***Encomienda* :** domaine confié par l'État espagnol à un colon, qui peut faire travailler la population indigène et doit théoriquement la faire évangéliser par un missionnaire.
- **Évangélisation :** diffusion de l'Évangile, de la doctrine chrétienne, pour convertir une population non européenne.
- **Missionnaires :** religieux chargés de la mission d'évangélisation.
- **Traite négrière :** commerce des esclaves noirs.

A La soumission du « Nouveau Monde »

Rivalités et partages. Les territoires découverts par les explorateurs et les richesses supposées dont ils regorgent attisent la convoitise des puissances européennes. La rivalité entre Espagnols et Portugais est réglée par l'arbitrage du pape, qui soutient l'expansion du christianisme dans le monde. En 1494, le traité de Tordesillas trace une ligne de partage dans l'Atlantique entre les sphères d'influence espagnole et portugaise. Cette ligne est ensuite prolongée en Asie en 1529 par le traité de Saragosse **(doc. 2)**.

De l'exploration à la conquête. Des expéditions militaires sont envoyées dans les territoires découverts : les *conquistadores* prennent le relais des explorateurs. Pedro Álvares Cabral prend possession du Brésil au nom du roi du Portugal en 1500. Hernan Cortés s'empare, pour l'Espagne, de l'Empire aztèque et de sa capitale Mexico-Tenochtitlan en 1521. En 1533, Francisco Pizarro soumet l'Empire inca. Français et Britanniques se lancent, eux, dans la conquête de l'Amérique du Nord. La supériorité technique des Européens, avec les armes à feu, ainsi que l'usage des chevaux leur permet de soumettre des empires locaux puissants mais souvent rongés par des divisions internes, que les *conquistadores* savent exploiter **(doc. 1)**.

B L'effondrement des sociétés amérindiennes

Une catastrophe démographique. Les populations indigènes sont affaiblies par les massacres et le travail forcé, mais surtout décimées par le choc microbien : les Européens propagent en Amérique des maladies contre lesquelles les **Amérindiens** ne sont pas immunisés, comme la variole, le typhus, la grippe ou la rougeole. Il est difficile de chiffrer précisément le recul démographique, mais les historiens estiment que la population indigène a diminué au cours du XVIᵉ siècle de 50 à 95 % selon les régions **(doc. 1)**.

Un traumatisme social. Les *conquistadores* s'attaquent aux fondements des civilisations conquises. Les temples sont détruits, les œuvres d'art pillées ou saccagées. Les modes de vie traditionnels sont dévalorisés et les normes chrétiennes imposées, par exemple dans le domaine du mariage et de la sexualité. Les villes sont réaménagées sur le modèle européen.

1 L'effondrement démographique des sociétés amérindiennes

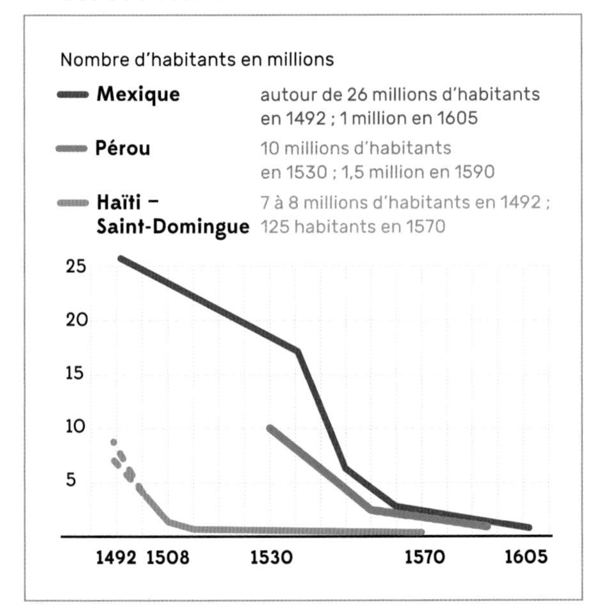

Mexico-Tenochtitlan garde son nom aztèque et son statut de capitale, mais une cathédrale est édifiée sur les ruines de l'ancien Grand Temple aztèque.

C L'ordre colonial

L'exploitation. Des administrateurs envoyés d'Europe ont pour mission d'organiser de vastes empires coloniaux. Les terres sont accaparées par les colons. Dans l'Amérique espagnole, le système de l'***encomienda*** conduit à de nombreux abus. Les plantations sucrières, d'abord expérimentées par les Portugais dans les îles atlantiques (Madère, Sao Tomé), se développent ensuite au Brésil et aux Caraïbes. Un nouveau système économique s'organise, tourné vers l'exportation des produits exotiques. Il fonctionne grâce au travail des esclaves, d'abord des Amérindiens, puis des Africains avec la **traite négrière**.

L'évangélisation. L'Église légitime la colonisation par la conversion des indigènes au christianisme. Cette mission d'**évangélisation** est confiée à des **missionnaires**, franciscains au Mexique, dominicains au Pérou ou jésuites au Brésil. Ils luttent parfois brutalement contre les religions locales. Mais ils s'efforcent aussi d'apprendre les langues et de comprendre les coutumes, pour mieux convertir les Amérindiens. C'est pour cette raison également qu'ils cherchent à les protéger contre les abus des colons. L'Église condamne dès 1537 l'esclavage des Amérindiens, affirmant leurs droits fondamentaux à la liberté et à la propriété. Mais le statut des indigènes fait débat en Europe. En 1550, les théologiens Bartholomé de Las Casas et Juan Ginés Sepúlveda s'affrontent lors d'une controverse à Valladolid.

Le sens des mots

Indigène
Le terme désigne étymologiquement une personne originaire du pays où elle se trouve; il est synonyme d'*autochtone*. Le mot était employé dans les empires coloniaux pour qualifier les peuples soumis, avec un statut juridique inférieur. C'est pourquoi l'usage du mot *indigène* est aujourd'hui critiqué par certains, qui lui prêtent un sens péjoratif et colonialiste.

RÉVISER SON COURS

1. Qui sont les principaux acteurs de la conquête du « Nouveau Monde »?
2. Quelles sont les conséquences de cette conquête pour les sociétés amérindiennes?
3. En quoi consiste l'ordre colonial mis en place par les Européens?

2 Le partage du monde : les traités de Tordesillas et de Saragosse

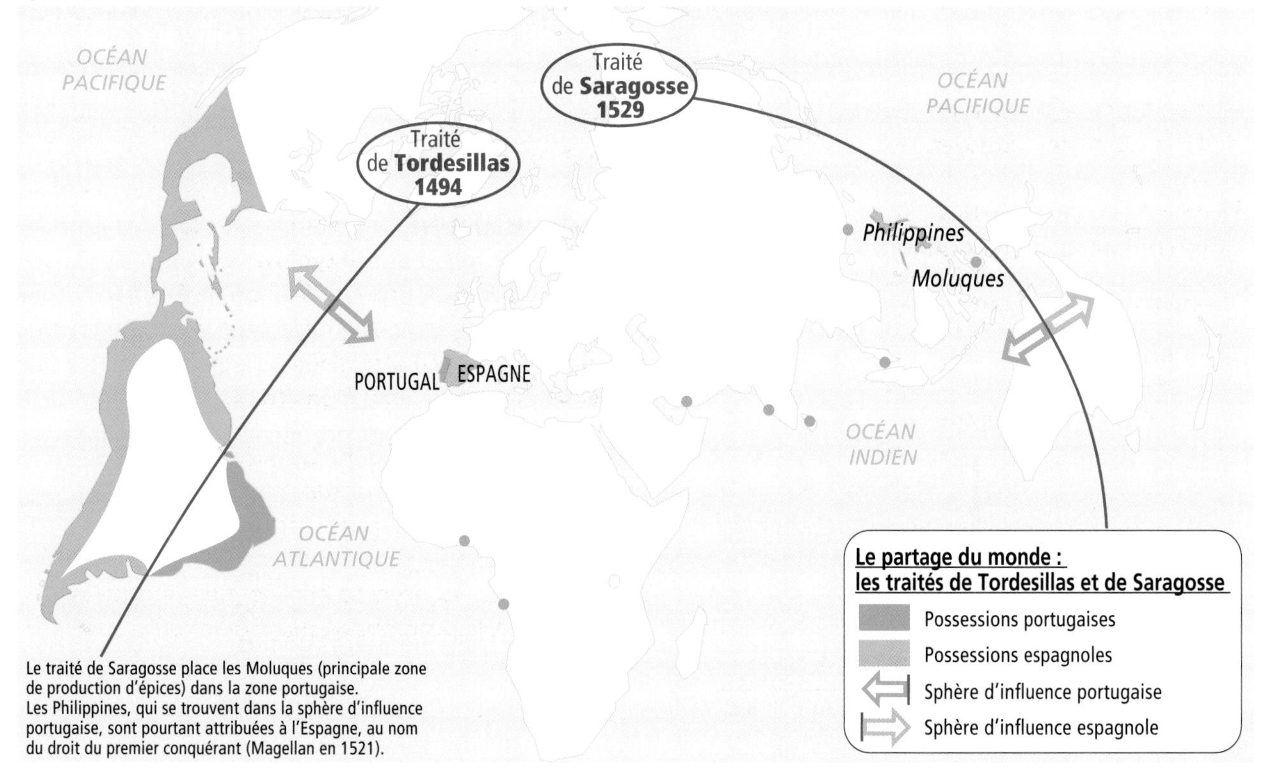

COURS

3

Une première mondialisation

→ DOCUMENTS P. 112, 118

Avec la colonisation du « Nouveau Monde » et l'intensification des flux humains, économiques et culturels, de nouvelles relations entre l'Amérique, l'Europe et l'Afrique se créent. On peut parler d'une première mondialisation.

VOCABULAIRE

Comptoirs : établissements commerciaux installés dans un port étranger.

Exclusif : principe par lequel une métropole oblige ses colonies à commercer exclusivement avec elle (et non avec d'autres États ou colonies).

Indigo : arbuste produisant une teinture bleue utilisée par l'industrie textile européenne.

Mondialisation : processus de mise en relation d'espaces (même très éloignés) par des flux de diverses natures ayant pour conséquence de rendre ces espaces interdépendants les uns des autres.

A « L'échange colombien »

Les migrations. À la suite des explorateurs et des *conquistadores*, des Européens affluent vers l'Amérique : administrateurs, prêtres, soldats, marchands, colons. On compte près de 300 000 Européens à la fin du XVIe siècle en Amérique. À cela, il faut bien sûr ajouter la migration forcée des esclaves, déportés de l'Afrique vers les colonies américaines.

Les transferts écologiques. Les Européens découvrent en Amérique de nouvelles espèces de plantes (haricot, tomate, maïs, manioc, cacao, tabac) qu'ils introduisent en Europe et en Afrique. À l'inverse, ils importent dans les colonies de nouvelles espèces animales (cheval, bœuf) ou de nouvelles cultures (blé). On appelle « échange colombien » cette forme de **mondialisation**, qui bouleverse les pratiques agricoles et les habitudes alimentaires de part et d'autre de l'Atlantique **(doc. 2)**.

B La mondialisation économique

Le commerce colonial. Métaux précieux, bois rares, denrées exotiques sont autant de richesses que les colonisateurs souhaitent accaparer et exporter vers l'Europe. Les mines d'or et d'argent du Mexique et du Pérou sont exploitées par des Amérindiens, soumis au travail forcé. Les esclaves africains travaillent dans les plantations de sucre, de tabac ou d'**indigo**. Chaque métropole entend se réserver le commerce des produits coloniaux, par le système de l'**Exclusif**. Les richesses de l'Amérique espagnole arrivent ainsi obligatoirement à Séville, tandis que les **comptoirs** portugais de l'océan Indien et les ports brésiliens doivent commercer avec Lisbonne.

La traite atlantique. Au XVe siècle, dans un premier temps, les Portugais capturent eux-mêmes des esclaves sur les côtes africaines, puis ils commencent à les acheter à des négriers africains. Ces esclaves sont vendus au Portugal ou travaillent dans les plantations des îles portugaises. Avec le développement d'une économie coloniale sur le continent américain et l'effondrement de la population amérindienne, les Portugais mettent en place la traite atlantique. Dès le XVIe siècle, des esclaves africains traversent l'océan et sont vendus aux planteurs du Brésil et des colonies espagnoles. À la fin du siècle, les Hollandais, les Français et les Anglais commencent à participer à la traite négrière **(doc. 1)**.

1 Le commerce dans le monde au XVIe siècle

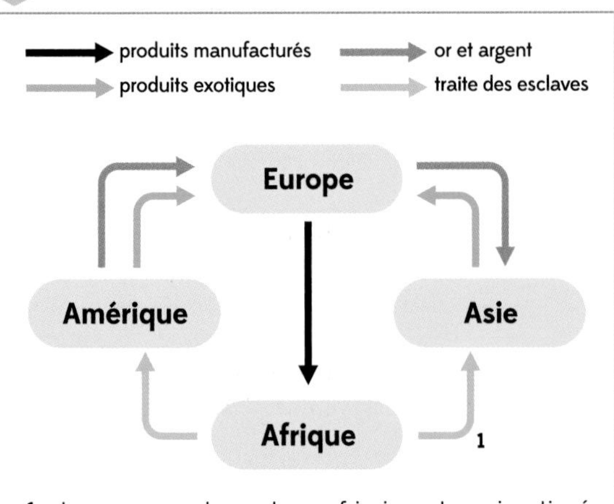

1 – Le commerce des esclaves africains est aussi pratiqué depuis le Moyen Âge par les sociétés arabo-musulmanes.

C La mondialisation culturelle

Métissages. Les colons européens sont le plus souvent de jeunes hommes, qui trouvent des femmes parmi la population locale. Les unions mixtes se développent, les populations se métissent. Hernan Cortés prend pour compagne une Amérindienne, « la Malinche », reçue en présent lors de la conquête du Mexique et qui joue auprès de lui le rôle de conseillère et d'interprète. Ils ont un enfant et elle est depuis considérée à la fois comme une victime de la conquête, une traîtresse à la cause de son peuple, mais aussi comme la mère du peuple mexicain moderne.

Une acculturation réciproque? L'intensification des échanges, la découverte de nouveaux peuples, l'arrivée de produits exotiques transforment les sociétés européennes. Les érudits, comme le Français Montaigne, s'interrogent sur les notions d'humanité et de civilisation. Mais l'**acculturation** est d'abord imposée par les colonisateurs et subie par les indigènes. Ce processus rapide et violent suscite des stratégies complexes de résistance, comme le **vaudou** aux Caraïbes. Le message chrétien d'égalité entre les hommes et d'unité de l'humanité peut parfois être retourné contre les Européens. Le théologien Bartolomé de Las Casas utilise ces principes pour critiquer le comportement des colons envers les Amérindiens.

VOCABULAIRE

Acculturation : modification des pratiques culturelles d'une société au contact d'une autre.

Vaudou : religion pratiquée dans les Caraïbes et ayant pour spécificité de mélanger des éléments des cultes païens (africains et amérindiens) et catholiques.

RÉVISER SON COURS

1. Quels transferts humains et écologiques ont lieu à la suite de la découverte du « Nouveau Monde »?
2. Quel type d'échanges économiques se développent au XVIe siècle entre l'Amérique, l'Afrique et l'Europe?
3. Comment le contact entre les sociétés européennes et amérindiennes transforme leurs pratiques culturelles?

2 L'échange colombien

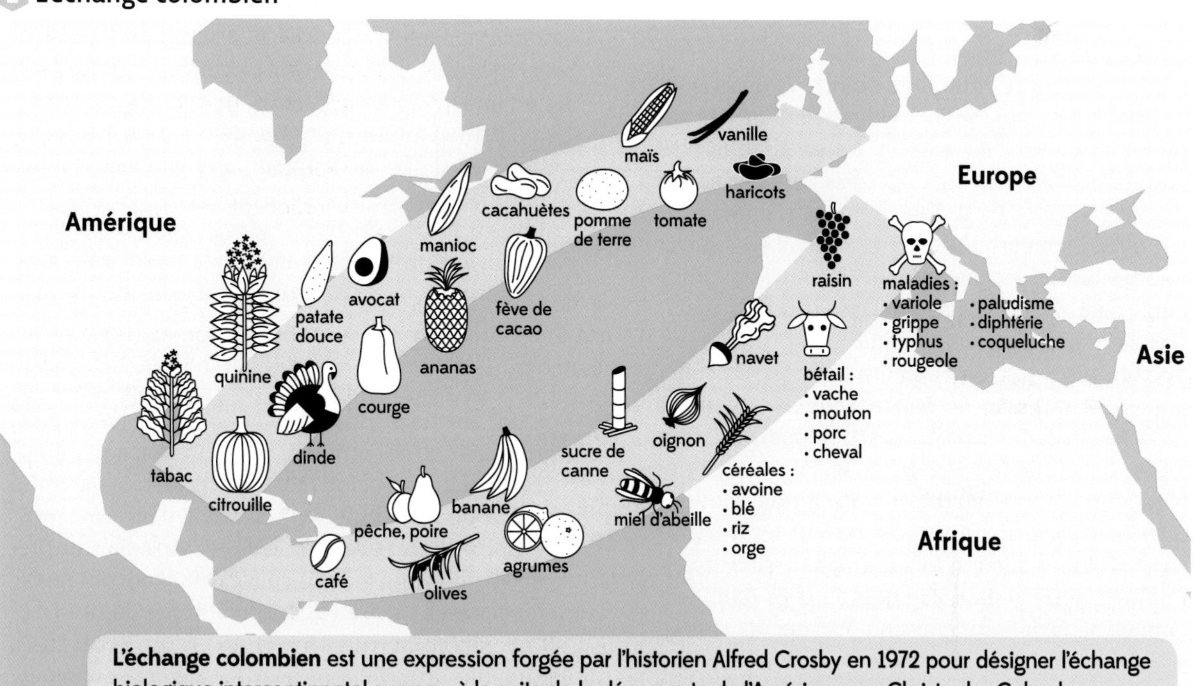

L'échange colombien est une expression forgée par l'historien Alfred Crosby en 1972 pour désigner l'échange biologique intercontinental survenu à la suite de la découverte de l'Amérique par Christophe Colomb.

DOCUMENTS

Explorer les mers lointaines

Quelles sont les conditions de navigation des explorateurs qui partent à la découverte du monde ?

→ COURS P. 102

1 L'utilisation du nocturlabe dans un manuel de navigation du XVIe siècle.

Le nocturlabe est un instrument de navigation qui permet de mesurer le temps en fonction de la position des étoiles et de calculer les marées.

Jacques de Vaulx, *Les Premières Œuvres*, 1583.

2 La traversée du Pacifique avec Magellan

Antoine Pigafetta, Italien membre de l'équipage de Magellan, raconte ici sa traversée du Pacifique.

Mercredi 28 novembre 1520, nous saillîmes hors dudit détroit et nous entrâmes en la mer Pacifique, où nous demeurâmes trois mois et vingt jours sans prendre vivres ni autres rafraîchissements. Nous ne mangions que du vieux biscuit tourné en poudre, tout plein de vers et puant [...]

Outre les maux dessus dits, ce mal que je dirai était le pire. C'est que les gencives de la plus grande partie de nos gens croissaient dessus et dessous, si fort qu'ils ne pouvaient manger et par ainsi ils mouraient tant qu'il nous en mourut neuf[1]. Mais outre ceux qui moururent, il en tomba vingt-cinq ou trente malades, de diverses maladies tant aux bras qu'aux jambes et autres lieux, en telle sorte qu'il en demeura bien peu de sains. Toutefois, la grâce de Notre Seigneur, je n'eus point de maladie. Durant ces trois mois et vingt jours, nous allâmes en un golfe où nous fîmes bien 4000 lieues par la mer Pacifique, laquelle était bien ainsi nommée, car durant ledit temps nous n'eûmes aucune fortune, sans voir terre sinon que deux petites îles déshabitées, dans lesquelles nous ne trouvâmes qu'oiseaux et arbres.

Antoine Pigafetta, *Navigation et découvrement de l'Inde supérieure et îles de Malucque*, version publiée en français entre 1526 et 1536, © Le Voyage de Magellan, éd. de Xavier de Castro, Chandeigne.

1. Pigafetta décrit le scorbut, qui se déclenche après 68 jours de carence en vitamine C.

3 La traversée de l'Atlantique par Vespucci

Nous naviguâmes deux mois et trois jours avant qu'une terre nous apparût. Ce que nous subîmes dans ce désert marin, quels dangers de naufrage, quelles souffrances physiques nous affrontâmes, quelles angoisses nous accablèrent l'esprit, je laisse deviner à ceux qui, par expérience, savent le mieux ce que signifient la quête de l'inconnu [...]. Pour tout dire en un mot, sachez que sur soixante-sept jours de navigation, nous en eûmes d'affilée quarante de pluie, de tonnerre et d'éclairs, obscurs au point que jamais nous ne vîmes, de jour, le soleil, et de nuit un ciel serein. [...] Mais au milieu de tant d'orages gigantesques, il plut au Très Haut, dans le ciel, de nous faire voir, devant nous, un continent, des régions nouvelles, un monde nouveau. [...]

Le 7 août 1501, nous jetâmes l'ancre sur les rivages de ces régions. [...] J'ai oublié de vous signaler que du promontoire du Cap-Vert jusqu'aux prémisses de ce continent, il y a environ sept cents lieues, bien que, selon moi, nous en ayons parcouru plus de mille huit cents, à cause, pour une part, de notre ignorance des lieux, et de celle du pilote, et pour une autre à cause des vents qui nous empêchèrent de naviguer en droite ligne. [...] Nous allions au hasard et à l'aventure et les instruments (astrolabe et quadrant, comme chacun le sait) ne nous donnaient avec exactitude que la hauteur des corps célestes.

Amerigo Vespucci, *Le Nouveau Monde*, lettre à l'ambassadeur de Florence en France (1502), trad. J.-Y. Boriaud, Les Belles Lettres, 2004.

4 Une carte du monde au XVIe siècle

C'est cette carte qui donne le nom d'Amérique au nouveau continent.

Planisphère de Martin Waldseemüller, 1507.

5 La traversée de l'océan Indien avec Vasco de Gama

Le roi musulman de Mélinde (actuel Kenya) donne à Vasco de Gama un pilote qui l'aide à traverser l'océan Indien jusqu'à Calicut (côte occidentale de l'Inde).

Le jour de Pâques [15 avril 1498], les Maures que nous tenions captifs[1] nous dirent que dans cette ville de Mélinde il y avait quatre navires de chrétiens, lesquels étaient indiens, et que, si nous voulions les y conduire, ils nous donneraient en échange des pilotes chrétiens et tout ce dont nous avions besoin, comme de la viande, de l'eau, du bois et d'autres choses encore. Or le capitaine-major[2] désirait beaucoup se procurer des pilotes dans ce pays. […]

Le mardi 24 du même mois nous partîmes de là, avec le pilote que le roi nous avait donné, pour une ville appelée Calicut, dont le roi avait connaissance, et pour l'atteindre nous prîmes la direction de l'Est […]. Un vendredi, qui était le 18 mai, alors qu'il y avait vingt-trois jours que nous ne voyions pas la terre, nous découvrîmes une côte élevée. Nous avions pendant tous ces jours-là navigué vent en poupe, de sorte que dans cette traversée nous avons dû faire au moins 600 lieues. […] Le dimanche 20 mai nous étions près de grandes montagnes – les plus hautes que les hommes aient jamais vues –, qui dominent la ville de Calicut, et nous nous en approchâmes assez pour que le pilote que nous amenions les reconnût. Il nous dit que c'était le pays où nous désirions aller.

Relation anonyme du voyage de Vasco de Gama, attribuée à Alvaro Velho, membre de l'équipage, vers 1499, trad. P. Teyssier et P. Valenton, Chandeigne, 1995.

1. Gama a capturé des musulmans lors d'une étape précédente sur la côte orientale de l'Afrique (Mozambique).
2. Vasco de Gama.

Quelles sont les conditions de navigation des explorateurs qui partent à la découverte du monde ?

Répondre aux questions

1. **Localisez** les trois voyages évoqués ici et, à l'aide de vos connaissances, **présentez** les trois explorateurs (**doc. 2, 3 et 5**).
2. **Situez** ces voyages dans le contexte de l'expansion européenne et des connaissances géographiques au début du XVIe siècle (**doc. 4**).
3. **Montrez** que Magellan et Vespucci n'ont pas souffert des mêmes difficultés (**doc. 2 et 3**).
4. **Analysez** le rôle que jouent à cette époque les instruments de navigation (**doc. 1 et 3**).
5. **Expliquez** le rôle du pilote (**doc. 5**).
6. À l'aide des réponses aux questions précédentes, **expliquez** les conditions de navigation des explorateurs partis à la découverte du monde.

Mettre en récit

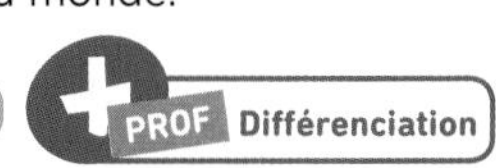

À partir des informations prélevées dans les documents, rédigez la page du journal de bord d'un navigateur racontant sa navigation sur des mers lointaines.

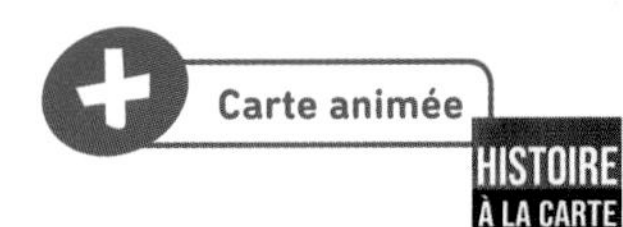

HISTOIRE À LA CARTE

L'or et l'argent, des Amériques à l'Europe

Comment les Européens se représentent-ils l'Amérique et profitent-ils de ses trésors?

→ COURS P. 104, 106

1 Les mines d'argent de Potosi (Bolivie)

Gravure de Théodore de Bry, *Histoire des Amérique et du Nouveau monde*, 1596.

2 Le mythe de l'Eldorado

Ainsi les Indiens disent que ce cacique[1], ou roi, est un puissant seigneur qui dispose de grandes richesses. Il se frotte tous les matins avec une certaine gomme ou liqueur qui sent très bon, puis, enduit de la sorte, il colle sur sa peau de l'or réduit en poudre très fine et convenable pour cet usage. De cette manière, son corps est entièrement recouvert d'or, de la tête aux pieds, et aussi brillant qu'un joyau doré qui sort des mains d'un grand orfèvre. À mon avis, si ce cacique vf agit ainsi, c'est parce qu'il dispose de très riches mines de cette sorte d'or.

Gonzalo Fernàndez de Oviedo, *Histoire générale et naturelle des Indes*, 1539 in *Mythes et légendes de la conquête de l'Amérique*, trad. J.-P. Sanchez, PUR, 1996.

1. Chef indien.

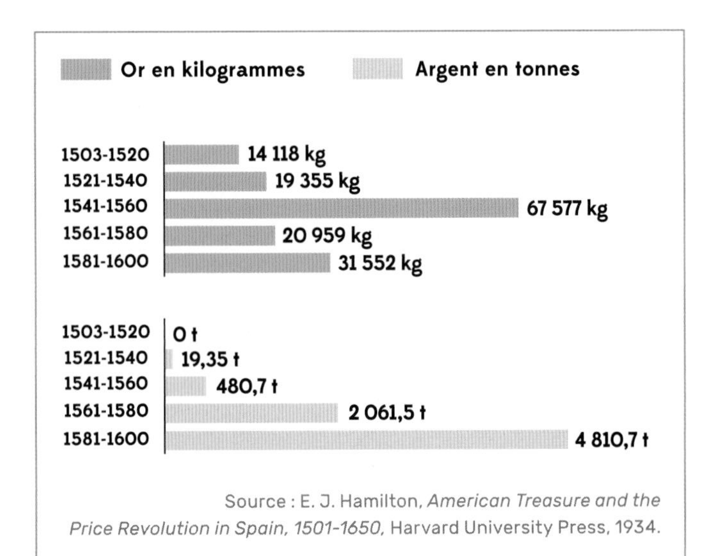

Source : E. J. Hamilton, *American Treasure and the Price Revolution in Spain, 1501-1650*, Harvard University Press, 1934.

3 Quantité de métaux précieux venus d'Amérique enregistrés à Séville

4 Une vision des Espagnols

Felipe Guaman Poma de Ayala, *Nueva Coronica y Buen Gobierno*, 1615.
« L'Inca demande ce que mangent les Espagnols. L'Espagnol répond : de l'or. »

Poma de Ayala affirmait descendre par sa mère de la dynastie inca et il a raconté l'histoire du Pérou dans cette chronique illustrée de nombreuses images.

5 Séville, la ville des merveilles

Prêtre à Séville, fier de sa ville, Morgado consacre un chapitre à la « sublimation de Séville par ses relations avec les Indes ».

C'est une chose admirable et que l'on ne voit dans aucun autre port que les charrettes à quatre bœufs qui transportent l'immense richesse d'or et d'argent en barres depuis le Guadalquivir[1] jusqu'à la Casa de la Contratación[2] [...]. C'est merveille que de voir les richesses qui s'accumulent dans beaucoup de rues de Séville, habitées par des marchands de Flandre, de Grèce, de Gênes, de France, d'Italie, d'Angleterre et autres régions septentrionales, ainsi que des Indes portugaises; et aussi cette autre quantité de richesses que recèle l'Alcaceira[3], consistant en or, argent, perles, cristaux, pierres précieuses, émaux, corail, brocards, étoffes de grand prix et toutes espèces de soieries et de draps des plus fins. [...] Les habitants construisent maintenant leurs maisons avec vue sur l'extérieur; autrefois, tout le soin de la construction se portait sur l'intérieur des maisons, et l'on ne se souciait pas de l'extérieur, comme cela se faisait au temps des Maures. Mais aujourd'hui, on se préoccupe de donner aux maisons plus de splendeur, avec quantité de fenêtres qui donnent sur la rue, et que relève et embellit la présence de nombreuses femmes nobles et distinguées qui s'y font voir.

Alonso Morgado, *Histoire de Séville*, livre II, 1587.

1. Fleuve qui coule à Séville.
2. Administration qui gère et contrôle tous les échanges avec l'Amérique.
3. L'Alcaceira est un quartier commerçant spécialisé dans les soieries.

Comment les Européens se représentent-ils l'Amérique et profitent-ils de ses trésors?

Répondre aux questions

1. **Décrivez** la manière dont les Européens se représentent les richesses du « Nouveau Monde » et la perception qu'ont d'eux les Amérindiens (doc. 2 et 4).
2. **Expliquez** comment les Européens exploitent ces richesses sur le continent américain (doc. 1).
3. **Caractérisez** l'évolution des flux d'or et d'argent vers l'Europe (doc. 3).
4. **Analysez** les effets de l'afflux des métaux précieux dans les sociétés européennes (doc. 5).
5. À l'aide des réponses aux questions précédentes, **montrez** comment les Européens se représentent et profitent des trésors de l'Amérique.

Classer des informations dans un tableau

Classez les informations tirées des documents dans un tableau montrant comment les Européens se représentent et exploitent les richesses en métal précieux des Amériques.

	Documents	Informations essentielles
La vision d'un monde riche		
Les Européens vus par les indigènes		
L'exploitation des minerais précieux des Amériques		
Le transfert des richesses vers l'Europe		

+ PROF Différenciation

Le développement de l'économie « sucrière » et de l'esclavage dans les îles portugaises et au Brésil

Comment s'est mis en place un système économique et commercial fondé sur l'exploitation des esclaves africains ?

→ COURS P. 104, 106

1 Une plantation sucrière au Brésil

Frans Post est un peintre néerlandais qui s'est rendu au Brésil au moment où celui-ci était en partie occupé par les Hollandais (1630-1654).

Frans Post, musée du Louvre, Paris.

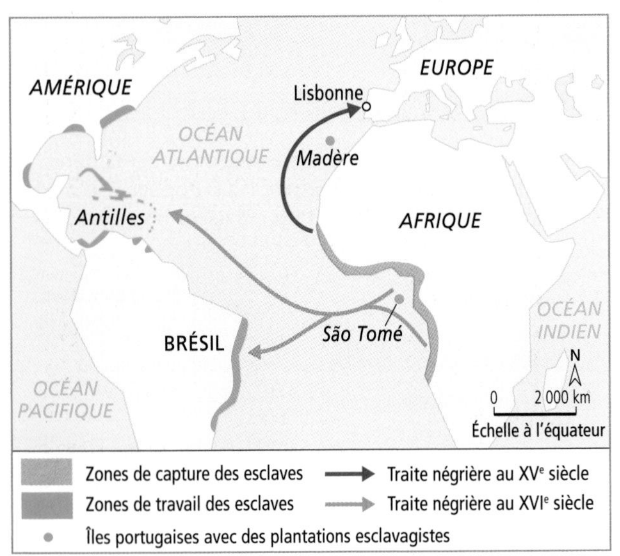

2 La traite atlantique aux XVe et XVIe siècles

3 Les principales régions d'arrivée des esclaves (en milliers)

Régions d'arrivée	1519-1575	1576-1800	1801-1867	TOTAL
Brésil	273,1	1 854,3	1 774,8	3 902,2
Antilles	167	3 158,9	926,6	4 252,5
Amérique britannique continentale	2,3	285,3	73,4	361
Amérique espagnole continentale	339,3	64,9	26,2	430,4
Guyane	8,2	318,9	76,6	403,7
TOTAL	789,93	5 682,3	2 877,6	**9 349,83**[1]

Source : Olivier Pétré Grenouilleau. *Les Traites négrières. Essai d'histoire globale*, Gallimard, 2004.

1. Le total des départs comptabilisés en Afrique s'élève à 11 061,8.

4 La capture d'esclaves au Sénégal en 1446

Zurara est le chroniqueur officiel du roi de Portugal. Il relate ici l'expédition d'Alvaro Fernandez au Sénégal en 1446.

Le lendemain, ils allèrent à terre un peu plus loin et ils virent des femmes de Guinéens[1] qui, semble-t-il, étaient sur le bord d'un petit bras de mer, en train de ramasser des coquillages. Ils en prirent une, qui devait avoir environ trente ans, avec son fils qui devait en avoir deux, et aussi une jeune fille de quatorze ans qui ne manquait pas d'une grande élégance de corps et même, pour une Guinéenne, d'une certaine beauté de visage. Mais la force de la femme avait de quoi surprendre car, des trois qui la saisirent, il n'y en eut aucun qui n'eût pas beaucoup de mal pour l'amener au canot; et voyant la lenteur avec laquelle ils avançaient, ce qui pouvait permettre à quelques gens du pays de survenir, l'un d'eux eut l'idée de lui prendre son fils et de le porter au canot, et son amour maternel la força à le suivre sans y être beaucoup contrainte par les deux qui l'emmenaient. De là, ils poussèrent plus avant un certain temps, jusqu'à ce qu'ils trouvassent un fleuve dans lequel ils pénétrèrent avec le canot; et dans des maisons qu'ils trouvèrent là, ils prirent une femme.

Gomes Earnes de Zurara, trad. L. Bourdon, *Chronique de Guinée*, 1453, Chandeigne, 2011.

1. Le terme « Guinée » désigne d'une manière générique pour les Européens l'Afrique noire atlantique.

5 La mise en place d'un commerce avec les seigneurs locaux

Ca' Da Mosto est un marchand vénitien au service des Portugais. La scène se passe au Sénégal en 1455.

Je dépassai le fleuve Sénégal avec ma caravelle et parvins au pays de Budomel, lequel pays se trouve à environ 80 milles du fleuve, sur la côte qui, depuis ce fleuve jusqu'à Budomel, est plate et basse. Ce nom de Budomel n'est pas un nom propre, mais le titre du seigneur, comme l'on dirait terre de tel seigneur ou de tel comte.

Je mouillai avec ma caravelle à cet endroit, voulant prendre langue avec ce seigneur, car des Portugais qui avaient eu affaire à lui m'avaient dit que c'était un homme de bien, auquel on pouvait se fier et qui payait raisonnablement ce qu'il achetait. Puisque j'avais apporté avec moi certains chevaux d'Espagne et d'autres choses fort recherchées aux pays des Noirs et beaucoup d'autres marchandises comme des draps de laine ou des étoffes de soie mauresque, je résolus de tenter ma chance. [...] On me fit toutes sortes de civilités et après maints pourparlers, je lui donnai mes chevaux et tout ce qu'il voulut, tant il m'inspirait confiance. Il m'invita chez lui, dans l'intérieur des terres, à environ 25 milles de la côte. Là, on allait me payer tout ce que l'on me devait, pourvu que j'attende quelques jours. Il m'avait en effet promis cent esclaves pour mes chevaux et mes marchandises. [...] Avant de partir, il me fit présent d'une fille âgée de douze à treize ans, noire et fort belle. Il me dit qu'il me la donnait comme chambrière ; je l'acceptai et l'envoyai sur ma caravelle.

Alvise Ca' Da Mosto, *Voyages en Afrique noire*, 1455, trad. F. Verrier, Chandeigne, 2003.

Comment s'est mis en place un système commercial fondé sur l'exploitation des esclaves africains ?

Répondre aux questions

1. **Expliquez** les raisons de la mise en place de la traite négrière atlantique. Quelles sont les principales zones d'arrivée des esclaves (**doc. 1, 2 et 3**)?
2. **Décrivez** l'évolution des conditions de capture sur les côtes africaines (**doc. 4 et 5**).
3. **Caractérisez** l'évolution de ce commerce entre le XVIe et le XIXe siècle (**doc. 3**).
4. **Comparez** le nombre d'esclaves embarqués en Afrique et débarqués en Amérique. **Expliquez** cet écart (**doc. 3**, note).
5. À l'aide des réponses aux questions précédentes, **montrez** comment s'est mis en place un système commercial fondé sur l'exploitation des esclaves africains.

Réaliser un diaporama

Vous répondrez à la problématique en utilisant tous les documents selon le plan suivant :

I - Les débuts de la traite négrière entre l'Afrique et le Portugal

II - La mise en place de la traite atlantique pour fournir en esclaves les plantations sucrières

III - L'ampleur de la traite du XVIe au XIXe siècle et son bilan humain

Bartolomé de Las Casas et la controverse de Valladolid

Quel rôle joue Bartolomé de Las Casas dans les débats sur la colonisation et le statut des indigènes?

→ COURS P. 104

Les sources de l'historien

Un débat sur la colonisation
La controverse de Valladolid est un débat organisé en 1550-1551 dans la ville espagnole de Valladolid à la demande de Charles Quint pour décider comment traiter les Indiens dans les territoires conquis. Les deux principaux orateurs furent Las Casas et Sepúlveda. Aucune décision officielle ne fut prise à l'issue de ce débat.

Bartolomé de Las Casas
(1470-1566)
Prêtre dominicain très engagé dans la défense des Amérindiens dans les Caraïbes et au Mexique, il a contribué à la publication par Charles Quint en 1542 des *Lois nouvelles*, protégeant en principe les Indiens des violences des colons.

Juan Ginés de Sepúlveda
(1490-1573)
Ce théologien s'appuie sur Aristote pour théoriser la « servitude naturelle » des « barbares vulgairement appelés Indiens » et la « guerre légitime » contre tous ceux qui refusent la domination des chrétiens.

Animation

1 Les sacrifices humains des Aztèques
Juan Ginés de Sepúlveda critique sévèrement les Aztèques. Il juge leurs pratiques religieuses, en particulier celle du sacrifice humain, comme un signe de barbarie.
Sacrifice humain au dieu Huitzilopochtli, codex *Magliabecchi*, XVIe siècle.

2 La violence des Espagnols

Le livre de Las Casas, *La Très brève relation de la destruction des Indes*, fut réédité de nombreuses fois sous le titre *Tyrannies et cruautés des Espagnols*, avec des gravures de Théodore de Bry.

Atrocités commises dans l'Île espagnole (Saint-Domingue), gravure de Théodore de Bry, 1598.

4 Le sort des Amérindiens vu par Bartolomé de Las Casas

À ceux qui prétendent que les Indiens sont des barbares, nous répondrons que ces gens ont des villages, des cités, des rois, des seigneurs et leur organisation politique est parfois meilleure que la nôtre. Si l'on n'a pas longtemps enseigné la doctrine chrétienne aux Indiens, c'est une grande absurdité que de prétendre leur faire abandonner leurs idoles. Car personne n'abandonne de bon cœur les croyances de ses ancêtres. Que l'on sache que ces Indiens sont des hommes et qu'ils doivent être traités comme des hommes libres. [...]

Alors que les Indiens étaient si bien disposés à leur égard, les chrétiens ont envahi ces pays tels des loups enragés qui se jettent sur de doux et paisibles agneaux. Et comme tous ces hommes qui vinrent de Castille étaient gens insoucieux de leur âme, assoiffés de richesses et possédés des plus viles passions, ils mirent tant de diligence à détruire ces pays qu'aucune plume, certes, ni même aucune langue ne suffirait à en faire relation. [...]

Voici les causes pour lesquelles, dès le commencement, furent tuées tant et tant de personnes : en premier lieu, tous ceux qui sont venus ont cru que, s'agissant de peuples infidèles, il leur était loisible de les tuer ou de les capturer, de leur prendre leurs terres, leurs biens et leurs domaines, sans se faire aucune conscience de ces choses ; en second lieu, ces mêmes infidèles étaient les êtres les plus doux et les plus pacifiques du monde, totalement dépourvus d'armes ; à quoi s'est ajouté que ceux qui sont venus, ou la plupart d'entre eux, étaient le rebut de l'Espagne, un ramassis de gens convoiteux et pillards.

Bartolomé de Las Casas, *Très brève relation de la destruction des Indes*, 1552.

3 Le point de vue de Juan Ginés de Sepúlveda sur les Amérindiens

Les Indiens demandent, de par leur nature et dans leur propre intérêt, à être placés sous l'autorité des princes ou d'États civilisés et vertueux dont la puissance, la sagesse et les institutions leur apprendront une morale plus haute et un mode de vie plus digne. [...] Comparez ces bienfaits dont jouissent les Espagnols – prudence, invention, magnanimité, tempérance, humanité et religion – avec ceux de ces hommelets si médiocrement humains, dépourvus de toute science et de tout art, sans monument du passé autre que certaines peintures aux évocations imprécises. Ils n'ont pas de lois écrites mais seulement des coutumes, des traditions barbares. Ils ignorent même le droit de propriété. [...] Comment douter que des peuples aussi peu civilisés, aussi barbares, souillés de tant d'impuretés et d'impiétés, n'aient pas été justement conquis par un souverain aussi excellent, pieux et juste, que l'était Ferdinand le Catholique et que l'est l'empereur Charles, et par une nation aussi humaine, aussi riche de toutes sortes de vertus ?

Juan Ginés de Sepúlveda, *Des justes causes de la guerre*, 1544.

Quel rôle joue Bartolomé de Las Casas dans les débats sur la colonisation et le statut des indigènes ?

Répondre aux questions

1. **Présentez** les positions des protagonistes de la controverse sur le statut des Amérindiens et les droits qu'il faudrait leur accorder (**doc. 3 et 4**).
2. **Expliquez** le jugement porté par Juan Ginés de Sepúlveda sur les civilisations amérindiennes (**doc. 1 et 3**).
3. **Décrivez** le jugement porté par Las Casas et Théodore de Bry sur la colonisation du « Nouveau Monde » par les Espagnols (**doc. 2 et 4**).
4. À l'aide des réponses aux questions précédentes, **répondez** de manière organisée à la problématique.

Rédiger une biographie

Rédigez une biographie problématisée et structurée de Bartolomé de Las Casas en insistant sur son rôle vis-à-vis des Amérindiens.

La rencontre des mondes : les Aztèques face à la conquête espagnole

Comment la destruction de l'Empire aztèque a-t-elle été perçue par les populations soumises ?

→ COURS P. 104

1 L'arrivée des *conquistadores*

Un espion de l'empereur Moctezuma guette l'arrivée d'une première expédition espagnole en 1519.

Codex Durán, 1579.

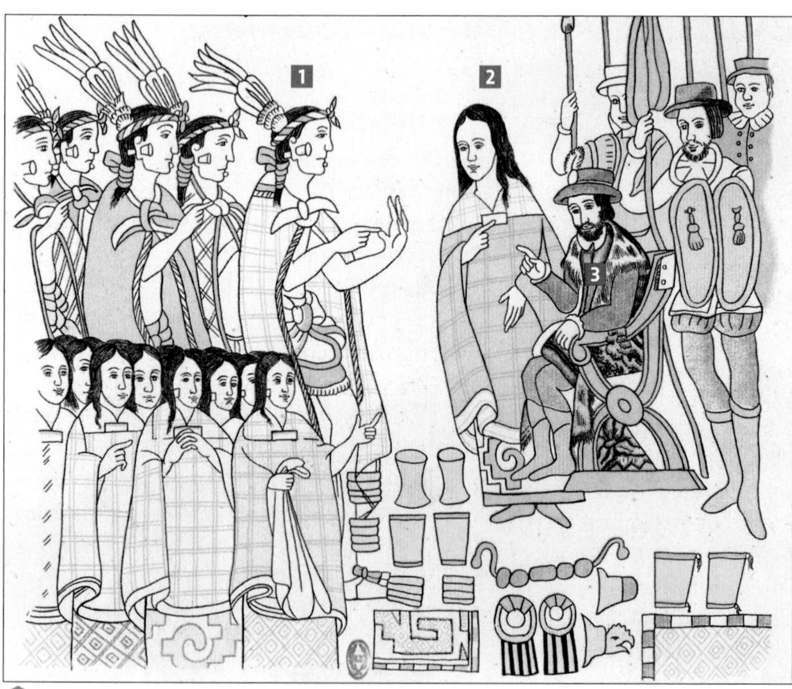

2 La noblesse aztèque offre des présents à Hernan Cortés

L'empereur Moctezuma 1 apporte à Cortés 3 des femmes et de l'or en guise de présent. Sa compagne, la Malinche 2 (voir p. 107), traduit et conseille Cortés.

Histoire de Tlaxcala, écrite sous la supervision de Diego Muñoz Camargo, 1585, lithographie d'après l'originale, 1892.

Les sources de l'historien

Les codex

Les Aztèques fabriquaient des codex, c'est-à-dire des livres illustrés, où ils utilisaient un système pictographique (entre peinture et écriture). Les *codex préhispaniques*, antérieurs à la conquête, ont presque tous été détruits. Les *codex coloniaux* furent rédigés après la conquête et illustrés par des artistes mexicains. Même s'ils ont été le plus souvent commandés par les vainqueurs, ils demeurent des sources essentielles pour saisir le regard porté par les sociétés amérindiennes sur la conquête européenne. Le *Codex Durán* a été rédigé, probablement à partir d'une chronique aztèque, par le missionnaire dominicain espagnol Diego Durán entre 1576 et 1581. Le *Codex de Tlaxcala* raconte l'histoire de cette cité alliée aux Espagnols contre l'empereur aztèque.

3 Le massacre de la noblesse aztèque en 1520

Après le départ temporaire d'Hernan Cortés de la ville, ses hommes massacrent la noblesse de Mexico-Tenochtitlan durant la célébration d'une fête religieuse.

Codex Durán, 1579.

4 La destruction des idoles

Les missionnaires franciscains brûlent œuvres d'art et objets sacrés.

Histoire de Tlaxcala, écrit sous la supervision de Diego Muñoz Camargo, 1585.

Comment la destruction de l'Empire aztèque a-t-elle été perçue par les populations soumises ?

Répondre aux questions

1. **Caractérisez** les différentes étapes de la conquête et de la soumission de l'Empire aztèque (**doc. 1, 2, 3 et 4**).
2. **Identifiez** les différents types de personnages européens représentés et leur rôle dans la conquête (**doc. 1, 2, 3 et 4**).
3. **Expliquez** le rôle que joue la Malinche auprès d'Hernan Cortés (**doc. 2**).
4. **Décrivez** et **comparez** les deux confrontations entre les Aztèques et les Européens (**doc. 2 et 3**). Que révèlent-elles de la complexité des relations entre Aztèques et Européens ?
5. À l'aide des réponses aux questions précédentes, répondez de manière organisée à la problématique.

Mettre en récit

Pour chaque document, rédigez un dialogue en faisant parler les principaux personnages et en tenant compte de leur statut social et de ce que vous savez de leur vision de la conquête.

La circulation des savoirs : l'exemple de la botanique

Quelles ont été les conséquences de la découverte de nouvelles plantes par les Européens ?

→ COURS P. 106

1 Les « pommes d'amour » ou la découverte des tomates

Ces pommes étrangères sont aussi de deux sortes, les unes sont rouges, les autres jaunâtres au reflet. Ces pommes ont des tiges rondes, touffues, de trois ou quatre pieds de haut, bien branchues, et des feuilles grandes, larges et longues. [...] Les tempérament, faculté et vertus de cette plante ne sont pas encore connus, mais selon que nous pouvons juger hors du goût, elle est de nature froide, principalement les feuilles, aucunement semblable à la mandragore[1] et pourtant aussi dangereuse.

Rembert Doedens [botaniste flamand, 1517-1585], rubrique « Pommes d'amour » dans *L'Histoire des plantes*, trad. française, Anvers, 1557.

1. La mandragore est une plante toxique.

2 Les botanistes au travail

Leonhart Fuchs, *De historia stirpium*, 1542.

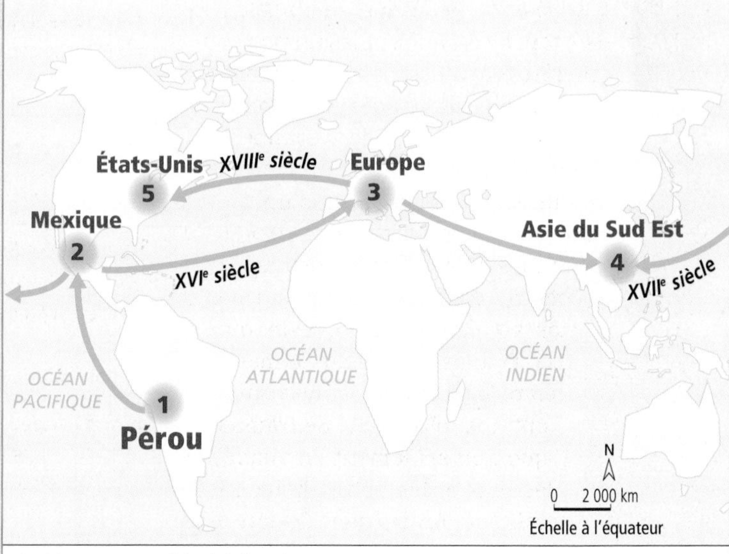

1 - Pérou : centre originel de la culture
2 - Mexique : centre de domestication (XVIe siècle)
3 - Europe : centre de domestication (XVIe siècle)
4 - Asie-du Sud Est : centre de domestication (XVIIe siècle)
5 - États-Unis : centre de domestication (XVIIIe siècle)

La domestication consiste à adapter progressivement une plante sauvage à l'agriculture.

3 Les voyages de la tomate

4 La culture du tabac par les Amérindiens

Thevet a participé à l'expédition française au Brésil en 1555, comme Jean de Léry (doc. 3), et il fut l'un des premiers à s'intéresser au tabac.

Gravure d'après une illustration d'André Thevet, *Cosmographie universelle*, 1575.

5 Jean de Léry raconte sa découverte de l'ananas

Quant aux plantes et herbes dont je veux aussi faire mention, je commencerai par celles qui, à cause de leurs fruits et de leurs effets, me semblent les plus excellentes. Premièrement, la plante qui produit le fruit nommé par les sauvages *ananas*, est de forme semblable aux glaïeuls, et encore ayant les feuilles un peu courbées et cannelées tout autour, elles s'approchent plus de celles de l'aloès. Elle croît non seulement amoncelée comme un grand chardon, mais son fruit aussi, qui est de la grosseur d'un melon moyen, et ressemble à une pomme de pin, sans pendre ni pencher d'un côté ni de l'autre, pousse comme nos artichauts. Et du reste, quand ces ananas sont venus à maturité, étant de couleur jaune azuré, ils ont une telle odeur de framboise, que non seulement en allant par les bois et les autres lieux où ils croissent, on les sent de fort loin, mais aussi leur goût fondant dans la bouche est naturellement si doux qu'il n'y a confiture de ce pays qui les surpasse : je soutiens que c'est le plus excellent fruit de l'Amérique.

Jean de Léry, *Histoire d'un voyage fait en la terre du Brésil*, 1578.

Quelles ont été les conséquences de la découverte de nouvelles plantes par les Européens ?

Répondre aux questions

1. **Présentez** les trois plantes évoquées dans les documents et **localisez** leur origine (**doc. 1, 3, 4 et 5**).
2. **Expliquez** en quoi consiste le travail des botanistes au XVIe siècle et l'importance de l'image dans cette science (**doc. 1 et 2**).
3. **Montrez** comment les récits de voyages suscitent l'intérêt des Européens pour les nouvelles plantes. (**doc. 4 et 5**)
4. **Illustrez** la notion d'échange colombien (voir p. 106) à travers l'exemple de la tomate (**doc. 3**).
5. À l'aide des réponses aux questions précédentes, **répondez** de manière organisée à la problématique.

Classer des informations dans un tableau

Classez les informations tirées des documents dans un tableau pour montrer les conséquences de la découverte de nouvelles plantes par les Européens.

	Documents mobilisés	Informations essentielles
Les nouvelles plantes découvertes		
L'intérêt des Européens		
Le travail des botanistes		
L'échange colombien		

PROF Différenciation

Créez des capsules vidéo

Activité guidée

Les présentations vidéo courtes et scénarisées sont des outils utiles pour comprendre et réviser des notions. Elles peuvent être utilisées en classe mais surtout pour préparer, approfondir ou réviser un chapitre.
Elles permettent de travailler à son rythme et de façon autonome.

CONSIGNE **Effectuez des recherches, scénarisez et créez vos propres capsules vidéo sur une notion de cours, puis partagez-les.**

ÉTAPE 1 Choisissez un outil de création

Il existe de nombreux outils de création de vidéos. Vous pouvez par exemple utiliser :
- le *screencast* (ou vidéographie) pour enregistrer les manipulations que vous faites à l'écran et y ajouter votre voix, par exemple sur *Screencast-O-Matic* ;
- un tableau blanc virtuel où compiler image, texte et dessin avec *Explain Everything* ;
- un outil d'animation comme *PowToon* et ses personnages à customiser ;
- tout simplement votre téléphone pour créer votre propre séquence, et faire le montage grâce à *Windows Live Movie Maker* (inclus avec la suite Windows sur PC) ou *iMovie* (sur Mac).

ÉTAPE 2 Choisissez un thème et effectuez vos recherches documentaires

Identifiez une notion de cours, un événement ou un personnage à présenter.
Par exemple :
- la controverse de Valladolid ;
- Bartolomé de Las Casas ;
- les échanges colombiens ;
- l'*encomienda* ;
- le choc microbien, sujet choisi ici.

Soyez rigoureux. Vérifiez l'origine de vos informations pour éviter les erreurs. Prenez des notes lorsque vous lisez ou lorsque vous regardez une vidéo. Privilégiez les documents d'époque pour illustrer vos propos.

Vidéo

Professeur émérite à l'Université Laval (Québec, Canada), Denis Delâge analyse le choc microbien qui a décimé jusqu'à 95 % des populations indigènes du continent américain aux XVIe et XVIIe siècles. Retrouvez cette vidéo sur YouTube en tapant « choc microbien – les publications universitaires ».

ÉTAPE 3 Écrivez votre scénario

Afin de créer une vidéo claire qui capte et maintient l'attention de votre public :
- écrivez un scénario très précis;
- commencez par une question qui suscite l'intérêt;
- répondez à celle-ci de manière organisée et rigoureuse;
- faites court (90 secondes maximum);
- prévoyez d'insérer des images, des sons et de créer du mouvement.

La diapositive est numérotée.

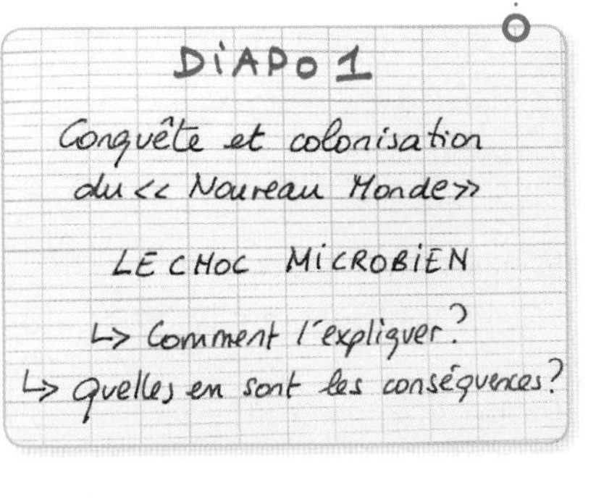

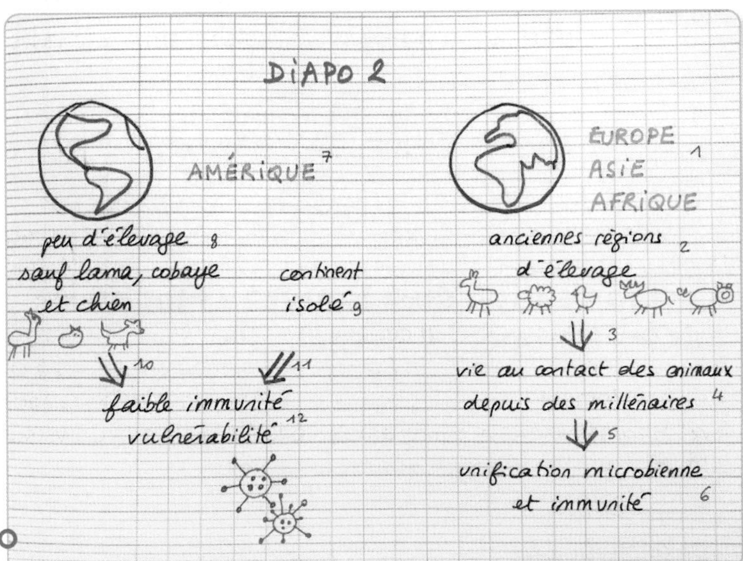

Le texte et les images, ainsi que leur ordre d'apparition, sont prévus.

Exemple de scénario qui sera mis en œuvre sur un tableau blanc virtuel.

ÉTAPE 4 Créez votre capsule

Il ne vous reste plus qu'à suivre votre scénario pas à pas.

Vous pouvez inviter des collaborateurs et travailler chacun de votre côté à la même présentation.

Vous pouvez ajouter des pictogrammes libres de droit sur *openclipart.org*, mais aussi des fichiers externes : images, photos, sons, vidéos.

Enregistrez votre voix. Elle sera synchronisée avec votre animation. Votre diction doit être très claire. Parlez lentement

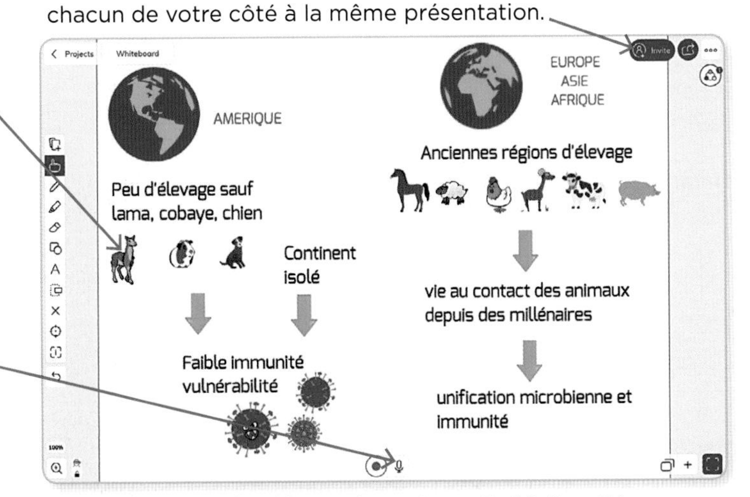

Un exemple de capsule créée gratuitement avec *Explain Everything*.

Une fois la capsule terminée, vous pouvez :
- publier la vidéo, sur un compte *YouTube* privé par exemple ;
- générer un fichier vidéo à enregistrer sur disque dur ou clé USB et le diffuser sur un vidéoprojecteur en classe.

RÉVISER

L'ouverture atlantique

SAVOIR EXPLIQUER

Les « Grandes découvertes »

Le contexte
Routes commerciales; Empire ottoman; Explorations

Les instruments
Boussole; Astrolabe; Caravelle; Portulan

Les résultats
Tour du monde; Amérique; Nouveau Monde

La colonisation du « Nouveau Monde » par les Européens

La conquête
Conquistadores; Supériorité technique des Européens; Division des Amérindiens; Choc microbien

L'exploitation
Accaparement des terres; Esclavage; *Encomienda*; Plantation; Controverse de Valladolid; Exclusif

Les prémices de la mondialisation

Les migrations
Traite atlantique; Colons; Missionnaires

Les échanges
Échange colombien; Métaux précieux; Comptoirs

Les mélanges
Métissage; Acculturation; Évangélisation; Conversion

SAVOIR DATER

1453	prise de Constantinople par les Turcs
1492	« Découverte » de l'Amérique par Christophe Colomb
1498	Vasco de Gama atteint l'Inde par la mer
1519-1522	Tour du monde de Magellan et Elcano

1494	traité de Tordesillas
1521	prise de Tenochtitlan par Hernan Cortés
1533	Francisco Pizarro soumet l'Empire inca
1529	traité de Saragosse
1550	controverse de Valladolid

SAVOIR DÉFINIR

- Astrolabe → P. 102
- Boussole → P. 102
- Caravelle → P. 103
- Portulan → P. 102
- *Encomienda* → P. 104
- Évangélisation → P. 104
- Missionnaire → P. 104
- Mondialisation → P. 106
- Traite négrière → P. 104
- Échange colombien → P. 107
- Acculturation → P. 106

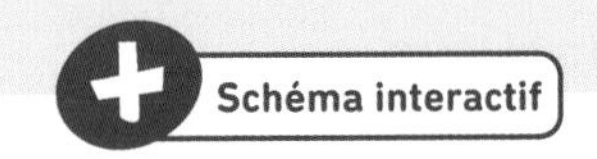

L'EXPANSION EUROPÉENNE AUX XVe ET XVIe SIÈCLES

Au XVe siècle, une multitude de facteurs...

- Nécessité de contourner le monopole musulman et italien sur le commerce avec l'Asie
  Recherche de l'or et des épices
- Rivalités entre monarchies européennes
  Rivalité avec les Ottomans
- De nouveaux navires (caravelle) et instruments de navigation (astrolabe, boussole, portulans)
- Volonté de prendre à revers les musulmans
  Esprit de croisade

... conduisent les Européens à se lancer dans des explorations...

- Contournement de l'Afrique par le cap de Bonne-espérance par Bartolomeu Dias (1487-1488) puis découverte d'une nouvelle route vers l'Inde par Vasco de Gama en 1498
- « Découverte » de l'Amérique par Christophe Colomb (1492)
- Contournement de l'Amérique par le sud permettant à Magellan et Elcano d'effectuer un tour du monde (1519-1522)

... aux multiples conséquences.

- Exploitation des richesses minières et humaines d'Amérique et d'Afrique
  Dépeuplement de l'Afrique (traite) et de l'Amérique (choc microbien)
  Commerce direct avec l'Asie
  Essor de la traite atlantique
- Effondrement des empires amérindiens
  Colonisation de l'Amérique
  Les monarchies ibériques deviennent de puissants empires transcontinentaux
- Transferts écologique (échange colombien) et technologique entre Europe et Amérique
  Meilleure connaissance du monde
- Missions d'évangélisation qui élargissent la chrétienté
  La découverte de nouvelles civilisations modifie la perception que les Européens ont d'eux-mêmes
  Métissages culturels en Amérique

Économie · Politique · Science et technique · Idéologie et religion · Exploration

POUR ALLER PLUS LOIN

À LIRE

Christophe Colomb
La découverte de l'Amérique
Trad. J.-P. Clément et J.-M. Saint-Lu, La Découverte, 2015.
Le journal de bord du premier voyage de Christophe Colomb.

Jean-Claude Carrère
La controverse de Valladolid
Pocket, 2012. Roman qui fait refait vivre le débat entre Juan Ginés de Sepulveda et Bartolomé de Las Casas à propos de l'esclavage des Amérindiens.

À VOIR

Terence Malick
Le Nouveau Monde
(2005)
Film retraçant l'arrivée de colons britanniques en Amérique du Nord.

Ridley Scott
1492, Christophe Colomb
(1992)
Un film sur la traversée de l'Atlantique et la découverte de l'Amérique.

À CONSULTER

Les collections du « Plateau Amériques » et les ressources en ligne du musée du quai Branly
http://quaibranly.fr

Les ressources du mémorial de l'abolition de l'esclavage à Nantes
http://memorial.nantes.fr/

S'AUTOÉVALUER

Imprimez cette page pour vous entraîner. Référez-vous aux pages indiquées si vous avez besoin d'aide.

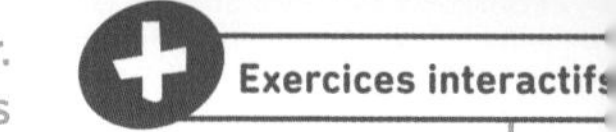

1 L'empire qui s'étend dans le bassin méditerranéen au XVe siècle s'appelle :

- ☐ l'Empire austro-hongrois
- ☐ l'Empire mameIouk
- ☐ l'Empire ottoman
- ☐ l'Empire aztèque

.... / 1 → p. 102

2 Citez trois innovations techniques qui facilitent la navigation à la fin du XVe siècle :

....

....

.... / 3 → p. 102

3 Reliez les navigateurs à leur découverte.

Christophe Colomb •	• Découverte du Québec
Vasco de Gama •	• Découverte du Brésil
Fernand de Magellan •	• Premier tour du monde
Jacques Cartier •	• Contournement de l'Afrique par le cap de Bonne-Espérance
Pedro Álvares Cabral •	• Découverte de l'Amérique en 1492

.... / 5 → p. 100, 102

4 Le traité de Tordesillas (1494) partage le monde entre deux puissances, lesquelles?

☐ France ☐ Espagne ☐ Empire ottoman ☐ Portugal

.... / 4 → p. 104

5 Le « choc microbien », c'est :

- ☐ la hausse de la mortalité des populations amérindiennes causée par une exposition aux maladies apportées par les *conquistadores*.
- ☐ la hausse de la mortalité des explorateurs et *conquistadores* confrontés à de nouvelles maladies sur le continent américain.

.... / 1 → p. 104

6 Complétez ce schéma.

Le commerce mondial au XVIe siècle

→ ....

- - -→ ....

→ ....

·······→ ....

.... / 4 → p. 106

7 Reliez chaque citation à son auteur :

Sepúlveda •

Las Casas •

• « À ceux qui prétendent que les Indiens sont des barbares, nous répondrons que ces gens ont des villages, des cités, des rois, des seigneurs et leur organisation politique est parfois meilleure que la nôtre. »

• « Les Indiens demandent, de par leur nature et dans leur propre intérêt, à être placés sous l'autorité des princes ou d'États civilisés et vertueux. »

.... / 2 → p. 114

1 Répondre à des questions de connaissances ▸ BAC TECHNOLOGIQUE

1. Pourquoi les Européens se lancent-ils dans un vaste mouvement d'exploration du monde à la fin du XVᵉ siècle ?
2. Quelles sont les conséquences de l'arrivée des Européens sur le continent américain pour les populations amérindiennes ?
3. Comment fonctionne la traite négrière mise en place par les Européens dans l'océan Atlantique au XVIᵉ siècle ?

2 Analyser un document en répondant à une consigne ▸ BAC TECHNOLOGIQUE ET GÉNÉRAL

CONSIGNE

Après avoir présenté le document, analysez la description par Las Casas des populations amérindiennes et des Espagnols.

Toutes ces terres étaient remplies de gens. On aurait dit que Dieu avait mis dans ces pays la majeure partie du lignage humain. Tous ces peuples infinis, Dieu les avait créés les plus simples, sans méchanceté, ni hypocrisie, les plus obéissants, fidèles à leurs chefs naturels comme aux chrétiens qu'ils durent servir. Ce sont donc par là même les races les plus délicates, fragiles et tendres, et qui peuvent le moins supporter les gros travaux, et qui meurent le plus facilement de quelque maladie. […] C'est parmi ces douces brebis, ainsi dotées par le Créateur des qualités que j'ai dites, que s'installèrent les Espagnols. Dès qu'ils les connurent, ceux-ci se comportèrent comme des loups, des tigres et des lions qu'on aurait dit affamés depuis des jours. Et ils n'ont rien fait depuis quarante ans et plus qu'ils sont là, sinon les tuer, les faire souffrir, les affliger, les tourmenter par des méthodes cruelles extraordinaires, nouvelles et variées. Si bien que de 300000 âmes qu'ils étaient à Hispaniola[1], les naturels[2] ne sont plus aujourd'hui que 200 !

Bartolomé de Las Casas, *Très brève relation sur la destruction des Indiens*, 1552, publié par M. Devèze et R. Marx, Textes et documents d'Histoire moderne, Sedes.

1. Actuellement l'île d'Haïti/Saint-Domingue.
2. Les indigènes, les Indiens.

Répondez à la consigne
▸ VERS LE BAC P. 278

Aide pour répondre

1. Présentez le document. Utilisez la méthode CANDI (Contexte, Auteur, Nature, Destinataire, Idée générale).
2. Analysez la description par Las Casas des populations amérindiennes et des Espagnols.
Explicitez la métaphore utilisée par Las Casas et montrez de quel côté il situe la sauvagerie.

3 Répondre à une question problématisée ▸ BAC GÉNÉRAL

SUJET

Comment se mettent en place les sociétés coloniales en Amérique au XVIᵉ siècle et quelles sont leurs caractéristiques ?

Répondez à la question problématisée
▸ VERS LE BAC P. 282

Aide pour répondre

Vous pouvez adopter le plan suivant :

1. Un continent conquis et dominé
2. L'exploitation des richesses et le bouleversement des sociétés locales
3. Acculturations, métissages, résistances

CHAPITRE

4 Renaissance, humanisme les mutations de l'Europe

et réformes religieuses :

L'Adoration des mages

Le peintre s'est représenté à droite de l'image, en jaune ; dans un décor de ruines antiques, il a intégré au tableau les Médicis.
Tableau de Sandro Botticelli, vers 1475, 111 x 134 cm, galerie des Offices, Florence.

Animation

REPÈRES Renaissance, humanisme et réformes

En 5e :

Vous avez étudié :
- quelques innovations techniques et artistiques qui apparaissent à la Renaissance ;
- les mouvements de réforme qui touchent le christianisme au XVIe siècle et les affrontements religieux qui s'ensuivent ;
- le rôle des souverains dans la protection des arts et dans le règlement des conflits religieux.

Dans ce chapitre :

Vous allez comprendre comment le retour à l'Antiquité et la volonté de rompre avec le Moyen Âge font naître de nouvelles conceptions de l'homme, de l'art et de la religion chrétienne.

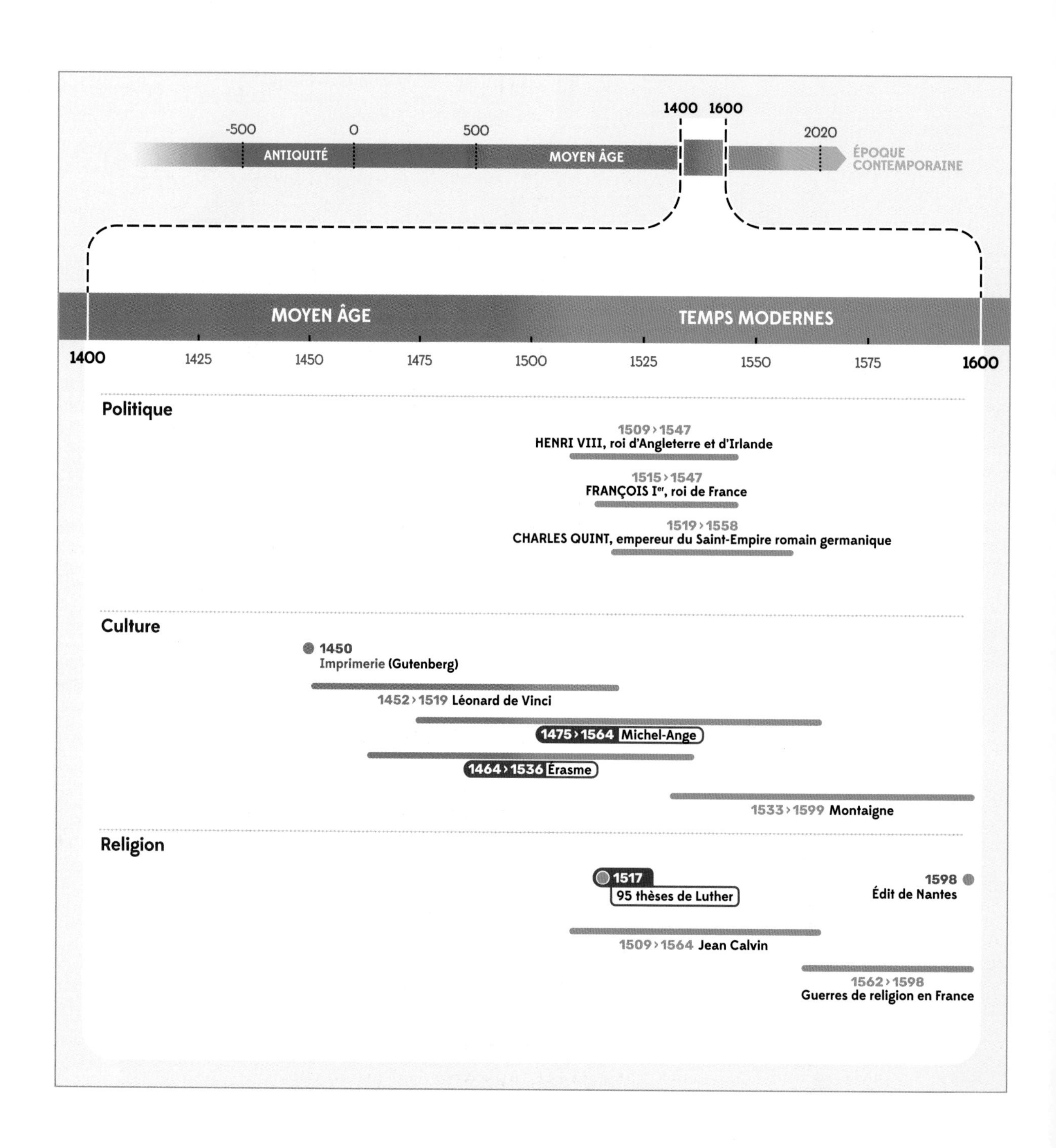

1 Humanisme et Renaissance en Europe

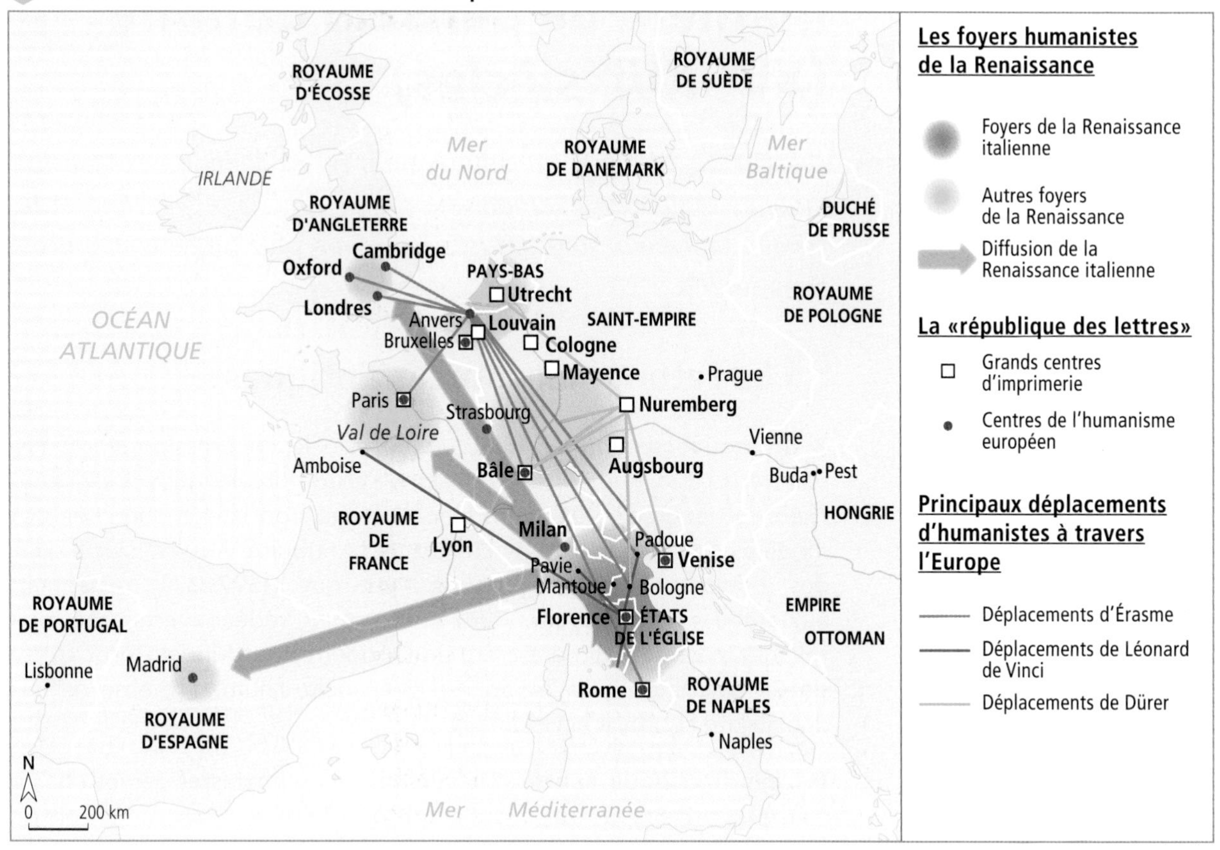

2 Les religions en Europe à la fin du XVIe siècle

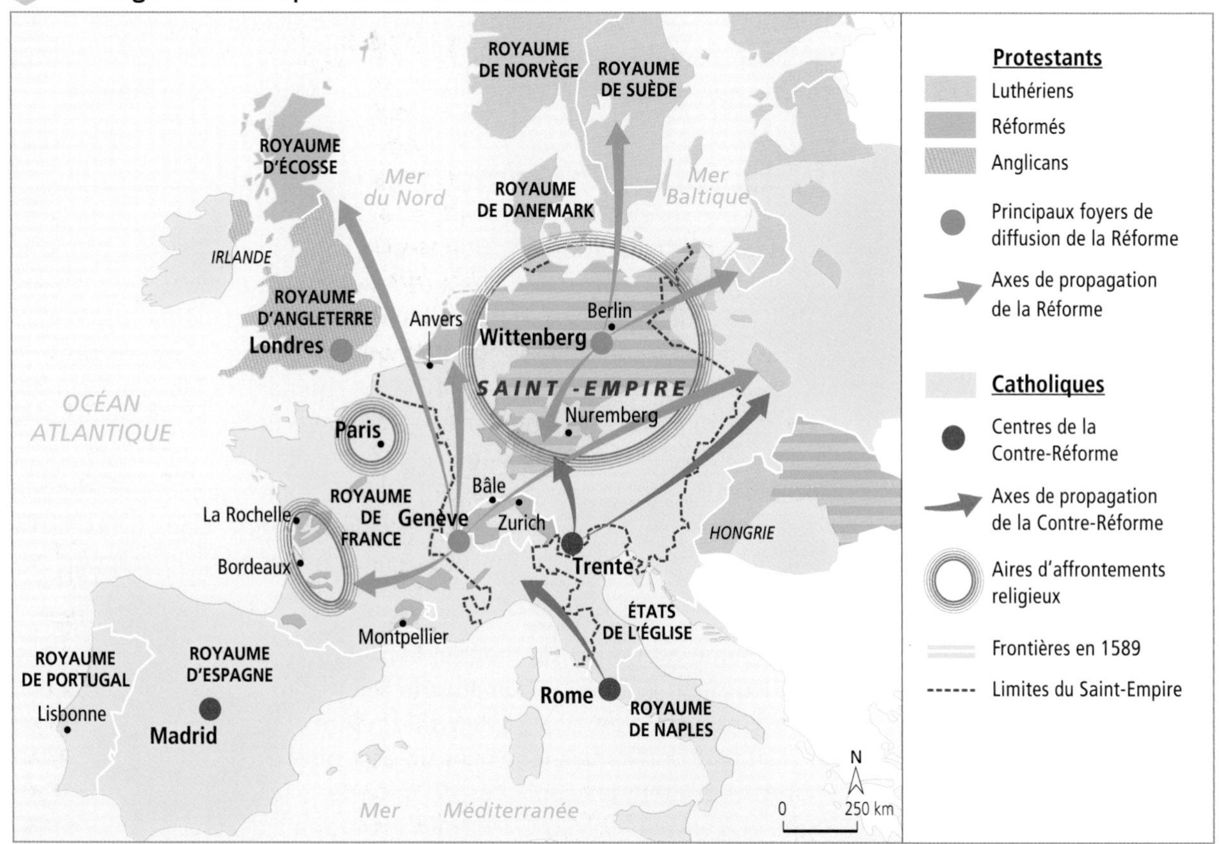

Podcast du cours

1

L'humanisme : une nouvelle manière de penser l'homme (XVe-XVIe siècles)

→ DOCUMENTS P. 136, 138, 139

À partir du XVe siècle, la culture européenne connaît des transformations majeures. L'humanisme rompt avec le Moyen Âge et les savoirs nouveaux sont diffusés beaucoup plus largement grâce à l'imprimerie.

A Le retour aux sources antiques

Un mouvement né en Italie. Au XVe siècle, l'expression *studia humanitatis* (ou « humanités ») désigne l'étude des langues anciennes : l'hébreu, le grec et le latin. L'**humanisme** consiste à chercher des modèles de sagesse dans les textes de l'Antiquité. Au XIVe siècle déjà, des intellectuels italiens comme Pétrarque (1307-1374) reviennent aux auteurs de l'Antiquité. Ceux-ci sont aussi redécouverts grâce aux savants byzantins qui émigrent en Occident pour fuir les Turcs (prise de Constantinople en 1453). Au XVIe siècle, l'humanisme se diffuse dans toute l'Europe occidentale.

L'esprit critique contre l'Université. Les humanistes remettent en cause les universités qui, sous l'autorité de l'Église, ont le monopole de l'enseignement depuis le XIIIe siècle. L'enseignement universitaire est fondé sur les commentaires de la Bible et d'Aristote par les docteurs en théologie. L'humanisme, lui, prône l'étude et la critique des textes originaux. Ainsi, en étudiant le latin, Lorenzo Valla (1407-1457) montre que la *Donation de Constantin*, source officielle du pouvoir des États du pape, est un faux créé au Moyen Âge. D'autres humanistes veulent revenir aux textes originaux de la Bible, ce qui menace la **Vulgate**.

B La foi en l'homme

Le rôle de l'éducation. Les humanistes sont convaincus que l'homme s'améliore par l'instruction. De nouvelles structures d'enseignement voient le jour. Ainsi, sur le modèle antique de l'Académie de Platon, des **académies** sont créées : la première est celle de Careggi, près de Florence (en Italie), fondée en 1462 par l'humaniste Marsile Ficin. En France, à l'initiative de l'humaniste Guillaume Budé, le roi François Ier ordonne la création d'un collège royal (actuel Collège de France) dont l'objectif est d'enseigner des disciplines que l'université ignore, comme les langues anciennes, l'arabe ou l'éloquence latine. Dans un système scolaire réservé aux hommes, les humanistes prônent l'instruction des femmes.

L'homme au centre du monde. Sans remettre en question la place de Dieu dans l'univers, l'humanisme met l'homme au centre des savoirs. L'homme n'est plus seulement un être qui a commis des péchés et qu'il faut punir, mais il devient un être plein de promesses. Les humanistes exaltent les capacités de l'homme à faire preuve d'esprit critique et à exercer son libre arbitre, c'est-à-dire à décider par lui-même.

VOCABULAIRE

- **Académies :** du nom du jardin (*Académos*) où le philosophe grec Platon enseignait, le terme désigne une assemblée de savants et de lettrés.
- **Humanisme** : mouvement intellectuel qui prône un retour aux sources antiques et l'épanouissement de l'individu.
- **Héliocentrisme :** voir page 216.
- **Langue vernaculaire (ou vulgaire) :** langue courante, populaire (italien, français, allemand...), par opposition aux langues savantes (hébreu, grec, latin).
- **Vulgate :** traduction en latin de la Bible par saint Jérôme (de 390 à 405) à partir des textes originaux en hébreu et en grec. L'Église la considère comme la seule version valable de la Bible.

Cassandra Fedele, une humaniste
1465-1558

En 1487, elle prononce à l'université de Padoue un *Discours sur les sciences et les arts* imprimé à Venise, à Nuremberg et Modène.

Sa grande culture suscite l'admiration de ses contemporains, comme la reine d'Espagne Isabelle la Catholique et Laurent de Médicis.

Les débuts de la science. Dépassant parfois les seules sources antiques, les humanistes expliquent aussi le monde par l'expérimentation. André Vésale (1514-1564) fait progresser la connaissance du corps en pratiquant la dissection. Nicolas Copernic (1473-1543) est le premier à théoriser un nouveau système astronomique qui place le Soleil au centre de l'univers : c'est l'**héliocentrisme**.

C La révolution du livre imprimé

Les caractères mobiles d'imprimerie. Au début du XVe siècle, la gravure sur métal et la gravure sur bois (ou xylographie) se généralisent. En 1450, à Mayence, Gutenberg réalise des caractères mobiles en métal qui, juxtaposés, forment un texte. En pressant une feuille de papier sur ces caractères préalablement recouverts d'encre, il invente l'imprimerie.

La « république des lettres ». Partout en Europe, les humanistes comme Érasme (1467-1536) entretiennent des relations étroites en s'écrivant, en se rendant visite et en utilisant le latin comme langue commune. L'imprimerie diffuse rapidement leurs idées et leur donne le sentiment d'appartenir à une même communauté d'érudits.

La diffusion de la culture. Entre 1450 et 1500, l'imprimerie permet de publier plus de 35000 titres différents. Les auteurs antiques sont très prisés par les humanistes puis, à partir des années 1520, le public découvre des auteurs nouveaux qui écrivent en **langue vernaculaire**. Durant le XVIe siècle, se développent aussi des feuilles volantes imprimées contenant chansons ou discours politiques.

1 L'enseignement universitaire aux XVe et XVIe siècles

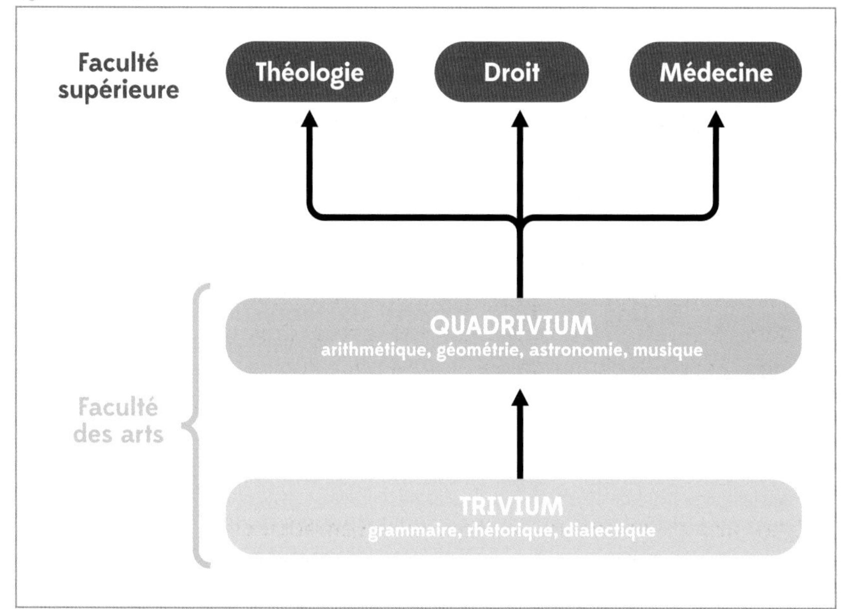

Le sens des mots

Au XVe siècle, le mot « art » désigne à la fois les arts libéraux (enseignés à l'université) et les arts mécaniques, c'est-à-dire les activités manuelles des différents métiers. À cette époque, la peinture et la sculpture font partie des arts mécaniques.

Les sources de l'historien

L'historien doit être capable de critiquer les sources ; c'est ce que fait Lorenzo Valla au XVe siècle avec la *Donation de Constantin*, un texte selon lequel le premier empereur chrétien, Constantin, aurait donné en 315 au pape des territoires en Italie. C'est en fait un faux (que Lorenzo Valla date du VIIIe siècle) utilisé par le pape pour imposer son pouvoir.

RÉVISER SON COURS

1. Pourquoi les humanistes reviennent-ils aux sources antiques ?
2. Comment se traduit la nouvelle foi en l'homme ?
3. En quoi l'imprimerie bouleverse-t-elle les échanges culturels ?

COURS 2

La Renaissance (XVe-XVIe siècles)

→ DOCUMENTS P. 140, 142, 143, 144

VOCABULAIRE

Canon : ensemble des règles servant à définir les proportions idéales du corps humain (du grec *canon* : règle utilisée pour mesurer le corps humain).

Mécènes : personnes qui protègent les artistes et leur commandent des œuvres.

Païennes : issues d'une religion polythéiste (terme péjoratif utilisé par les chrétiens).

Perspective linéaire : pour donner l'illusion de la profondeur, l'artiste fait converger toutes les lignes de la scène représentée vers un point de fuite correspondant au point de vue du spectateur.

Aux XVe-XVIe siècles, les artistes italiens puis européens ont le sentiment de vivre une nouvelle période de l'histoire de l'art. Ils utilisent le terme de « Renaissance » pour décrire les bouleversements que connaît l'art, en rupture avec le Moyen Âge.

A L'Antiquité comme nouvelle source d'inspiration

Un nouveau rapport aux vestiges antiques. Dans ses *Vies d'artistes* (1550), l'artiste italien Giorgio Vasari est le premier à utiliser le terme de *Rinascita* (ou *Renaissance*) pour décrire un retour à l'Antiquité. Au Moyen Âge, les monuments antiques servaient de carrières de pierres et les statues **païennes** étaient oubliées. À partir du XVe siècle, ils sont protégés et la sculpture gréco-romaine fait l'objet d'un commerce florissant. À Rome, entre 1503 et 1513, le pape Jules II entrepose dans son jardin du Belvédère sa collection d'antiquités.

La redécouverte des Anciens. Les humanistes redécouvrent des textes théoriques sur l'art écrits par Platon, Aristote ou encore celui de l'auteur romain Vitruve (Ier siècle après J.-C.), *De l'architecture*. Reprenant les principes de Vitruve (solidité, utilité et beauté), l'humaniste italien Léon Alberti (1404-1472) rédige le premier traité d'architecture de la Renaissance, dans lequel il propose une définition de la beauté fondée sur l'harmonie des proportions.

De nouveaux sujets tirés de la mythologie gréco-romaine. L'art du Moyen Âge puisait son inspiration dans les récits tirés de la Bible, dans la vie des saints ou dans les romans de chevalerie. L'art de la Renaissance s'inspire également des histoires provenant de la mythologie gréco-romaine. Les légendes tirées des textes antiques d'Hésiode, d'Homère, de Virgile ou d'Ovide sont des sources inépuisables.

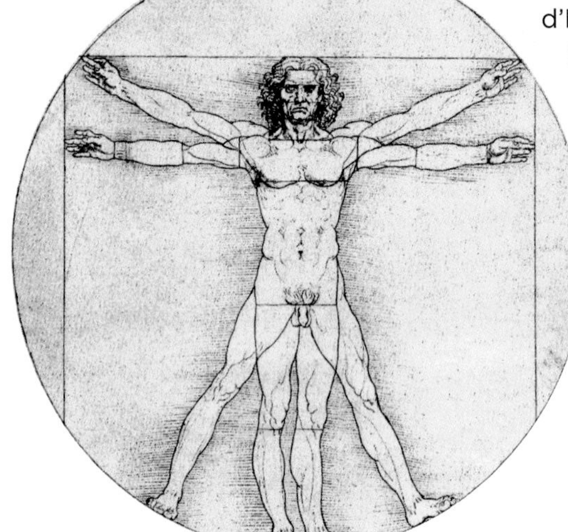

1 **Léonard de Vinci, *L'Homme de Vitruve*, vers 1490**
Avec ce dessin, Léonard de Vinci illustre la théorie des proportions décrite par Vitruve.

B Un renouvellement des techniques et des formes

Une nouvelle manière de représenter l'individu. En reprenant le **canon** décrit par Vitruve, les artistes de la Renaissance représentent un corps aux proportions équilibrées, à la différence des corps allongés de l'esthétique médiévale **(doc. 1)**. Les corps sont représentés nus, en rupture avec le Moyen Âge. Pour les artistes, le corps idéal est un reflet de la perfection divine. Les statues antiques redécouvertes offrent un modèle d'expression des sentiments humains à travers les mouvements du corps.

De nouvelles techniques artistiques. Les artistes inventent aussi des techniques de représentation complètement nouvelles, fondées sur les sciences. Dans son traité *De Pictura* (*De la peinture*), Léon Alberti utilise les lois de l'optique pour conférer à un tableau l'illusion de la profondeur : c'est la **perspective linéaire (doc. 2)**. Une autre invention venue de Flandre se généralise dans toute l'Europe : la peinture à l'huile. Utilisée d'abord par le peintre flamand Jan Van Eyck (vers 1390-1441), cette technique consiste à lier les pigments broyés avec des huiles grasses (lin, noix) pour garantir un plus bel éclat des couleurs.

C Un nouveau statut de l'artiste

La reconnaissance de l'artiste. Au Moyen Âge, l'artiste est un artisan qui exerce une activité manuelle réglementée par une corporation. À partir du XVe siècle, il s'affirme en apposant sa signature au bas de la toile peinte. Certains peintres se représentent dans le tableau (comme Botticelli dans *L'Adoration des mages*, voir p. 127) ou réalisent des autoportraits comme Albrecht Dürer. Le peintre n'est plus un artisan anonyme mais un artiste reconnu et recherché.

Le rôle des mécènes. Les grands seigneurs de la Renaissance sont des **mécènes** : ils mettent leur argent et leur pouvoir au service des artistes qu'ils protègent. À Florence, Laurent de Médicis, dit le Magnifique (1449-1492), s'entoure des plus grands artistes de son temps, comme Sandro Botticelli (1445-1510) ou Léonard de Vinci (1452-1519). Le roi de France François Ier fait venir Léonard de Vinci à la cour et confie à des architectes italiens, Le Rosso puis Primatice, le soin de décorer son château de Fontainebleau pour en faire une vitrine de la Renaissance.

Repères

La diffusion du traité de Vitruve *De architectura* au Ier siècle av. J.-C. en Europe

- **1416 :** redécouverte d'un manuscrit complet en latin au monastère de Saint-Gall (Suisse)
- **1486 :** 1re édition imprimée à Rome
- **1511 :** 1re publication scientifique commentée
- **1521 :** 1re édition en italien
- **1541 :** 1re édition en français
- **1548 :** 1re édition en allemand

RÉVISER SON COURS

1. Quelles sont les nouvelles sources d'inspiration des artistes de la Renaissance ?
2. En quoi l'art de la Renaissance adopte-t-il des techniques et des formes nouvelles ?
3. En quoi l'artiste de la Renaissance a-t-il une place nouvelle dans la société ?

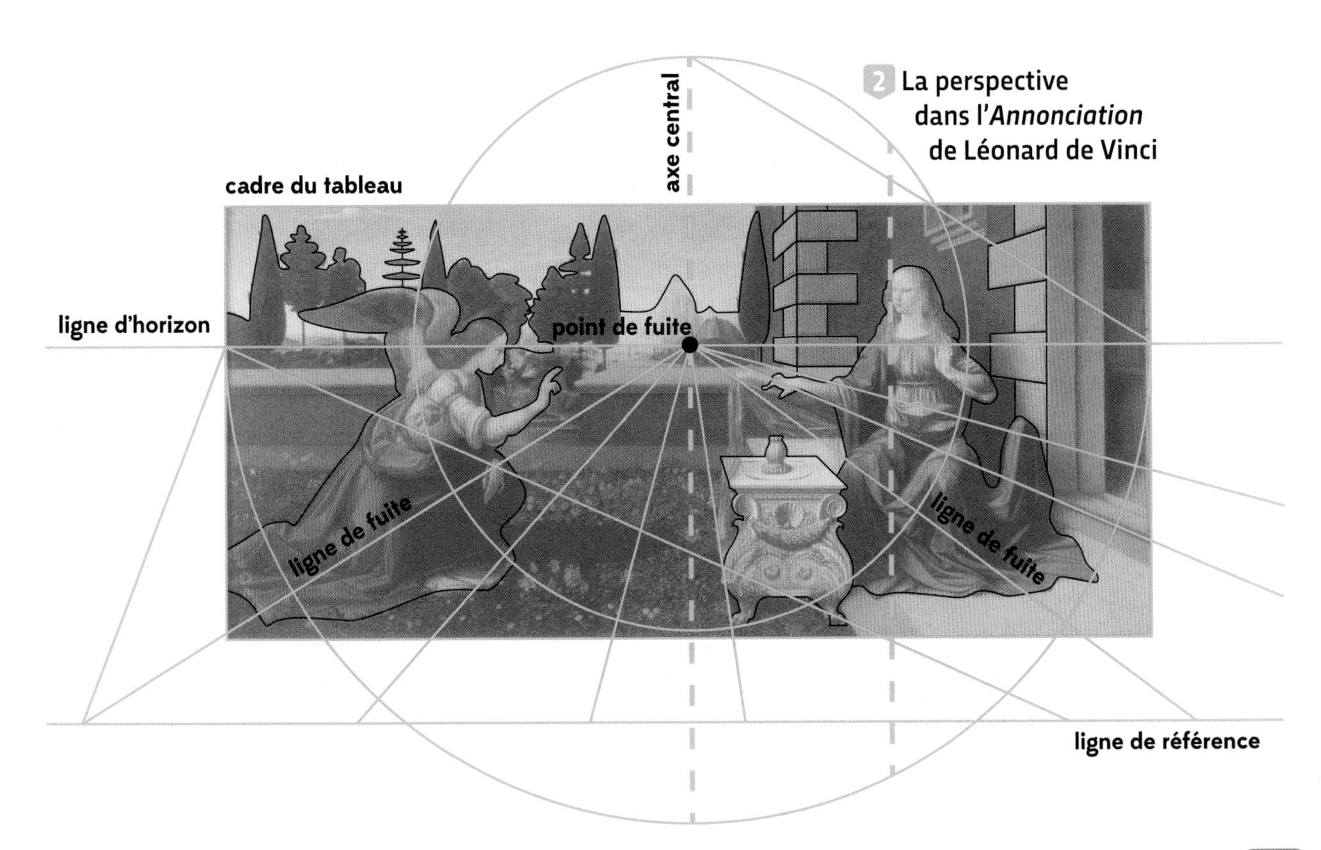

2 La perspective dans l'*Annonciation* de Léonard de Vinci

3

Les réformes religieuses dans l'Europe du XVIe siècle

→ DOCUMENTS P. 146

Dans un climat d'angoisse spirituelle, les chrétiens d'Europe occidentale veulent réformer l'Église. Mais les solutions proposées conduisent à une division entre protestants et catholiques.

VOCABULAIRE

Clercs : membres du clergé.

***Devotio moderna* :** mouvement spirituel apparu aux Pays-Bas et en Allemagne à la fin du XIVe siècle, fondé sur la prière personnelle et un mode de vie austère, à l'image de la vie du Christ.

Eucharistie : cérémonie chrétienne commémorant le dernier repas du Christ, au cours de laquelle les fidèles communient en mangeant du pain et en buvant du vin.

Évangélique : qui se rapporte au christianisme des origines, plus pur, moins hiérarchique.

Excommunié : exclu de la communauté des chrétiens.

Indulgences : fait d'accorder le pardon total des péchés en échange d'un don financier fait à l'Église.

Laïcs : chrétiens qui ne sont pas des clercs.

Œuvres : bonnes actions effectuées dans la perspective du salut.

Salut : fait d'être pardonné de ses péchés après la mort et d'échapper à l'Enfer.

Vulgate : voir p. 130.

A L'Église ébranlée

Un clergé critiqué. Tout au long du Moyen Âge, l'Église a connu de nombreuses réformes. La plus importante, la réforme grégorienne, soutenue par le pape Grégoire VII, a cherché au XIe siècle à moraliser le clergé en le séparant plus nettement des **laïcs**. Mais le pape reste un chef d'État italien engagé dans la politique et les **clercs** sont souvent accusés de se préoccuper davantage de leur fortune que de leurs fidèles. Les humanistes dénoncent les abus du clergé et veulent revenir à un christianisme **évangélique**. Érasme propose en 1516 sa traduction du Nouveau Testament à partir des textes grecs, ce qui remet en cause la **Vulgate**.

Une forte attente spirituelle. Ces critiques sont d'autant plus fortes que les chrétiens sont de plus en plus angoissés par leur **salut**. Les épidémies (la Grande Peste de 1348) et les guerres sont vécues comme des châtiments divins, annonçant la fin des temps. Des formes nouvelles de piété, plus personnelles, se développent, comme la ***devotio moderna***.

B L'affirmation du protestantisme

Luther et la rupture avec l'Église catholique. En 1517, Martin Luther, moine allemand et professeur de théologie, publie 95 thèses qui dénoncent notamment le pape, marchandant le salut pour financer de grands travaux à Rome. C'est le scandale des **indulgences**. Pour Luther, le salut ne « s'achète » pas par les **œuvres** : il est accordé par la seule grâce de Dieu, par la foi du croyant en cette grâce. L'imprimerie favorise la diffusion de ses idées en Allemagne et en Scandinavie. En 1521, il est **excommunié**, ce qui marque la rupture définitive avec l'Église catholique. En 1534, il publie la première traduction de la Bible en allemand.

La multiplication des Églises réformées. Jean Calvin (1509-1564), un Français réfugié à Genève, élabore un protestantisme plus radical que celui de Luther. Il rejette l'idée d'une présence réelle du Christ lors de l'**Eucharistie** au profit d'une présence uniquement spirituelle. Le protestantisme calviniste ou réformé se diffuse en Suisse, dans certains États allemands, aux Pays-Bas, en France, en Écosse, en Hongrie. En Angleterre, la reine Élisabeth Ire organise définitivement l'Église anglicane, qui adopte les dogmes protestants mais conserve une organisation et des rites proches du catholicisme.

Passé Présent

Le mot « réforme » n'a pas le même sens aujourd'hui. Il désigne un changement radical voulu par des hommes et des femmes politiques, alors qu'au Moyen Âge et à la Renaissance, il désigne plutôt une restauration de l'ordre ancien du Christ, un retour aux sources du christianisme (du latin *reformatio*).

C Les conséquences

La Réforme catholique. Devant le succès immense de la Réforme protestante, un concile est réuni par le pape à Trente, en Italie, entre 1545 et 1563. Le concile de Trente réaffirme les dogmes de l'Église : les sept sacrements, la doctrine de la **transsubstantiation**, l'accès au salut par les bonnes œuvres et non uniquement par la foi. L'Église rappelle le devoir d'exemplarité des clercs et ordonne la création de séminaires pour l'éducation des prêtres. En 1540, le pape Paul III officialise la création par Ignace de Loyola de la Compagnie de Jésus. Ses membres, les jésuites, fondent des collèges à travers l'Europe pour former les élites dans l'esprit de la Réforme catholique.

La répression. Pour tenter d'enrayer la progression du protestantisme, les souverains répondent aussi par la force. Une répression brutale s'abat sur les luthériens et réformés en France, en Espagne, dans les États italiens. Aux Pays-Bas, les persécutions organisées par l'occupant espagnol déclenchent une grande révolte en 1568.

L'idée de la paix civile. En 1555, les princes germaniques protestants imposent à l'empereur Charles Quint la paix d'Augsbourg, résumée par l'expression latine *cujus regio ejus religio*, « à chaque région sa religion ». En France, les « guerres de religion » opposent entre 1562 et 1598 protestants et catholiques. En 1598, le roi de France Henri IV signe l'édit de Nantes, qui accorde la liberté de culte aux protestants dans un royaume majoritairement catholique.

VOCABULAIRE

Transsubstantiation : doctrine catholique selon laquelle le pain et le vin deviennent corps et sang du Christ durant l'Eucharistie.

RÉVISER SON COURS

1. Pourquoi l'Église est-elle remise en cause durant le XVIe siècle?
2. Quelles critiques les protestants font-ils à l'Église? Quelles réponses apportent-ils?
3. Comment l'Église réagit-elle face aux protestants?

2 Les principales différences entre les religions

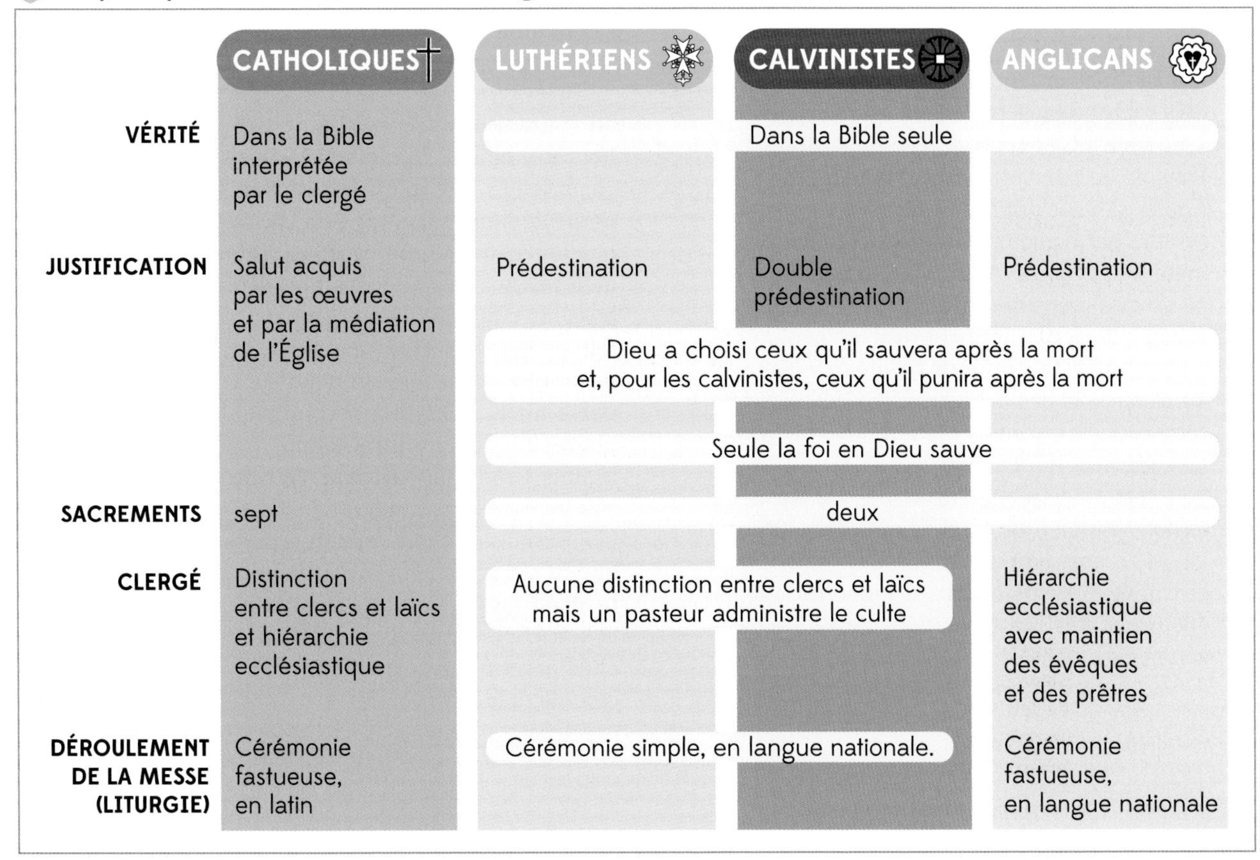

	CATHOLIQUES	LUTHÉRIENS	CALVINISTES	ANGLICANS
VÉRITÉ	Dans la Bible interprétée par le clergé	Dans la Bible seule		
JUSTIFICATION	Salut acquis par les œuvres et par la médiation de l'Église	Prédestination	Double prédestination	Prédestination
		Dieu a choisi ceux qu'il sauvera après la mort et, pour les calvinistes, ceux qu'il punira après la mort		
		Seule la foi en Dieu sauve		
SACREMENTS	sept	deux		
CLERGÉ	Distinction entre clercs et laïcs et hiérarchie ecclésiastique	Aucune distinction entre clercs et laïcs mais un pasteur administre le culte		Hiérarchie ecclésiastique avec maintien des évêques et des prêtres
DÉROULEMENT DE LA MESSE (LITURGIE)	Cérémonie fastueuse, en latin	Cérémonie simple, en langue nationale.		Cérémonie fastueuse, en langue nationale

Érasme, « prince des humanistes »

En quoi Érasme est-il le type même de l'humaniste?

→ COURS P. 130

Érasme
(vers 1469-1536)

Né d'une relation hors mariage (son père étant prêtre), Érasme est placé très jeune chez des moines à l'école de Deventer, un des premiers foyers de l'humanisme aux Pays-Bas.

1492 : Érasme est ordonné prêtre.

1504 : la découverte d'un manuscrit de Lorenzo Valla lui donne envie de corriger la Vulgate en s'appuyant sur les textes grecs.

1508 : publication des *Adages* à Venise, qui rencontre un immense succès; il s'agit d'une compilation de pensées tirées des auteurs antiques.

1511 : publication de l'*Éloge de la folie*.

1516 : traduction du *Nouveau Testament*.

1524 : dans son *Traité du libre arbitre*, Érasme attaque les thèses de Luther.

1 Les voyages d'Érasme

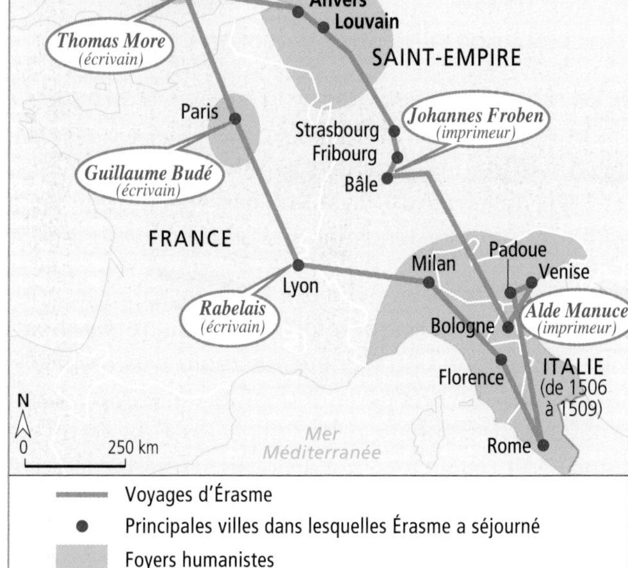

2 La diffusion des savoirs

Anvers, le 21 février 1517

Érasme de Rotterdam à son cher Budé, salut. [...]

La France m'a toujours été chère à plus d'un titre, mais aujourd'hui elle m'est plus agréable à un seul titre : celui de posséder Budé. [...] J'ai appris par votre ambassadeur que Paul Émile publiait enfin son *Histoire de France* : ce sera sans aucun doute un ouvrage absolument magistral, puisqu'il a demandé plus de vingt années de travail à un homme aussi érudit que scrupuleux. Si tu n'as pas encore eu la chance de parcourir *L'Utopie* de Thomas More, aie soin de l'acheter, et profite à loisir de cette lecture : tu ne regretteras pas ta peine. Les travaux de Thomas Linacre[1] vont sous peu sortir de l'atelier de Bade[2] : je ne peux te dire combien je m'en réjouis. Je n'attends de cet homme rien qui ne soit absolument magistral en tous points. Dieu immortel, quelle époque je vois sur le point de naître ! S'il pouvait m'être donné de redevenir jeune !

Érasme, *Lettre à Guillaume Budé*, 21 février 1517, trad. Raphaël Blaise.

1. Médecin (1460-1524) et humaniste anglais qui fonda la plus vieille académie de médecine d'Europe, *College of Physicians*, à Londres.
2. Imprimeur flamand établi à Paris, vers 1500.

3 Lettre de l'imprimeur Johann Froben à Érasme

Tu m'écris que tu as l'intention de venir me voir au courant de l'été prochain : j'en suis grandement heureux, et je te demande avec insistance de réaliser ce projet. [...]. Tu m'offres ton *Testamentum* pour une nouvelle impression : je t'en suis redevable au point que jamais je ne puis m'en acquitter. Je veillerai à ce qu'il passe aux mains des hommes aussi parfait que possible. Mais je crains que cela ne puisse pas être fait avant le prochain marché de Francfort, en partie parce que la brièveté du délai fait obstacle, en partie parce qu'il me reste à peu près quatre cents exemplaires de l'édition précédente, que, de toute façon, je dois vendre auparavant. Je travaillerai à ce qu'il soit livré au public au marché de Pâques à Francfort. [...] Si tu as quelque rejeton issu de ton esprit fertile que tu as récemment mis au monde, je demande que tu m'en fasses part : tu n'auras pas placé ta bonne action chez un ingrat. [...] Porte-toi bien, mon très cher parent par parrainage[1], et continue à m'aimer comme tu le fais.

J. Froben, *Lettre à Érasme*, Francfort, fin mars 1518, *La Correspondance d'Érasme*, éd. Aloïs Gerlo, 1975.

1. Érasme était le parrain du plus jeune fils de Johann Froben, baptisé Jean-Érasme.

4 Un portrait d'Érasme

Holbein le Jeune rencontre Érasme à Bâle grâce à l'imprimeur Johann Froben. Il peint alors le célèbre humaniste entouré d'éléments qui le caractérisent.

Hans Holbein le Jeune (1497-1543), *Érasme*, 1523, 73,6 x 51,4 cm, huile sur bois, National Gallery, Londres.

5 Revenir aux sources des textes sacrés

Je voyais aussi que cette science de salut, recueillie à ses veines, puisée à ses sources, est beaucoup plus pure et vivante que si on la prend dans des mares et des caniveaux. Ce qu'on appelle Nouveau Testament, nous l'avons donc recensé sur la fidélité de l'origine grecque, et nous l'avons fait non pas au hasard et à la légère, mais en consultant plusieurs manuscrits des deux langues, et pas n'importe lesquels, mais les plus anciens et les plus corrects. Et puis, comme nous savions que les choses exigent qu'on procède avec piété, nous ne nous sommes pas contentés de ce scrupule, nous avons parcouru les écrits des anciens théologiens, et partant de leurs citations ou de leurs expositions, nous avons suivi la piste de ce qu'ils avaient lu ou modifié. Nous avons joint nos annotations, d'abord pour instruire le lecteur des modifications apportées et de leurs raisons; ensuite pour débrouiller et rendre lisses les passages complexes, ambigus ou obscurs. […] Je suis en effet tout à fait opposé à l'avis de ceux qui ne veulent pas que les lettres divines soient traduites en langue vulgaire pour être lues par les profanes, comme si l'enseignement du Christ était si voilé que seule une poignée de théologiens pouvait le comprendre, ou bien comme si le rempart de la religion était fait de l'ignorance où on la tiendrait.

Érasme, « Lettre à Léon X » et « Paraclesis » *Les Préfaces au* Novum Testamentum, 1516, trad. Y. Delègue et J.-P. Gillet, éd. Labor et Fides, Genève, 1990.

En quoi Érasme est-il le type même de l'humaniste ?

Répondre aux questions

1. **Montrez** qu'Érasme est un humaniste qui appartient à la « république des lettres », c'est-à-dire qu'il a le sentiment d'appartenir à un réseau de penseurs européens (**doc. 1, 2 et 4**).
2. **Caractérisez** les éléments de ce tableau qui associent Érasme à la Renaissance artistique et à l'humanisme (**doc. 4**).
3. **Décrivez** la méthode utilisée par Érasme pour traduire le Nouveau Testament (**doc. 5**).
4. **Montrez** qu'Érasme et certains de ses contemporains puisent leurs connaissances dans les sources antiques (**doc. 5**).
5. **Expliquez** l'importance des imprimeurs dans le travail des humanistes comme Érasme (**doc. 2 et 3**).
6. À partir de vos réponses, **montrez** qu'Érasme est le type même de l'humaniste de la Renaissance.

Réaliser une carte mentale

À l'aide des documents, réalisez une carte mentale qui répond à la question : « En quoi Érasme est-il le type même de l'humaniste ? »

Classez d'abord les informations relevées dans les documents en plusieurs groupes d'arguments :

Doc. 4 : *Érasme est représenté à la façon des humanistes avec…* → quels arguments ?
Doc. 5 : *Érasme est un humaniste car il étudie différemment…* → quels arguments ?
Doc. 5 : *Érasme est un humaniste car il s'inspire de…* → quels arguments ?
Doc. 1, 2 et 3 : *Érasme est un humaniste car ses voyages lui permettent de…* → quels arguments ?

PROF Différenciation

L'éducation humaniste

En quoi le modèle d'éducation proposé par les humanistes diffère-t-il de l'éducation du Moyen Âge?

→ COURS P. 130

1 L'éducation selon Montaigne

Pour un enfant de maison qui recherche les lettres [...] je voudrais aussi qu'on fût soucieux de lui choisir un guide qui eût plutôt la tête bien faite que bien pleine et qu'on exigeât chez celui-ci les deux qualités, mais plus la valeur morale et l'intelligence que la science et qu'il se comportât dans sa charge d'une manière nouvelle. On ne cesse de criailler à nos oreilles, comme si l'on versait dans un entonnoir, et notre rôle, ce n'est que de redire ce qu'on nous a dit. Je voudrais que le précepteur[1] corrigeât ce point et que, d'entrée, selon la portée de l'âme qu'il a en main, il commençât à la mettre sur la piste[2], en lui faisant goûter les choses, les choisir et les discerner d'elle-même, en lui ouvrant quelquefois le chemin, quelquefois en le lui faisant ouvrir. [...] Qu'il ne demande pas seulement à son élève de lui répéter les mots de la leçon, mais de lui en donner leur sens et leur substance [...] Ce que l'élève viendra apprendre, qu'il le lui fasse mettre en cent formes et adaptées à autant de sujets différents pour voir s'il l'a dès lors bien compris et bien fait sien, en réglant l'allure de sa progression d'après les conseils pédagogiques de Platon.

Montaigne, *Essais*, Livre I, chap. XXVI, 1580, trad. A. Lanly, 1989, éditions Champion (2009, Quarto Gallimard).

1. Celui qui conduit les études, donc ici : le précepteur.
2. Mettre un cheval « sur la piste », c'est l'amener sur la piste pour l'examiner avant de l'acheter.

2 Un moine mathématicien et son élève

Jacopo de Barbari, *Luca Pacioli*, 1485. Peinture sur bois, 0,99 x 1,2 m, musée Capodimonte, Naples.

3 L'éducation selon Érasme

Toutefois nous pouvons également veiller avec soin à ce que la fatigue soit réduite à l'extrême et que, par conséquent, le dommage soit insignifiant. C'est ce qui se produira si nous n'inculquons pas aux enfants des connaissances multiples ou désordonnées, mais seulement celles qui sont les meilleures et qui conviennent à leur âge, où l'agrément est plus captivant que la subtilité. De plus, telle manière douce de les communiquer les fera ressembler à un jeu et non à un travail. Car, à cet âge, il est nécessaire de les tromper avec des appâts séduisants puisqu'ils ne peuvent pas encore comprendre tout le fruit, tout le prestige, tout le plaisir que les études doivent leur procurer dans l'avenir. Ce résultat sera obtenu en partie par la douceur et la bonne grâce du maître, en partie par son ingéniosité et son habileté, qui lui feront imaginer divers moyens pour rendre l'étude agréable à l'enfant et l'empêcher d'en ressentir de la fatigue. Rien n'est en effet plus néfaste qu'un précepteur dont le caractère amène les enfants à haïr les études avant d'être en mesure de comprendre pourquoi il faut les aimer.

Érasme, *Lettre à Guillaume, duc de Clèves*, « Sur l'éducation », 1529.

Répondre aux questions

1. **Caractérisez** les défauts d'un mauvais éducateur selon Montaigne (doc. 1).
2. **Montrez** que les deux textes favorisent le bien-être de l'enfant (doc. 1 et 3).
3. **Décrivez** la méthode utilisée par ce moine pour faire comprendre les mathématiques à son élève (doc. 2).
4. **Montrez** que le modèle d'éducation proposé par les humanistes diffère de l'éducation défendue depuis le Moyen Âge (doc. 1 et 3).

DOCUMENTS

L'imprimerie : une technique au service de l'humanisme

En quoi l'imprimerie est-elle une technique nouvelle au service de la diffusion des savoirs et un enjeu de pouvoir?

→ COURS P. 130

1 Un atelier d'imprimerie au XVIe siècle

L'atelier d'imprimerie de Peter Schoeffer (Mayence), gravure, vers 1500.
1 À l'arrière-plan, des boîtes à casiers (ou casses) contenant les caractères mobiles d'imprimerie.
2 Tenant dans sa main un composteur, l'ouvrier compositeur assemble les caractères mobiles d'une même ligne pour former le texte.
3 Une fois les caractères assemblés sur une plaque, un ouvrier y étale de l'encre à l'aide d'une balle de crin.

2 L'imprimerie et l'Église

Parmi les nombreux soucis qu'éprouve notre zèle, notre charge pastorale nous impose avant tout celui de veiller à ce que les initiatives de notre temps qui sont salutaires et louables soient en harmonie avec la foi catholique et conformes aux bonnes mœurs, puissent non seulement se conserver et s'accroître, mais encore se transmettre aux générations suivantes; au contraire, que celles qui s'avèrent pernicieuses, condamnables et impies soient coupées et extirpées dans leur racine, sans qu'on les laisse jamais se répandre. [...] Nous faisons défense d'imprimer et de laisser imprimer aucun livre, traité ou écrit, quels qu'ils soient, sans en avoir au préalable demandé la permission audit maître du Sacré Palais[1] à la susdite Curie romaine[2] ou, en son absence, à son substitut, et hors de Rome aux Ordinaires des lieux[3], et sans avoir obtenu une autorisation spéciale et expresse qui leur sera délivrée gratuitement.

Bulle « Inter-multiplices » (17 novembre 1487) signée par le pape Innocent VIII.

1. Officier du palais du pape chargé d'approuver tout ce qui est imprimé à Rome.
2. Ensemble des personnes qui assistent le pape pour gouverner l'Église.
3. Évêques qui ont un pouvoir de justice dans leur diocèse.

Répondre aux questions

1. **Expliquez** pourquoi l'imprimerie est une innovation technique (**doc. 1**).
2. **Expliquez** le rôle joué par les imprimeurs dans la diffusion des savoirs (**doc. 1**).
3. **Résumez** la position de l'Église vis-à-vis de l'imprimerie (**doc. 2**).
4. **Réalisez** un exposé à l'oral de 5 minutes en deux parties pour montrer que l'imprimerie est une technique nouvelle au service de la diffusion des savoirs et un enjeu de pouvoir.

DOCUMENTS

POINT DE PASSAGE

Michel-Ange (1475-1564) et la voûte de la chapelle Sixtine

En quoi la voûte de la chapelle Sixtine (1508-1512) est-elle caractéristique de la Renaissance ?

→ COURS P. 132

Michel-Ange
(1475-1564)

1487 : apprend le métier de sculpteur dans l'atelier des frères Ghirlandaio.

1489 : entre à 14 ans au service de Laurent de Médicis.

1499 : sculpte une *Pietà*, qui le rend célèbre, pour un cardinal français à Rome.

1508-1512 : peint le plafond de la chapelle Sixtine à Rome de scènes tirées de l'Ancien Testament accompagnées de références au Christ.

1513-1534 : réalise différentes statues pour le tombeau du pape Jules II à Rome et pour les tombeaux des Médicis à Florence.

1533 : nommé « architecte suprême, sculpteur et peintre des palais du Vatican » par le pape Paul III.

1536-1541 : peint le *Jugement dernier*, derrière l'autel de la chapelle Sixtine.

Années 1540 : publie certains de ses poèmes.

Les sources de l'historien

La vie de Michel-Ange nous est connue par deux biographies : celle de l'artiste Giorgio Vasari, qui publie en 1550 *Vies des plus excellents peintres, sculpteurs et architectes* et la *Vie de Michel-Ange*, publiée en 1553 par un de ses élèves, Ascanio Condivi. De plus, Michel-Ange a conservé de nombreuses lettres et souvenirs qui sont une source précieuse pour connaître son travail.

1 Vue d'une partie de la voûte de la chapelle Sixtine

La fresque est une technique de peinture sur mur consistant à apposer des pigments de couleur sur un enduit frais (*a fresco* en italien).

1508-1512, fresque de 520 m², Rome, Cité du Vatican.

Animation

2 La sibylle de Libye

Dans la mythologie grecque, une sibylle est une prêtresse d'Apollon dotée du pouvoir de divination.

Détail de la voûte de la chapelle Sixtine.

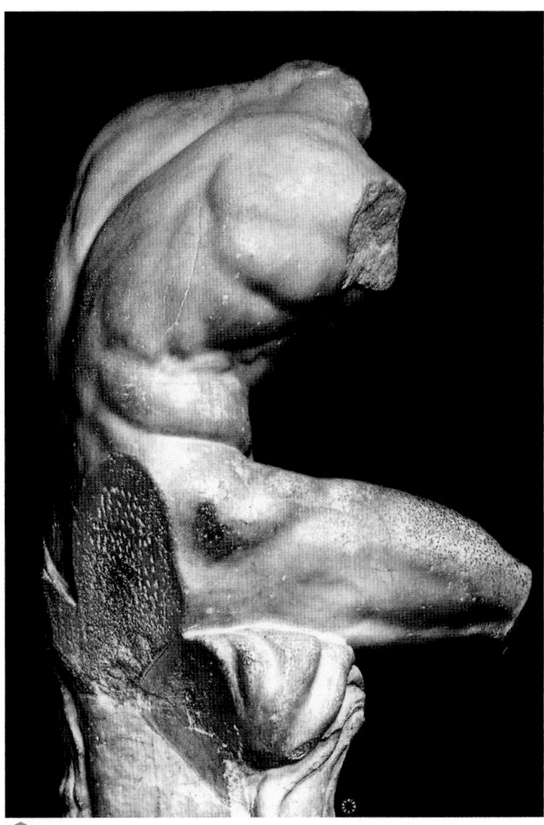

3 Un modèle antique

Torse du Belvédère, Ier siècle av. J.-C, musées du Vatican, Rome, découvert en 1432 à Rome.

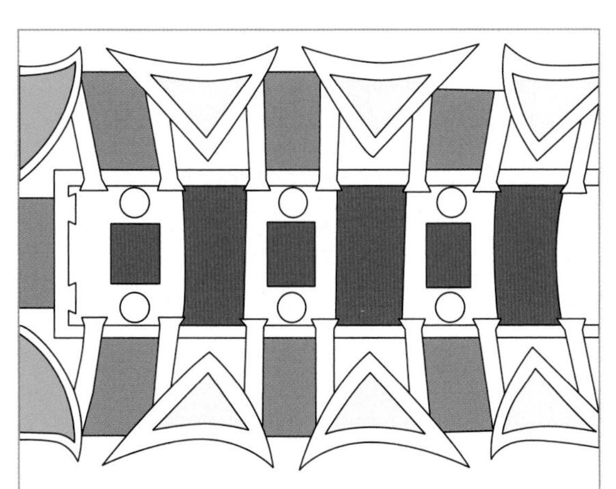

Histoires du livre de la Genèse.
De gauche à droite :
- Dieu sépare la lumière des ténèbres
- Dieu crée le Soleil, la lune, les plantes
- Dieu sépare la Terre de l'eau
- Création d'Adam
- Création d'Ève
- Péché originel : Adam et Ève chassés du paradis

Prophètes de l'Ancien Testament et sibylles de l'Antiquité païenne annonçant la venue du Christ

Ancêtres du Christ

Scènes représentant le salut du peuple d'Israël.

4 Schéma explicatif d'une partie de la voûte

En quoi la voûte de la chapelle Sixtine (1508-1512) est-elle caractéristique de la Renaissance ?

Répondre aux questions

1. **Décrivez** les scènes représentées dans la partie centrale de la voûte (doc. 1).
2. **Expliquez** comment Michel-Ange parvient à donner l'illusion de la profondeur (doc. 1 et 2).
3. **Montrez** que Michel-Ange s'inspire d'un modèle de l'Antiquité pour peindre la sibylle de Libye (doc. 2 et 3).
4. À partir de vos réponses, **montrez** que la voûte de la chapelle Sixtine est caractéristique de la Renaissance.

Réaliser une carte mentale

Complétez le schéma suivant pour montrer que la voûte de la chapelle Sixtine est caractéristique de la Renaissance.

Quelle source d'inspiration ?

....

La voûte de la chapelle Sixtine :
une œuvre de la Renaissance artistique

Quelle technique ? ....

Quel type de corps ? ....

La perspective : une nouvelle manière de représenter le monde

Comment la perspective permet-elle de représenter différemment le monde ?

→ COURS P. 132

Animation

1 Une sainte conversation

Nicolas Rolin (1376/1380-1462), chancelier du duc de Bourgogne Philippe le Bon, commande ce tableau à Van Eyck, peintre officiel du duc, pour décorer la chapelle familiale des Rolin dans l'église Notre-Dame-du-Châtel d'Autun.

Jan Van Eyck, *Le Chancelier Rolin en prière devant la Vierge*, dit *La Vierge du chancelier Rolin ou Vierge d'Autun*, 1435, musée du Louvre, Paris.

2 La perspective par Léonard de Vinci (1452-1519)

De nombreux artistes de la Renaissance écrivent des traités pour théoriser leurs techniques nouvelles et les transmettre. Entre 1485 et 1487, Léonard de Vinci rédige des notes sur la technique de la perspective en peinture.

Quand un brouillard ou quelqu'autre qualité de l'air vous empêchera de remarquer de la variété dans le clair des jours, ou dans le noir des ombres, qui environnent les choses que vous imitez, alors n'ayez plus d'égard en peignant à la perspective des couleurs; mais servez-vous seulement de la perspective linéaire pour les diminuer, à proportion de leur distance, ou bien de la perspective aérienne, qui affaiblit et diminue la connaissance des objets, en les représentant moins terminés et moins finis : car cette sorte de perspective fait paraître une même chose plus ou moins éloignée, selon qu'elle représente sa figure plus ou moins terminée. L'œil n'arrivera jamais par le moyen de la perspective linéaire, à la connaissance de l'intervalle qui est entre deux objets diversement éloignés, s'il n'est aidé du raisonnement qu'on tire de la perspective aérienne, qui consiste dans l'affaiblissement des couleurs.

Léonard de Vinci, *Traité de la peinture*, éd. P.-M. Gault de Saint-Germain, Perlet.

Répondre aux questions

1. **Caractérisez** les deux types de perspective définis par Léonard de Vinci (**doc. 2**).
2. **Montrez** que la théorie de Léonard de Vinci se retrouve déjà dans le tableau de Van Eyck (**doc. 1 et 2**).
3. **Décrivez** l'effet produit par l'usage de ces techniques dans le tableau de Van Eyck (**doc. 1**).
4. À partir de vos réponses, **expliquez** comment la perspective permet de représenter différemment le monde. Vous pouvez chercher, dans votre manuel, des œuvres figuratives de périodes passées afin de comparer les modes de représentation.
5. À la manière d'un guide conférencier de musée, vous présenterez à l'oral les documents 1 et 2 pour montrer en quoi l'usage des perspectives dans ce tableau permet de représenter différemment le monde.

DOCUMENTS

L'affirmation de l'artiste

Comment se caractérise le nouveau statut social de l'artiste de la Renaissance ?

→ COURS P. 132

1 Un autoportrait d'Albrecht Dürer

Sur le mur du fond, à droite, on retrouve les lettres du nom de l'artiste entrelacées, la date (1498) et une inscription en allemand : « Ceci est mon propre portrait, fait à l'âge de vingt-six ans, Albrecht Dürer ».

Albrecht Dürer, *Autoportrait aux gants*, musée du Prado, Madrid.

2 Michel-Ange vu par Giorgio Vasari

Le peintre et architecte Giorgio Vasari (1511-1574) est le premier à rédiger des biographies d'artistes en 1550. Contemporain de Michel-Ange, il assiste à la transformation du statut de l'artisan en celui d'artiste.

Le Maître des cieux se décida à envoyer sur la Terre un génie qui fût universel dans tous les arts et dans tous les métiers et qui montrât par lui seul quelle chose est la perfection de l'art du dessin, tant pour esquisser, faire les contours, les ombres et les lumières, donner du relief aux choses de la peinture, introduire un jugement droit dans les procédés de la sculpture, enfin, en architecture rendre les habitations commodes et sûres, saines, agréables, bien proportionnées et riches dans les ornements variés. Il tint à lui donner pour patrie Florence, comme la plus digne des cités [...]. Son mérite a été reconnu pendant sa vie, et non après sa mort, comme il arrive à bien d'autres, puisque Jules II, Léon X, Clément VII, Paul III, Jules III, Paul IV et Pie IV, souverains pontifes, ont toujours voulu l'avoir auprès d'eux; comme on sait Soliman, empereur des Turcs, François de Valois, roi de France, Charles Quint, empereur, et la Seigneurie de Venise et finalement le duc Cosme de Médicis l'ont recherché et lui ont fait des offres avantageuses, rien que pour se prévaloir de son grand talent, ce qui n'arrive qu'aux hommes de haute valeur comme lui.

Giorgio Vasari, *Vies des plus excellents peintres, sculpteurs et architectes*, 1550.
Réédition en 1568, trad. L. Leclanché et C. Weiss, « Les cahiers rouges », Grasset, 2007.

Répondre aux questions

1. **Justifiez** le point de vue de Vasari sur Michel-Ange (doc. 2).
2. **Montrez** que Michel-Ange est un artiste très convoité (doc. 2).
3. **Montrez** que ces deux œuvres présentent deux façons différentes de s'affirmer en tant qu'artiste (doc. 1 et 2).
4. À partir de vos réponses, **caractérisez** le nouveau statut social de l'artiste de la Renaissance.

DOCUMENTS

François Ier (1494-1547), un roi humaniste de la Renaissance

En quoi le roi François Ier (1494-1547) est-il un mécène humaniste de la Renaissance?

→ COURS P. 132

Repères

1494-1559 : guerres d'Italie (la France revendique le royaume de Naples et le duché de Milan).
25 janvier 1515 : François Ier sacré roi de France à Reims.
14 septembre 1515 : François Ier remporte la bataille de Marignan, ce qui lui permet de contrôler le duché de Milan (de nombreux artistes italiens sont invités à la cour du roi).
1528 : début des travaux à Fontainebleau.
1530 : nomme six lecteurs royaux pour enseigner les langues anciennes (ancêtre du Collège de France).
1539 : ordonnance de Villers-Cotterêts (le français devient langue officielle).

1 L'éloge d'un roi humaniste

En ce qui concerne les lettres, aussi bien grecques et latines qu'hébraïques, le feu roi ne les a pas seulement honorées magnifiquement en son royaume et au-dehors, mais il les a édifiées et plantées en son peuple par ses largesses et ses libéralités. Il a entretenu et rémunéré généreusement des hommes qu'il avait remarqués et qui sont maintenant capables de lire et de traduire en tous arts et en toutes langues. Et s'il n'était pas mort si tôt, il aurait réalisé ce qu'il voulait faire : un collège de toutes disciplines, cent mille livres de rente, pour six cents boursiers pauvres écoliers. [...] L'étude et la volonté de savoir étaient si grandes que, dès son plus jeune âge, il n'a jamais cessé de faire lire devant lui les livres sacrés et les histoires, de commander des traductions, de les faire commenter continuellement à sa table en buvant et en mangeant, à son lever, à son coucher. Il connaissait et parlait la langue française mieux que tout autre homme vivant en son royaume.

Pierre du Chastel, *Sermon funèbre de François Ier*, 1547.

2 La Renaissance à Fontainebleau

À partir de 1528, François Ier décide de rénover et d'agrandir le château de Fontainebleau, près de Paris. Entre 1534 et 1539, deux artistes italiens, Le Rosso et Primatice, décorent une galerie du château dans un style original, où la peinture à fresque et le stuc, matériau imitant le marbre, sont associés.
Au Moyen Âge, les murs nus des châteaux étaient plutôt recouverts de tapisseries.

Vue de la galerie de Fontainebleau, 1534-1539.

3 Une représentation du roi

François Ier, représenté en empereur romain, pénètre dans le temple de la connaissance, laissant derrière lui les ignorants.

Fresque *L'ignorance chassée*, galerie de François Ier, Fontainebleau.

4 Un artiste italien à la cour de France

Benvenuto Cellini (1500-1571) est un sculpteur italien dont le roi François Ier collectionne les œuvres.

Arrivés aux logements du roi, nous passâmes devant ceux du cardinal de Ferrare[1]. Comme il se trouvait sur sa porte, le cardinal m'appela et me dit : « Notre souverain, le roi très chrétien, vous a spontanément alloué le même traitement qu'il servait au peintre Léonard de Vinci, c'est-à-dire sept cents écus par an. De plus, il vous paiera tous les ouvrages que vous ferez. De plus encore, pour votre bienvenue, il vous accorde une gratification de cinq cents écus d'or, qu'il a donné ordre de vous verser avant que vous ne partiez d'ici. » [...] Le lendemain, j'allais remercier le roi. Il m'ordonna d'établir les modèles de douze statues d'argent, dont il entendait faire autant de flambeaux, qui seraient placés tout autour de sa table. Elles devaient représenter six dieux et six déesses, et être exactement de la taille de Sa Majesté, qui n'avait guère moins de quatre brasses de hauteur[2].

Benvenuto Cellini, *La vie de Benvenuto Cellini écrite par lui-même* (1500-1571), trad. M. Beaufreton, Georges Crès et Cie, 1922.

1. Hippolyte d'Este, archevêque de Milan, dit *cardinal de Ferrare*, est appelé en France par François Ier après la conquête du duché de Milan (1515).
2. François Ier mesurait 1,98 m.

En quoi le roi François Ier (1494-1547) est-il un mécène humaniste de la Renaissance ?

Répondre aux questions

1. **Caractérisez** les éléments qui font de François Ier un roi humaniste, selon Pierre du Chastel (**doc. 1**).
2. **Caractérisez** les éléments qui font de François Ier un roi mécène (**doc. 2, 3 et 4**).
3. En vous appuyant sur les techniques et les sujets représentés, **décrivez** les influences antiques visibles dans ces documents (**doc. 2 et 3**).
4. **Décrivez** comment les artistes donnent de François Ier l'image d'un roi humaniste (**doc. 3 et 4**).
5. À partir de vos réponses, **expliquez** en un texte argumenté en quoi François Ier est un mécène humaniste de la Renaissance.

PROF Différenciation

Compléter un tableau

Complétez le tableau suivant pour montrer que François Ier est un mécène humaniste de la Renaissance. Vous pouvez vous appuyer sur les définitions d'« humanisme » et de « Renaissance ».

	Arguments
Doc. 1	
Doc. 2	
Doc. 3	
Doc. 4	

Martin Luther et la naissance du protestantisme

En quoi les idées de Luther sont-elles en rupture avec le discours officiel de l'Église ?

→ COURS P. 134

Martin Luther
(1483-1546)

1501-1505 : études de droit à l'université d'Erfurt.

1505 : lors d'un orage très violent, il fait le vœu de devenir moine s'il en réchappe.

1512 : docteur en théologie, il enseigne à l'université de Wittenberg.

1517 : il publie *95 thèses* contre l'Église et le pape.

1521 : il est excommunié par le pape Léon X et exclu de l'Empire par l'empereur Charles Quint.

1522 : le prince allemand Frédéric le Sage le prend sous sa protection.

1530 : la Confession d'Augsbourg pose les bases du protestantisme selon Luther.

1534 : publication de la Bible, traduite en allemand par Luther.

1 Les critiques de Luther contre l'Église

Le 31 octobre 1517, Luther affiche sur la porte de l'église de Wittenberg des feuilles imprimées mentionnant 95 idées (ou thèses) qui s'opposent au pape et aux dogmes de l'Église.

Thèse 1 : En disant : « Faites pénitence[1] », notre Maître et Seigneur Jésus-Christ a voulu que la vie entière des fidèles fût une pénitence.

Thèse 2 : Cette parole ne peut pas s'entendre du sacrement de la pénitence, tel qu'il est administré par le prêtre, c'est-à-dire de la confession [...]

Thèse 43. Il faut enseigner aux chrétiens que celui qui donne aux pauvres ou prête aux nécessiteux fait mieux que s'il achetait des indulgences[2]. [...]

Thèse 45. Il faut enseigner aux chrétiens que celui qui, voyant son prochain dans l'indigence, le délaisse pour acheter des indulgences, ne s'achète pas l'indulgence du pape mais l'indignation de Dieu. [...]

Thèse 54 : C'est faire injure à la Parole de Dieu que d'employer dans un sermon autant et même plus de temps à prêcher les indulgences qu'à annoncer cette Parole. [...]

Thèse 86 : Pourquoi le pape, dont le sac est aujourd'hui plus gros que celui des plus gros richards, n'édifie-t-il pas au moins cette basilique de Saint-Pierre avec ses propres deniers, plutôt qu'avec l'argent des pauvres fidèles ?

Martin Luther, extrait des *95 Thèses*, 1517.

1. Volonté de se faire pardonner ses péchés par un bon comportement.
2. Dons financiers faits à l'Église en échange du pardon des péchés.

2 Luther contre le pape

À droite, Luther repousse le pape qui a la forme d'un monstre et qui porte une tiare à trois couronnes ; à gauche, un moine qui vend des indulgences (voir p. 134) est contraint de quitter la ville avec des rats.

Conrad Grahlen (graveur), estampe contre la papauté réalisée à l'occasion du centenaire des 95 thèses de Luther, 1617.

3 La justification par la foi

Alors que ses thèses font polémique en Europe, Luther s'explique dans un long texte qu'il adresse aux chrétiens.

Tout ceci permet de comprendre aisément pourquoi la foi possède un si grand pouvoir et qu'aucune bonne œuvre ne parvient à l'égaler. Car aucune bonne œuvre n'est attachée à la parole divine comme l'est la foi, aucune bonne œuvre ne peut non plus agir à l'intérieur de l'âme, mais seulement la parole et la foi règnent dans l'âme : telle est la parole, telle sera aussi l'âme grâce à elle, tout comme le fer devient d'un rouge ardent comme le feu de par son union avec le feu. Ainsi nous voyons que la foi suffit à un chrétien, il n'a besoin d'aucune œuvre[1] pour se justifier. S'il n'a plus besoin d'aucune œuvre, il est certainement délié de tous les commandements et de toutes les lois : s'il en est délié, il est certainement libre. Telle est la liberté chrétienne, c'est la foi seule qui la crée, ce qui ne veut pas dire que nous puissions rester oisifs ou faire le mal, mais que nous n'avons besoin d'aucune œuvre pour nous justifier[2] et atteindre à la félicité […].

Or, de même que les arbres doivent exister avant les fruits et que les fruits ne font pas les arbres, ni les bons ni les mauvais, mais que les arbres font les fruits, de même l'homme, en tant que personne, doit auparavant être bon ou mauvais avant de faire des œuvres bonnes ou mauvaises. Et ce ne sont pas ses œuvres qui le rendent bon ou mauvais, mais c'est lui qui fait de bonnes ou de mauvaises œuvres.

Martin Luther, *De la liberté du chrétien*, 1520, trad. M. Gravier dans *Luther, Les grands écrits réformateurs*, Garnier Flammarion, 1992.

1. Bonne action effectuée dans la perspective du salut.
2. La justification est l'acte pour lequel Dieu transforme le pécheur en juste, en lui donnant sa grâce.

4 Les conséquences des écrits de Luther en Europe

Tiepolo, ambassadeur de Venise, visite les États allemands au moment de la diffusion des idées de Luther.

En somme, il semble que ces gens[1], dans certains lieux, aient pris de telles libertés, qu'ils veulent qu'il soit licite à chacun de parler et de prêcher sur la foi, et former de nouvelles sectes, à leur guise, ce qui cause partout une confusion extrême. Et ces séducteurs, pour diffuser leurs opinions plus largement, comme ils ne peuvent pas prêcher partout car cela leur est interdit en de nombreux endroits, ont écrit et fait imprimer toutes leurs opinions en langue vulgaire[2], de sorte que l'Allemagne en est inondée. […] Les personnes adoptent une foi différente les unes des autres, et les choses allant de mal en pis avec le temps, ils risquent de perdre finalement toute religion et de revenir à l'antique sauvagerie de leur mode de vie.

Nicolas Tiepolo, *Relation d'ambassade*, 1538.

1. Les protestants.
2. Langue natale.

En quoi les idées de Luther sont-elles en rupture avec le discours officiel de l'Église ?

Répondre aux questions

1. **Résumez** les critiques que Luther adresse à l'Église et au pape (**doc. 1 et 3**).
2. **Montrez** comment les idées de Luther se diffusent (**doc. 4**).
3. **Expliquez** l'opposition de l'ambassadeur vénitien aux idées de Luther (**doc. 4**).
4. **Expliquez** la date du document (**doc. 2**).
5. **Montrez** que les idées de Luther se traduisent en images pour toucher un large public (**doc. 2**).
6. À l'aide des réponses aux questions précédentes, **montrez** que les idées de Luther sont en rupture avec le discours officiel de l'Église.
Vous organiserez votre réponse en quelques phrases que vous présenterez à l'oral.

Faire un jeu de rôle

Imaginez le dialogue entre un marchand allemand protestant et Nicolas Tiepolo, ambassadeur de Venise, qui montre que les idées de Luther sont en rupture avec le discours officiel de l'Église.

Organisez les arguments favorables ou défavorables aux idées de Luther dans un tableau à deux colonnes.

Imaginez les réponses de Nicolas Tiepolo aux arguments luthériens du marchand allemand.

	Le marchand allemand	Nicolas Tiepolo
Doc. 1		
Doc. 2		
Doc. 3		
Doc. 4		

Jeu de simulation : auriez-vous été catholique, luthérien ou réformé ?

En 1560, environ 2 millions de Français se sont convertis au protestantisme. Catholiques, luthériens et calvinistes se divisent sur des questions théologiques, de société et d'organisation de l'Église.

CONSIGNE **Créez un jeu de simulation pour mieux comprendre les différences entre catholicisme et protestantisme luthérien ou calviniste.**

ÉTAPE 1 Choisissez la forme de votre questionnaire

Ce jeu peut être mis en œuvre de différentes manières :
- questionnaire papier ;
- présentation type *PowerPoint* avec animations ;
- questionnaire interactif fabriqué avec un logiciel non-payant (voir p. 92).

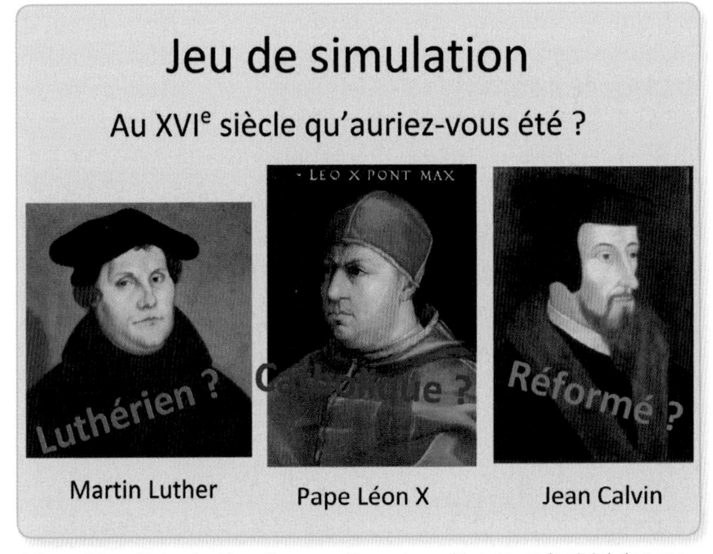

Diapositive d'introduction d'un questionnaire créé avec un logiciel de type *PowerPoint*.

ÉTAPE 2 Effectuez des recherches sur le sujet

Listez les points de désaccord entre catholicisme, luthérianisme et protestantisme. Aidez-vous du cours du manuel (p. 134) et approfondissez vos recherches grâce aux ressources papier ou en ligne de votre CDI.

Différenciez :
- les questions théologiques : la question du salut, le baptême, l'Eucharistie, les sacrements, etc.
- des questions d'organisation de l'Église et de ses rites : hiérarchie et clergé, aspect des églises, etc.

Travaillez en groupes et répartissez-vous ces thèmes.

ÉTAPE 3 Créez les questions à choix multiples

Pour chaque question, préparez trois réponses au choix (ou deux si les luthériens et les calvinistes s'accordent sur un point).
Par exemple :

Comment obtiendrai-je le salut ?

A. Il faut faire de bonnes œuvres et demander l'aide (médiation) de l'Église

B. Seule la foi sauve. Nous sommes prédestinés. Dieu a choisi ceux qu'il sauvera après la mort.

C. Seule la foi sauve. Nous sommes doublement prédestinés. Dieu a choisi qui il sauvera et qui il punira après la mort.

ÉTAPE 4 Expliquez les réponses

Comment obtiendrai-je le salut ?

A. Il faut faire de bonnes œuvres et demander l'aide (médiation) de l'Église. Catholiques

B. Seule la foi sauve. Nous sommes prédestinés. Dieu a choisi ceux qu'il sauvera après la mort. Luthériens

C. Seule la foi sauve. Nous sommes doublement prédestinés. Dieu a choisi qui il sauvera et qui il punira après la mort. Calvinistes

EXPLICATION :

Cette question est à l'origine de la rupture entre catholiques et protestants.
L'Eglise catholique affirme que pour obtenir le salut, il faut croire en Dieu, refuser le péché, et agir comme Dieu le demande.
Cette question angoisse Luther qui pense que l'homme n'a aucune chance d'être sauvé s'il doit compter sur ses mérites. De sa lecture de la Bible, Luther déduit que le Salut ne provient pas des bonnes œuvres mais de la grâce de Dieu qui suscite la foi dans le cœur du croyant. C'est la prédestination.
Calvin adopte et développe cette interprétation. Il considère que Dieu a aussi désigné en avance ceux qu'il enverra en enfer. C'est la double prédestination.

Une fois le questionnaire terminé, le joueur comptera son nombre de a, b et c pour découvrir son profil.

Renaissance, humanisme et réformes

SAVOIR EXPLIQUER

Le projet humaniste

- **Le modèle antique**
  # Humanités, Langues anciennes ; Retour aux textes originaux
- **La foi en l'homme**
  # Instruction ; Esprit critique ; Libre arbitre
- **Le perfectionnement et la diffusion des savoirs**
  # Académies ; Collège royal ; République des lettres ; Imprimerie

La Renaissance

- **Le nouveau statut de l'artiste**
  # Mécénat ; Signature ; Autoportrait
- **De nouvelles techniques artistiques**
  # Perspective linéaire ; Peinture à l'huile ; Canon

La Réforme

- **L'Église catholique critiquée**
  # Abus du clergé ; Salut ; *Devotio moderna* ; Indulgences
- **La rupture protestante**
  # Réforme ; Protestantisme ; Calvinisme ; Anglicanisme
- **La réaction catholique**
  # Réforme catholique ; Concile de Trente ; Compagnie de Jésus ; Persécutions ; Guerres de religions

SAVOIR DATER

Vers 1450	Invention de l'imprimerie
1530	Création du Collège des lecteurs royaux par François Ier

1517	95 thèses de Luther
1521	Excommunication de Luther
1545-1563	Concile de Trente
1555	Paix d'Augsbourg
1598	Édit de Nantes

SAVOIR DÉFINIR

- Canon → P. 132
- Humanisme → P. 130
- Indulgences → P. 134
- Perspective linéaire → P. 132
- Salut → P. 134
- Vulgate → P. 130

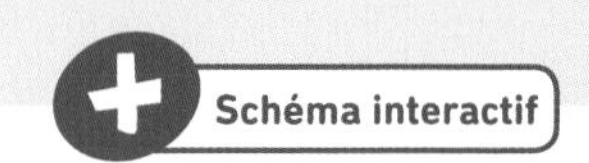

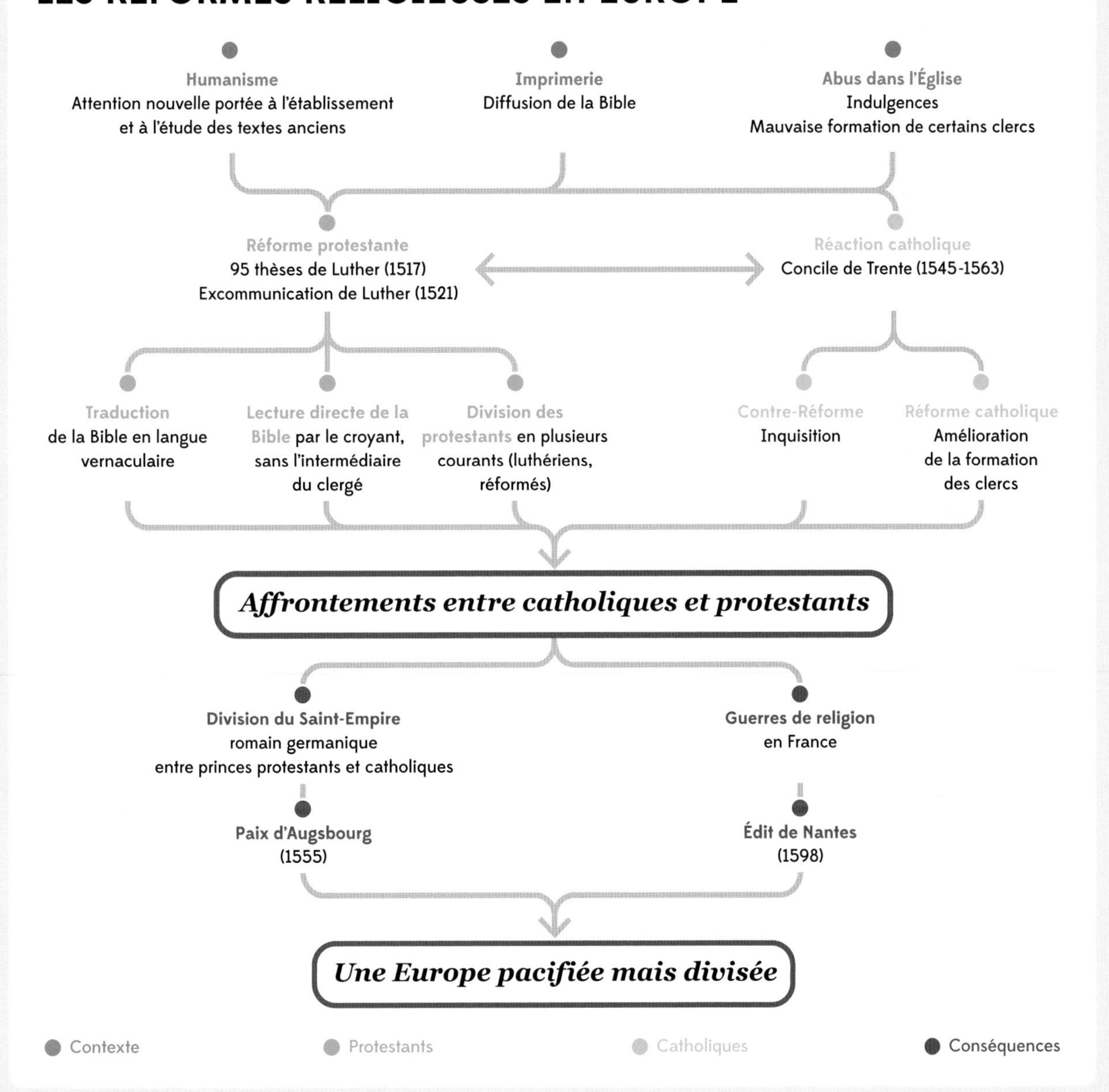

POUR ALLER PLUS LOIN

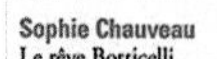

À LIRE

Sophie Chauveau
Le rêve Botticelli
Folio, 2007
Un roman sur la vie artistique et politique dans l'Italie du XVe siècle.

Pierre Boisserie et Éric Stalner
Saint-Barthélémy
Les Arènes, 2018
Une bande dessinée en trois volumes sur le plus tragique épisode des guerres de religion.

Éric Adam et Thibaud de Rochebrune
Michel-Ange
Glénat, 2017
Une bande dessinée en deux volumes qui a pour cadre l'Italie de la Renaissance.

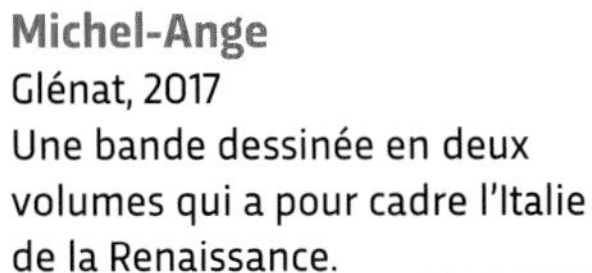

À VOIR

Éric Till
Luther
2017
Un film retraçant la vie de l'initiateur de la Réforme.

Série de Frank Spotnitz et Nicholas Meyer
Les Médicis
2016
Reconstitue l'âge d'or de Florence, durant la Renaissance.

À VISITER

Le musée national de la Renaissance à Écouen (95).

S'AUTOÉVALUER

Imprimez cette page pour vous entraîner. Référez-vous aux pages indiquées si vous avez besoin d'aide.

Exercices interactifs

1 Reliez à chaque artiste les techniques qu'il a théorisées en peinture :

Léonard de Vinci • • Peinture à l'huile
Jan Van Eyck • • Perspective

.... / 2
→ p. 133

2 Le pardon total des péchés en échange d'un don financier fait à l'Église est appelé :

☐ Indulgences ☐ Transsubstantiation ☐ Salut ☐ Eucharistie

.... / 1
→ p. 134

3 Reliez la discipline au niveau dans lequel elle est enseignée :

Droit •
Musique • • faculté des arts
Théologie • • faculté supérieure
Arithmétique •

.... / 4
→ p. 131

4 Reliez la phrase suivante à son auteur :

« À un enfant de maison qui recherche les lettres [...] je voudrais aussi qu'on fût soigneux de lui choisir un conducteur qui eût plutôt la tête bien faite que bien pleine. » •

• Montaigne
• Michel-Ange
• François Ier
• Martin Luther

.... / 1
→ p. 138

5 Parmi les artistes italiens suivants, un seul n'a jamais rencontré le roi François Ier. Lequel ?

☐ Benvenuto Cellini ☐ Le Rosso ☐ Primatice ☐ Michel-Ange

.... / 1
→ p. 144

6 Numérotez dans l'ordre d'exécution les tâches effectuées dans un atelier d'imprimerie pour imprimer un feuillet :

.... Encrer la plaque
.... Disposer les caractères dans un composteur
.... Placer le feuillet sous la presse
.... Contrôler d'éventuels défauts d'impression sur le feuillet

.... / 4
→ p. 139

7 Complétez le schéma suivant pour caractériser l'humanisme :

Intérêt particulier pour une période de l'histoire
....

Un nouveau rapport aux textes
....

HUMANISME

Une nouvelle technique qui diffuse le savoir
....

Quels siècles ?
....

.... / 4
→ p. 130

8 Reliez chaque terme à sa définition :

Salut • • bonnes actions effectuées dans la perspective du salut
Évangélique • • fait d'être pardonné de ses péchés après la mort et d'échapper à l'enfer
Œuvres • • qui se rapporte au christianisme des origines, plus pur, moins hiérarchique

.... / 3
→ p. 134

1 Répondre à des questions de connaissances ▸ BAC TECHNOLOGIQUE

1. Pourquoi peut-on dire que le statut de l'artiste change à la Renaissance?
2. Décrivez le fonctionnement de l'imprimerie à ses débuts.
3. Quelles sont les principales innovations artistiques durant la Renaissance?

2 Analyser un document en répondant à une consigne ▸ BAC TECHNOLOGIQUE ET GÉNÉRAL

CONSIGNE

Après avoir présenté le document, expliquez quelle période doit, selon Érasme, inspirer l'éducation humaniste et sur quelles disciplines elle doit se fonder.

Les conseils pour une éducation humaniste

En premier lieu, le savoir se présente généralement sous un double aspect : savoir sur les choses et savoir sur les mots. Celui des mots vient en premier, mais celui des choses est le plus important. [...] Par conséquent la grammaire exige de passer en premier, et elle doit être aussitôt enseignée aux enfants sous son double aspect : grammaire grecque et bien évidemment grammaire latine. [...] Donc, une fois acquise la maîtrise du discours, sinon abondamment, du moins correctement, l'esprit doit bientôt se consacrer à la compréhension des choses. Certes, nous trouvons également à l'occasion, même chez les écrivains que nous lisons pour perfectionner notre style, un savoir sur les choses non négligeable. Mais traditionnellement, presque toute la connaissance sur les choses est à chercher chez les auteurs grecs. [...] Ainsi donc, instruit de ces éléments, tu ne négligeras pas de remarquer, au cours de tes lectures, un mot important, une formulation archaïque ou un néologisme, un argument subtilement trouvé ou convenablement tourné.

Érasme, *De ratione studii (Les Étapes de l'éducation)*, 1512, trad. Raphaël Blaise.

Répondez à la consigne

▸ VERS LE BAC P. 278

Questions

1. D'après Érasme, quelle période historique doit inspirer l'éducation humaniste?
2. Selon quelle méthode l'élève doit-il étudier les textes?
3. Quelles sont, d'après ce texte, les disciplines qui sont à la base d'une éducation humaniste?

3 Répondre à une question problématisée ▸ BAC GÉNÉRAL

SUJET

Comment l'Église catholique réagit-elle à la Réforme protestante ?

Répondez à la question problématisée

▸ VERS LE BAC P. 282

Aide pour répondre

Vous pouvez adopter le plan suivant :

1. La répression menée par les souverains catholiques contre les protestants
2. La réforme catholique pour répondre aux critiques des protestants
3. La nécessité d'organiser la cohabitation entre catholiques et protestants

CHAPITRE

5 L'affirmation de l'État de France

dans le royaume

L'entrée du roi dans une ville, une démonstration d'autorité

Au nom de son épouse Marie-Thérèse, fille aînée du roi d'Espagne, Louis XIV annexe des villes de Flandre comme Douai durant la guerre de Dévolution (1667-1668).

Entrée solennelle du roi Louis XIV et de la reine Marie-Thérèse à Douai le 23 août 1667, toile d'Adams Frans Van Der Meulen, XVIIe siècle, 63 x 81 cm, châteaux de Versailles et de Trianon.

REPÈRES L'affirmation de l'État

En classe de 5e :

Vous avez découvert que le pouvoir royal en France s'affirme progressivement avec les rois François Ier, Henri IV et Louis XIV. Vous avez analysé la monarchie absolue en France sous le règne de Louis XIV, le « Roi-Soleil ».

Dans ce chapitre :

Vous allez étudier ce que les historiens appellent aujourd'hui l'État moderne ou la monarchie administrative, sa mise en place du XVIe au XVIIIe siècle, ses différents aspects et ses limites.

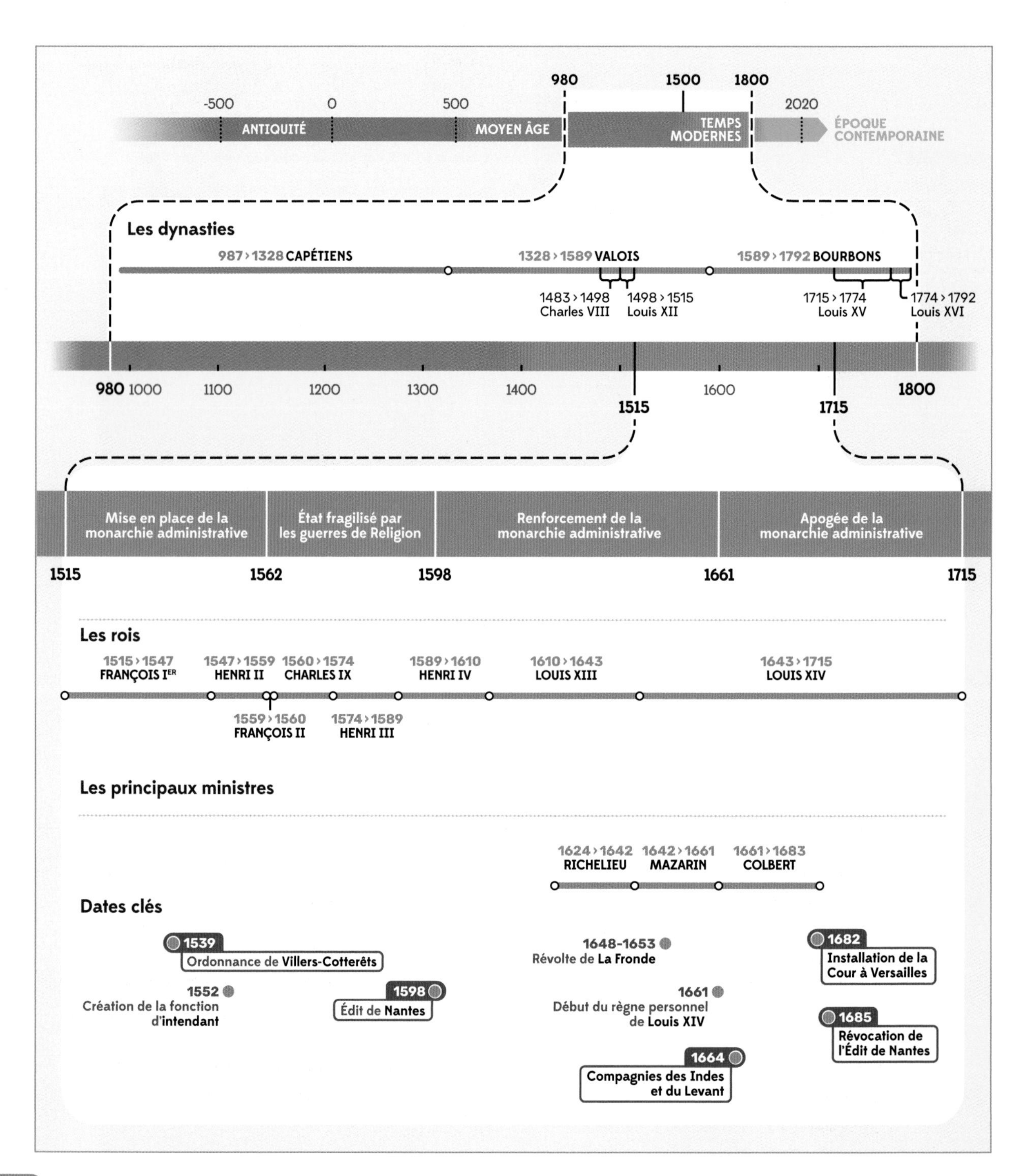

1 L'autorité royale en France du XVe au XVIIe siècle

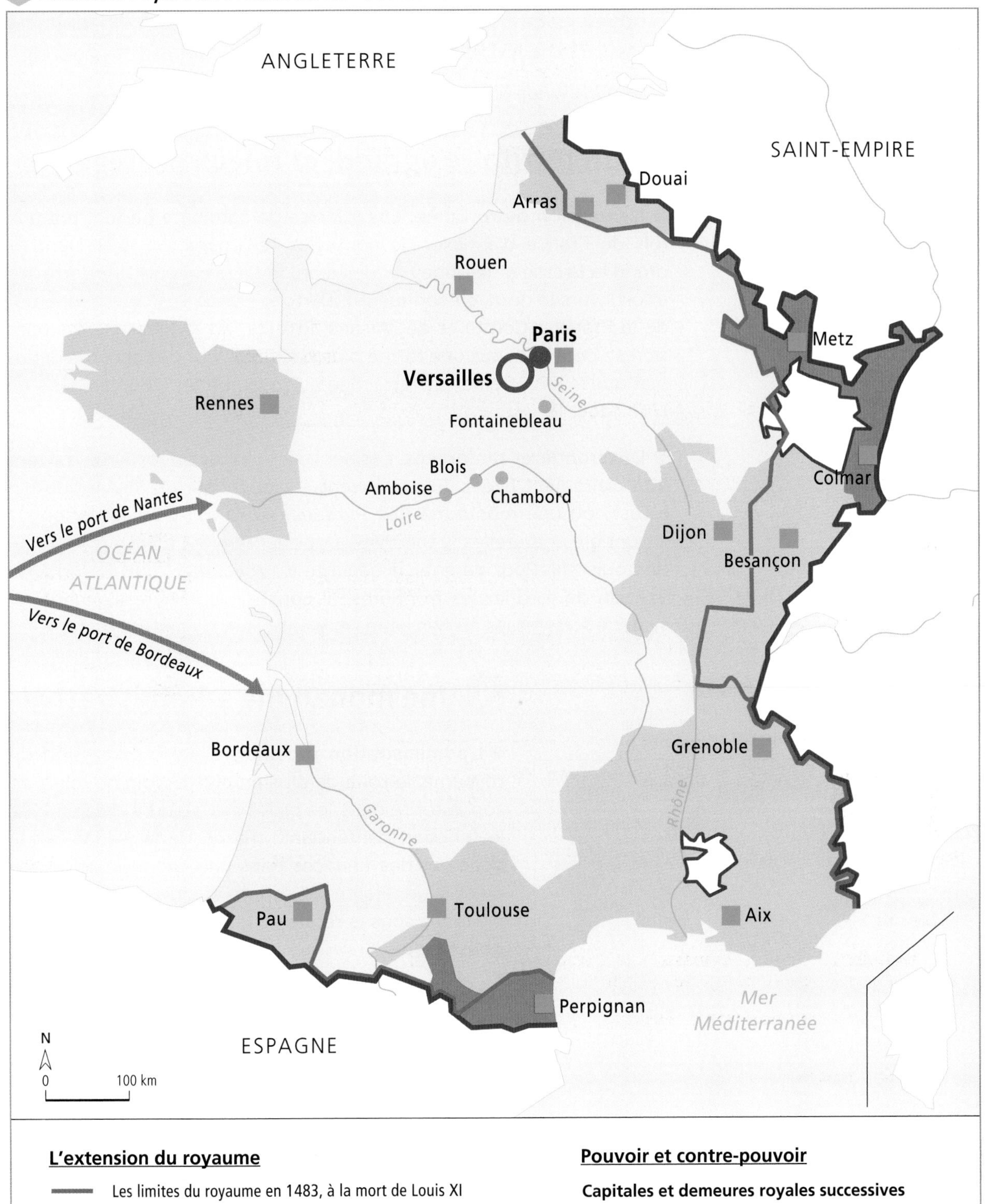

L'extension du royaume

- Les limites du royaume en 1483, à la mort de Louis XI
- Les limites du royaume en 1715, à la mort de Louis XIV
- Importations de métaux et denrées coloniales depuis la Nouvelle-France

Les Généralités

- Pays d'élection
- Pays d'états
- Pays d'imposition

Pouvoir et contre-pouvoir

Capitales et demeures royales successives

- Les châteaux de la Loire et de Fontainebleau (sous François Ier)
- Paris et le Louvre (sous Henri IV et Louis XIII)
- Versailles (sous Louis XIV, Louis XV et Louis XVI)

Une emprise plus ou moins forte sur le territoire

- Les Parlements, lieux d'opposition

L'affirmation de l'État moderne

Le royaume de France s'étend considérablement, notamment par la guerre. Il est aussi mieux délimité, protégé et administré, ce qui renforce la monarchie.

→ **DOCUMENTS** P. 164, 168

VOCABULAIRE

Gouverneurs : représentants du roi (généralement issus de la haute noblesse) dans une province, chargés de l'ordre public et des forces armées.

Secrétaires d'État : équivalent des ministres actuels. On en compte quatre : Affaires étrangères, Guerre, Marine (et colonies) et Maison du roi, c'est-à-dire les affaires intérieures.

A Un territoire agrandi et mieux protégé

L'extension du royaume. Les guerres de conquête permettent aux rois de France d'annexer de nouveaux territoires. En 1601, Henri IV prend la Bresse et le Bugey à la maison de Savoie. Louis XIV porte ses efforts vers le nord, en conquérant l'Artois, et vers l'est, en s'emparant de la Franche-Comté et de l'Alsace. Ensuite, au XVIIIe siècle, l'expansion se poursuit sous une forme plus pacifique, par des accords diplomatiques : la Lorraine est rattachée au royaume en 1766, la Corse en 1768 **(doc. 1)**.

Des frontières renforcées. Les nouvelles limites du royaume doivent être clairement fixées. Elles peuvent s'appuyer sur un fleuve (le Rhin à l'est) ou une montagne (les Pyrénées au sud) : c'est la notion de « frontières naturelles », théorisée pour la première fois sous le règne de Louis XIII. Pour garantir la sécurité du royaume, Louis XIV charge Vauban de fortifier les frontières : il construit un impressionnant réseau de forteresses au nord et à l'est, baptisé « la ceinture de fer ».

1 L'extension territoriale du royaume

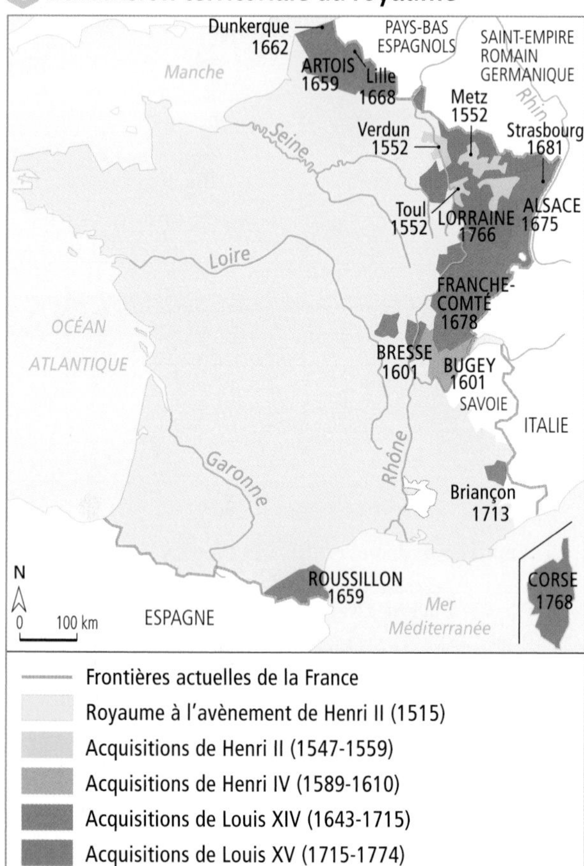

B Une monarchie administrative

L'administration provinciale. Avec l'extension du royaume, le roi a de plus en plus besoin de relais de son autorité dans les provinces. Henri II crée en 1552 la fonction d'intendant, chargé de la justice, de la police et des finances dans une circonscription appelée « généralité ». Les intendants gagnent en importance sous le règne de Louis XIV aux dépens des **gouverneurs**.

L'administration centrale. Un gouvernement s'organise peu à peu autour du roi. En cas d'absence du souverain, il est présidé par le chancelier, chef de la justice. Quatre **secrétaires d'État**, fonction créée par Henri II, ont des domaines précis de compétence. Le cardinal Richelieu sous Louis XIII puis le cardinal Mazarin au début du règne de Louis XIV jouent un rôle informel, mais décisif, de « principal ministre ». À la mort de Mazarin en 1661, Louis XIV décide de gouverner « seul », c'est-à-dire sans principal ministre. Il réorganise les différents conseils qui l'aident à prendre ses décisions **(doc. 2)**. Il crée pour Jean-Baptiste Colbert la charge de contrôleur général des finances, équivalent d'un ministre de l'Économie.

Deux types d'agents de l'État. Les commissaires sont nommés par une « lettre de commission » du roi et révocables par lui; les plus importants sont les intendants. Les officiers, eux, ont acheté un office de justice, de finances ou de police : le roi leur a vendu une charge administrative qu'ils exercent à vie et peuvent généralement transmettre à un héritier. Les charges les plus prestigieuses anoblissent leur titulaire ou ses descendants. Le nombre d'officiers passe de 8000 sous François Ier à 60000 sous Louis XIV. La vente des offices permet le développement de l'administration, qui utilise obligatoirement le français depuis l'ordonnance de Villers-Cotterêts (1539). Le roi s'appuie sur les commissaires pour contrôler les officiers.

C La figure du roi

Une monarchie qui se veut absolue. Le roi tient son pouvoir de Dieu, ce qui se manifeste lors de la cérémonie du sacre, quand il est oint d'une huile sainte par l'archevêque de Reims. C'est pourquoi il est qualifié de « roi thaumaturge », ce qui signifie « guérisseur » : en touchant les malades, il peut leur rendre la santé. Cette dimension sacrée permet de légitimer la détention de tous les pouvoirs par un seul homme, roi de « droit divin ». Au XVIe siècle, Jean Bodin théorise la monarchie absolue, pour imposer le roi comme arbitre, seul capable de rétablir la paix entre catholiques et protestants. Le roi est le seul détenteur de la souveraineté, qui ne se partage pas.

Un pouvoir qui se met en scène. De nombreuses cérémonies royales sont minutieusement organisées pour montrer l'autorité du roi à ses sujets, comme l'entrée du souverain dans une ville. Louis XIV s'est doté d'une véritable « cellule de communication » pour diffuser des images à sa gloire dans tout le royaume. Il se met lui-même en scène dans son château de Versailles, où les nobles deviennent des courtisans obligés de respecter l'**étiquette** pour approcher le roi.

VOCABULAIRE

Étiquette : ensemble des règles organisant la vie de la famille royale à la cour et codifiant les préséances (hiérarchie entre les courtisans lors des cérémonies).

RÉVISER SON COURS

1. Comment le royaume est-il agrandi et renforcé?
2. Quels sont les rouages de l'administration?
3. Comment le roi se montre-t-il à ses sujets?

2 Les conseils du gouvernement présidés par Louis XIV

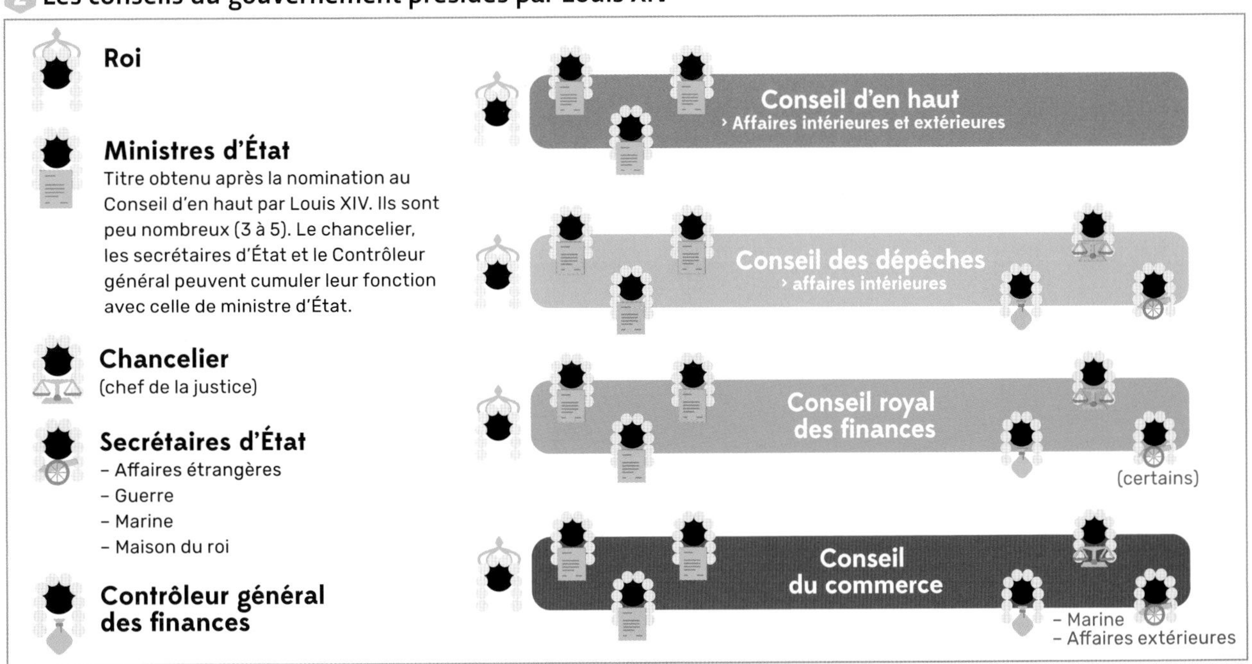

2

Le contrôle de la vie économique et spirituelle

→ DOCUMENTS P. 166, 170, 172

VOCABULAIRE

Arsenaux : bases de la marine de guerre avec des entreprises d'État pour la construction des navires, des canons, etc.

Économie de plantation : économie fondée sur la production dans une colonie et l'exportation vers la métropole de produits bruts (sucre, café, coton...), grâce aux esclaves fournis par la traite négrière.

Exclusif : voir p. 106.

Ferme générale : société privée chargée de collecter une partie des impôts. Le fermier est un particulier à qui l'État afferme (sous-traite) la collecte d'un impôt.

Mercantilisme : doctrine économique fondant la puissance d'un État sur ses réserves d'or et d'argent et cherchant en conséquence à réduire les importations et à développer les exportations. Sa version française est appelée « colbertisme ».

Traite négrière : commerce des esclaves noirs. On appelle « traite atlantique » celle qui est développée par les Européens entre l'Afrique et l'Amérique.

L'économie est une préoccupation majeure de l'État moderne, qui doit financer la guerre et rivaliser avec les autres puissances. Il veut aussi assurer la cohésion religieuse de son royaume, dans une Europe divisée entre catholiques et protestants depuis le XVIe siècle.

A Un État fondé sur la guerre et l'impôt

Le poids de la guerre. Sous les règnes de Louis XIII et Louis XIV, la France est très souvent en guerre. Les conquêtes et les victoires sont exaltées dans les tableaux de bataille et les statues équestres, qui mettent en scène la gloire d'un roi guerrier. L'État doit gérer un énorme effort militaire, c'est pourquoi l'armée et la marine sont les premières administrations modernes. Les populations littorales sont soumises à un service militaire obligatoire dans la marine, qui se dote d'**arsenaux** à Brest, Rochefort et Toulon. 1,2 million de Français sont mobilisés dans l'armée de terre entre 1688 et 1715.

La pression fiscale. Pour financer ses dépenses militaires croissantes, l'État doit accroître ses recettes, par la vente des offices et surtout par l'augmentation des impôts directs (taille) ou indirects (comme la gabelle). La perception d'une grande partie des impôts indirects est effectuée par des sociétés privées, qui avancent l'argent à l'État et se remboursent en percevant des intérêts élevés (6 à 10 %). Ces sociétés sont regroupées par Colbert en 1680 dans la **Ferme générale**.

B Le « colbertisme »

Le dirigisme économique. Colbert veut aussi réduire le déficit commercial de la France, en appliquant le **mercantilisme (doc. 2)**. Pour favoriser l'entrée de l'or et de l'argent dans le royaume, il veut stimuler les exportations de produits de haute qualité. C'est pourquoi il crée des manufactures spécialisées, comme Saint-Gobain pour les miroirs, et impose aux corporations des normes de fabrication très exigeantes. Le développement des produits français doit permettre de limiter les importations, par ailleurs lourdement taxées.

Le commerce maritime. En revanche, les entreprises françaises disposent dans les colonies d'un marché réservé, selon le système de l'**Exclusif**. Les Antilles fournissent à la métropole des denrées coloniales de plus en plus recherchées, grâce à l'**économie de plantation**. Des compagnies privilégiées, créées en 1669 par Colbert, obtiennent le monopole du commerce de la France avec une partie du monde : l'Amérique pour la Compagnie des Indes occidentales, l'Asie pour la Compagnie des Indes orientales. D'autres sont chargées d'organiser la **traite négrière** entre l'Afrique et les Antilles **(doc. 1)**.

1 Le commerce triangulaire

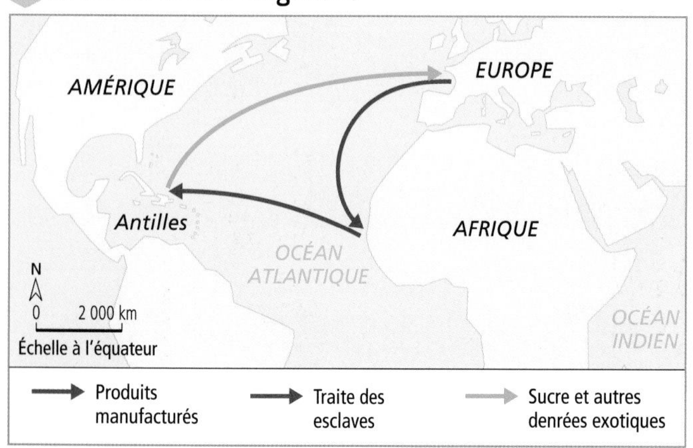

C Le roi et les conflits religieux

L'État et l'Église. Les liens entre le roi de droit divin et l'Église sont un fondement essentiel de la société d'Ancien Régime. L'Église contribue à l'encadrement administratif du pays, les prêtres étant dans les campagnes les relais de l'État. C'est pourquoi le pouvoir royal cherche à limiter la dépendance de l'Église de France par rapport au pape, notamment en nommant les évêques français.

L'édit de Nantes. Le roi a le devoir de défendre le catholicisme. Au début du XVIe siècle, il réprime les protestants français. À partir de 1562, les extrémistes protestants et catholiques remettent en cause l'obéissance au roi durant les guerres de Religion. Henri IV, protestant converti au catholicisme, affirme l'autorité royale au-dessus de ces partis et leur impose la paix avec l'édit de Nantes en 1598. Celui-ci accorde la liberté de culte aux protestants.

L'édit de Fontainebleau. Mais les tensions avec les catholiques renaissent assez vite. En 1685, par l'édit de Fontainebleau, Louis XIV révoque l'édit de Nantes : les protestants doivent se convertir au catholicisme ou quitter la France. Environ 200 000 personnes (10 à 15 % des protestants) choisissent l'exil, notamment en Angleterre, en Prusse et aux Provinces-Unies. Ceux qui restent pratiquent souvent leur religion dans la clandestinité et se révoltent parfois, comme les « camisards » dans les Cévennes en 1702. Il faut attendre 1787 pour que le protestantisme soit de nouveau toléré en France.

Le sens des mots

On appelle **guerres de Religion** une série de guerres civiles qui touchent la France entre 1562 et 1598. Elles opposent deux « partis » se réclamant l'un du catholicisme, l'autre du protestantisme. Chaque parti est une organisation politique et militaire, dirigée par de grandes familles de la noblesse. Les membres du parti protestant sont appelés les « huguenots ».

RÉVISER SON COURS

1. En quoi la guerre favorise-t-elle l'affirmation du pouvoir royal?
2. Quelles sont les caractéristiques du colbertisme?
3. Quels sont les liens entre le pouvoir et la religion?

2 Les dépenses et recettes de la monarchie

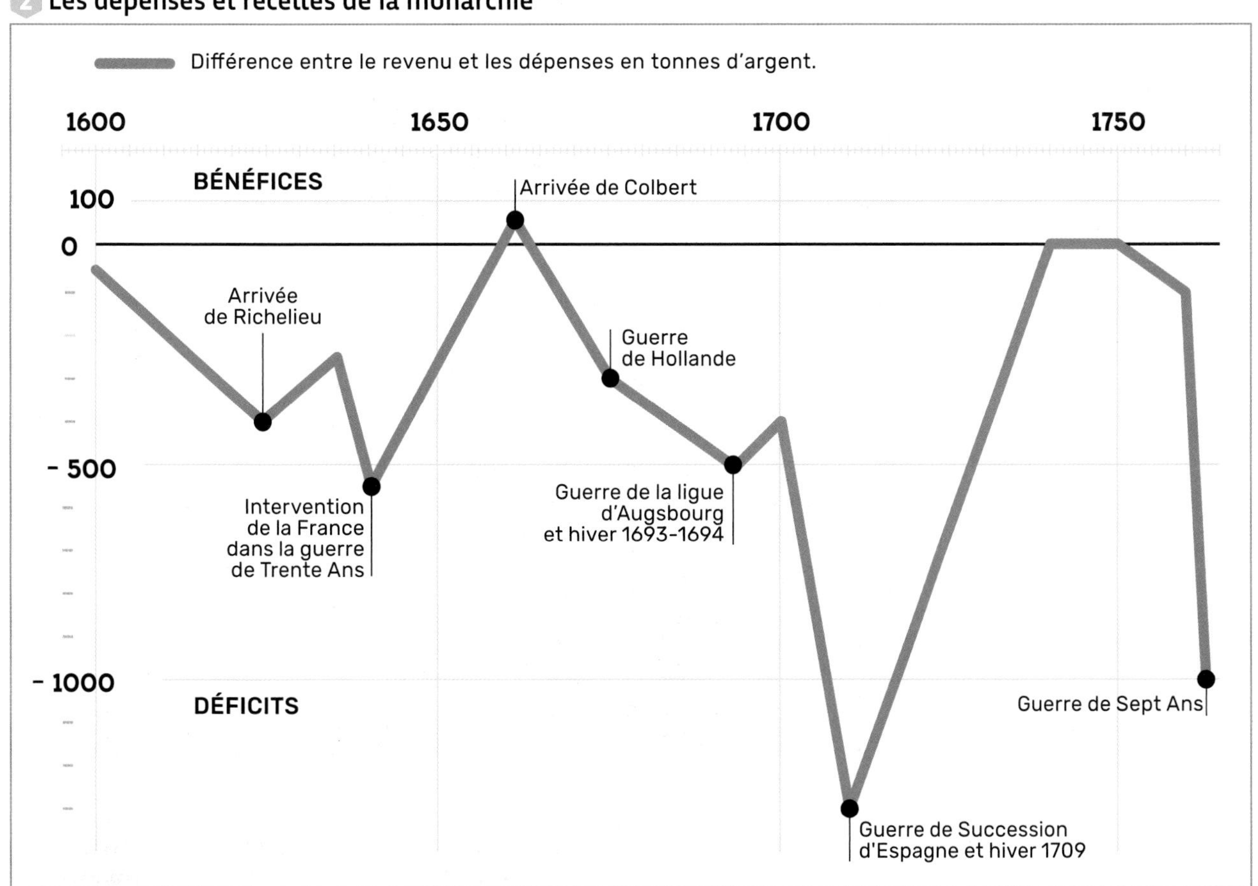

COURS 3

Les limites de l'autorité royale

→ DOCUMENTS P. 165

Malgré ses efforts de contrôle et son discours autoritaire, l'État n'est pas tout-puissant. Le pouvoir du roi est limité en droit par un certain nombre de règles et d'institutions et, de fait, par l'étendue du royaume et des privilèges.

A Les limites institutionnelles

Les lois fondamentales. Le roi n'est pas un tyran libre d'agir à sa guise. Il doit respecter les lois divines en faisant régner la justice. Il doit aussi respecter les lois fondamentales du royaume, un ensemble de règles coutumières qui limitent sa souveraineté. Elles ont été élaborées progressivement. La loi salique a été théorisée au XIVe siècle pour exclure les femmes de la succession et éviter ainsi que la Couronne ne passe aux Anglais. La loi de catholicité a été ajoutée quand Henri IV a renoncé au protestantisme en 1593 pour devenir roi **(doc. 1)**.

Les états généraux et provinciaux. Le roi doit aussi s'assurer du consentement de ses sujets, en dialoguant avec les états généraux, qui réunissent des représentants du clergé, de la noblesse et des villes (le tiers état). Mais ceux-ci ne sont plus convoqués entre 1614 et 1788. L'équivalent existe cependant dans certaines provinces qualifiées de pays d'états (Bourgogne, Bretagne, Languedoc, Provence) : là, le roi doit consulter les états provinciaux, notamment pour les impôts **(carte 1 p. 157)**.

Les parlements. Le déclin des états généraux profite aux parlements, qui se considèrent de plus en plus comme les représentants de la « nation ». Ces cours de justice ont en effet un rôle politique : elles doivent enregistrer les actes royaux et elles peuvent demander des modifications grâce à leur droit de remontrances. Les rois ont régulièrement essayé de restreindre ce droit en imposant leur autorité. Lors de ces crises, les parlementaires sont apparus comme les défenseurs des libertés contre le « despotisme ».

B Une emprise incomplète sur le royaume

Pouvoir central et privilèges. L'administration se heurte à des obstacles concrets dans un royaume très étendu : sous le règne de François Ier, il faut plus d'une semaine pour aller de Paris à Rennes (**doc. 2**). Surtout, la société d'Ancien Régime est une juxtaposition de communautés et de provinces jouissant de multiples privilèges, ce qui freine les projets d'unification de l'État moderne. La plupart des révoltes paysannes sont provoquées ainsi par la volonté du roi de supprimer un avantage fiscal dans une province.

Le roi et la noblesse. Le principal corps privilégié est bien sûr la noblesse. À partir du XIIIe siècle, la monarchie a accru son autorité aux dépens de la féodalité, en cherchant à limi-

Le sens des mots

Dans la France d'Ancien Régime, le mot **parlement** n'a pas le sens d'assemblée législative.

Les **parlements** sont des cours de justice, au sommet de la hiérarchie judiciaire. Ils reçoivent les appels des tribunaux inférieurs (bailliage, présidial) et jugent en première instance les nobles. Ils ont cependant une fonction politique, car ils peuvent proposer des modifications aux actes royaux qu'ils doivent enregistrer.

1 Les principales lois fondamentales

L'hérédité	• La **loi de primogéniture** : le successeur est le plus âgé des fils ou ses descendants survivants, voire le frère cadet du roi défunt ou le cousin le plus proche du roi défunt. Les enfants illégitimes n'ont donc pas de droit à la couronne. • Dès la mort du roi, son successeur est automatiquement roi, le sacre n'intervient qu'ensuite pour ajouter un caractère religieux au pouvoir royal.
La masculinité	• La **loi salique** : les filles de roi et leurs descendants n'ont pas de droit sur la couronne.
La distinction du roi et de l'État	• Le domaine royal est inaliénable, les biens personnels du roi sont distincts des biens de la Couronne.
La catholicité du roi	• Au moment du sacre, le roi jure de conserver les privilèges du clergé catholique du royaume, de défendre le catholicisme et de maintenir la paix et la justice dans le royaume. • Le roi doit être de confession catholique.
La majorité du roi	• Le roi est majeur quand il a treize ans. S'il est mineur, la régence est confiée à la reine mère ou au premier prince du sang.

ter le rôle politique de la noblesse. Les révoltes nobiliaires sont nombreuses jusqu'à la Fronde (1648-1653). Louis XIV parvient ensuite à encadrer et pacifier la noblesse en organisant la cour de Versailles. Toutefois, le roi, premier des nobles, ne saurait remettre fondamentalement en cause les privilèges sans ébranler la société d'ordres.

C Une monarchie pas si absolue

Les discours et les réalités. Le terme « absolutisme », créé sous la Révolution française pour dénoncer la monarchie d'Ancien Régime comme un régime despotique, semble donc peu adéquat. La monarchie absolue existe moins dans la réalité que dans les discours à la gloire du roi, qui se multiplient sous Louis XIV à l'initiative de Colbert. Les historiens préfèrent aujourd'hui parler de monarchie administrative ou d'affirmation de l'État moderne, et ils insistent sur les failles du contrôle étatique.

Les impasses de la monarchie. Comme le roi ne peut augmenter les impôts sans remettre en cause l'exemption du clergé et de la noblesse, il doit trouver d'autres ressources. La vente des offices en est une, mais elle a une conséquence lourde : la plupart des agents de l'État sont des officiers, qui ont acheté une charge, qui l'exercent à vie et peuvent la revendre ou la transmettre à leur héritier. Ces charges permettent souvent d'accéder à la noblesse et donc d'échapper à l'impôt ! Par ailleurs, le roi sous-traite le prélèvement de l'impôt aux financiers de la Ferme générale, parce que ceux-ci sont en mesure de lui avancer l'argent. Des liens étroits de dépendance lient donc l'État et les riches privilégiés.

RÉVISER SON COURS

1. Quelles sont les limites institutionnelles à l'autorité royale ?
2. Pourquoi le roi ne parvient-il pas à imposer son autorité sur tout le royaume ?
3. En quoi la notion de monarchie absolue est-elle discutable ?

2 Les temps de parcours en France en 1765

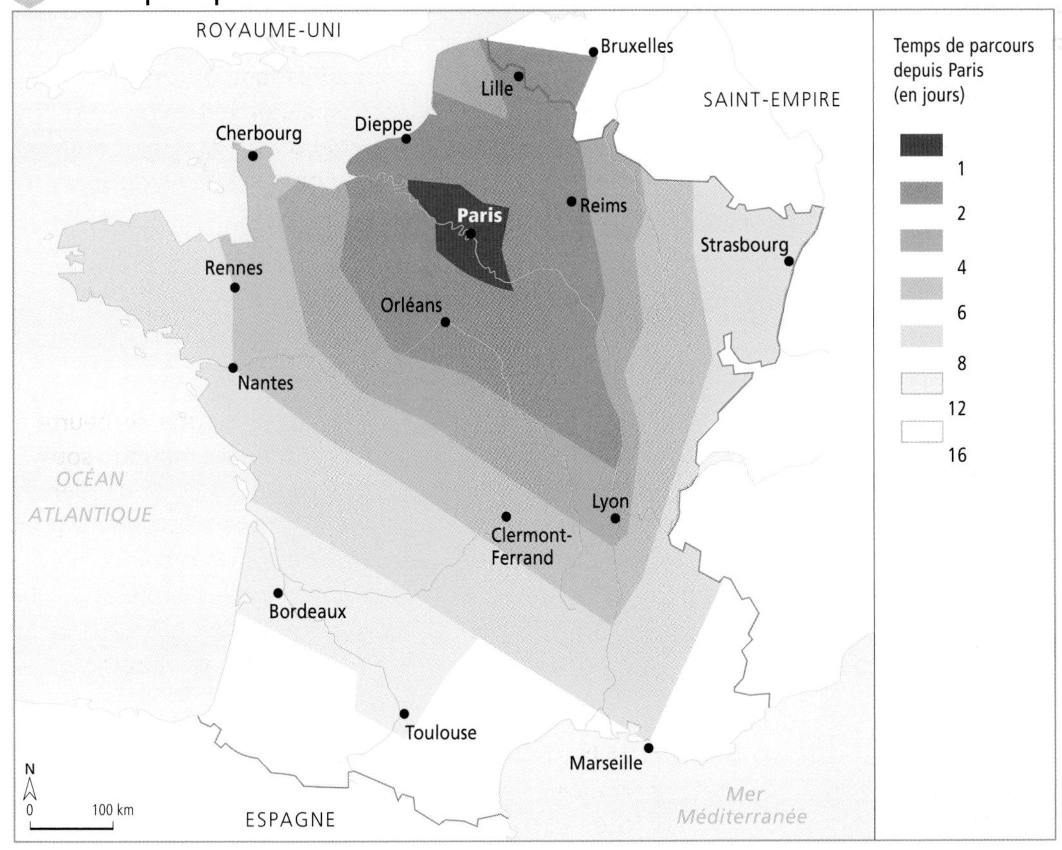

DOCUMENTS

POINT DE PASSAGE

L'ordonnance de Villers-Cotterêts

Comment l'ordonnance de Villers-Cotterêts participe-t-elle à la construction administrative de la France ?

→ COURS P. 158

1 L'ordonnance de Villers-Cotterêts

François, par la grâce de Dieu, roi de France,

Faisons savoir, à tous présents et à venir, que pour aucunement pourvoir au bien de notre justice, abréviation des procès, et soulagement de nos sujets, avons, par édit perpétuel et irrévocable, statué et ordonné, statuons et ordonnons les choses qui s'ensuivent. [...]

Ordōnances Royaulx Nouuelles. Fueillet premier.

Francoys par la grace de Dieu roy de France Scauoir faisons a tous presens et aduenir Que pour aucunement pourueoir au bien de nostre justi-ce/ Abreuiation des proces/ et soulagement de noz subiectz/ Auons par edict perpetuel et irreuocable/ statue et ordonne/ Statuons et ordonnons les choses qui sensuyuent.

Article 50 – Que des sépultures des personnes tenant bénéfices[1], sera fait registre en forme de preuve, par les chapitres, collèges, monastères et cures, qui fera foi, et pour la preuve du temps de la mort, duquel temps sera fait expresse mention dans lesdits registres, et pour servir au jugement des procès où il serait question de prouver ledit temps de la mort [...].

Article 51 – Aussi sera fait registre, en forme de preuve, des baptêmes, qui contiendront le temps et l'heure de la nativité, et par l'extrait dudit registre se pourra prouver le temps de majorité ou minorité, et fera pleine foi à cette fin.

Article 52 – Et afin qu'il n'y ait faute aux dits registres, il est ordonné qu'ils seront signés d'un notaire. [...]

Article 53 – Et lesquels chapitres, couvents et cures seront tenus mettre lesdits registres par chacun an par devers le greffe du prochain siège du bailli ou sénéchal royal[2], pour y être fidèlement gardés et y avoir recours quand métier [nécessité] et besoin sera. [...]

Article 110 – Et afin qu'il n'y ait cause de douter sur l'intelligence des dits arrêts, nous voulons et ordonnons qu'ils soient faits et écrits si clairement, qu'il n'y ait ni puisse avoir aucune ambiguïté ou incertitude ni lieu à demander interprétation.

Article 111 – Et pour ce que telles choses sont souvent advenues sur l'intelligence des mots latins contenus dans lesdits arrêts, nous voulons dorénavant que tous arrêts [...] soient prononcés, enregistrés et délivrés aux parties en langage maternel français et non autrement.

Article 139 – Nous enjoignons à tous nos juges, qu'ils aient à diligemment vaquer à l'expédition des procès et matières criminelles, préalablement et avant toutes autres choses, sur peine de suspension, de privation de leurs offices, et autres amendes arbitraires, où ils feront le contraire [...].

Août 1539 [français modernisé].

1. Les personnes « tenant bénéfice » sont les membres du clergé. Chaque fonction dans le clergé est accompagnée d'un bénéfice, c'est-à-dire d'un revenu. **2.** Le bailli ou sénéchal est un juge royal.

Repères

Villers-Cotterêts, une résidence royale

En 1530, François Ier décide de se faire bâtir un château à proximité de Paris, son principal lieu de résidence. Il choisit le site de Villers-Cotterêts, à 80 km au nord de la capitale. C'est au cours d'un long séjour dans ce château qu'il signe, entre le 10 et le 15 août 1539, une ordonnance de 192 articles.

Réaliser une carte mentale

1. Écrivez « L'ordonnance de Villers-Cotterêts » au centre d'une page.
2. Tracez quatre branches :
   - **Aspects administratifs**
   - **Aspects judiciaires**
   - **Autorité royale**
   - **Aspects linguistiques**

3. Complétez chaque branche avec les informations tirées des documents.

DOCUMENTS

Le pouvoir et la noblesse

Pourquoi l'État décide-t-il d'interdire les duels?

→ COURS P. 162

Repères

Le duel est un combat entre deux adversaires pour réparer une offense. À la fin du XVIe siècle et au début du XVIIe, c'est une pratique très répandue chez les nobles qui veulent défendre leur « honneur » et prouver leur courage. L'Église considère le duel comme un suicide et l'État le condamne comme une atteinte à la justice royale.

1 Arrêt du Parlement de Paris contre les duels

La Cour procédant au jugement du procès criminel fait à Hector Durandi et Barthélémy Jully, [qui ont] tenté les moyens de venger leurs querelles par combats en duel, contrevenant aux commandements de Dieu, n'étant loisible par les lois divines ni humaines, rechercher ni poursuivre aucune vengeance que par les voies ordinaires de la justice.

[...] Ladite Cour a fait inhibitions et défenses à tous les sujets du roi, de quelque qualité et condition qu'ils soient, prendre de leur autorité privée par duels la réparation des injures et outrages qu'ils prétendent avoir reçus; [mais] leur enjoint se pourvoir par-devant les juges ordinaires, sur peine de crime de lèse-majesté[1], confiscation de corps et de biens tant contre les vivants que les morts : ensemble contre tous gentilshommes et autres qui auront appelé et favorisé lesdits combats, assisté aux assemblées faites à l'occasion desdites querelles, comme transgresseurs des commandements de Dieu, rebelles au roi, infracteurs des ordonnances, violateurs de la justice, perturbateurs du repos et tranquillité publics. [...]

Enjoint ladite Cour à tous gouverneurs de provinces, baillis, sénéchaux, prévôts des maréchaux vice-baillis et vice-sénéchaux, et autres officiers dudit seigneur, empêcher lesdits duels [...].

Arrêt du Parlement de Paris contre les duels, 26 juin 1599.

1. Atteinte à la majesté du roi, crime contre l'État.

2 Un duelliste décapité

Pour s'être battus en duel un dimanche, sur la place Royale à Paris [actuelle place des Vosges], François de Montmorency et son cousin, le comte des Chapelles, sont exécutés le 22 juin 1627.

Portrait de François de Montmorency, comte de Bouteville (1600-1627), dessin de Daniel Dumonstier, 35 x 48,5 cm, XVIIe siècle, musée du Louvre.

3 « Une sanglante tragédie pour l'État »

Le cardinal de Richelieu donne son avis au roi Louis XIII sur le duel de 1627.

Au lieu que, jusqu'ici, les duels n'ont été en usage que pour repousser les injures particulières, il semble que ces messieurs ne les aient recherchés que pour en faire au public, surtout en cette dernière occasion, où ils ont violé la dignité de votre présence, les lois du royaume et la majesté de la justice, où ils ont choisi Paris, un lieu public, la place Royale, pour jouer à la vue de la cour, du parlement et de toute la France, une sanglante et fatale tragédie pour l'État.

Mémoires pour servir à l'histoire de France, Mémoires du cardinal de Richelieu, tome 7, p. 449.

Répondre aux questions

1. **Montrez** que le duel est condamné comme un défi à deux autorités (doc. 1).
2. **Expliquez** pourquoi le duel de 1627 est considéré comme particulièrement grave (doc. 2 et 3).
3. **Expliquez** les raisons pour lesquelles l'État décide d'interdire les duels.

La politique économique de Colbert

Quels sont les caractéristiques et les objectifs de la politique économique mise en place par Colbert?

→ COURS P. 160

1 Un cours d'économie

Je crois que l'on demeurera facilement d'accord de ce principe qu'il n'y a que l'abondance d'argent dans un État qui fasse la différence de sa grandeur et de sa puissance. Sur ce principe, il est certain qu'il sort tous les ans hors du royaume, en denrées de son cru nécessaires pour la consommation des pays étrangers (ces denrées sont vins, eaux-de-vie, vinaigre, fer, fruits, papiers, toiles, quincailleries, soieries, merceries), pour 12 à 18 millions de livres. Ce sont là les mines de notre royaume, à la conservation desquelles il faut soigneusement travailler. Les Hollandais et autres étrangers font une guerre perpétuelle à ces mines, et ont si bien fait jusqu'à présent qu'au lieu que cette somme devrait entrer dans le royaume [...], ils nous en apportent en diverses marchandises, ou de leurs manufactures ou qu'ils tirent des produits étrangers, pour les deux tiers de cette somme, en sorte qu'il n'entre tous les ans dans le royaume que 4,5 à 6 millions de livres. [...]

Outre les avantages que produira l'entrée d'une plus grande quantité d'argent comptant dans le royaume, il est certain que, par les manufactures, un million de peuples qui languissent dans la fainéantise gagneront leur vie. Qu'un nombre aussi considérable gagnera sa vie dans la navigation et sur les ports de mer. Que la multiplication presque à l'infini des vaisseaux multipliera de même la grandeur et la puissance de l'État. Voilà, à mon sens, les fins auxquelles doivent tendre l'application du Roi, sa bonté et son amour pour ses peuples.

Colbert, *Mémoire sur le commerce*, août 1664.

2 Un entrepreneur hollandais en France

Nous permettons et accordons audit Van Robais de venir s'installer dans ladite ville d'Abbeville avec cinquante ouvriers hollandais et d'établir en icelle une manufacture de draps fins [...] et, pour cet effet, d'y transporter et dresser trente métiers à draper avec des moulins à fouler et toutes sortes d'autres outils servant à ladite manufacture [...]. Il lui sera permis de commettre la vente des draps de sa fabrique à telles personnes que bon lui semblera, tant dans cette ville de Paris qu'aux autres de notre royaume. Et pour les traiter d'autant plus favorablement, nous voulons que lui et ses associés et ouvriers étrangers servant actuellement à ladite manufacture soient censés et réputés véritables Français [...]. Et pour davantage témoigner audit entrepreneur et à ses associés la satisfaction que nous recevons de leur entreprise [...], nous avons ordonné [...] que, par le trésorier de nos bâtiments étant en exercice et sur les ordres dudit sieur Colbert, il soit payé et délivré comptant la somme de 12 000 livres audit entrepreneur. [...] Et, afin que le suppliant puisse jouir en toute liberté des fruits de son travail, nous avons fait défense à tous ouvriers et à autres personnes [...], d'imiter ou contrefaire la marque desdits draps, pendant le temps de vingt années [...].

Louis XIV, *Lettre autorisant le Hollandais Josse Van Robais à créer une manufacture de draps fins à Abbeville*, octobre 1665.

3 La compagnie des Indes orientales

XXVII. Ladite compagnie pourra naviguer et négocier seule, à l'exclusion de tous nos autres sujets, depuis le cap de Bonne-Espérance jusque dans toutes les Indes et mers orientales, même depuis le détroit de Magellan [...], dans toutes les mers du Sud, pour le temps de cinquante années consécutives – pendant lequel temps il est fait très expresses défenses à toutes personnes, de faire ladite navigation et commerce, à peine contre les contrevenants de confiscation de vaisseaux, armes, munitions et marchandises, applicables au profit de ladite compagnie.

XXVIII. Appartiendra à ladite compagnie à perpétuité en toute propriété, justice et seigneurie, toutes les terres, places et îles qu'elle pourra conquérir sur nos ennemis, ou qu'elle pourra occuper, soit qu'elles soient abandonnées, désertes ou occupées par les barbares, avec tous droits de seigneurie sur les mines d'or et d'argent, cuivre et plomb, et tous autres minéraux, même le droit d'esclavage et autres droits utiles, qui pourraient nous appartenir à cause de la souveraineté sur lesdits pays.

Déclaration du roi portant établissement d'une compagnie pour le commerce des Indes orientales, 1er septembre 1664.

Animation

4 La manufacture des Gobelins

Créée en 1662 par Colbert, dirigée par le peintre Le Brun, cette entreprise d'État fabrique des meubles pour les bâtiments royaux et des tapisseries souvent consacrées à la glorification du roi.

Louis XIV et son ministre Jean-Baptiste Colbert visitant la manufacture des Gobelins, tapisserie d'après un modèle de Charles Le Brun, 375 x 580 cm, châteaux de Versailles et de Trianon.

Jean-Baptiste Colbert (1619-1683)

Fils d'un marchand de Reims, il devient le principal collaborateur de Louis XIV, avec les titres de contrôleur général des Finances (1665-1683), secrétaire d'État à la Maison du roi (1665-1683) et secrétaire d'État à la Marine (1669-1683).

Quels sont les caractéristiques et les objectifs de la politique économique mise en place par Colbert ?

Répondre aux questions

1. **Montrez** que Colbert défend le mercantilisme, en rappelant le postulat de départ de cette doctrine et les conséquences que l'on peut en tirer (doc. 1).
2. **Justifiez** cette phrase : les Hollandais sont le principal concurrent commercial de la France de Colbert (doc. 1 et 2).
3. **Expliquez** pourquoi et comment l'État français encourage Van Robais à s'installer en France (doc. 2).
4. **Relevez** les objectifs et les privilèges de la compagnie des Indes orientales (doc. 3).
5. **Identifiez** Colbert et Louis XIV sur le tableau et relevez les différents objets produits par la manufacture (doc. 4).
6. À l'aide des réponses précédentes, **caractérisez** et **analysez** les objectifs de la politique économique de Colbert.

Classer des informations

Complétez le tableau suivant en faisant référence ou en citant précisément les documents.

Caractéristiques du colbertisme	Exemples tirés des documents
La réflexion sur les métaux précieux	
La lutte contre la concurrence étrangère	
Le développement des manufactures en France	
Une politique commerciale et coloniale volontariste	

PROF Différenciation

DOCUMENTS POINT DE PASSAGE

Versailles, le « Roi-Soleil » et la société de cour

Comment Louis XIV a-t-il utilisé Versailles pour affirmer son autorité ? → COURS P. 158

Repères

Un palais à la mesure du « Roi-Soleil »

Louis XIV décide de transformer le pavillon de chasse construit à Versailles pour son père, Louis XIII, en un vaste palais. Les travaux commencent à la fin des années 1660. La cour et le gouvernement s'y installent en 1682.

2 Louis XIV en Apollon

Apollon est le dieu grec de la lumière, des arts et de la beauté masculine. Les Heures et l'Aurore annoncent la venue du Soleil.

Allégorie de Louis XIV en Apollon dans le char du Soleil précédé par l'Aurore et accompagné par les Heures, gouache de Joseph Werner, vers 1662-1667, 34 x 22 cm, château de Versailles.

1 La noblesse et la cotur

Le duc de Saint-Simon (1675-1755), issu d'une famille de la plus haute noblesse, analyse dans ses Mémoires *la cour de Versailles à la fin du règne de Louis XIV.*

Les fêtes fréquentes, les promenades particulières à Versailles, les voyages furent des moyens que le roi saisit pour distinguer et pour mortifier en nommant les personnes qui à chaque fois en devaient être, et pour tenir chacun assidu et attentif à lui plaire. [...] Il sentait qu'il n'avait pas à beaucoup près assez de grâces à répandre pour faire un effet continuel. Il en substitua donc aux véritables d'idéales, par la jalousie, les petites préférences qui se trouvaient tous les jours, et pour ainsi dire à tous moments, par son art à éveiller les espérances que ces petites préférences et ces distinctions faisaient naître, et par la considération qui s'en tirait; personne ne fut plus ingénieux que lui à inventer sans cesse ces sortes de choses. [...]

[Le roi] regardait à droite et à gauche à son lever, à son coucher, à ses repas, en passant dans les appartements, dans les jardins de Versailles, où seulement les courtisans avaient la liberté de le suivre ; il voyait et remarquait tout le monde, aucun ne lui échappait, jusqu'à ceux qui n'espéraient pas même être vus. [...] C'était un démérite aux uns, et à tout ce qu'il y avait de distingué, de ne faire pas de la cour son séjour ordinaire, aux autres d'y venir rarement, et une disgrâce sûre pour qui n'y venait jamais, ou comme jamais. Quand il s'agissait de quelque chose pour eux : « Je ne le connais point », répondait-il fièrement. Sur ceux qui se présentaient rarement : « C'est un homme que je ne vois jamais » ; et ces arrêts-là étaient irrévocables. [...]

[Le roi] aima en tout la splendeur, la magnificence, la profusion. Ce goût, il le tourna en maxime par politique et l'inspira en tout à sa cour. C'était lui plaire que de s'y jeter[1] en table, en habits, en équipages, en bâtiments, en jeux. C'étaient des occasions pour qu'il parlât aux gens. Le fond était qu'il tendait et parvint par là à épuiser tout le monde en mettant le luxe en honneur, et pour certaines parties en nécessité. Il réduisit ainsi peu à peu tout le monde à dépendre entièrement de ses bienfaits pour subsister. [...]

Duc de Saint-Simon, *Mémoires*, tome 12, chapitre 19, 1739-1749.

1. Dépenser.

4 Le château de Versailles en 1668

Le château a été construit sur un axe est-ouest pour suivre la course du Soleil. Le canal, encore en construction à cette date, a nécessité des travaux complexes.
La chapelle, construite entre 1709 et 1711, n'apparaît pas encore ici.

Vue du château et des jardins de Versailles, prise de l'avenue de Paris en 1668, huile sur toile de Pierre Patel, XVIIe siècle, 115 x 161 cm, château de Versailles.

3 Une fête en 1668

André Félibien est nommé en 1666 « historiographe des bâtiments, peintures, sculptures, arts et manufactures royales ». Il est chargé de commenter les portraits du roi et de décrire les fêtes, comme celle organisée le 18 juillet 1668 pour célébrer la paix d'Aix-la-Chapelle avec l'Espagne.

De ce bassin sortaient cinq tables en manière de buffets, chargées de toutes les choses qui peuvent composer une collation magnifique. L'une de ces tables représentait une montagne, où dans plusieurs espèces de cavernes on voyait diverses sortes de viandes froides; l'autre était comme la face d'un palais bâti de massepains et pâtes sucrées. Il y en avait une chargée de pyramides de confitures sèches; une autre d'une infinité de vases remplis de toutes sortes de liqueurs; et la dernière était composée de caramels. [...] Du milieu de ces tables s'élevait un jet d'eau de plus de trente pieds de haut[1], dont la chute faisait un bruit très agréable : de sorte qu'en voyant tous ces buffets d'une même hauteur joints les uns aux autres par les branches d'arbres et les fleurs dont ils étaient revêtus, il semblait que ce fut une petite montagne du haut de laquelle sortit une fontaine.

André Félibien, *Relation de la fête de Versailles du 18 juillet 1668*, 1668.

1. Plus de 9 mètres.

Comment Louis XIV a-t-il utilisé Versailles pour affirmer son autorité ?

Répondre aux questions

1. **Décrivez** le quotidien de la cour puis **justifiez** l'affirmation suivante : Louis XIV a fait construire Versailles pour mieux contrôler la noblesse (**doc. 1**).
2. **Expliquez** pourquoi le roi se fait représenter en Apollon (**doc. 2**).
3. **Interprétez** les objectifs poursuivis par le souverain à travers cette fête (**doc. 3**).
4. **Montrez** que ce tableau met en avant la grandeur et la démesure du projet architectural de Louis XIV (**doc. 4**).
5. À l'aide des réponses précédentes, **montrez** comment Louis XIV a utilisé Versailles pour affirmer son autorité.

Faire un diaporama

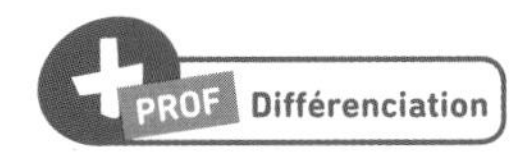

1. Réalisez un diaporama en vous aidant du plan suivant :

   A. Un projet grandiose...
   B. ... Visant à glorifier le souverain...
   C. ... Et à contrôler la noblesse.

2. Complétez ce diaporama en classant tous les documents puis en les mentionnant précisément.

 POINT DE PASSAGE

L'édit de Nantes et sa révocation

En quoi les édits de Nantes et de Fontainebleau sont-ils révélateurs de l'implication du pouvoir royal dans les questions religieuses?

→ COURS P. 160

1 L'édit de Nantes

Article 6 – Et pour ne laisser aucune occasion de troubles et différends entre nos sujets, avons permis et permettons à ceux de ladite Religion Prétendue Réformée[1] vivre et demeurer par toutes les villes et lieux de cestui notre royaume et pays de notre obéissance, sans être enquis, vexés, molestés ni astreints à faire chose pour le fait de la religion contre leur conscience [...].

Article 9 – Nous permettons aussi à ceux de ladite religion faire et continuer l'exercice d'icelle en toutes les villes et lieux de notre obéissance où il était par eux établi et fait publiquement par plusieurs et diverses fois en l'année 1596 et en l'année 1597, jusqu'à la fin du mois d'août, [malgré] tous arrêts et jugements à ce contraires[2]. [...]

Article 21 – Ne pourront les livres concernant ladite Religion Prétendue Réformée être imprimés et vendus publiquement qu'ès villes et lieux où l'exercice public de ladite religion est permis[2]. [...]

Article 22 – Ordonnons qu'il ne sera fait différence ni distinction, pour le fait de ladite religion, à recevoir les écoliers pour être instruits ès universités, collèges et écoles, et les malades et pauvres ès hôpitaux, maladreries et aumônes publiques.

Article 27 – [...] Nous déclarons tous ceux qui font ou feront profession de ladite Religion Prétendue Réformée capables de tenir et exercer tous états, dignités, offices et charges publiques quelconques, royales, seigneuriales ou des villes de notre dit royaume [...].

Édit de Nantes, 30 avril 1598 [français modernisé].

1. Expression désignant le protestantisme et souvent abrégée en R. P. R. 2. La liberté de culte n'est pas totale. Le culte protestant est par exemple interdit à Paris et dans un rayon de cinq lieues (20 km) autour de Paris.

Repères

L'édit de Nantes, un édit de tolérance

Le mot « tolérance » ne prend son sens positif actuel qu'au XVIIIe siècle. Auparavant, la tolérance est conçue comme un pis-aller : on tolère quelque chose qu'on supporte mal, mais qu'on doit accepter pour préserver la paix. L'édit de Nantes tolère l'existence des protestants dans le royaume de France, en espérant qu'ils reviendront ensuite au catholicisme.

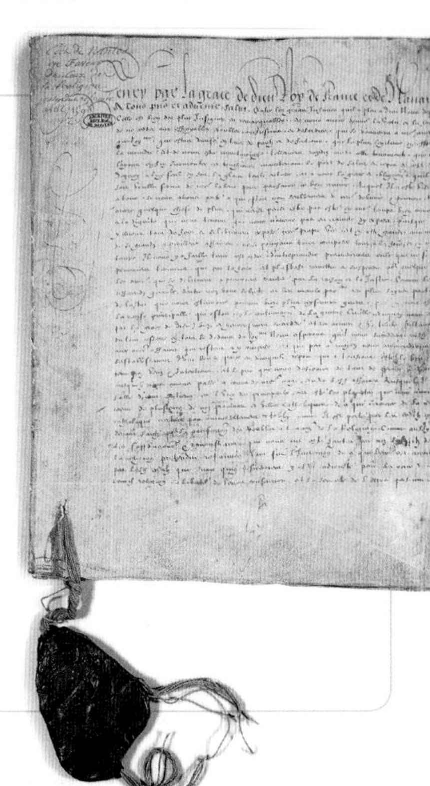

2 L'édit de Fontainebleau

Article 1 – Faisons savoir, que Nous [...] avons par ce présent édit perpétuel et irrévocable, supprimé et révoqué [...] l'édit du Roi notre dit aïeul, donné à Nantes au mois d'avril 1598, en toute son étendue [...] et en conséquence, voulons et nous plaît, que tous les temples de ceux de ladite R.P.R. situés dans notre royaume, pays, terres et seigneuries de notre obéissance soient incessamment démolis. [...]

Article 4 – Enjoignons à tous ministres de ladite R.P.R. qui ne voudront pas se convertir et embrasser la religion catholique, apostolique et romaine, de sortir de notre royaume et terres de notre obéissance quinze jours après la publication de notre présent édit, sans y pouvoir séjourner au-delà, ni pendant ledit temps de quinzaine faire aucun prêche, exhortation ni autre fonction à peine des galères.

Article 7 – Défendons les écoles particulières pour l'instruction des enfants de ladite R.P.R. [...]

Article 10 – Faisons très expresses et itératives[1] défenses à tous nos sujets de ladite R.P.R. de sortir, eux, leurs femmes et enfants, de notre dit royaume, pays et terres de notre obéissance, et d'y transporter leurs biens et effets, sous peine pour les hommes des galères et de confiscation de corps et de biens pour les femmes.

Édit de Fontainebleau, 18 octobre 1685.

1. Qui est fait ou répété plusieurs fois.

3 Les « dragonnades »

Cette technique de conversion forcée est utilisée dans les régions protestantes de 1681 à 1685. Des soldats (dragons) sont logés chez les « hérétiques » et chargés d'utiliser tous les moyens pour hâter leur conversion au catholicisme. Les convertis sont exemptés du logement des soldats.

Les nouveaux missionnaires, gravure d'Engelmann, 1686, copie exacte du XIXe siècle.

4 Le bilan de Vauban

Vauban, célèbre ingénieur militaire, expose les conséquences de l'édit de Fontainebleau, au moment où la France entre dans une longue guerre (dite de la Ligue d'Augsbourg, de 1689 à 1697).

Ce projet, si pieux, si saint et si juste, dont l'exécution paraissait si possible, loin de produire l'effet qu'on en devait attendre, a causé et peut encore causer une infinité de maux très dommageables à l'État. Ceux qu'il a causés sont :

1° La désertion de quatre-vingts ou cent mille personnes de toutes conditions, sorties du royaume, qui ont emporté avec elles plus de trente millions de livres de l'argent le plus comptant ;

2° [L'affaiblissement de] nos arts et manufactures particulières, la plupart inconnus aux étrangers, qui attiraient en France un argent très considérable de toutes les contrées de l'Europe ;

3° La ruine de la plus considérable partie du commerce ;

4° Il a grossi les flottes ennemies de huit à neuf mille matelots, des meilleurs du royaume ;

Et 5° leurs armées de cinq à six cents officiers et de dix à douze mille soldats, beaucoup plus aguerris que les leurs, comme ils ne l'ont que trop fait voir dans les occasions qui se sont présentées de s'employer contre nous.

À l'égard des restés dans le royaume, on ne saurait dire s'il y en a eu un seul de véritablement converti.

Vauban, *Mémoire pour le rappel des huguenots*, 1689.

En quoi les édits de Nantes et de Fontainebleau sont-ils révélateurs de l'implication du pouvoir royal dans les questions religieuses ?

Répondre aux questions

1. **Expliquez** ce que l'édit de Nantes apporte aux protestants, en termes d'égalité civile, de liberté de conscience et de liberté de culte (**doc. 1**).
2. **Résumez** le contenu de l'édit de Fontainebleau (**doc. 2**).
3. **Montrez** que l'État ne respecte plus vraiment l'édit de Nantes en pratiquant les « dragonnades » (**doc. 3**).
4. **Justifiez** cette affirmation : selon Vauban, l'édit de Fontainebleau a été très néfaste à la France (**doc. 4**).
5. À l'aide des réponses précédentes, **montrez** que les édits de Nantes et de Fontainebleau sont révélateurs de l'implication du pouvoir royal dans les questions religieuses.

Classer les informations dans un tableau

Complétez le tableau suivant, en utilisant tous les documents.

	Politique religieuse du roi	Situation des protestants
Édit de Nantes		
« Dragonnades »		
Édit de Fontainebleau		

PROF Différenciation

La guerre et l'affirmation du pouvoir royal

Comment la guerre est-elle utilisée pour affirmer l'autorité du roi ? → COURS P. 160

1 Statue équestre de Louis XIII

En 1639, le cardinal Richelieu commande une statue de bronze pour occuper le centre de la place Royale (actuelle place des Vosges) à Paris. Elle est fondue pendant la Révolution française pour en faire des canons.

La statue équestre de Louis XIII sur la place Royale, estampe de Nicolas Picart, XVIIe siècle, BNF.

2 Éloge de Louis XIV par Charles Perrault

L'écrivain Charles Perrault (1628-1703) est l'un des principaux « conseillers en communication » de Colbert.

[...] Je le vois ce puissant monarque,
Et tu dois, clairvoyant Soleil,
Le reconnaître à cette marque,
Qu'il est comme toi sans pareil.
Quelque vaste que soit ta course vagabonde,
Sans flatter ce grand roi, peux-tu pas témoigner,
Qu'il n'est point aujourd'hui de prince dans le monde,
Si juste, si vaillant, si digne de régner ?
[...]
C'est lui qui parmi les alarmes
Et les plus redoutés hasards,
Trouvant des douceurs et des charmes,
N'aima que le métier de Mars ;
C'est lui qui tant de fois plein d'une ardeur guerrière
Fit tomber à ses yeux mille Ennemis à bas ;
Mais couvert qu'il était de sang et de poussière,
Peut-être le pris-tu pour le Dieu des Combats. [...]

Charles Perrault, *Ode sur le mariage du roi*, 1663.

3 Médaille célébrant la victoire de Fleurus (1690)

Autour du portrait de Louis XIV, on lit :
Louis le Grand, roi très chrétien.
Autour du dieu Mars, on lit :
Mars Vengeur de la violation des traités.
(Traduction des devises en latin)

Animation

4 Louis XV en guerre dans la Flandre

Le roi (sur un cheval blanc) assiste au siège de la ville de Menin (actuelle Belgique) en 1744, lors de la guerre de Succession d'Autriche.

Prise de Menin le 7 juin 1744, le roi ordonne l'attaque du chemin couvert, peinture de Pierre Nicolas Lenfant, XVIIIe siècle, 276 x 255 cm, musée du Château de Versailles.

Comment la guerre est-elle utilisée pour affirmer l'autorité du roi ?

Répondre aux questions

1. **Expliquez** comment l'image de roi guerrier est diffusée dans le royaume (doc. 1 et 3).
2. **Justifiez** l'affirmation suivante : l'*Ode sur le mariage du roi* est un ouvrage de propagande (doc. 2).
3. **Relevez** et interprétez les éléments empruntés à l'Antiquité pour mettre en scène la gloire militaire du roi (doc. 1, 2 et 3).
4. **Décrivez** le tableau en insistant sur les procédés artistiques permettant de mettre Louis XV en avant (doc. 4).
5. À l'aide des réponses précédentes, **montrez** comment la guerre est utilisée pour affirmer l'autorité du roi.

Rédiger un court texte fictif

Vous êtes peintre à la cour. Louis XIV vous passe commande d'un tableau. Il souhaite que vous le représentiez sous les traits d'un chef d'armée. Vous écrivez alors une lettre à l'un de vos confrères dans laquelle vous présentez et expliquez les choix artistiques que vous avez faits pour représenter le souverain.

Mettez en scène une journée de Louis XIV

« Avec un almanach et une montre, on pouvait, à trois cents lieues de lui, dire avec justesse ce qu'il faisait », écrit le duc de Saint-Simon (1675-1755) à propos de Louis XIV. Du lever au coucher, le roi est en représentation et suit un programme réglé par l'étiquette qui se perfectionne tout au long de son règne et s'impose à la cour.

CONSIGNE **Reconstituez, mettez en scène et jouez la journée de Louis XIV afin de comprendre le rôle de l'étiquette dans l'affirmation de l'autorité royale.**

ÉTAPE 1 Reconstituez l'emploi du temps de Louis XIV

- Trouvez des sources **fiables**, comme le **site** du **château** de **Versailles** qui propose de suivre une journée de Louis XIV.

Pour retrouver ce site, tapez dans un moteur de recherches sur Internet « château de Versailles + journée de Louis XIV ».

- Commencez par faire un **résumé** succinct des différentes **étapes** de la **journée royale**. Relevez les heures et les lieux pour chacune d'elles.

	Etapes	Lieux
8h30	Petit lever suivi du grand lever	Chambre du roi
avt. 10h	Départ pour la messe	galerie des glaces et grands appart.
10h	Messe (30 minutes)	Chapelle royale
11h	Conseil (2 heures)	Salle du conseil
13h	Dîner au petit couvert (privé)	Chambre du roi
14 ou 15h	Promenade ou chasse	Jardins ou parc ou forêts
19h	Divertissmt d'intérieur ou travail	variable ou appart. Mme de Maintenon
22h	Souper au grand couvert (public)	antichambre appart. du roi
23h30	Coucher	Chambre du roi

L'emploi du temps du roi

ÉTAPE 2 Identifiez les rôles

- Faites la liste des **personnes admises** auprès de Louis XIV selon l'étiquette. Leur présence répond à une **hiérarchie** précise, qui varie selon l'activité et le moment de la journée. Exemple avec le coucher dans la chambre du roi.

- **Distribuez** les **rôles**. À défaut de costumes, créez des **pancartes** identifiant les **personnages**.

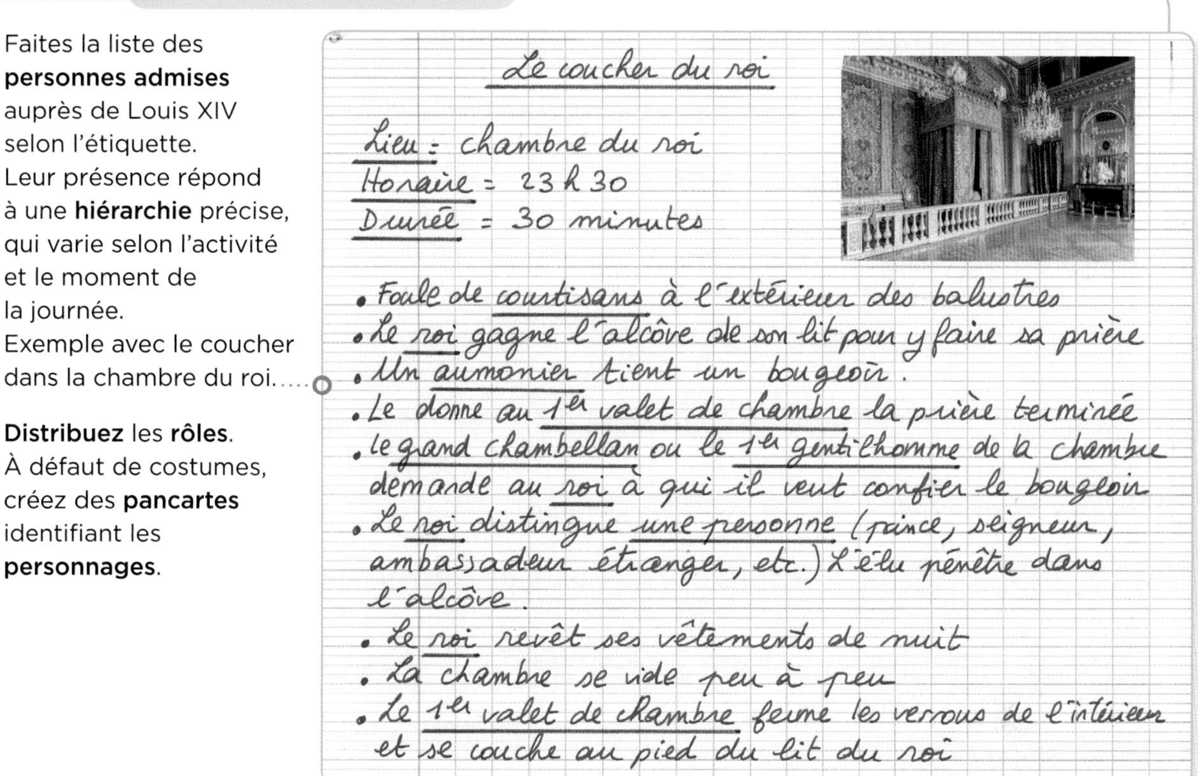

ÉTAPE 3 Scénographiez et jouez la journée

- Identifiez un **lieu spacieux** où vous pourrez évoluer aisément (cour, gymnase, préau, etc.).

- En vous appuyant sur un **plan** du **château de Versailles** et surtout du **grand appartement** du roi, reconstituez le **parcours** quotidien du souverain.

Ecoutez l'audioguide : chambre du Roi, galerie des Glaces...

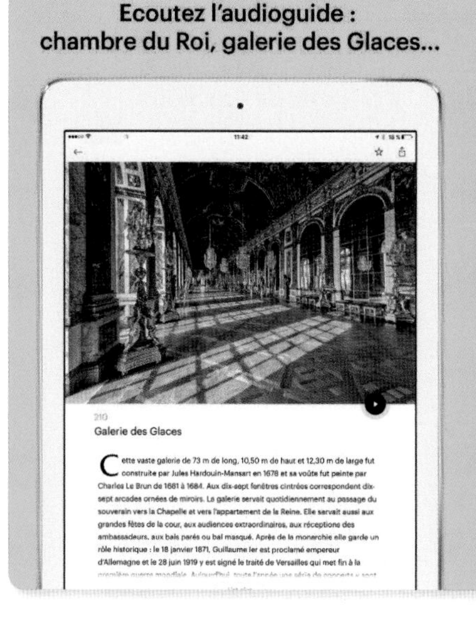

Suivez votre parcours de visite sur la carte du Château

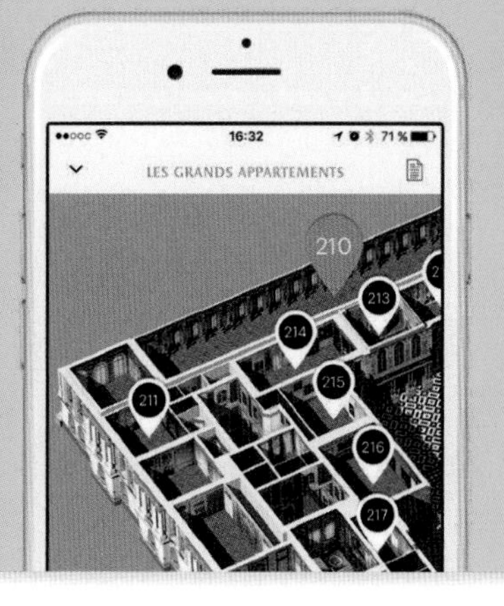

Vous pouvez télécharger l'application gratuite du château de Versailles. Utilisez l'audioguide et la carte interactive pour votre scénographie.

- Invitez d'autres classes de seconde à assister à votre reconstitution historique. À l'issue de celle-ci, échangez vos impressions sur votre travail.

RÉVISER

L'affirmation de l'État

SAVOIR EXPLIQUER

SAVOIR DATER

La structuration territoriale du royaume de France

- **L'agrandissement du territoire**
  # Guerres de conquête ; Annexions ; Accords diplomatiques
- **La protection du territoire**
  # « Frontières naturelles » ; « Ceintures de fer » ; Arsenaux
- **L'administration du territoire**
  # Provinces ; Généralités ; Intendants

1766	Rattachement de la Lorraine au royaume de France
1768	Rattachement de la Corse au royaume de France

Les institutions gouvernementales et administratives

- **Le roi**
  # Monarchie absolue ; Sacre ; Cérémonies royales ; Étiquette
- **Les limites de l'autorité royale**
  # Lois fondamentales ; États généraux et provinciaux ; Parlements ; Privilèges ; Révoltes nobiliaires
- **Les agents de l'État**
  # Secrétaires d'État ; « Principal ministre » ; Contrôleur général des finances ; Commissaires ; Officiers

1552	Création par Henri II de la fonction d'intendant
1539	Ordonnance de Villers-Cotterêts
1593	Adoption de la loi de catholicité
1614	Dernière convocation des États généraux avant 1788

Les champs d'action de l'État

- **La politique économique**
  # Vente des offices ; Impôts directs et indirects ; Ferme générale ; Dirigisme économique ; Mercantilisme ; Colbertisme ; Commerce maritime
- **La gestion des conflits religieux**
  # Clergé ; Protestants ; Guerres de Religion ; Édit de Nantes ; Édit de Fontainebleau

1562-1598	Guerres de Religion
1598	Édit de Nantes
1680	Création de la Ferme générale par Colbert
1685	Édit de Fontainebleau

SAVOIR DÉFINIR

- Arsenaux → P. 160
- Économie de plantation → P. 160
- Étiquette → P. 159
- Ferme générale → P. 160
- Gouverneurs → P. 158
- Mercantilisme → P. 160
- Secrétaires d'État → P. 158
- Traite négrière → P. 160

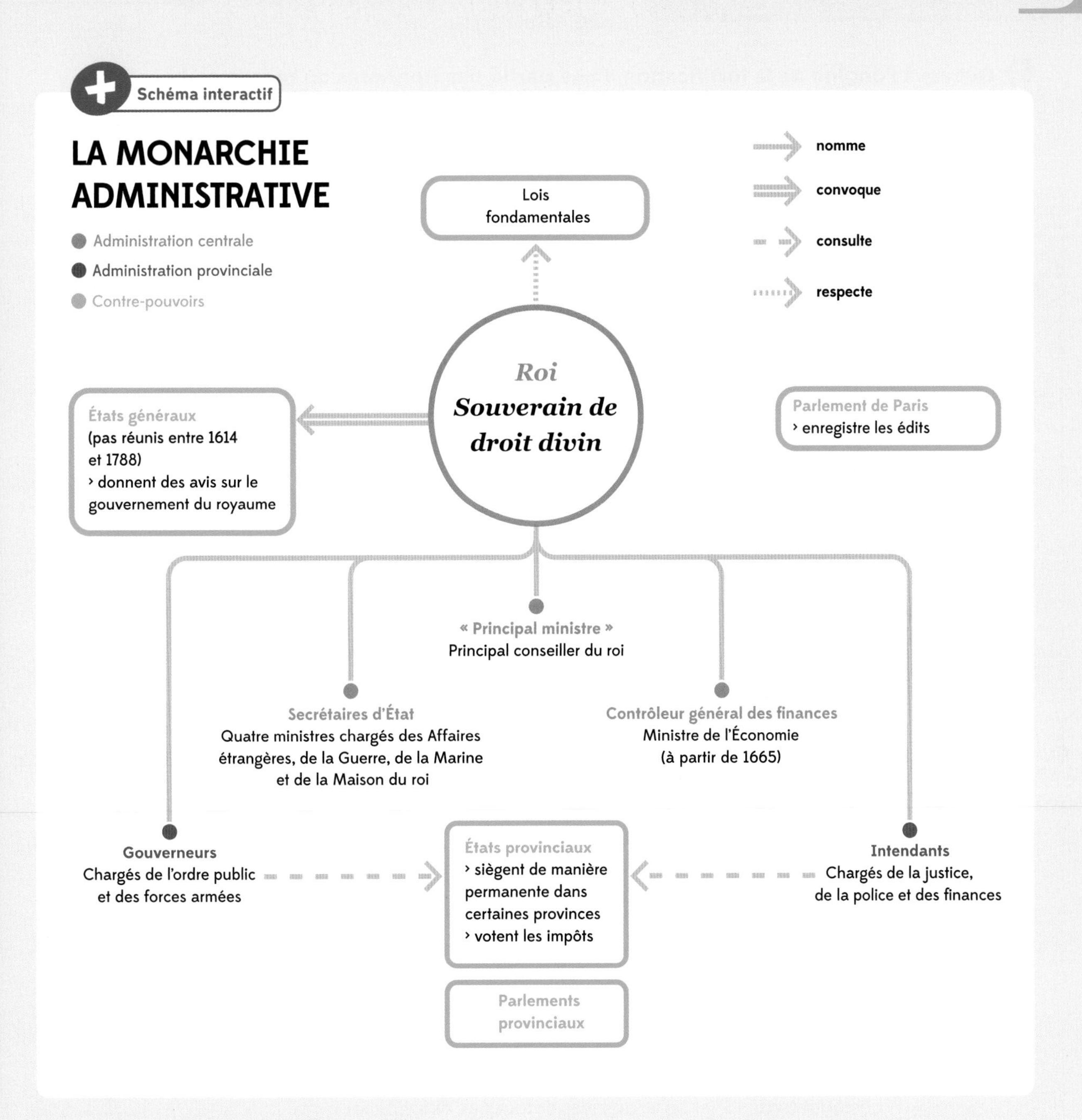

POUR ALLER PLUS LOIN

À LIRE

Morvan, Voulyzé, Guedes et Drévillon
Louis XIV (2 tomes)
Dargaud, 2015
Le règne du « Roi-Soleil » raconté en bande dessinée.

Alexandre Dumas
Le Sphynx rouge
Le Cherche-midi, 2018
Un roman sur l'exercice du pouvoir par le cardinal de Richelieu.

Saint-Simon
Mémoires
De nombreuses anthologies sont disponibles en livre de poche. Elles offrent un portrait saisissant de la cour de Louis XIV.

À VOIR

Roberto Rossellini
La prise du pouvoir par Louis XIV
1966
Un film sur le début du règne de Louis XIV qui met en scène sa volonté de renforcement du pouvoir royal.

Roger Planchon
Louis, enfant roi
1993
Ce film permet d'aborder l'épisode de la Fronde de la noblesse qui marqua profondément Louis XIV

À VISITER

Le château de Versailles (78)
Un spectaculaire témoignage de la société de cour à son apogée.

À CONSULTER

Les carnets de Versailles
Pour suivre l'évolution de Versailles depuis le pavillon de chasse
http://www.lescarnetsdeversailles.fr/2016/10/du-pavillon-de-chasse-au-palais/

S'AUTOÉVALUER

Imprimez cette page pour vous entraîner. Référez-vous aux pages indiquées si vous avez besoin d'aide.

Exercices interactifs

1 Qui est à l'origine de la fortification d'une partie des frontières du royaume au XVIIe siècle ?

☐ Louis XIII ☐ Vauban ☐ Henri II ☐ Bodin

.... / 1 → p. 158

2 Quel souverain décide d'étendre le territoire français vers l'est ?

☐ François Ier ☐ Louis XII ☐ Louis XIV ☐ Colbert

.... / 1 → p. 158

3 Entourez les plus grands opposants à la monarchie administrative.

☐ Parlements ☐ États généraux ☐ Conseils ☐ Secrétaires d'État

.... / 1 → p. 158

4 En quelle année est créée la compagnie des Indes orientales ?

☐ 1542 ☐ 1664 ☐ 1715 ☐ 1682

.... / 1 → p. 160

5 Qui représente le roi dans les provinces ?

☐ L'intendant ☐ Le secrétaire d'État de la Maison du roi ☐ Le contrôleur général des finances ☐ Le maréchal

.... / 1 → p. 158

6 Reliez chacune des notions à la définition qui lui correspond.

- Absolutisme •
- Mercantilisme •
- Étiquette •

- • Ensemble des règles organisant la vie de la famille royale, des nobles et de la cour.
- • Doctrine économique du XVIIe siècle fondant la richesse des États sur l'accumulation de réserves d'or et d'argent.
- • Gouvernement monarchique dans lequel le roi est délié des lois et concentre les pouvoirs législatifs.

.... / 3 → p. 158, 160

7 Datez chacun de ces textes législatifs.

- Édit de Nantes ....
- Édit de Fontainebleau ....
- Ordonnance de Villers-Cotterêts ....

.... / 3 → p. 158, 160

8 Vrai ou faux ? Cochez la bonne réponse.

.... / 3

Vrai	Faux		
☐	☐	Louis XIV a conquis l'Artois, la France-Comté et l'Alsace.	→ p. 158
☐	☐	La Ferme générale collecte les impôts à la place de l'État.	→ p. 158
☐	☐	Les agents de l'État sont des inspecteurs et des officiers.	→ p. 158
☐	☐	Henri IV a révoqué l'édit de Nantes avec l'édit de Fontainebleau.	→ p. 160
☐	☐	Les parlements ont un droit de remontrances.	→ p. 162
☐	☐	Il n'y a eu qu'une seule révolte nobiliaire : la Fronde.	→ p. 162

9 Reliez chaque notion à sa définition.

- Lois fondamentales •
- Loi salique •
- Loi de catholicité •

- • Loi excluant les femmes de la succession.
- • Ensemble de règles coutumières qui limitent la souveraineté du roi.
- • Loi imposant au souverain la foi catholique.

.... / 3 → p. 162

10 Citez trois hommes ayant occupé la fonction de principal ministre.

....

....

.... / 3 → p. 156

1 Confronter des documents ▸ BAC TECHNOLOGIQUE ET GÉNÉRAL

Les conséquences de l'édit de Fontainebleau (1685)

CONSIGNE

Analysez à travers ces deux documents les réactions des protestants français à l'édit de Fontainebleau.

1 Le « désert »

Je n'ai jamais su que dans notre famille il y eût aucun papiste ni aucun qui ait professé autre religion que la protestante [...] jusqu'en l'année 1685 que le roi, comme on le sait, par les dragons, par le clergé et les bourreaux força tout son peuple protestant à embrasser le papisme. J'étais alors âgé de sept ans. Je n'ai jamais fait aucune abjuration ni acte de religion romaine que d'aller quelquefois à la messe, étant forcé comme tous les autres enfants par les maîtres d'école que le roi avait envoyés dans tous les endroits protestants pour instruire la jeunesse. Les instructions secrètes que je recevais tous les jours par mon père et ma mère augmentaient si fort mon aversion pour l'idolâtrie et pour les erreurs du papisme, qu'étant parvenu en âge de connaissance, je ne pratiquai plus que les assemblées des protestants qui se faisaient dans les déserts, dans les lieux cachés.

Élie Marion[1], *Relation abrégée concernant la guerre des Cévennes*, 1708.

1. Élie Marion (1678-1713) fut l'un des chefs des « camisards », les protestants des Cévennes révoltés en 1702-1704. Il s'exila ensuite à Londres, où il écrivit ses mémoires.

2 L'exil

L'électeur de Brandebourg Frédéric-Guillaume reçoit les réfugiés français. Il leur a assuré aide et protection dans son État par l'édit de Potsdam, publié en 1685 en allemand et en français.

Gravure de Daniel Chodowiecki, XVIIIe siècle.

Questions

1. Montrez que la répression ne fait que renforcer l'attachement des protestants des Cévennes à leur religion **(doc. 1)**.
2. Montrez que cette gravure fait de Frédéric-Guillaume l'antithèse de Louis XIV pour les protestants **(doc. 2)**.
3. Expliquez le choix auquel sont confrontés les protestants français par l'édit de Fontainebleau **(doc. 1 et 2)**.

Confrontez les documents

▸ VERS LE BAC P. 280

2 Répondre à une question problématisée ▸ BAC GÉNÉRAL

SUJET

Comment la guerre contribue-t-elle à l'affirmation et au renforcement du pouvoir monarchique ?

Répondez à la question problématisée

▸ VERS LE BAC P. 282

Aide pour répondre

Vous pouvez adopter le plan suivant :

1. La guerre agrandit le royaume par les conquêtes
2. Les victoires militaires permettent d'exalter le roi victorieux
3. L'effort de guerre entraîne le renforcement de la monarchie administrative

CHAPITRE

6 Le modèle britannique et

COURS

DOCUMENTS

son influence

L'autorité royale remise en cause

Ce tableau donne une vision idéalisée de cet épisode qui s'est produit à New York le 9 juillet 1776. Dans la réalité, ce sont des esclaves noirs qui ont procédé au renversement de la statue sur ordre de leur propriétaire et aucun Indien n'était présent.

La statue du roi d'Angleterre George III abattue, huile sur toile de Johannes Adam Simon, vers 1852, The New York Historical Society.

REPÈRES Le modèle britannique et son influence

EN CLASSE DE 4e :

- Vous avez découvert l'influence du Royaume-Uni dans les idées nouvelles développées par les auteurs des Lumières, comme Montesquieu et Voltaire.
- Vous avez étudié les relations de l'Angleterre avec ses colonies nord-américaines, qui aboutissent à la révolution américaine, modèle ensuite pour la pensée politique en Europe.

DANS CE CHAPITRE

- Vous allez analyser en profondeur ce modèle britannique, une monarchie qui garantit les libertés individuelles et permet au Parlement de contrôler le gouvernement.
- Vous verrez comment les colons anglais d'Amérique du Nord ont affirmé leur indépendance en retournant contre leur métropole ses propres valeurs.

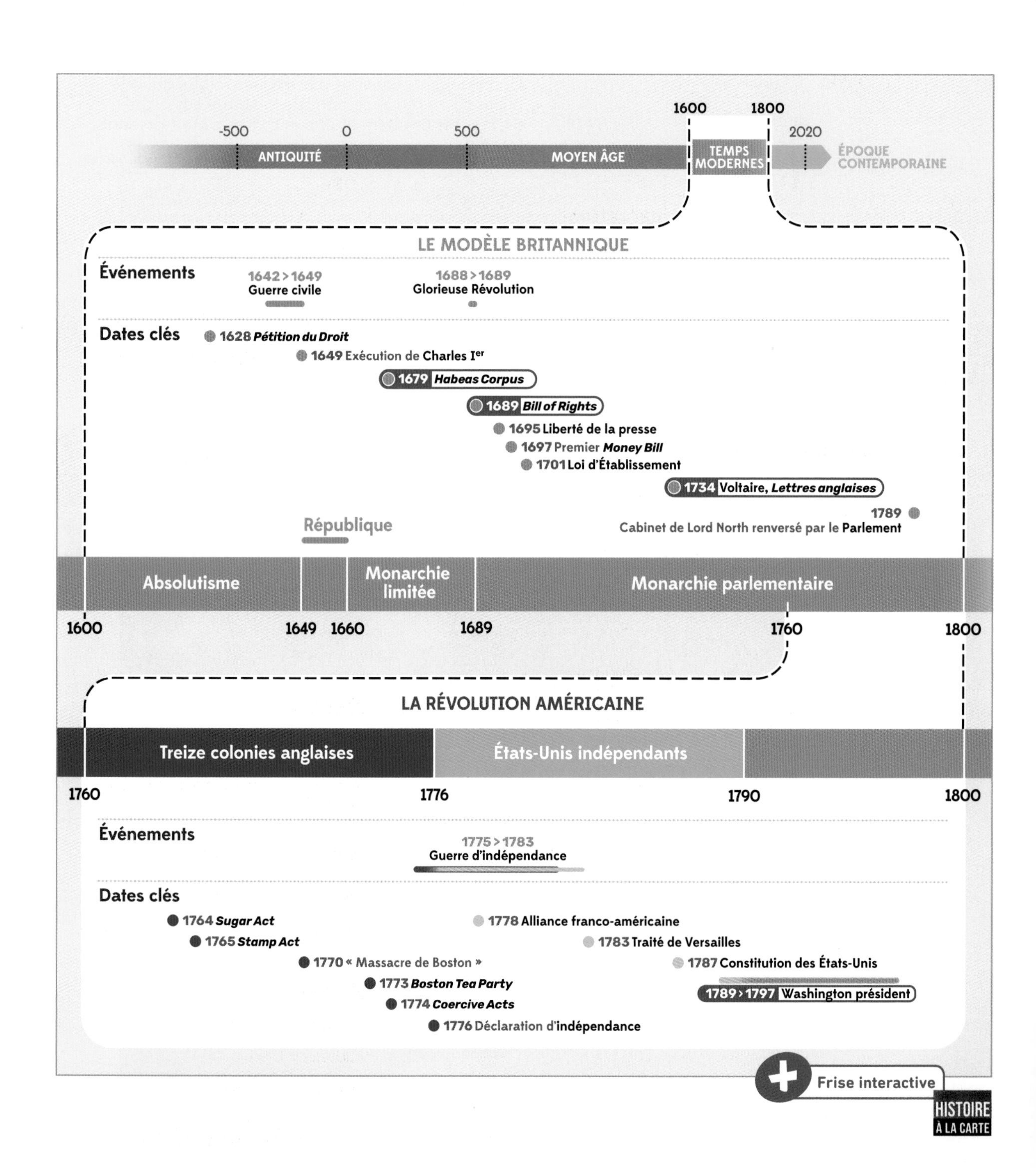

1 L'unification politique des îles Britanniques (1536-1800)

Le drapeau du Royaume-Uni en 1801 fusionne les trois drapeaux nationaux.

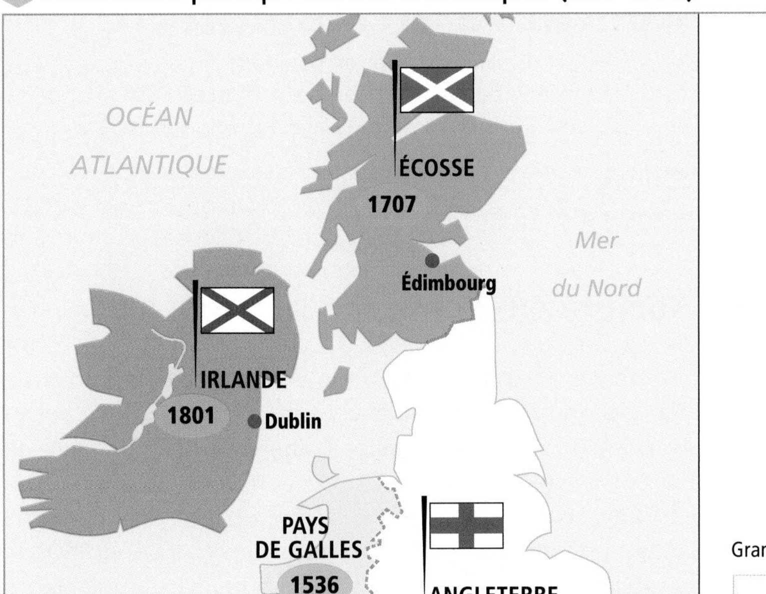

Grande-Bretagne

+ +

Îles Britanniques

+ + +

1536 Achèvement de la conquête par l'Angleterre

1801 Entrée de la nation dans le Royaume-Uni

2 L'Amérique du Nord en révolution

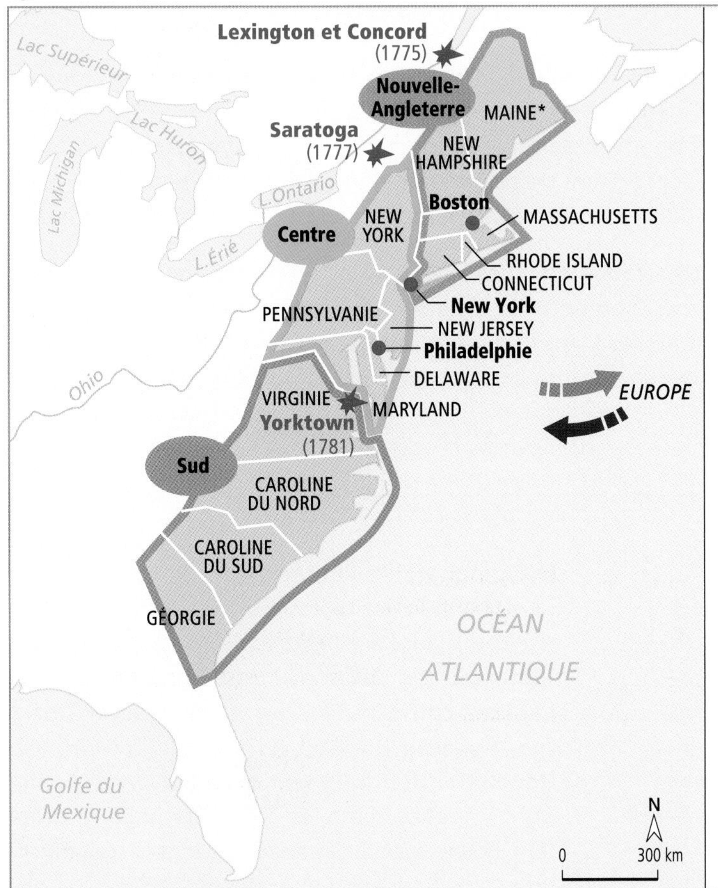

Une Amérique colonisée

- Les treize colonies (*le Maine fait partie du Massachussetts jusqu'en 1820)
- **Nouvelle-Angleterre** : société bourgeoise, citadine et ouverte sur l'Europe via ses nombreux ports
- **Centre** : colonies intermédiaires
- **Sud** : société aristocratique peu urbanisée reposant sur une économie esclavagiste de plantation (culture du tabac, du riz et du sucre)

Une Amérique en révolution

- Principaux pôles révolutionnaires
- Principales batailles
- Envoi d'ambassadeurs américains en Europe
- Soutien de volontaires et d'États européens (France, Provinces-Unies, Espagne)

1 L'établissement d'un régime parlementaire en Angleterre

→ DOCUMENTS P. 190, 192

Au XVIIe siècle, un régime parlementaire se met en place à la suite de l'échec de la monarchie absolue. En effet, après deux révolutions, le Parlement limite les pouvoirs du roi et s'impose comme le protecteur des libertés individuelles.

A Une société en pleine mutation

Une longue phase d'expansion. L'Angleterre connaît une poussée démographique, économique et urbaine. Entre 1600 et 1815, sa population double, passant de 4,5 à 10 millions d'habitants. En parallèle, le niveau de vie augmente régulièrement au XVIIe siècle et encore davantage au XVIIIe siècle avec la révolution industrielle. Ces transformations s'accompagnent d'un fort exode rural : entre 1600 et 1801, le taux d'urbanisation passe de 8 % à 34 %. Ainsi, à la fin du XVIIIe siècle, l'Angleterre est la première puissance mondiale.

Des tensions religieuses. À partir du XVIe siècle, les Britanniques sont divisés entre une majorité d'**anglicans** et une minorité de catholiques et de **puritains (doc. 1)**. Au XVIIe siècle, ces courants religieux s'opposent sur leur vision du pouvoir politique. Alors que les catholiques et les anglicans modérés sont favorables au renforcement du pouvoir royal, les puritains souhaitent le limiter.

B Le rejet du modèle absolutiste

La monarchie absolue (1603-1642). Les premiers Stuart tentent d'imposer l'absolutisme en Angleterre, mais leur autorité est contestée. Le Parlement réclame le respect des libertés anglaises. En 1628, Charles Ier est contraint de signer une *Pétition du Droit* limitant son pouvoir. Cependant, jusqu'en 1640, il règne sans convoquer le Parlement.

La Grande Rébellion (1642-1660). Les tensions religieuses renforcent l'opposition entre le roi et le Parlement. Alors que la majorité de la Chambre des Communes est puritaine, Charles Ier mène une politique considérée comme procatholique. Ces tensions provoquent une guerre civile (1642-1649), à l'issue de laquelle Charles Ier est décapité. Une république est établie, mais elle est dirigée de manière dictatoriale par Oliver Cromwell.

La monarchie limitée (1660-1689). En 1660, la monarchie est restaurée, mais Charles II doit accepter la loi sur l'***Habeas Corpus*** en 1679. En 1688, son fils, Jacques II, est contraint à l'exil, car il est catholique et ne respecte pas les libertés anglaises. En 1689, à l'issue de la Glorieuse Révolution, le Parlement offre le trône à la fille du roi déchu, Marie, et à son époux, le protestant hollandais Guillaume d'Orange, à condition que ceux-ci respectent le ***Bill of Rights***.

VOCABULAIRE

- **Anglicans :** membres de l'Église officielle d'Angleterre, religion inspirée par le protestantisme, mais dont le culte reste proche du catholicisme.
- ***Bill of Rights* :** loi constitutionnelle de 1689 limitant les pouvoirs du roi et précisant ceux du Parlement.
- ***Habeas Corpus* :** acte du Parlement anglais de 1679 garantissant les individus contre les arrestations arbitraires.
- ***Money Bill* :** loi de finances permettant au Parlement de consentir à l'impôt et de déterminer le niveau des taxes.
- **Puritains :** protestants anglais qui reprochent à l'Église anglicane d'être restée trop proche du catholicisme.
- **Régime parlementaire :** régime fondé sur un équilibre entre le pouvoir exécutif et le pouvoir législatif. L'exécutif a le droit de dissoudre le Parlement et celui-ci peut renverser le gouvernement.

1 Les religions en Angleterre

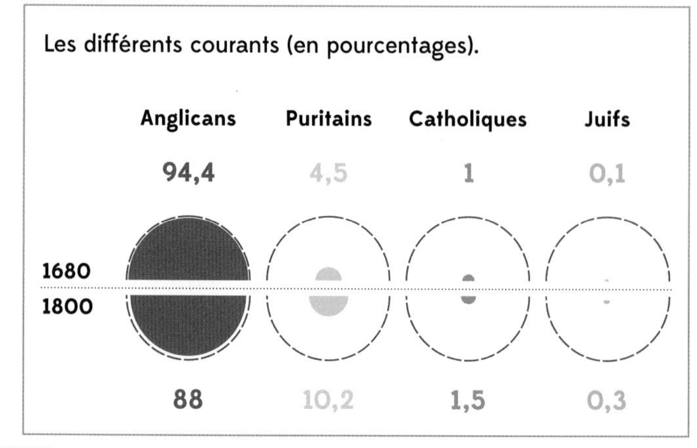

C L'installation d'un régime parlementaire

La montée du Parlement (1689-1714). Après 1689, le roi ne peut gouverner sans l'accord du Parlement. Ainsi, à partir de 1697, celui-ci détermine les ressources fiscales de la Couronne par un ***Money Bill***. En 1701, la loi d'Établissement modifie les règles de succession royale : l'accès au trône est interdit à Jacques-François Stuart, car il est catholique et proche du roi de France. Le Parlement lui préfère les princes protestants de Hanovre **(doc. 2)**.

L'évolution du pouvoir exécutif (1714-1800). Georges Ier et son fils ne parlant pas anglais et vivant en Allemagne, les premiers Hanovre délèguent le pouvoir exécutif à un Premier ministre. Au cours du siècle, son rôle politique s'accroît et il devient un acteur indispensable du **régime parlementaire (doc. 3)**. À partir de 1782, les parlementaires s'autorisent à renverser un gouvernement en cas de désaccord politique. Les rois sont dès lors contraints de nommer Premier ministre le chef du parti majoritaire aux Communes.

Les limites de la représentation. Au XVIIIe siècle, seuls 4 % des adultes anglais peuvent voter, la loi réservant ce droit aux hommes anglicans les plus riches. Par conséquent, 75 % des membres des Communes sont nobles. En outre, même si les élections sont libres, leurs résultats sont faussés par la corruption et le découpage des circonscriptions. À partir du milieu du XVIIIe siècle, de nombreuses voix réclament une réforme électorale.

Le sens des mots

À partir du XVIIe siècle, l'expression « **les libertés anglaises** » désigne à la fois les droits du Parlement, en particulier le droit de voter l'impôt, et les libertés individuelles. Ces libertés sont dites « anglaises » et « anciennes » pour rappeler à Jacques Ier qu'il est Écossais, donc étranger en Angleterre, et que son règne est temporaire alors qu'elles sont éternelles.

RÉVISER SON COURS

1. Pourquoi existe-t-il des tensions religieuses en Angleterre au XVIIe siècle?
2. Pourquoi le Parlement s'oppose-t-il à Charles Ier?
3. Quelles décisions renforcent les pouvoirs du Parlement?

2 Les dynasties anglaises

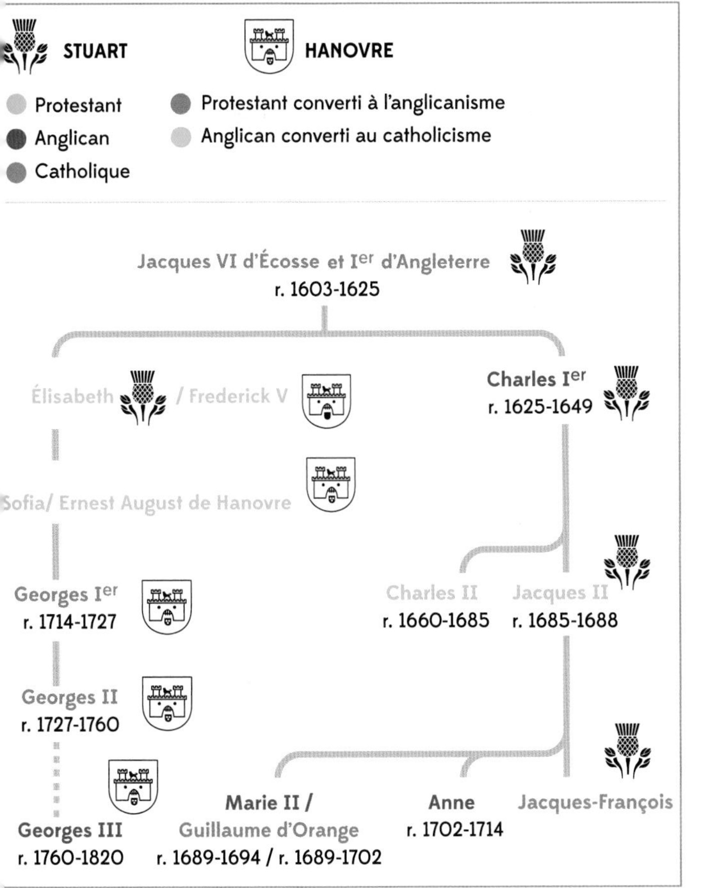

3 Les institutions anglaises à la fin du XVIIIe siècle

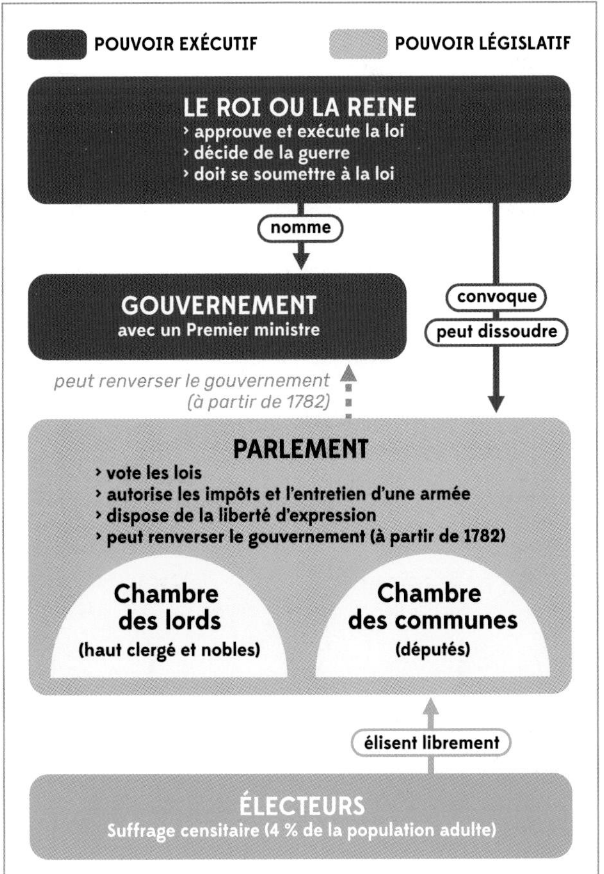

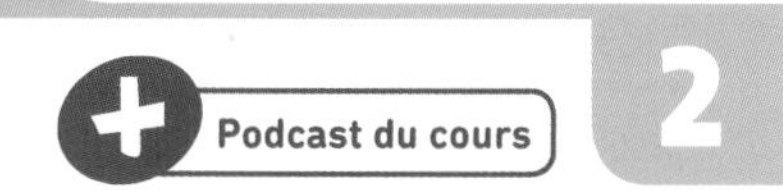

2

Le modèle britannique et le défi américain

→ DOCUMENTS P. 194, 196, 202, 203

Repères

Un refuge

À l'époque moderne, l'Angleterre accueille de nombreuses communautés étrangères : des Néerlandais, des Suédois, des Danois, des Allemands, des Polonais, des Français, des Portugais, des Italiens, etc. Il est difficile de les comptabiliser en l'absence de recensement officiel et en raison de leur intégration progressive à la société britannique. Au cours du XVIIIe siècle, Londres accueille près de 70 000 protestants français arrivés en deux vagues, l'une dans les années 1690, l'autre dans les années 1750, 20 000 juifs ashkénazes et sépharades, près de 13 000 Allemands fuyant la guerre dans le Palatinat en 1709 et 10 000 Africains et Asiatiques.

Au XVIIIe siècle, le modèle britannique est exalté par la plupart des philosophes des Lumières. Paradoxalement, les valeurs anglaises sont retournées par les colons d'Amérique contre leur métropole.

A Le Royaume-Uni, patrie des Lumières

Une terre de libertés. Au XVIIIe siècle, l'Angleterre apparaît comme le pays le plus libre d'Europe. En 1695, le Parlement supprime l'autorisation préalable à toute publication, établissant ainsi la liberté de la presse. Ce droit est renforcé par les tribunaux, qui interdisent l'arrestation arbitraire des écrivains en 1765. Ce climat libéral attire des dissidents religieux et politiques venus de toute l'Europe, notamment près de 50 000 protestants français après la révocation de l'édit de Nantes en 1685.

Un modèle. Les penseurs britanniques, comme l'Anglais John Locke ou les Écossais David Hume et Adam Smith, sont traduits et lus dans toute l'Europe. Leurs idées sont relayées par les étrangers séjournant en Angleterre, comme Voltaire de 1726 à 1729. La « constitution anglaise » est analysée par Montesquieu comme un modèle de l'équilibre des pouvoirs **(doc. 1)**. À la fin du siècle, ces théories inspirent en partie les révolutionnaires français, quand ils mettent en place une monarchie constitutionnelle.

Un système cependant critiqué. Pour les défenseurs de la monarchie absolue, séparation des pouvoirs et liberté d'expression sont sources d'instabilité politique. Les adversaires de l'absolutisme peuvent aussi trouver des défauts au système anglais. Ainsi, Condorcet dénonce l'imparfaite représentation du peuple, notamment des femmes, et la corruption électorale. À partir de 1776, le modèle américain concurrence le modèle anglais.

1 La monarchie idéale selon Montesquieu

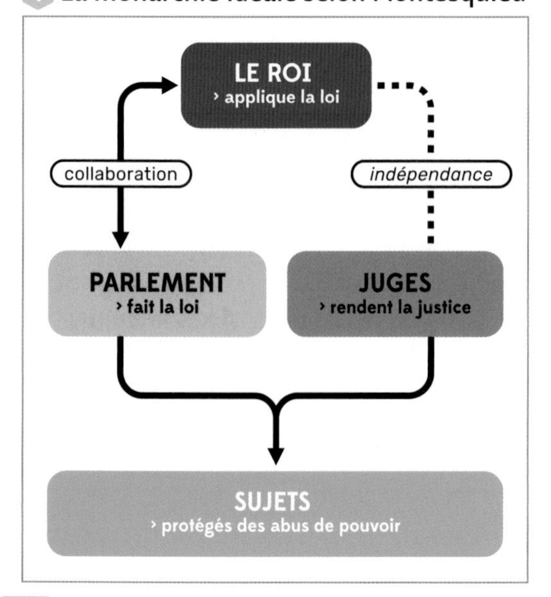

B La révolte des colonies anglaises d'Amérique

La pression fiscale. Les treize colonies anglaises sont sorties renforcées de la guerre de Sept Ans (1756-1763), qui a contraint la France à renoncer à ses possessions nord-américaines. Mais ce conflit a coûté cher à l'Angleterre, qui souhaite faire payer la facture aux colons. Londres instaure donc de nouvelles taxes, sur le sucre et le thé par exemple, et renforce les contrôles douaniers pour faire respecter l'**Exclusif**. Les colons s'opposent à ces mesures et organisent le boycott des produits anglais. Une manifestation tourne à l'émeute en mars 1770 : c'est le « massacre de Boston » (cinq morts).

« Pas de taxation sans représentation ». N'ayant pas de représentants au Parlement anglais, les colons estiment que celui-ci n'a pas le droit de leur imposer des taxes. Le 16 décembre 1773, des habitants de Boston, déguisés en Indiens pour ne pas être identifiés, prennent d'assaut trois navires et jettent à la mer leur cargaison de thé : c'est la *Boston Tea Party*. En réaction, le Parlement anglais adopte les *Coercive Acts*, rebaptisés *Intolerable Acts* par les Américains : le port de Boston est fermé au commerce et le remboursement des marchandises détruites exigé **(doc. 2)**.

C La guerre d'indépendance

Le divorce. Réunies en Congrès à Philadelphie en 1774, les autres colonies, sauf la Géorgie, apportent leur soutien au Massachusetts. Le 19 avril 1775, des heurts entre soldats anglais et colons font une centaine de morts à Lexington et Concord, près de Boston. Malgré les protestations des **loyalistes**, le divorce avec l'Angleterre est consommé le 4 juillet 1776 : un nouveau Congrès proclame l'indépendance des colonies sous le nom d'États-Unis d'Amérique.

L'affrontement. L'Angleterre envoie des renforts et mobilise des esclaves noirs contre une promesse d'**affranchissement** et des Indiens. Ceux-ci sont depuis longtemps en conflit avec les colons qui cherchent à les déposséder de leurs terres. De leur côté, les ***Insurgents*** enrôlent également des Noirs et des Indiens, au sein d'une armée commandée par George Washington.

La victoire des *Insurgents*. D'abord aidés par des volontaires européens comme le Français La Fayette, les *Insurgents* reçoivent l'aide militaire officielle de la France en 1778. Vaincue à Yorktown en 1781, l'Angleterre reconnaît l'indépendance des États-Unis d'Amérique par le traité de Versailles (1783). Environ 60 000 loyalistes sont contraints à l'exil vers l'Angleterre et le Canada. Plusieurs milliers de noirs enrôlés côté anglais sont affranchis et transférés au Sierra Leone.

VOCABULAIRE

Affranchissement : acte par lequel le propriétaire d'un esclave lui rend sa liberté.

Exclusif : principe par lequel une métropole oblige ses colonies à commercer exclusivement avec elle (et non avec d'autres États ou colonies).

***Insurgents* :** nom donné par l'Angleterre à ses colons américains rebelles, qu'on peut traduire par « révoltés ». Eux-mêmes se désignent comme les *Patriots*.

Loyalistes : colons américains opposés à l'indépendance, qui soutiennent l'Angleterre dans sa lutte contre les *Insurgents*. On estime qu'ils représentent environ 20 % de la population des treize colonies.

RÉVISER SON COURS

1. Pourquoi l'Angleterre attire-t-elle les philosophes et dissidents religieux de toute l'Europe au XVIIIe siècle?

2. Pourquoi les colonies américaines proclament-elles leur indépendance?

3. Qui sont les acteurs de la guerre d'indépendance?

2 Les principales lois anglaises contestées par les colons américains

1763 — Royal Proclamation **(proclamation royale)**
Crée des territoires réservés pour les Amérindiens, ce qui empêche les colonies de s'étendre vers l'Ouest.

1764 — Sugar Act **(loi sur le sucre)**
Crée une taxe sur le sucre, le rhum, le vin, les épices et le café.
Currency Act **(loi sur la monnaie)**
Interdit aux colonies d'émettre de la monnaie, ce qui les oblige à utiliser la livre britannique.

1765 — Stamp Act **(loi sur le papier timbré)**
Crée une taxe sur tous les papiers officiels.

1766 — Quartering Act **(loi sur le cantonnement des troupes)**
Impose aux Américains d'héberger les soldats anglais en garnison à leurs frais.

1767 — Townshend Acts **(lois Townshend, du nom du ministre des Finances anglais)**
Crée une taxe sur le thé, le papier, le verre et le plomb.

COURS

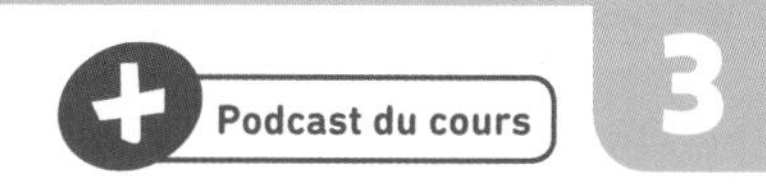

3 Le modèle politique américain et son rayonnement

→ DOCUMENTS P. 203, 204

Influencés par la philosophie des Lumières, les fondateurs des États-Unis élaborent un système politique original. Ce modèle américain exerce une grande influence dans le « Nouveau Monde » comme en Europe.

VOCABULAIRE

- **Constitution :** loi fondamentale qui définit le fonctionnement d'un État, en précisant les relations entre les différents pouvoirs, ainsi que les droits et les devoirs des citoyens.
- **Régime présidentiel :** organisation de l'État fondée sur une stricte séparation des pouvoirs. Le président ne peut dissoudre l'assemblée et celle-ci ne peut renverser le gouvernement.

A Une révolution guidée par des principes

Les Lumières au pouvoir. Rédigée par Thomas Jefferson, la Déclaration d'indépendance, adoptée par les treize colonies le 4 juillet 1776, marque la naissance des États-Unis d'Amérique. Elle est directement inspirée des idées des Lumières, notamment celles de l'Anglais John Locke. Elle affirme le droit « naturel » et donc inaliénable de chaque individu à la vie, à la liberté et au bonheur. Elle affirme que le gouvernement doit être fondé sur le consentement des citoyens et que ceux-ci doivent s'insurger contre la tyrannie.

Des principes à géométrie variable. Aucun de ces droits n'est néanmoins reconnu ni aux Indiens ni aux esclaves noirs, dont la déclaration ne dit rien. Jefferson avait rédigé un paragraphe condamnant la traite, mais il a été supprimé de la version finale de la déclaration à la demande des États du Sud dont l'économie de plantation repose sur l'exploitation des esclaves. Les femmes sont pour leur part exclues du droit de vote et d'éligibilité.

B Des institutions novatrices

Naissance d'une République. Si la Déclaration d'indépendance de 1776 transforme les treize colonies en autant d'États fédérés, la forme exacte de leurs liens et la nature de leur gouvernement reste à définir. Les « fédéralistes », emmenés par Jefferson, sont partisans d'un État fédéral fort. Les « antifédéralistes », derrière Samuel Adams, veulent donner une large autonomie aux États fédérés.

Adoptée lors de la Convention de Philadelphie de 1787, la **Constitution** des États-Unis tente de satisfaire les deux tendances. L'État fédéral est puissant, mais n'est compétent que pour les Affaires étrangères et les relations commerciales extérieures, laissant aux États fédérés le soin de gérer leur politique intérieure comme ils l'entendent **(doc. 2)**.

Les institutions fédérales. La Constitution de 1787 se fonde sur la séparation des pouvoirs prônée par Montesquieu **(doc. 1 p. 186)**. Elle instaure une République, avec un **régime présidentiel**. Le pouvoir exécutif revient à un président élu pour quatre ans au suffrage universel indirect. Le premier est George Washington. Le pouvoir législatif est exercé par deux assemblées. Le Sénat assure une égale représentation de chacun des États fédérés

1 État fédéral/État fédéré

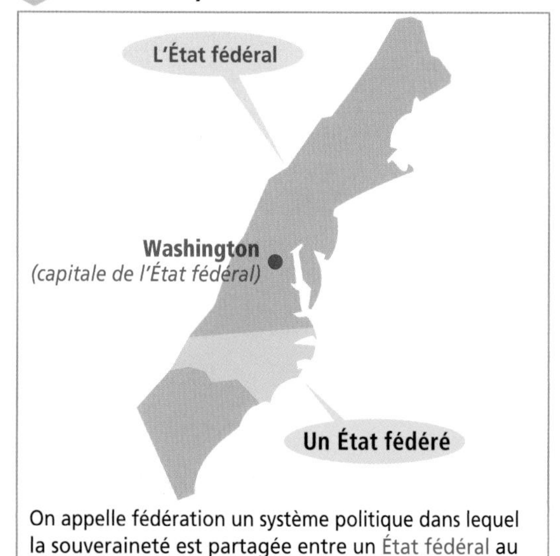

On appelle fédération un système politique dans lequel la souveraineté est partagée entre un État fédéral au niveau national et des **États fédérés** au niveau local.

qui disposent, quelle que soit leur taille ou leur population, de deux élus. La Chambre des représentants est composée de députés dont le nombre varie selon la population de chaque État. La Cour suprême, composée de sept juges nommés à vie par le président, est chargée de trancher les conflits entre États ou entre un État fédéré et le gouvernement fédéral **(doc. 1)**.

C Un vent de liberté souffle sur l'Atlantique

L'Amérique bouleversée. Dans les autres colonies européennes d'Amérique, la victoire des *Insurgents* montre qu'une émancipation à l'égard de la métropole est possible. Dans la partie française de l'île de Saint-Domingue, les colons blancs revendiquent à leur tour plus d'autonomie. Mais ce sont finalement les populations noires qui se révoltent et créent la République d'Haïti en 1804. Entre 1810 et 1830, les pays d'Amérique latine accèdent à leur tour à l'indépendance, mais ils échouent à instaurer un système fédéral les unissant, malgré les efforts de Simon Bolivar.

L'Europe en ébullition. La révolution américaine suscite l'enthousiasme en Irlande, où l'on rêve de l'imiter pour se débarrasser de la tutelle anglaise. En Angleterre même, des intellectuels comme Thomas Paine prennent position en faveur des *Insurgents*. Partout en Europe, l'exemple américain renforce la contestation des pouvoirs absolutistes, en montrant qu'un système démocratique et libéral peut être organisé à l'échelle d'un vaste État. La monarchie française est menacée par ces idéaux, d'autant plus qu'elle a soutenu les *Insurgents* et que la guerre a aggravé la crise de ses finances.

RÉVISER SON COURS

1. La Constitution des États-Unis est-elle fondée sur des principes universels ?
2. Quelles sont les caractéristiques du système politique américain ?
3. Quelle a été l'influence de la révolution américaine ?

2 La Constitution des États-Unis d'Amérique

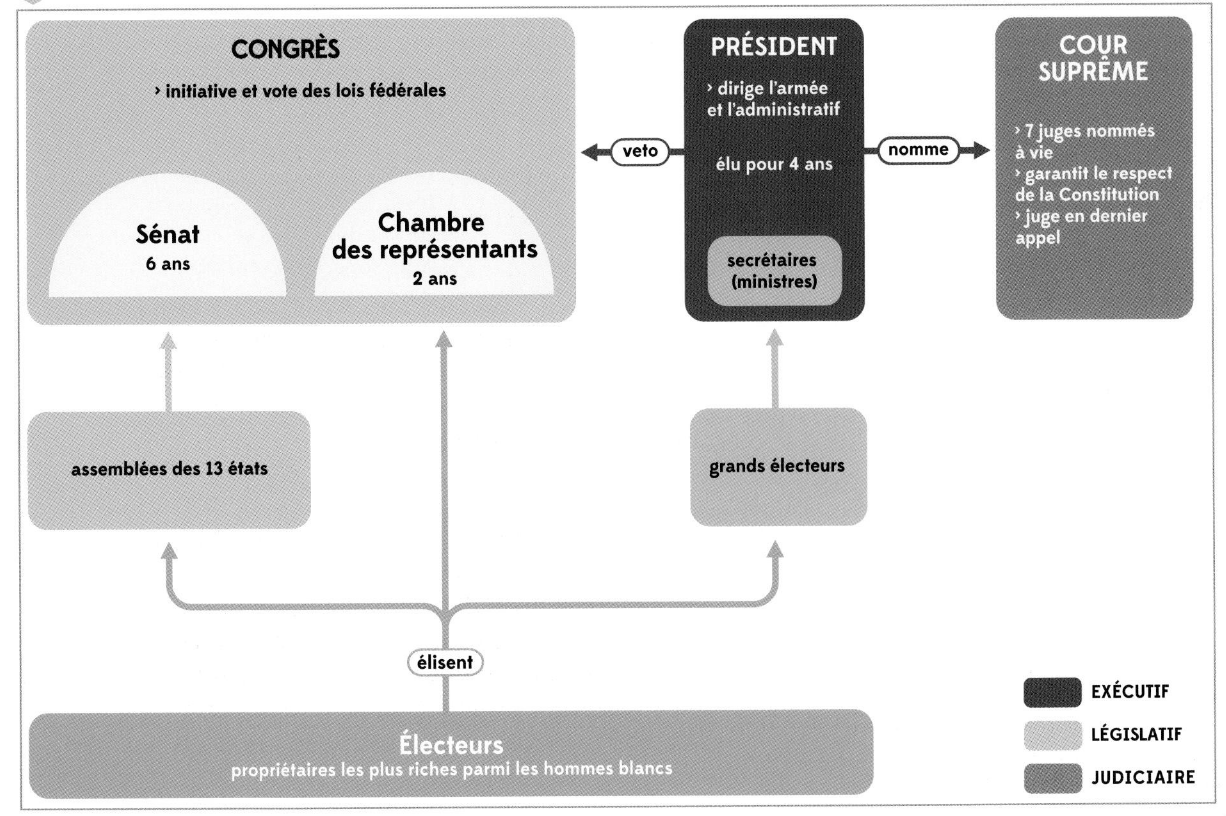

Le rejet du modèle absolutiste

Comment expliquer l'échec du modèle absolutiste en Angleterre ?

→ COURS P. 184

1 Portrait de Charles Ier

Charles Ier, huile sur toile de Daniel Mytens, 1633, 230,5 x 144,8 cm, Saint Louis Art Museum, Missouri.

Animation

2 La *Pétition du Droit*

Pour financer la guerre contre l'Espagne, Charles Ier recourt à l'emprunt forcé. Certains sujets, notamment cinq chevaliers du Middlesex, refusent de payer. Suite à leur arrestation, le Parlement impose au roi une pétition afin de limiter les abus royaux.

[Les parlementaires] supplient humblement Votre très excellente Majesté que nul, à l'avenir, ne soit contraint de faire aucun don gratuit, prêt d'argent ni présent volontaire, ni de payer aucune taxe ou impôt quelconque, hors le consentement commun donné par loi du Parlement, que nul ne soit appelé en justice ni obligé de prêter serment, ni contraint à un service, ni arrêté, inquiété ou maltraité à l'occasion de ces taxes ou du refus de les acquitter; qu'aucun homme libre ne soit arrêté ou détenu de la manière indiquée plus haut; qu'il plaise à Votre Majesté de faire retirer les soldats et matelots dont il est ci-dessus parlé[1], et empêcher qu'à l'avenir le peuple soit opprimé de la sorte ; que les commissions chargées d'appliquer la loi martiale[2] soient révoquées et annulées, et qu'il n'en soit plus délivré de semblables à quiconque, de peur que, sous ce prétexte, quelques-uns de vos sujets ne soient molestés ou mis à mort contrairement aux lois et franchises du pays.

Petition of Right, 1628, trad. L. Cayeux.

1. Le roi a imposé à ses sujets de loger les soldats et les marins de son armée.
2. Justice exercée par l'armée en période de guerre à la place des institutions judiciaires traditionnelles.

3 L'exécution du roi

Le 30 janvier 1649, Charles Stuart est décapité devant son palais de Whitehall. 1 Le roi pendant son procès; 2 Charles Ier se rendant à l'échafaud; 3 les spectateurs trempant leur mouchoir dans le sang royal.

L'Exécution de Charles Ier, huile sur toile anonyme, v. 1649, 163,2 x 296,8 cm, Scottish National Gallery, Edimbourg.

4 Le réquisitoire de John Cook

John Cook, procureur dans le procès de Charles Ier, prononce son réquisitoire[1] le 20 janvier 1649.

Charles Stuart, admis au trône d'Angleterre, avait été en conséquence investi d'un pouvoir limité pour gouverner selon les lois du pays et non autrement, et était obligé, par sa mission, son serment et son office, d'employer le pouvoir qui lui avait été confié pour le bien et l'avantage du peuple, et pour la conservation de ses droits et libertés. Néanmoins, dans l'intention perverse d'ériger en sa personne un pouvoir illimité et tyrannique qui le mît en état de gouverner conformément à sa volonté, et de détruire les droits et libertés du peuple […], il a traîtreusement pris les armes contre le présent Parlement et le peuple qu'il représente.

John Cook […] accuse pour lesdits crimes et trahisons, et dans l'intérêt dudit peuple d'Angleterre, ledit Charles Stuart de tyrannie, de trahison, de meurtre et d'être l'ennemi public et implacable de la République d'Angleterre.

Compte rendu officiel des débats, 20 janvier 1649, trad. L. Cayeux.

1. Acte par lequel le procureur demande une sanction contre un accusé au cours d'un procès.

Comment expliquer l'échec du modèle absolutiste en Angleterre ?

Répondre aux questions

1. **Montrez** que Charles Ier se présente comme un monarque absolu (**doc. 1**).
2. **Expliquez** ce que les parlementaires reprochent à Charles Ier (**doc. 2 et 4**).
3. **Comparez** les formules utilisées pour s'adresser à Charles Ier dans les deux documents. **Interprétez** cette évolution (**doc. 2 et 4**).
4. **Décrivez** la scène représentée en vous intéressant à la fois aux personnages et au décor (**doc. 3**). **Interprétez** cette représentation pour découvrir l'opinion de l'auteur sur cet épisode historique.
5. **Expliquez** l'échec du modèle absolutiste.

Rédiger un compte rendu

Jeune noble français, vous avez été envoyé par l'entourage du roi pour enquêter sur l'échec de l'absolutisme en Angleterre. Imaginez le compte rendu que vous pourriez en faire à la Cour.

- Analysez les documents 1 à 4 en cherchant les éléments montrant que Charles Ier est un souverain absolu, les causes de son opposition avec le Parlement et le résultat de cette opposition.
- À partir de ces éléments, rédigez un compte rendu organisé en trois parties.

DOCUMENTS POINT DE PASSAGE

L'*Habeas Corpus* et le *Bill of Rights*

En quoi les textes fondateurs des libertés anglaises expriment-ils le refus de l'arbitraire royal?

→ COURS P. 184

1 L'*Habeas Corpus*

Le nom de cette loi provient de l'abréviation d'une expression latine : habeas corpus ad subjiciendum, *« que tu aies le corps pour le présenter [devant un juge] ». Elle est inscrite au début des ordonnances demandant aux forces de l'ordre de présenter leur prisonnier devant un tribunal.*

Chaque fois qu'une ou des personnes produira ou produiront une ordonnance d'*Habeas Corpus* adressée à un ou des shérifs[1], que lesdits officiers ou leurs subordonnés, dans les trois jours qui suivent la présentation de ladite ordonnance, [...] amènent ou fassent amener en personne l'individu en cause, devant le ou en présence du lord Chancelier ou du lord Gardien du Grand Sceau d'Angleterre, ou devant les juges ou barons de ladite cour d'où émane ladite ordonnance; et alors certifient les vraies causes de sa détention ou de son emprisonnement; et sur quoi, dans les deux jours qui suivront la présentation de l'intéressé devant eux, ledit lord Chancelier, ou lord Gardien du Grand Sceau, ou juge ou baron, devra libérer ledit prisonnier de son emprisonnement, après avoir pris son engagement assorti d'une ou de plusieurs cautions, à moins qu'il n'apparaisse que l'intéressé ainsi emprisonné est détenu en vertu d'une procédure légale.

Extrait de la « Loi pour mieux garantir la liberté du sujet », *Habeas Corpus Act*, 1679, trad. L. Cayeux.

1. Officier du roi chargé du respect de l'ordre public dans un comté (circonscription administrative anglaise).

Repères

La Grande Charte ou *Magna Carta*

Au début du XIIIe siècle, le roi d'Angleterre, Jean sans Terre, lève de nouveaux impôts pour financer des guerres désastreuses contre le roi de France. En 1215, à la suite d'une révolte, les barons imposent au monarque la **Grande Charte** (*Magna Carta*), qui insiste sur deux principes : le consentement des nobles à l'impôt et l'interdiction des arrestations arbitraires. Bien qu'elle n'ait jamais été appliquée, la *Magna Carta* est considérée, depuis les révolutions du XVIIe siècle, comme le premier texte fondateur des libertés anglaises.

2 Marie Stuart et Guillaume d'Orange recevant la couronne

En janvier 1689, au cours de la Glorieuse Révolution, le Parlement offre la couronne d'Angleterre à Marie Stuart et Guillaume d'Orange à condition qu'ils acceptent le *Bill of Rights*.

The Bill of Rights, 1689, huile sur toile de James Northcote, 1827, 43,2 x 60,4 cm, Parliamentary Art Collection, Londres.

3 La *Déclaration des Droits*

Lesdits Lords spirituels et temporels et les Communes [...] constituant ensemble la représentation pleine et libre de la Nation [...] déclarent [...] pour assurer leurs anciens droits et libertés :

1. Que le prétendu pouvoir de l'autorité royale de suspendre les lois ou l'exécution des lois sans le consentement du Parlement est illégal ;

2. Que le prétendu pouvoir de l'autorité royale de se dispenser des lois ou de l'exécution des lois, comme cela a été fait par le passé, est illégal ; [...]

4. Qu'une levée d'impôt pour la Couronne ou à son usage, sous prétexte que cela serait une prérogative royale, sans le consentement du Parlement [...] est illégale ; [...]

6. Que la levée et l'entretien d'une armée dans le royaume, en temps de paix, sans le consentement du Parlement, est contraire à la loi ; [...]

8. Que les élections des membres du Parlement doivent être libres ;

9. Que la liberté de parole, des débats et des procédures au sein du Parlement, ne peut être entravée ; [...]

13. Qu'enfin, pour remédier à tous griefs ainsi que pour modifier, renforcer ou conserver des lois, le Parlement doit être fréquemment réuni.

Et ils requièrent et réclament vivement toutes les choses susdites comme leurs droits et libertés incontestables.

Bill of Rights, 1689, trad. L. Cayeux.

John Wilkes
(1725-1797)

Journaliste anglais, il est connu pour ses prises de position radicales. Membre du parti *whig*, composé de puritains favorables à l'établissement d'un régime parlementaire, il est élu à la Chambre des Communes en 1757. En 1763, il est arrêté pour avoir publié un article critiquant le roi George III, ce qui déclenche des émeutes à Londres, où fleurit le slogan « *Wilkes and Liberty* ».

4 Figurine à l'effigie de John Wilkes

Porcelaine de Derby, 1775.

En quoi les textes fondateurs des libertés anglaises expriment-ils le refus de l'arbitraire royal ?

Répondre aux questions

1. **Expliquez** les exigences formulées par la loi d'*Habeas Corpus*. **Montrez** les points communs entre cette loi et la *Magna Carta* (**doc. 1 et Repères**).
2. **Montrez** qu'en 1689 une monarchie parlementaire se met en place en Angleterre (**doc. 2 et 3**).
3. **Décrivez** cet objet et **interprétez** son rôle dans la diffusion d'une culture politique en Angleterre (**doc. 4**).
4. À l'aide des réponses précédentes, **montrez** que les textes fondateurs des libertés anglaises expriment le refus de l'arbitraire royal.

Réaliser une carte mentale

1. Écrivez « L'émergence des libertés anglaises aux XVIIe et XVIIIe siècles » au milieu d'une page.
2. Tracez trois branches partant de ce titre :
   - **Les textes fondateurs des libertés anglaises**
   - **Les principales libertés anglaises**
   - **L'ancrage des libertés anglaises dans la culture politique britannique**
3. Complétez chaque branche avec des informations extraites des documents.

Voltaire et les *Lettres anglaises*

Quelle a été l'influence du modèle anglais sur la pensée de Voltaire ?

→ COURS P. 184, 186

François Marie Arouet dit Voltaire (1694-1778)

Quand, à la suite d'une querelle avec le chevalier de Rohan, Voltaire est emprisonné à la Bastille le 17 avril 1726, il est déjà un écrivain connu. Il est libéré en promettant de s'installer en Angleterre. Il y vit de mai 1726 à mars 1729 et apprend l'anglais. Son séjour en Angleterre lui inspire les *Lettres anglaises* ou *Lettres philosophiques*, publiées à Londres (en anglais et en français) en 1733 et, sans son autorisation, en France en 1734. Le livre est immédiatement condamné en France et Voltaire se réfugie chez son amie Émilie du Châtelet, à Cirey, près de la frontière entre la France et la Lorraine.

1 Un « gouvernement sage »

La nation anglaise est la seule de la terre, qui soit parvenue à régler le pouvoir des rois en leur résistant, et qui, d'efforts en efforts, ait enfin établi ce gouvernement sage où le Prince, tout-puissant pour faire du bien, a les mains liées pour faire le mal, où les seigneurs sont grands sans insolence et sans vassaux, et où le peuple partage le gouvernement sans Constitution. La Chambre des Pairs et celle des Communes sont les arbitres de la nation, le roi est le sur-arbitre. [...]

Il en a coûté sans doute pour établir la liberté en Angleterre ; c'est dans des mers de sang qu'on a noyé l'idole du pouvoir despotique ; mais les Anglais ne croient point avoir acheté trop cher de bonnes lois.

Voltaire, *Lettres anglaises*, VIII, « Sur le Parlement », 1733.

2 Le négociant et le courtisan

Le commerce, qui a enrichi les citoyens en Angleterre, a contribué à les rendre libres, et cette liberté a étendu le commerce à son tour ; de là s'est formée la grandeur de l'État. C'est le commerce qui a établi peu à peu les forces navales par qui les Anglais sont les maîtres des mers. [...] Tout cela donne un juste orgueil à un marchand anglais, et fait qu'il ose se comparer, non sans quelque raison, à un citoyen romain. [...]

En France [...], le négociant entend lui-même parler si souvent avec mépris de sa profession, qu'il est assez sot pour en rougir. Je ne sais pas pourtant lequel est le plus utile à un État, ou un seigneur bien poudré qui sait précisément à quelle heure le roi se lève, à quelle heure il se couche, et qui se donne des airs de grandeur en jouant le rôle d'esclave dans l'antichambre d'un ministre, ou un négociant qui enrichit son pays, donne de son cabinet des ordres à Surate[1] et au Caire, et contribue au bonheur du monde.

Voltaire, *Lettres anglaises*, X, « Sur le commerce », 1733.

1. Ville du nord-ouest de l'Inde.

3 Le pluralisme religieux

Quoique la secte épiscopale et la presbytérienne[1] soient les deux dominantes dans la Grande-Bretagne, toutes les autres y sont bien venues et vivent toutes assez bien ensemble, pendant que la plupart de leurs prédicants se détestent réciproquement [...]. Entrez dans la Bourse de Londres, cette place plus respectable que bien des cours, vous y voyez rassemblés les députés de toutes les nations pour l'utilité des hommes. Là le juif, le mahométan et le chrétien traitent l'un avec l'autre comme s'ils étaient de la même religion [...]. Au sortir de ces pacifiques et libres assemblées, les uns vont à la synagogue, les autres vont boire [...].

S'il n'y avait en Angleterre qu'une religion, le despotisme serait à craindre ; s'il y en avait deux, elles se couperaient la gorge ; mais il y en a trente, et elles vivent en paix et heureuses.

Voltaire, *Lettres anglaises*, VI, « Sur les presbytériens », 1733.

1. L'Église épiscopale est un autre nom de l'Église anglicane. L'Église presbytérienne est celle des calvinistes d'Écosse.

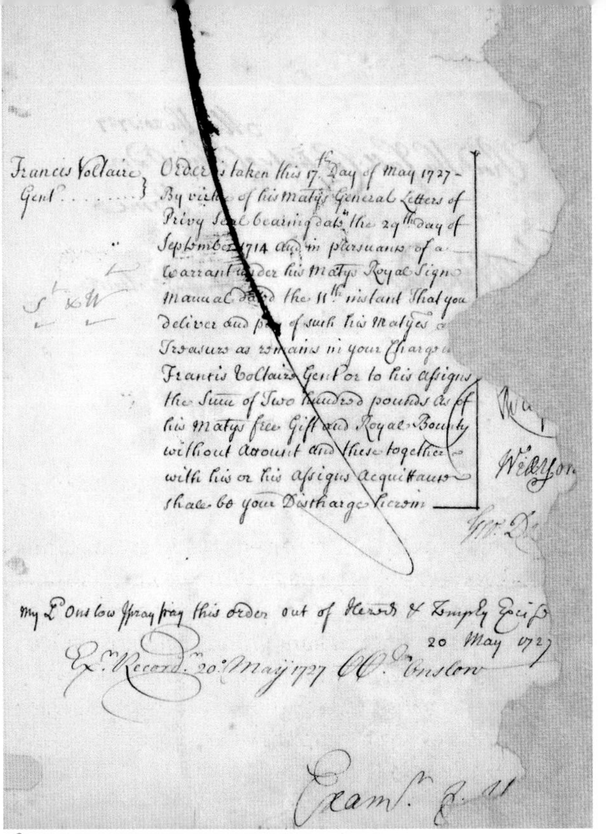

Francis Voltaire Gent. ... Order is taken this 17 Day of May 1727 - By virtue of his Matys General Letters of Privy Seal bearing date the 29th Day of September 1714 and in pursuance of a Warrant under his Matys Royal Signe Manual dated the 11th instant That you deliver and pay of such his Matys Treasure as remains in your Charge unto Francis Voltaire Gent or to his assigns the Sume of Two hundred pounds as of his Matys free Gift and Royal Bounty without account and these together with his or his assigns acquittance shall be your Discharge herein

My Ld Onslow I pray pay this Order out of ...
20 May 1727
Ex. Record. 20 Maij 1727 ... Onslow

Exam.

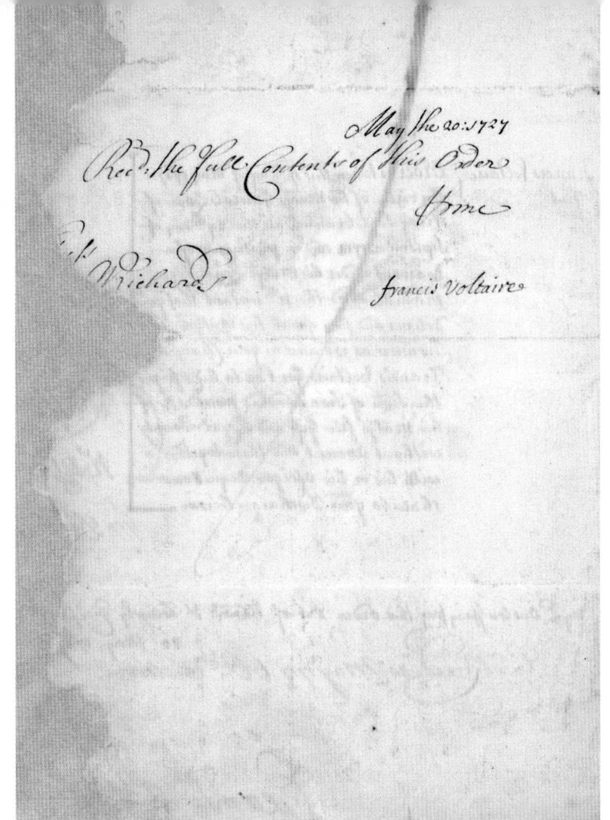

May the 20: 1727
Recd the full Contents of this Order
francis Voltaire

4 Voltaire anglophone

En 2012, le chercheur britannique Nicholas Cronk a retrouvé 14 lettres inédites de Voltaire. Celle-ci montre qu'il percevait une pension de 200 livres du gouvernement britannique, sans doute à la demande de la reine Caroline.

5 Londres et Paris

ETTERS
CONCERNING THE
NGLISH
ATION.
BY
DE VOLTAIRE.
LONDON,
for C. Davis in Pater-Noster-Row,
Lyon in Russel-Street, Covent-Garden.
MDCCXXXIII.

Dans cette lettre au pasteur suisse Joseph Vernet, on trouve le plus ancien emploi connu du mot « tolérance » par Voltaire. Le terme prend alors le sens positif qu'il a aujourd'hui (voir p. 170).

Mais en fait de religion, nous avons, je crois, vous et moi, de la tolérance […] : je passe tout aux hommes, pourvu qu'ils ne soient pas persécuteurs. […] Ces lettres anglaises, dont vous me parlez, sont écrites avec cet esprit de liberté qui, peut-être, m'attirera en France des persécutions, mais qui me vaudra votre estime; elles ne paraissent encore qu'en anglais et j'ai fait ce que j'ai pu pour suspendre l'édition française. Je ne sais si j'en viendrai à bout; mais jugez, monsieur, de la différence qui se trouve entre les Anglais et les Français; ces lettres ont paru seulement philosophiques aux lecteurs de Londres, et à Paris on les appelle déjà impies sans les avoir vues. Celui qui passe ici pour un tolérant, passe bientôt pour un athée : les dévots et les esprits frivoles, les uns trompeurs et les autres trompés, crient à l'impiété contre quiconque ose penser […].

Voltaire, *Lettre à M. Vernet*, 14 septembre 1733.

Quelle a été l'influence du modèle anglais sur la pensée de Voltaire ?

Répondre aux questions

1. **Vérifiez** l'analyse du système politique anglais par Voltaire, en illustrant ses affirmations par des faits précis (**doc. 1**).
2. **Expliquez** pourquoi Voltaire insiste sur le commerce dans son éloge de l'Angleterre (**doc. 2**).
3. **Analysez** le sens que donne Voltaire au mot « tolérance » dans le domaine religieux (**doc. 3 et 5**).
4. **Expliquez** pourquoi Voltaire hésitait à publier les *Lettres anglaises* en France (**doc. 5**).
5. **Montrez** que cette lettre témoigne de l'intégration de Voltaire à la société anglaise (**doc. 4**).
6. À l'aide des réponses précédentes, **présentez** l'influence du modèle anglais sur la pensée de Voltaire.

Réaliser un entretien + PROF Différenciation

Vous faites partie d'un groupe de gens de lettres se réunissant régulièrement au café parisien *Le Procope*. Vous y rencontrez Voltaire après son retour d'Angleterre. Imaginez un dialogue au cours duquel le philosophe comparerait l'Angleterre et la France sur le plan politique, social et religieux.

DOCUMENTS

La montée des tensions entre le Royaume-Uni et ses colonies

Pourquoi et comment les colonies d'Amérique du Nord en sont venues à s'unir contre le Royaume-Uni ?

→ COURS P. 186

1 Le « massacre de Boston » (5 mars 1770)

Le 5 mars 1770, à Boston, des soldats britanniques ouvrent le feu sur des manifestants protestant contre les taxes imposées par Londres, faisant 7 morts.

Gravure réalisée par l'orfèvre bostonien Paul Revere (1735-1818) qui est l'un des principaux leaders des *Insurgents*.

2 Une question de principe

L'imposition du peuple par lui-même ou par des personnes choisies par lui pour le représenter – qui sont seules capables de savoir quels impôts le peuple peut supporter, connaissent la meilleure méthode pour les lever et seront eux-mêmes affectés par toute taxe imposée au peuple –, est la seule protection contre une accablante imposition et la caractéristique de la liberté britannique. [...] L'assemblée générale de notre colonie a seule le droit et le pouvoir de lever des impôts sur ses habitants, et toute tentative pour conférer ce pouvoir à une ou plusieurs personnes autres que ladite assemblée générale révèle une tendance manifeste à détruire la liberté britannique autant que la liberté américaine.

Patrick Henry (député),
Discours à l'assemblée de Virginie, 30 mai 1765.

3 Le parlement virginien réagit aux *Coercive Acts*

Nous estimons qu'une attaque contre l'une de nos colonies-sœurs pour l'obliger à se soumettre à des impôts arbitraires est une attaque contre toute l'Amérique britannique, qu'elle menace de détruire les droits de tous, à moins d'une réaction sage et unitaire. C'est pourquoi il est recommandé au comité de liaison[1] qu'il communique avec les autres comités de liaison au sujet de l'opportunité de nommer des délégués des colonies de l'Amérique britannique, qui se rencontreront en un congrès général chaque année là où il conviendra, dans le but de délibérer sur les mesures générales que les intérêts unis de l'Amérique peuvent de temps à autre réclamer.

Résolution adoptée par l'assemblée de Virginie,
le 27 mai 1774.

1. Délégués du parlement virginien chargés de communiquer avec les parlements des autres colonies pour coordonner leur action.

4 Le goudron et les plumes

Des *Insurgents* s'en prennent à John Malcolm, agent des impôts, le 5 juillet 1774.

Les Bostoniens payant le receveur des impôts ou *Le goudron et les plumes*, gravure anglaise attribuée à Philip Dawe, 1774.

5 Une question de principe

Quand une nation qui a été conduite à la grandeur par la main de la liberté [...] descend à la tâche ingrate de forger des chaînes pour ses amis et ses enfants; quand, au lieu de soutenir la liberté, elle se fait l'avocat de la servitude et de l'oppression, on a raison de soupçonner que cette nation a cessé d'être vertueuse, ou qu'elle est singulièrement négligente dans le choix de ceux qui la gouvernent. Dans tous les siècles, au milieu des conflits sans nombre, parmi des guerres longues et sanglantes soutenues au-dedans et au-dehors contre les attaques de puissants ennemis, contre la trahison d'amis dangereux, les Anglais, vos grands et glorieux ancêtres, ont maintenu leur indépendance. Ils vous ont transmis, à vous leur postérité, les droits de l'homme et les bienfaits de la liberté. Nous sommes fils de mêmes aïeux ; nos pères ont eu leur part de ces droits, de ces libertés, de cette Constitution dont vous êtes si justement fiers [...]. Sachez donc que nous nous regardons comme devant être aussi libres que nos concitoyens de la Grande-Bretagne; nous le sommes, et nous avons droit de l'être. Nul pouvoir sur la Terre n'a le droit de nous prendre notre propriété sans notre consentement.

John Hay, *Adresse au peuple de la Grande-Bretagne*, adoptée par les 12 colonies (la Géorgie étant absente) réunies en Congrès à Philadelphie le 5 septembre 1774.

Pourquoi et comment les colonies d'Amérique du Nord en sont venues à s'unir contre le Royaume-Uni ?

Répondre aux questions

1. **Expliquez** pourquoi les colons s'opposent aux taxes que l'Angleterre veut leur imposer (**doc. 2**).
2. **Décrivez** et analysez sur la gravure de Dawe la scène représentée à l'arrière-plan, les différents personnages et les éléments symboliques (**doc. 4**).
3. **Comparez** la manière dont les insurgés sont représentés sur les deux gravures (**doc. 1 et 4**).
4. **Nommez** « l'attaque » à laquelle font référence les députés virginiens et la riposte qu'ils proposent (**doc. 3**); puis la « nation » et « ses amis et ses enfants » évoqués dans le discours de John Hay (**doc. 5**).
5. **Expliquez,** à l'aide des réponses aux questions précédentes, pourquoi et comment les colonies d'Amérique du Nord en sont venues à s'unir contre le Royaume-Uni.

Réaliser un diaporama

Réalisez un diaporama sur l'évolution des rapports entre le Royaume-Uni et ses colonies nord-américaines entre 1765 et 1774. Vous devez classer les cinq documents dans la partie qui convient le mieux.

I - Les causes de l'opposition
II - La radicalisation de l'opposition
III - La structuration de l'opposition

Faites une présentation orale de votre diaporama.

Thomas Paine, un Anglais partisan de l'indépendance américaine

Quel rôle a joué Thomas Paine dans les débats sur l'indépendance américaine?

→ COURS P. 186

1 Pourquoi l'indépendance?

Il n'est pas au pouvoir de l'Angleterre de traiter l'Amérique comme nos intérêts l'exigent. Avant peu nos affaires seront trop importantes et trop compliquées, pour qu'une autorité placée si loin de nous, et qui nous connaît si peu, les régisse convenablement. Il est aussi impossible à l'Angleterre de nous gouverner que de nous conquérir. Avoir toujours deux ou trois mille lieues à faire pour un rapport ou une pétition, attendre quatre ou cinq mois la réponse, avoir besoin, quand on l'a reçue, de cinq ou six autres mois pour l'expliquer, ce sont des choses que, sous très peu d'années, on regardera comme un enfantillage et une folie. Cela peut avoir été bon autrefois; mais le temps est venu où il est à propos que cela finisse. Il est tout simple que des royaumes prennent sous leur protection des îles de peu d'étendue, incapables de se protéger elles-mêmes : mais il y a de l'absurdité à supposer un continent toujours gouverné par une île. La nature n'a point fait de satellites plus gros que leur planète; et puisque l'une à l'égard de l'autre, l'Angleterre et l'Amérique, renversent l'ordre commun des choses, il est évident qu'elles appartiennent à des systèmes différents; la première à l'Europe, l'Amérique, à elle-même. Ce n'est point l'orgueil, la rage des partis ou le ressentiment qui me font embrasser la doctrine de la scission et de l'indépendance. Je suis clairement et positivement persuadé, je le suis dans mon for intérieur, que le véritable intérêt de l'Amérique consiste à ne plus dépendre de la Grande-Bretagne.

Thomas Paine, *Sens commun. Ouvrage adressé aux Américains*, 1776.

Repères

L'itinéraire transatlantique de Thomas Paine

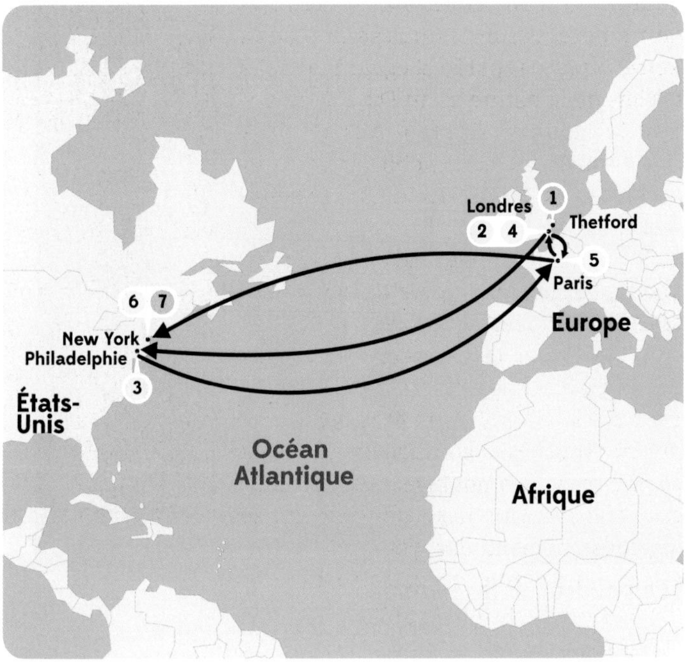

Londres, Thetford, Paris, Europe, New York, Philadelphie, États-Unis, Océan Atlantique, Afrique

1. **1737 :** naissance à Thetford en Angleterre.
2. **1774 :** rencontre avec Benjamin Franklin à Londres, émigration aux États-Unis.
3. **1776 :** publication de *Sens commun* qui s'écoule à 100 000 exemplaires en trois mois.
4. **1787 :** retour en Angleterre.
5. **1792 :** contraint à s'exiler en France du fait de ses critiques contre la monarchie anglaise, il devient citoyen français et est élu député du Pas-de-Calais à la Convention.
6. **1802 :** retour aux États-Unis.
7. **1809 :** mort à New-York.

Répondre aux questions

1. **Expliquez** pourquoi Thomas Paine juge l'indépendance des colonies américaines souhaitable (**doc. 1**).
2. **Expliquez** pourquoi Thomas Paine estime que l'indépendance est inéluctable (**doc. 1**).
3. Analysez le rôle joué par Thomas Paine dans les débats sur l'indépendance américaine (**doc. 1 et repères**).
4. En vous appuyant sur le **document 1**, rédigez la réponse qu'aurait pu adresser le roi du Royaume-Uni George III, répondant point par point aux arguments de Paine.

La Déclaration d'indépendance (1776)

En quoi la Déclaration d'indépendance américaine est-elle empreinte de l'esprit des Lumières ?

→ COURS P. 186

1 Déclaration d'indépendance des treize États-Unis d'Amérique (4 juillet 1776).

Lorsque dans le cours des événements humains, il devient nécessaire pour un peuple de dissoudre les liens politiques qui l'ont attaché à un autre et de prendre, parmi les puissances de la Terre, la place séparée et égale à laquelle les lois de la nature et du Dieu de la nature lui donnent droit, le respect dû à l'opinion de l'humanité oblige à déclarer les causes qui le déterminent à la séparation.

Nous tenons pour évidentes pour elles-mêmes les vérités suivantes : tous les hommes sont créés égaux; ils sont doués par le Créateur de certains droits inaliénables; parmi ces droits se trouvent la vie, la liberté et la recherche du bonheur. Les gouvernements sont établis parmi les hommes pour garantir ces droits, et leur juste pouvoir émane du consentement des gouvernés. Toutes les fois qu'une forme de gouvernement devient destructive de ce but, le peuple a le droit de la changer ou de l'abolir et d'établir un nouveau gouvernement, en le fondant sur les principes et en l'organisant en la forme qui lui paraîtront les plus propres à lui donner la sûreté et le bonheur. Mais lorsqu'une longue suite d'abus et d'usurpations, tendant invariablement au même but, marque le dessein de les soumettre au despotisme absolu, il est de leur droit, il est de leur devoir de rejeter un tel gouvernement et de pourvoir, par de nouvelles sauvegardes, à leur sécurité future. [...]

En conséquence, nous, les représentants des États-Unis d'Amérique, assemblés en Congrès général, prenant à témoin le Juge suprême de l'univers de la droiture de nos intentions, publions et déclarons solennellement au nom et par l'autorité du bon peuple de ces colonies, que ces colonies unies sont et ont le droit d'être des États libres et indépendants; qu'elles sont dégagées de toute obéissance envers la couronne de la Grande-Bretagne; que tout lien politique entre elles et l'État de la Grande-Bretagne est et doit être entièrement dissous.

Traduction française de Thomas Jefferson, qui en est le principal auteur.

John Trumbull, *La Déclaration d'indépendance*, 1817-1819.

Répondre aux questions

1. **Expliquez** à quelle « séparation » il est fait référence dans le premier paragraphe de la déclaration d'indépendance.
2. **Identifiez** et **expliquez** les droits que la déclaration d'indépendance américaine reconnaît aux hommes.
3. **Expliquez** à quoi fait référence la mention d'une « longue suite d'abus et d'usurpations » dans le deuxième paragraphe de la déclaration.
4. **Montrez**, à l'aide des réponses aux questions précédentes, que la déclaration d'indépendance s'inspire de la philosophie des Lumières.
5. En vous aidant du document, complétez le tableau suivant.

Droits proclamés par les députés américains	
Reproches adressés au Royaume-Uni par les députés américains	
Décisions prise par les députés américains	
Influence de la philosophie des lumières	

Les Indiens dans la révolution américaine

Pourquoi les populations indiennes ont-elles été impliquées dans le conflit entre les colons anglais et leur métropole?

→ COURS P. 186

Repères

Indiens et Européens en Amérique du Nord

Célébrée chaque année en novembre, la fête de *Thanksgiving* rappelle l'aide apportée en 1620 par les Indiens Wampanoags aux premiers colons anglais installés en Amérique du Nord.
Les relations entre les deux communautés se dégradent néanmoins rapidement car les colons, dans leur expansion vers l'ouest, dépossèdent les Indiens de leurs terres. Toutefois, les nombreuses tribus indiennes, souvent rivales les unes des autres, ne présentèrent jamais un front uni face aux Européens.

1 La proclamation royale de 1763

Il est juste, raisonnable, conforme à notre intérêt et à la sécurité de nos colonies d'empêcher que les nations ou tribus indiennes, avec lesquelles nous entretenons des relations et que nous protégeons, ne soient ni maltraitées ni dérangées dans nos territoires qui, n'ayant été ni cédés à nous ni achetés par nous, leur sont réservés comme terrains de chasse. [...]

Nous plaçons sous notre souveraineté, notre protection et notre pouvoir, pour les réserver aux Indiens, toutes les terres et tous les territoires [...] à l'ouest de la source des cours d'eau qui, venant de l'ouest et du nord-ouest, se jettent dans l'océan[1]. Nous interdisons formellement à tous nos sujets bien-aimés, sous peine de nous causer du déplaisir, d'acheter, de coloniser ou de prendre les terres ainsi réservées sans avoir obtenu une autorisation spéciale. Nous demandons formellement à tous ceux qui se sont installés, volontairement ou non, sur les terres de ces régions, ou sur des terres réservées aux Indiens, de les quitter.

George III, roi d'Angleterre, Proclamation du 7 octobre 1763.

1. Référence à la ligne de partage des eaux que constitue la chaîne montagneuse des Appalaches.

2 Les instructions de Washington

Je suis autorisé à employer un corps de 400 Indiens, s'il est possible de le lever dans des conditions convenables. En les dépouillant des coutumes sauvages qu'ils pratiquent dans les guerres qui les opposent, je pense qu'ils peuvent rendre d'excellents services comme éclaireurs et troupes légères, mélangés à nos propres unités. Je me propose de lever la moitié de ce nombre parmi les Indiens du Sud et le reste parmi les Indiens du Nord. J'ai envoyé le colonel Nathaliel Gist, qui connaît bien les Cherokees et leurs alliés, avec la consigne d'en ramener autant qu'il peut et je dois attendre de vous que vous fassiez appel à des personnes convenables pour me procurer le nombre mentionné ou presque dans les tribus du Nord. Les conditions que vous accorderez seront celles qui vous paraîtront acceptables et des personnes connaissant bien leur langue, leurs us et coutumes et jouissant sur eux d'une grande influence, devraient les accompagner.

George Washington, lettre du 13 mars 1778 aux commissaires des Affaires indiennes.

Répondre aux questions

1. **Expliquez** le contenu de la proclamation du 7 octobre 1763. Contre qui est-elle dirigée (**doc. 1**)?
2. **Montrez** que la manière dont George III parle des terres indiennes est contradictoire (**doc. 1**).
3. **Caractérisez** l'utilité des combattants indiens selon George Washington (**doc. 2**).
4. **Expliquez** de quelle manière il entend procéder pour les convaincre de s'engager (**doc. 2**).
5. À l'aide des réponses aux questions précédentes, **expliquez** pourquoi les populations indiennes se sont trouvées impliquées dans le conflit entre les colons anglais et leur métropole.

DOCUMENTS

Les Noirs dans la révolution américaine

Les principes démocratiques de la révolution américaine se sont-ils appliqués aux Noirs ?

→ COURS P. 186

Repères

La présence noire en Amérique du Nord au XVIIIe siècle

La traite négrière transatlantique est à l'origine de la présence des populations noires en Amérique. Lorsqu'éclate la guerre d'indépendance, environ 20 % de la population des treize colonies est d'origine africaine. Les Noirs sont surtout présents dans les colonies du Sud, où ils travaillent comme esclaves dans les plantations. Une petite minorité, ayant bénéficié d'une mesure d'affranchissement, est libre.

1 Jefferson et la traite négrière

Le roi d'Angleterre a conduit une guerre cruelle contre la nature humaine elle-même, violant ses droits les plus sacrés de vie et de liberté en emprisonnant et en asservissant dans un autre hémisphère des personnes issues d'un peuple lointain qui ne lui avait jamais fait de tort, quand il ne les a pas fait périr d'une mort misérable dans les vaisseaux qui les y transportaient. [...] Déterminé à maintenir un marché où des hommes seraient achetés et vendus, il a abusé de son droit de veto afin de supprimer toute tentative, sur le plan législatif, visant à interdire ou à restreindre cet exécrable commerce. [...] Il a maintenant entrepris de pousser ce même peuple à prendre les armes contre nous, et à acheter cette liberté dont lui-même l'a privé en assassinant le peuple auquel il l'a imposé. Ainsi, il prétend réparer d'anciens crimes commis contre les libertés d'un peuple par des crimes qu'il le pousse à commettre contre la vie d'un autre.

Thomas Jefferson, paragraphe finalement retiré de la Déclaration d'indépendance, 1776.

2 Une pièce d'un dollar sierra-léonais de 1791

Après l'indépendance américaine, la Sierra Leone Company est chargée par le gouvernement britannique d'installer les esclaves noirs ayant combattu dans les rangs loyalistes en échange d'une promesse d'affranchissement dans la colonie de Freetown, en Sierra Leone (Afrique de l'Ouest).

Répondre aux questions

1. **Caractérisez** les deux premiers reproches adressés par Jefferson au roi d'Angleterre (**doc. 1**).
2. **Expliquez** la formule de Jefferson, accusant le roi de réparer d'anciens crimes par de nouveaux crimes (**doc. 1**).
3. **Expliquez** pourquoi ce passage a été retiré de la version finale de la Déclaration d'indépendance américaine (**doc. 1**).
4. **Décrivez** et **interprétez** le symbole gravé sur la pièce d'un dollar sierra-léonaise (**doc. 2**).
5. À l'aide des réponses aux questions précédentes, **montrez** les limites de l'application aux Noirs des principes démocratiques de la révolution américaine.

La Fayette : un Français aux côtés des révolutionnaires américains

Pourquoi et comment La Fayette a-t-il contribué à la révolution américaine ?

→ COURS P. 186

Gilbert du Mortier de La Fayette

1757 : naissance de Gilbert du Mortier de La Fayette dans une famille de la haute noblesse française.

1777 : La Fayette embarque pour l'Amérique et y intègre l'état-major du général Washington.

1779 : de retour en France, il plaide la cause des *Insurgents* américains auprès de l'opinion publique.

1780 : de retour en Amérique, il reçoit de Washington le commandement des troupes de Virginie.

1781 : il participe à la victoire des *Insurgents* à Yorktown.

1784 : il reçoit la nationalité américaine.

1789 : en France, il participe à la rédaction de la *Déclaration des droits de l'homme et du citoyen*.

2 Sur les champs de bataille américains

À côté de La Fayette, le peintre a représenté James Armistead, un esclave engagé dans le camp des *Insurgents*. Il fut affranchi en 1787 par l'assemblée de Virginie à la demande de La Fayette.

Jean-Baptiste Le Paon, *La Fayette à Yorktown*, vers 1783.

1 Les raisons d'un engagement

J'appris les troubles américains. Ils ne furent bien connus en Europe qu'en 1776, et la mémorable déclaration du 4 juillet y parvint vers la fin de la même année. Après s'être couverte de lauriers et enrichie de conquêtes, après avoir maîtrisé toutes les mers, insulté toutes les nations, l'Angleterre avait tourné son orgueil contre ses propres colonies. Depuis longtemps l'Amérique du nord lui faisait ombrage ; elle voulut joindre aux premières entraves des vexations nouvelles, et envahir les privilèges les plus sacrés. […] Jamais si belle cause n'avait attiré l'attention des hommes ; c'était le dernier combat de la liberté, et sa défaite ne lui laissait ni asile ni espérance. Oppresseurs et opprimés, tous allaient recevoir une leçon ; ce grand ouvrage devait s'élever, ou les droits de l'humanité se perdraient sous ses ruines. […] À la première connaissance de cette querelle, mon cœur fut enrôlé, et je ne songeai qu'à rejoindre mes drapeaux. […] En présentant à M. Deane[2] ma figure à peine âgée de dix-neuf ans, je parlai plus de mon zèle que de mon expérience […]. Le secret de cette négociation et de mes préparatifs fut vraiment miraculeux. Famille, amis, ministres, espions français, espions anglais, tout fut aveuglé.

Marquis de La Fayette, *Mémoires de ma main*, rédigés vers 1783.

2. Silas Deane est l'un de représentants envoyés en France par les insurgés américains pour tenter d'obtenir le soutien de Louis XVI à la révolution.

Répondre aux questions

1. **Expliquez** les termes « entraves » et « vexations » utilisés par La Fayette (**doc. 1**).
2. **Expliquez** les raisons qui motivent La Fayette à s'engager aux côtés des insurgés américains (**doc. 1**).
3. **Caractérisez** les obstacles surmontés par La Fayette pour s'engager (**doc. 1**).
4. **Décrivez** la manière dont La Fayette soutient les insurgés américains (**doc. 1 et 2**).
5. À l'aide des réponses précédentes, **analysez** l'engagement de La Fayette dans la guerre d'indépendance américaine.

DOCUMENTS

L'influence de la révolution américaine en France

Comment la victoire des révolutionnaires américains a-t-elle été perçue en France?

→ COURS P. 188

1 Une victoire célébrée
J. Duplessis Bertaux, *Allégorie de l'indépendance américaine*, 1786.

2 Les avantages de la révolution américaine

Avocat et journaliste, Jacques Pierre Brissot (1754-1793) est l'un des principaux acteurs des débuts de la Révolution française.

Surmontant les obstacles mis à la liberté d'imprimer, j'ai entrepris de répandre quelques lumières sur nos rapports de commerce avec les États-Unis. Cet objet est de la plus grande importance. Il s'agit de développer les avantages immenses que la France peut recueillir de la révolution qu'elle a si puissamment favorisée [...]. Le premier et le plus grand avantage de cette révolution, au moins aux yeux du philosophe, est celui de son influence salutaire sur les connaissances humaines et sur la réforme des préjugés sociaux. Car cette guerre a occasionné la discussion de plusieurs points importants pour le bonheur public, la discussion du contrat social, de la liberté civile, du fait qui peut rendre un peuple indépendant, des circonstances qui légitiment, sanctionnent son insurrection et lui font prendre place parmi les puissances de la Terre. [...] Le despotisme, soit nécessité, soit raison, respectera davantage les droits de l'homme si bien connus, si bien établis. Éclairés par cette révolution, les gouvernements d'Europe seront forcés de réformer insensiblement leurs abus, diminuer leurs fardeaux, dans la juste appréhension que leurs sujets, las d'en supporter le poids, ne se réfugient dans l'asile que les États-Unis leur offrent.

Jacques Pierre Brissot, *De la France et des États-Unis ou De l'importance de la révolution de l'Amérique pour le bonheur de la France*, 1787, Londres.

Répondre aux questions

1. **Interprétez** les deux allégories présentes sur cette gravure : qui est la femme coiffée de plumes? Que signifie le bonnet phrygien au sommet de sa lance? Que représente le fauve vaincu à ses pieds avec un trident brisé (doc. 1)?
2. **Décrivez** et **interprétez** le monument représenté sur la gravure en présentant l'inscription, les personnages honorés et le coq au sommet (doc. 1).
3. **Expliquez** à quels « obstacles » fait référence Brissot au début du texte et pourquoi la révolution américaine fait peur à certains (doc. 2).
4. **Montrez** que, pour Brissot, la révolution américaine contribue à la diffusion des valeurs des Lumières (doc. 2).
5. À l'aide des réponses précédentes, **analysez** l'influence de la révolution américaine en France. Pour vous aider, vous pouvez compléter le tableau suivant :

	Bénéficiaires de la révolution américaine	Perdants de la révolution américaine
Doc. 1		
Doc. 2		

George Washington : du général au président

Quel rôle a joué George Washington dans la naissance des États-Unis?

→ COURS P. 188

1 Le premier discours du Président

J'ai été appelé par mon pays, dont je ne peux entendre la voix qu'avec vénération et amour, depuis une retraite que j'avais choisie avec la plus grande prédilection [...], comme l'asile de mes jours déclinants. [...] Il serait particulièrement indécent d'oublier, dans ce premier acte officiel, mes ferventes supplications au Tout-Puissant qui règne sur l'Univers, qui préside les conseils des nations et dont les secours providentiels peuvent corriger tous les défauts humains, d'oublier que Sa bénédiction peut consacrer aux libertés et au bonheur du peuple des États-Unis un gouvernement instauré par eux-mêmes pour ces objectifs fondamentaux [...]. Aucun peuple ne peut être conduit à reconnaître et adorer la Main Invisible qui guide les affaires des hommes plus que celui des États-Unis. Chaque étape sur le chemin qui a conduit les Américains à former une nation indépendante semble avoir été distinguée par une marque de la Providence. [...] Vous vous joindrez à moi, j'en suis sûr, pour penser qu'aucun gouvernement nouveau et libre ne pouvait commencer son action sous de meilleurs auspices.

G. Washington, *Discours d'investiture*, 30 avril 1789.

2 La révolte du whisky

En 1794, une révolte contre l'augmentation des taxes sur le whisky éclate.

Espérant que les menées contre la Constitution et les lois des États-Unis dans certains comtés de l'ouest de la Pennsylvanie cesseraient avec le temps et la réflexion, j'ai jugé dans un premier temps suffisant de mettre en alerte la milice plutôt que de la mobiliser immédiatement. Mais il est évident que la violence va continuer à s'exercer contre toutes les tentatives pour faire respecter la loi [...]. En conséquence, moi, George Washington, Président des États-Unis, obéissant à ce devoir élevé et irrésistible que la Constitution me confie de « veiller à ce que les lois soient fidèlement exécutées », déplorant que le nom d'Américain soit souillé par les violences de citoyens contre leur propre gouvernement [...], déclare par la présente qu'une force est dès à présent en route vers le lieu de l'agitation et que tous ceux qui ont placé et placent leur confiance dans la protection du gouvernement vont être pleinement secourus par les armes des États-Unis et sous leur drapeau.

George Washington, proclamation du 25 septembre 1794.

3 Le domaine de Mont Vernon

Washington supervise les travaux des champs dans son domaine de Mont Vernon (Virginie).

Nathaniel Currier, *George Washington au Mont Vernon*, 1797, lithographie, 1852.

1732 : naissance dans une riche famille de planteurs virginiens.

1758 : devient député à l'assemblée de la colonie de Virginie.

1775 : nommé commandant en chef de l'armée indépendantiste.

1783 : la victoire acquise, Washington abandonne son commandement et se retire dans son domaine de Mont Vernon.

1789 : sort de sa retraite, élu premier président des États-Unis.

1792 : réélu pour un deuxième mandat; reçoit la nationalité française à titre honorifique.

1796 : Washington refuse de se présenter pour un troisième mandat et prend sa retraite.

1799 : décède sur son domaine de Mont Vernon.

4 Washington sur le champ de bataille
James Peale, *George Washington*, 1779-1782.

5 Le dernier discours du Président

À de très faibles différences près, vous avez la même religion, les mêmes coutumes, les mêmes mœurs, les mêmes principes politiques. Vous avez combattu et triomphé ensemble pour la même cause; l'indépendance et la liberté dont vous jouissez, vous les devez à la réunion des conseils et des efforts de tous, vous les devez aux dangers auxquels vous avez été exposés, aux maux que vous avez soufferts, et aux succès que vous avez obtenus en commun. [...] Il y a maintenant une patrie américaine dont vous êtes citoyens, soit par la naissance, soit par votre choix, et qui a droit à toute votre affection, et le nom d'Américain, qui est pour vous un nom national, doit, plus que toute autre dénomination plus spéciale, exalter en vous l'orgueil du patriotisme. Si l'idée de la patrie est supérieure dans vos sentiments aux affections locales, nous serons forts contre les attaques de l'ennemi extérieur, et les diverses parties de cette immense contrée devront à l'Union de ne pas voir éclater entre elles les guerres qui affligent si fréquemment les contrées voisines, que ne réunissent point un même gouvernement.

G. Washington, *Discours d'adieux*, 1796.

Quel rôle a joué George Washington dans la naissance des États-Unis?

Répondre aux questions

1. **Décrivez** les deux tableaux et **caractérisez** deux aspects essentiels de la vie de Washington (doc. 3 et 4).
2. **Expliquez** la première phrase du discours d'investiture (doc. 1).
3. **Citez** les termes employés par Washington pour faire des États-Unis un pays très singulier (doc. 1).
4. **Résumez** le message que Washington veut transmettre à ses concitoyens (doc. 5).
5. **Montrez** que ce message peut légitimer une action ferme du gouvernement (doc. 2).
6. À l'aide des réponses précédentes, **expliquez** pourquoi Washington est devenu le premier président des États-Unis et comment il a conçu son rôle.

Classer des informations

Complétez le tableau sur la présidence de Washington.

	L'arrivée au pouvoir	Le rôle du président	La nation américaine
Doc. 1			
Doc. 2			
Doc. 3			
Doc. 4			
Doc. 5			

Créez une carte mentale numérique et collaborative

Une carte mentale permet d'organiser des idées complexes de manière visuelle et ludique. Elle fait apparaître des connexions logiques et une hiérarchie entre les éléments présentés. La créer en ligne permet d'y travailler de manière collaborative et ainsi de favoriser de l'émulation entre élèves.

CONSIGNE **Créez une carte mentale numérique et collaborative pour comprendre et expliquer l'influence du modèle britannique sur les Lumières françaises.**

ÉTAPE 1 Constituez des équipes et répartissez-vous le travail

- Plus les **équipes** sont nombreuses, plus vous pourrez couvrir l'ensemble du sujet. Commencez par **identifier** le **centre** de votre carte mentale, qui est le **cœur du sujet** à étudier. Exemple : **Comment le modèle britannique influence-t-il les penseurs des Lumières en France ?**
- Identifiez ensuite des sous-thèmes :
  - le rejet du modèle absolutiste ;
  - l'installation d'un régime parlementaire ;
  - les libertés anglaises ;
  - des penseurs français en séjour en Angleterre.
- Chaque équipe doit **identifier** des **mots** et **phrases clés**, des **liens logiques** entre eux, et penser à des **illustrations**.

ÉTAPE 2 Choisissez un outil de carte mentale

- Il existe de nombreux **logiciels libres** (gratuits) pour réaliser des cartes mentales. Leur utilisation est **simple** et **intuitive**. Beaucoup permettent d'intégrer des **médias** (photos ou vidéos). D'autres ont l'avantage d'être **collaboratifs**, comme Coggle ou Framindmap.

Cet outil, issu du projet associatif Framasoft qui offre des services éducatifs libres, permet le travail à plusieurs sur une carte, mais pas en temps réel.

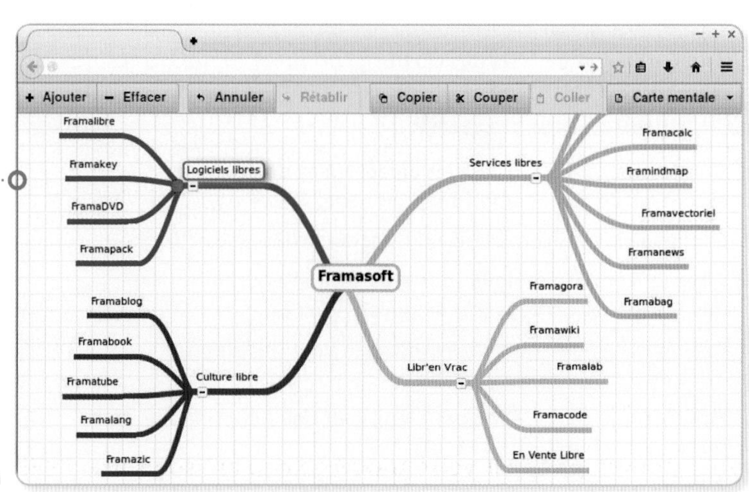

https://framindmap.org/c/login

ÉTAPE 3 Créez le plan de votre carte mentale

Cherchez à **comprendre** et **résumer** les **idées principales** liées à votre sous-thème. Ici, *Les Lettres philosophiques* ou *Lettres anglaises* comme exemple de l'influence du modèle britannique.
Trouvez le texte de Voltaire. Tombé dans le domaine public, il est notamment consultable sur Wikisource.

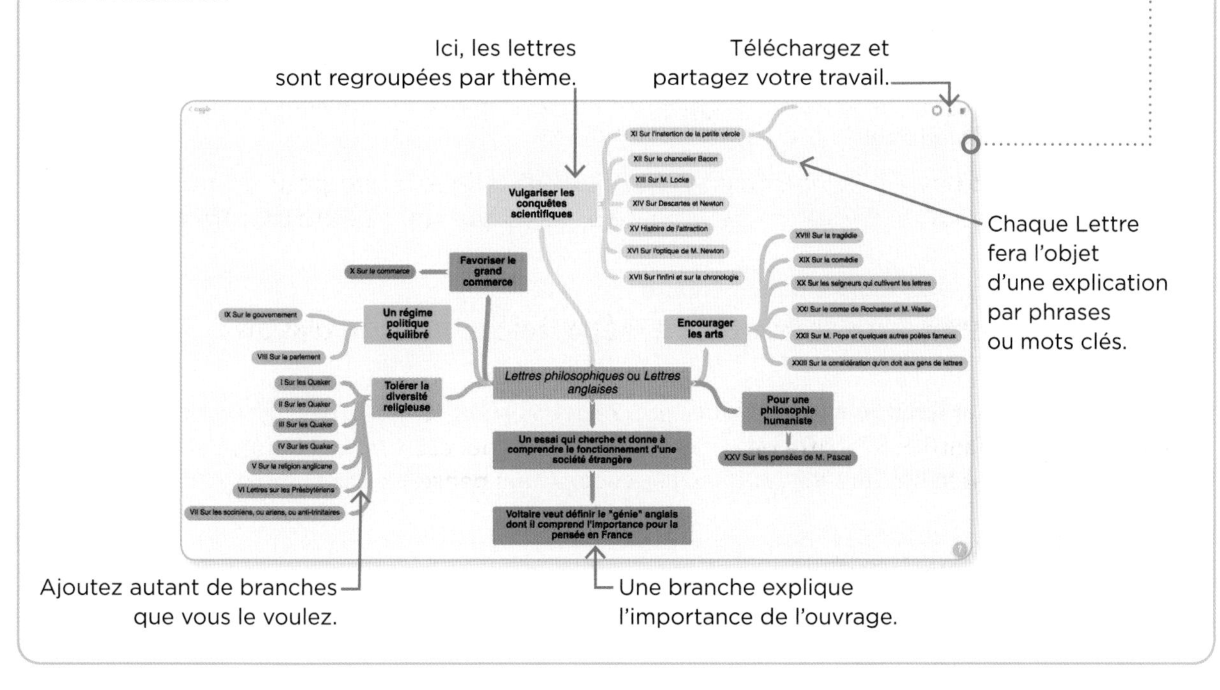

ÉTAPE 4 Enrichissez la carte de vos recherches et réflexions

Documentez-vous pour compléter votre carte.
Analysez l'**influence britannique** dont témoignent ces Lettres.

Exemple d'une branche de carte mentale résumant la Lettre XI.

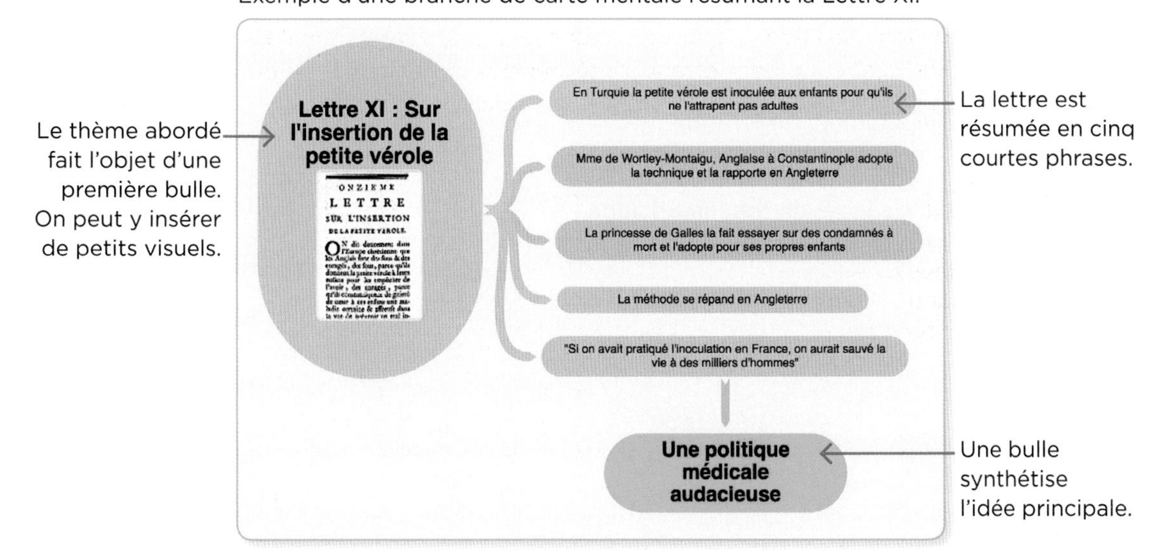

Vous pouvez **partager** votre **travail** en copiant son lien sur l'**ENT** de votre lycée par exemple.

RÉVISER **Le modèle britannique et son influence**

SAVOIR EXPLIQUER

SAVOIR DATER

L'affirmation du modèle britannique

- **Les mutations de la société anglaise au XVIIe siècle**
  # Expansion; Croissance démographique; Exode rural; Tensions religieuses
- **Le rejet de l'absolutisme**
  # Libertés anglaises; Pétition du Droit; Grande Rébellion; République; *Habeas Corpus*; Glorieuse Révolution; *Bill of Rights*
- **La mise en place d'un régime parlementaire**
  # Parlement; *Money Bill*; Régime parlementaire; Premier ministre; Corruption
- **Le rayonnement du modèle britannique**
  # Liberté de la presse; Dissidents; Lumières; Équilibre des pouvoirs; Critiques

1628	Charles Ier signe une Pétition du Droit
1642-1660	Grande Rébellion
1679	*Habeas Corpus*
1688	Exil de Jacques II
1689	*Bill of Rights*
1695	Liberté de la presse au Royaume-Uni

La révolution américaine et son rayonnement

- **Les reproches adressés par les colons à l'Angleterre**
  # Taxes; Exclusif; Représentation
- **Les modes de protestation des colons**
  # Boycott; Pamphlet; Manifestations; Proclamation d'indépendance
- **La réaction anglaise et la guerre d'indépendance**
  # *Coercive Acts*; *Insurgents*; Loyalistes; Noirs; Indiens; Volontaires; Mercenaires; Puissances européennes; Traité de Versailles; Indépendance; Affranchissement; Exil
- **L'affirmation d'un nouveau modèle politique**
  # Constitution; République; Fédération; Séparation des pouvoirs
- **L'impact extérieur de la révolution américaine**
  # Révolution atlantique; Haïti; Révolution française

1764	*Sugar Act*
16 décembre 1773	*Boston Tea Party*
1774	*Coercive Acts*
4 juillet 1776	Proclamation d'indépendance
1781	Bataille de Yorktown
1783	Traité de Versailles
1787	Adoption de la Constitution américaine
1789	Élection de George Washington à la présidence
1789	Début de la Révolution française
1804	Indépendance d'Haïti

SAVOIR DÉFINIR

- Affranchissement → P. 187
- Anglican → P. 184
- *Bill of Rights* → P. 184
- Constitution → P. 188
- Exclusif → P. 187
- Grande Rébellion → P. 184
- *Habeas Corpus* → P. 184
- *Insurgent* → P. 187
- Loyaliste → P. 187
- Puritain → P. 184
- Régime parlementaire → P. 184
- Régime présidentiel → P. 188

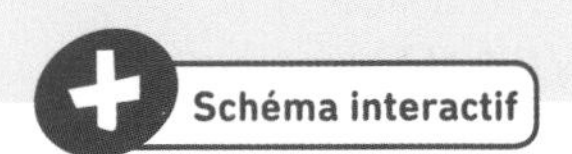

UN MODÈLE CONTESTÉ

- Évolutions du système politique anglais
- Mesures prises par l'Angleterre
- Réactions des colons américains
- Répercussions internationales

L'autorité des monarques anglais est restreinte au XVIIe siècle…

HABEAS CORPUS
Garantie contre les arrestations arbitraires - **1679**

BILL OF RIGHTS
Loi limitant les pouvoirs du roi - **1689**

AFFIRMATION DU PARLEMENT

… et, au XVIIIe siècle, leur tentative de renforcer leur contrôle sur leurs colonies nord-américaines…

MULTIPLICATION DES TAXES

APPLICATION PLUS STRICTE DE L'EXCLUSIF

… enclenche un engrenage qui aboutit à une guerre…

PROTESTATIONS
Pamphlets, pétitions, débats

MANIFESTATIONS
« Massacre de Boston » - **1770**
Boston Tea Party - **1773**

COERCIVE ACT

ACCROCHAGES
Batailles de Lexington et Concord
1775

SÉCESSION
Proclamation d'indépendance
1776

GUERRE D'INDÉPENDANCE VICTORIEUSE
Traité de Versailles **1783**

… aux répercussions globales.

UNE CAUSE POPULAIRE
Soutien de volontaires et d'États européens aux *Insurgents*

LE COLONIALISME EUROPÉEN FRAGILISÉ
Vague de soulèvements dans le monde atlantique

L'ABSOLUTISME CONTESTÉ
Affirmation des droits de l'homme et création d'un modèle républicain

S'AUTOÉVALUER

Imprimez cette page pour vous entraîner. Référez-vous aux pages indiquées si vous avez besoin d'aide.

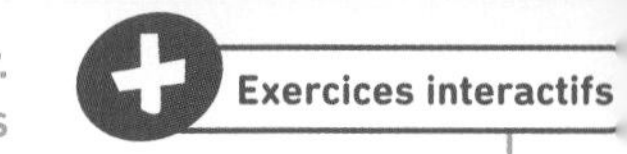

1 Indiquez le nom des trois nations composant le Royaume-Uni au XVIIIe siècle, puis reliez-les à la date de leur union avec le royaume d'Angleterre.

....

1536 1707 1801

.... / 6

→ p. 183

2 Placez les six événements suivants à la date appropriée.

1628 ....

1649 ....

1689 ....

1774 ....

1776 ....

1787 ....

.... / 6

→ p. 184, 194 196

- La Déclaration d'indépendance américaine
- Fin de la Glorieuse Révolution
- La décapitation de Charles Ier
- Les *Coercive Acts*
- L'acceptation de la *Pétition du Droit* par le roi
- L'adoption de la Constitution des États-Unis

3 Identifiez les deux textes fondateurs des libertés britanniques parmi les choix suivants.

☐ La Constitution du Royaume-Uni
☐ La loi d'*Habeas Corpus*
☐ Le *Bill of Rights*
☐ La Déclaration des droits de l'homme et du citoyen

.... / 2

→ p. 184

4 Cochez la bonne réponse.

Une monarchie parlementaire est un :
☐ régime politique dans lequel le Parlement a tous les pouvoirs face au roi.
☐ régime politique dans lequel les pouvoirs du Parlement s'équilibrent avec ceux du roi.

.... / 1

→ p. 184

5 Sur le schéma ci-contre, placez au bon endroit les numéros des légendes :

1. Président
2. Congrès
3. Cour suprême
4. Chambre des représentants
5. Sénat

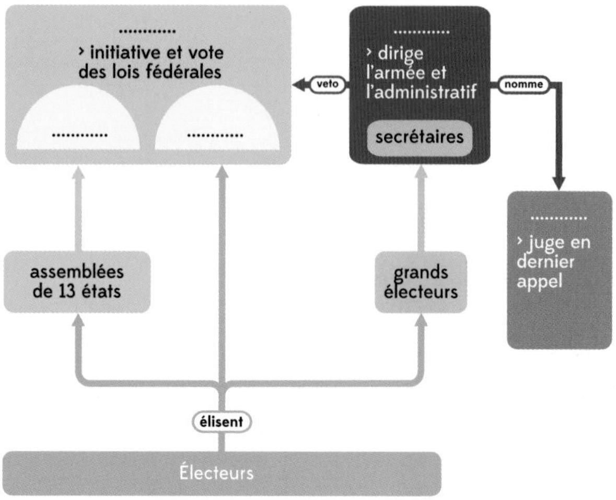

....
› initiative et vote des lois fédérales
....

veto

....
› dirige l'armée et l'administratif
secrétaires

nomme

....
› juge en dernier appel

assemblées de 13 états

grands électeurs

élisent

Électeurs

.... / 5

→ p. 186

1 Confronter des documents ▸ BAC TECHNOLOGIQUE ET GÉNÉRAL

Voltaire et l'Angleterre

CONSIGNE

Analysez la manière dont ces deux documents présentent l'attachement de Voltaire à l'Angleterre.

1. « Une nation dévouée à la liberté »

Tout ce que je désire, c'est de vous voir un jour à Londres. Je me plais à vivre dans cet espoir. Si ce n'est qu'un rêve, laissez-moi en jouir, ne me désabusez pas, laissez-moi croire que j'aurai le plaisir de vous voir à Londres, respirant l'esprit vigoureux de cette inexplicable nation. Vous traduirez mieux leurs pensées, lorsque vous vivrez au milieu d'eux. Vous verrez une nation dévouée à la liberté, savante, spirituelle, méprisant la vie et la mort, une nation de philosophes ; non pas qu'il n'y ait quelques sots en Angleterre, chaque pays a ses fous. Il se peut que la sottise française soit plus plaisante que la folie anglaise, mais par Dieu la sagesse anglaise et l'honnêteté anglaise sont supérieures à ce que vous avez chez vous. [...] Écrivez-moi quelques lignes en anglais, pour me faire voir le progrès de vos études.

Voltaire, *Lettre à Nicolas-Claude Thieriot*[1], 26 octobre 1733.

1. Voltaire écrit en anglais cette lettre à son ami et agent littéraire Thieriot.

2. Ni religion ni patrie

On a dit depuis longtemps que pour faire un historien sans passion et sans préjugé, il faudrait qu'il n'eût ni religion ni patrie. Sur ce pied-là, M. de V*** marche à grands pas vers la perfection. On ne peut l'accuser d'être partisan de sa nation ; on lui trouve au contraire un tic approchant de la manie des vieillards. Les bonnes gens vantent toujours le passé et sont mécontents du présent. M. de V*** est toujours mécontent de son pays et loue avec excès ce qui est à mille lieues de lui. Pour la religion, on voit bien qu'il est indécis à cet égard.

Portrait anonyme de Voltaire diffusé en 1735 et sans doute rédigé par son ennemi Alexis Piron.

Aide pour répondre à la consigne

1. Montrez que Voltaire veut transmettre à son correspondant son amour de l'Angleterre **(doc. 1)**.
2. Expliquez les deux reproches faits à Voltaire dans ce portrait critique **(doc. 2)**.
3. Définissez le terme « anglomanie » et montrez qu'on peut l'appliquer à Voltaire d'une manière positive ou négative **(doc. 1 et 2)**.

Confrontez les documents

▸ VERS LE BAC P. 280

2 Composition ▸ VERS LA SPÉ

SUJET

Modèle britannique et Révolution américaine

Rédigez la composition

▸ VERS LA SPÉ P. 284-287

Aide pour rédiger la composition

- Vous pouvez adopter la problématique suivante :
  comment le modèle britannique a-t-il inspiré la Révolution américaine ?
- Vous pouvez adopter le plan suivant :

1. Le modèle britannique se fonde sur les « libertés anglaises »
2. La pression fiscale provoque la révolution américaine
3. La Constitution des États-Unis reprend et dépasse le modèle britannique

CHAPITRE

7 Les Lumières et des sciences

COURS

DOCUMENTS

le développement

Expérience sur un oiseau dans une pompe à air.

Devant une famille anglaise, un savant reproduit l'une des expériences les plus célèbres et prouve que le vide tue l'oiseau enfermé dans la pompe.

Tableau de Joseph Wright of Derby, 1768.

Les Lumières et le développement

EN 4e

Vous avez découvert que le mouvement des Lumières favorise un nouvel esprit scientifique, fondé sur la raison.

Vous avez étudié des exemples de démarche scientifique à travers quelques auteurs des Lumières (Buffon, Lavoisier par exemple).

Dans ce chapitre :

Vous allez voir qu'une véritable révolution scientifique se produit au XVIIe siècle, puis qu'elle se poursuit au XVIIIe siècle quand les sciences jouent un rôle croissant dans la culture des élites européennes.

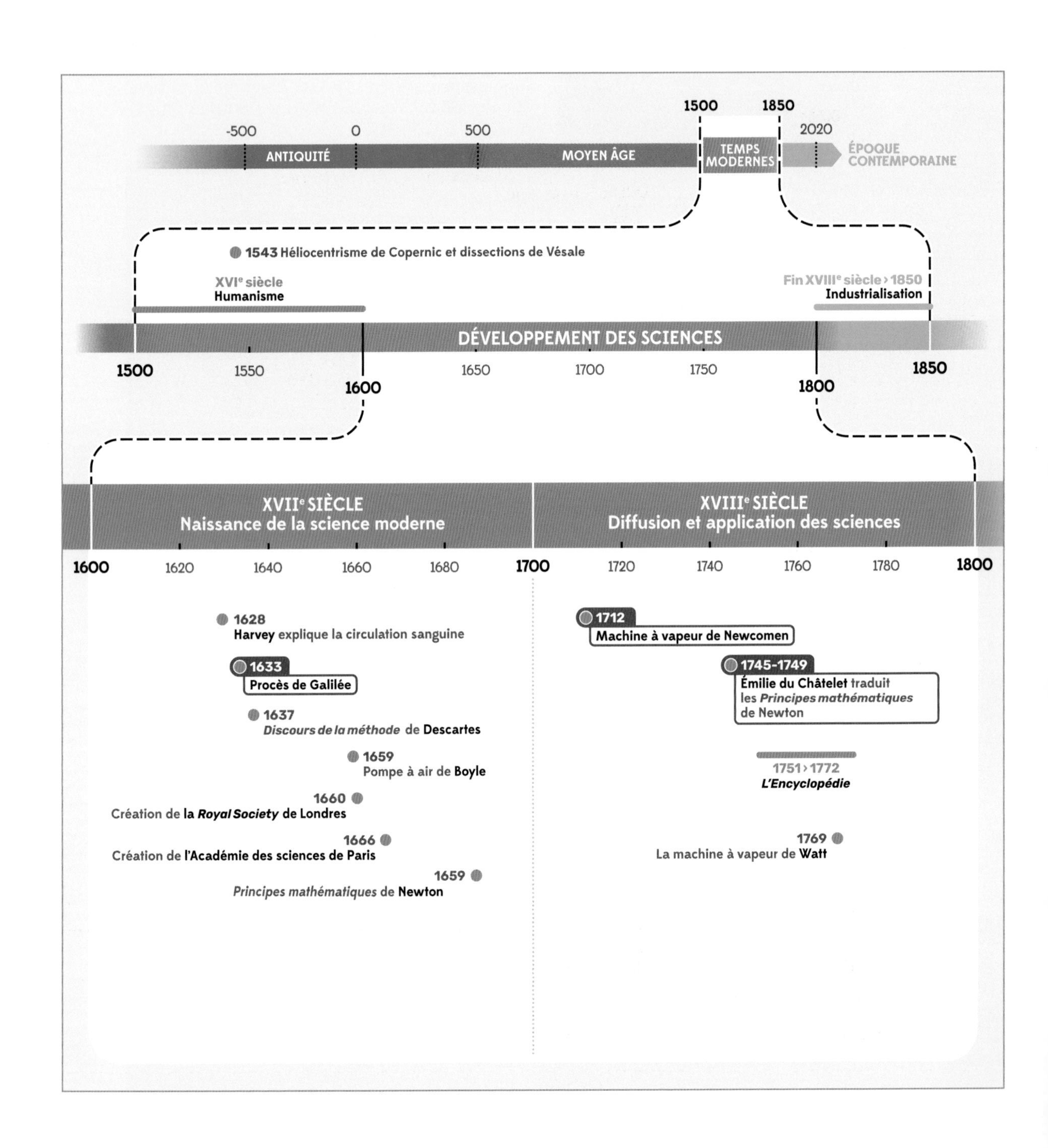

1 L'Europe des sciences à la fin du XVIIIe siècle

1 L'essor de l'esprit scientifique

En rupture avec la tradition universitaire, la science s'affirme au XVIIe siècle dans sa définition moderne. On peut parler d'une révolution scientifique, même si ces progrès ne se sont pas accomplis d'une manière simple et linéaire.

→ DOCUMENTS P. 220

VOCABULAIRE

Géocentrisme : théorie selon laquelle la Terre est immobile au centre d'un univers fini et les astres gravitent autour d'elle.

Gravitation universelle : force par laquelle tous les corps s'attirent, ce qui permet d'expliquer le mouvement des astres et des marées.

Héliocentrisme : théorie selon laquelle le Soleil est le centre de l'univers et les astres (dont la Terre) gravitent autour de lui.

Langue vernaculaire : langue courante, populaire (italien, français, allemand...), par opposition aux langues savantes (hébreu, grec, latin).

A Une révolution scientifique

Le poids de la tradition. Les universités dispensent un enseignement abstrait, en latin, dominé par la théologie. On y étudie les savoirs de l'Antiquité, mis en conformité avec le christianisme : la médecine d'Hippocrate (Ve siècle avant J.-C.) et de Galien (IIe siècle), la physique d'Aristote (IVe siècle avant J.-C.), l'astronomie d'Aristote et Ptolémée (IIe siècle), c'est-à-dire le **géocentrisme (doc. 1)**.

Les facteurs de changement. Le protestantisme a osé rompre avec la doctrine de l'Église et il prône l'accès de chacun au savoir, en **langue vernaculaire**. L'imprimerie facilite la diffusion des connaissances et l'humanisme pousse l'homme à faire usage de sa raison. Avec la découverte du « Nouveau Monde », le savoir antique est dépassé ou contredit par l'expérience. Les techniques sont valorisées, comme complémentaires des connaissances théoriques, avec le rôle joué par les marins, les imprimeurs ou les ingénieurs.

La naissance de la science moderne. Tout cela favorise l'affirmation, à partir du XVIIe siècle, de la science dans sa définition actuelle : la « mathématisation » du monde et l'expérimentation. Le savant met en évidence les lois mathématiques qui régissent l'univers et le corps humain. Il élabore aussi des expériences, avec l'aide d'instruments **(doc. 2)** et de techniciens, pour reproduire les phénomènes naturels et confirmer ainsi les hypothèses qu'il a émises.

Repères

Des textes majeurs

1628 : *Étude anatomique du mouvement du cœur et du sang chez les animaux*, de l'Anglais William Harvey (en latin).
1632 : *Dialogue sur les deux grands systèmes du monde*, de l'Italien Galilée (en italien).
1637 : *Discours de la méthode*, du Français René Descartes (en français).
1687 : *Principes mathématiques de la philosophie naturelle*, de l'Anglais Isaac Newton (en latin).

B Des avancées décisives

L'héliocentrisme. Aristote et Ptolémée expliquaient mal certains phénomènes, comme l'alternance du jour et de la nuit ou la variation de taille des planètes. Copernic a avancé une solution, l'**héliocentrisme** : la Terre tourne sur elle-même et autour du Soleil **(doc. 1)**. Kepler énonce ensuite des lois expliquant les mouvements des astres : le monde supralunaire n'est plus immuable, la physique et l'astronomie sont désormais compatibles. Galilée confirme l'héliocentrisme en combinant ses observations avec une lunette astronomique et l'analyse mathématique.

La physique. Désormais, la nature est un système de matière en mouvement, analysable par les mathématiques. Descartes est le premier à proposer un système remplaçant celui d'Aristote mais qui reste très abstrait. D'autres savants mettent l'accent sur l'expérimentation, comme Torricelli ou Boyle. Puis Newton fonde définitivement la physique moderne, en énonçant notamment la loi de la **gravitation universelle**.

La médecine et la biologie. Galien a été remis en cause à partir du XVIe siècle par les médecins pratiquant la dissection, comme Vésale, professeur d'anatomie à Padoue. Harvey propose une analyse du corps humain conforme à l'expérience en mettant en évidence la circulation sanguine en 1628. Dans la seconde moitié du XVIIe siècle, le microscope permet le développement de la biologie.

C Un processus complexe

Les soutiens. Le développement des sciences est encouragé par les souverains, qui y trouvent à la fois un certain prestige et une utilité pratique dans de multiples domaines (artillerie, hydraulique, agriculture, etc.). La *Royal Society of London* est créée en 1660. Louis XIV fonde en 1666 l'Académie des sciences de Paris et un observatoire astronomique en 1667.

Les résistances. Mais la science entre en contradiction avec la Bible, par exemple quand elle affirme que la Terre n'est pas au centre de l'univers ou que celui-ci est infini. C'est pourquoi l'Église censure les écrits de Copernic en 1616, puis condamne Galilée en 1633.

Un domaine en construction. De nombreux savants restent influencés par l'**hermétisme**. Les ouvrages d'alchimie constituent 10 % de la bibliothèque de Newton. Kepler pratique l'astrologie, ce qui pousse Galilée à se méfier de lui et à nier l'influence de la Lune sur les marées.

VOCABULAIRE

Hermétisme : ensemble des « sciences occultes » transmises depuis l'Antiquité à des initiés. Les deux principales sont l'astrologie, qui postule l'influence des astres sur les personnes, et l'alchimie, qui cherche à transformer les métaux en or.

RÉVISER SON COURS

1. En quoi consiste la « révolution scientifique » et comment s'explique-t-elle?
2. Dans quels domaines la science fait-elle des avancées décisives au XVIIe siècle?
3. Quels sont les moteurs et les freins à l'essor de l'esprit scientifique?

1 Le géocentrisme d'Aristote et Ptolémée / L'héliocentrisme de Copernic et Galilée

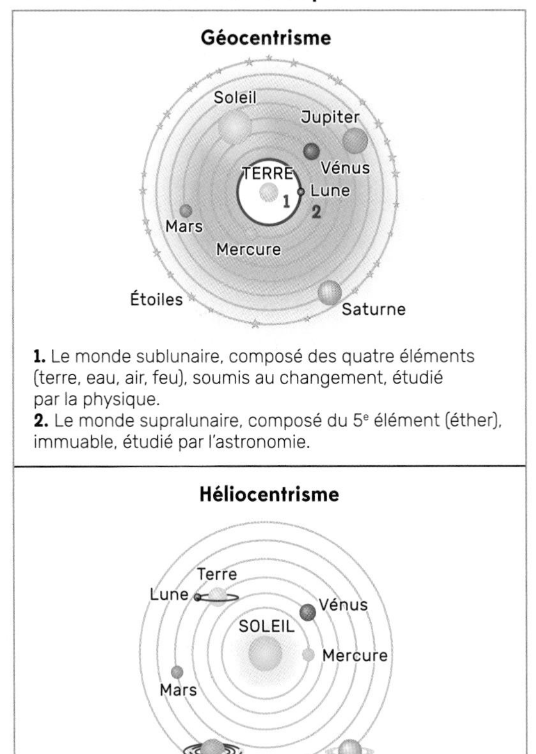

1. Le monde sublunaire, composé des quatre éléments (terre, eau, air, feu), soumis au changement, étudié par la physique.
2. Le monde supralunaire, composé du 5e élément (éther), immuable, étudié par l'astronomie.

2 Des instruments importants

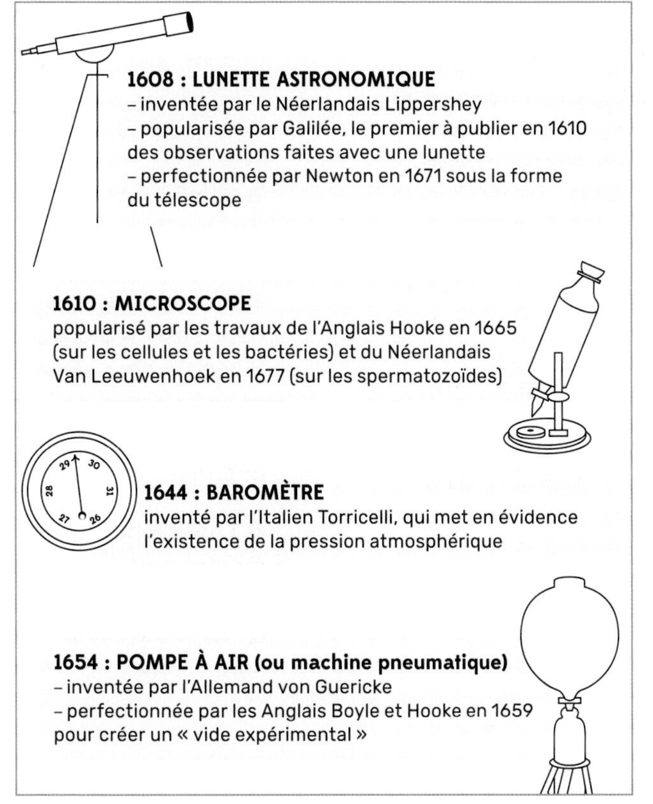

COURS

2

Le triomphe de la science au siècle des Lumières

→ DOCUMENTS P. 222-231

La « révolution scientifique » se poursuit au XVIIIe siècle : les sciences jouent un rôle croissant dans la culture des élites européennes; les savants acquièrent un statut important et convoité.

VOCABULAIRE

- **Collèges :** établissements d'enseignement secondaire.
- **Innovation :** application d'une invention à l'économie.
- **Invention :** création d'un procédé ou d'un instrument nouveau.
- **Physiocrates :** économistes français de la seconde moitié du XVIIIe siècle qui veulent moderniser l'agriculture, considérée comme la seule vraie source de richesse.
- **République des sciences :** communauté internationale des savants (à l'époque, on parle aussi, dans le même sens, de république des lettres).

Repères

Les grandes revues scientifiques

Philosophical Transactions (Londres, 1665) : publie surtout les travaux des membres de la *Royal Society*.
Journal des Savants (Paris, 1665) : mensuel sur l'actualité scientifique, publiant notamment les travaux de l'Académie des sciences de Paris.
Acta Eruditorum (Leipzig, 1682) : mensuel en latin, destiné d'abord aux scientifiques allemands.

A La diffusion accélérée des sciences

La république des sciences. La philosophie des Lumières voit dans la science l'un des moyens de faire progresser l'humanité. Des académies des sciences sont créées dans les capitales européennes, sur le modèle de celles de Londres et Paris. Les villes de province se dotent aussi souvent d'une académie ou d'une « société savante », qui réunit les amateurs de science et organise des concours. Les échanges entre les savants se multiplient par les voyages, la correspondance et la lecture des revues scientifiques. Ils font ainsi exister une **république des sciences**.

L'enseignement. Le développement des sciences pousse à accroître leur place dans l'enseignement. Pour donner des cours de physique expérimentale, les **collèges** s'équipent d'instruments et aménagent des locaux spécifiques. Les États se préoccupent surtout de la formation scientifique des ingénieurs et des officiers de l'armée et de la marine. En France, des grandes écoles sont créées dans ce but **(doc. 1)**.

Un public passionné. *L'Encyclopédie*, dirigée à partir de 1751 par d'Alembert et Diderot, veut présenter au grand public tous les savoirs de l'époque. Les élites se passionnent pour les sciences, surtout dans leurs aspects ludiques ou spectaculaires. Dans les salons et les cours princières, des conférenciers professionnels reproduisent des expériences. Les modes scientifiques se succèdent : phénomènes liés à l'électricité, les automates, les vols en ballon.

B L'extension des champs d'application de la science

La spécialisation. L'intérêt pour la science conduit à vouloir appliquer ses méthodes - analyse mathématique et expérimentation - à des domaines sans cesse plus nombreux. Les disciplines scientifiques se définissent progressivement et les savants se spécialisent. La « philosophie naturelle » est ainsi remplacée par la physique, la chimie, et la biologie.

Les sciences sociales. On commence à penser que la science peut étudier non seulement la nature, mais aussi les sociétés humaines. Les **physiocrates** veulent faire de l'économie une science. La statistique, appelée alors « l'arithmétique politique », fait son apparition dans les administrations.

Techniques et révolution industrielle. L'expérimentation valorise les machines et les techniciens. Les académies des sciences sont chargées de repérer les **inventions** utiles. L'**innovation** majeure de la fin du XVIIIe siècle est la machine à vapeur, qui participe à la révolution industrielle au Royaume-Uni.

C Obstacles et limites

Une compétition féroce. L'harmonie ne règne pas toujours au sein de la république des sciences. Le prestige nouveau du statut de savant engendre une forte compétition et des querelles de priorité houleuses et médiatisées. Les États cherchent attirer à leur service les savants les plus connus. L'Angleterre et la France sont en compétition permanente. C'est la raison principale pour laquelle une majorité de savants français défend jusqu'aux années 1740 la physique de Descartes contre celle de Newton.

Un club fermé et masculin. Seule une élite parvient à intégrer les académies des sciences. Les exclus, nombreux et aigris, dénoncent ce fonctionnement très sélectif. Le modèle du savant est masculin. La première scientifique française, Émilie du Châtelet, est reconnue moins pour ses travaux que parce que Voltaire est son amant. En 1732, à Bologne, Laura Bassi est la première femme nommée professeur d'université (en physique) et membre de l'Académie des sciences.

Des frontières encore floues. La mode de la science a entraîné des dérives, certains charlatans cherchant à l'exploiter pour en tirer prestige et argent. C'est le cas de Mesmer, médecin allemand qui devient célèbre à Paris à partir de 1778. Il promet la guérison grâce au « magnétisme animal », un fluide ressemblant à l'électricité. L'Académie des sciences dénonce cette imposture en 1784.

Le sens des mots

Qu'est-ce qu'une querelle de priorité ?

Les historiens des sciences appellent querelle de priorité une dispute entre deux savants revendiquant la même découverte et la reconnaissance qui l'accompagne. Ainsi, en 1711, Newton et Leibniz affirment tous deux avoir inventé le calcul infinitésimal ou différentiel et ils s'accusent mutuellement de plagiat. En fait, Newton avait la priorité (1666), mais il n'avait pas publié sa recherche, alors que Leibniz l'a fait en 1684.

RÉVISER SON COURS

1. Par quels moyens la diffusion des sciences s'accélère-t-elle ?
2. Quels sont les nouveaux champs d'application de la science ?
3. À quels obstacles se heurte encore l'essor scientifique ?

1 Les grandes écoles françaises

	ÉCOLES MILITAIRES			ÉCOLES CIVILES	
	Gardes de la Marine (Toulon, Brest, Rochefort)	École royale du Génie (Mézières)	École royale d'artillerie (La Fère)	École royale des Ponts et Chaussées (Paris)	École des Mines (Paris)
Créée en ...	1683	1748	1756	1775	1783
Pour former...	les officiers de la Marine Royale	les ingénieurs militaires	les artilleurs de l'armée	les ingénieurs des travaux publics	les ingénieurs spécialistes des mines
Enseignements	mathématiques, hydrographie, fortification	mathématiques, dessin, physique, fortification	mathématiques	mathématiques, physique, architecture, dessin	géométrie, physique, hydraulique

Galilée, la science en procès

Pourquoi Galilée est-il considéré comme un maître et un martyr de la science ?

→ COURS P. 216

1 Un grand savant toscan

La fresque représente « les Toscans illustres », ici les savants (en bas à droite : Galilée).

Détail de la fresque du peintre Cecco Bravo décorant une pièce de la Casa Buonarroti (palais de Florence appartenant à la famille de Michel-Ange), 1636.

Galilée (1564-1642)

1609 : premières observations de Galilée avec la lunette astronomique.

1610 : Galilée défend Copernic dans *Le Messager des étoiles*.

1616 : l'Église catholique censure les livres de Copernic et tous ceux qui défendent l'héliocentrisme.

1632 : Galilée publie le *Dialogue sur les deux grands systèmes du monde*.

1633 : condamné par l'Inquisition, Galilée doit abjurer l'héliocentrisme. Il vit en résidence surveillée dans sa villa d'Arcetri (près de Florence) jusqu'à sa mort en 1642.

Les sources de l'historien

« Et pourtant elle tourne ! »

Cette phrase (« *E pur si muove !* ») aurait été murmurée par Galilée à la fin de son procès. Mais aucun témoignage ne l'atteste. La formule apparaît en 1645 sur un tableau attribué au peintre espagnol Murillo. On y voit Galilée montrant du doigt un schéma du système solaire et cette phrase, inscrite sur le mur de sa cellule. Elle est diffusée au XVIIIe siècle par tous ceux qui font de Galilée un martyr de la science. On affirmait alors à tort que Galilée avait été torturé et emprisonné.

2 Les erreurs d'Aristote

Pour soutenir Copernic, Galilée imagine un débat entre plusieurs personnages. Le système aristotélicien est défendu par Simplicio et le système copernicien par Salviati.

Salviati : Nous pouvons, bien mieux qu'Aristote, raisonner des choses du ciel. En avouant qu'il lui était difficile de les connaître parce qu'elles sont éloignées des sens, il admet du même coup que celui dont les sens pourront mieux se les représenter pourrait aussi en traiter philosophiquement avec plus de sûreté. Or, grâce au télescope, nous en sommes de trente à quarante fois plus proches qu'Aristote, nous pouvons y observer cent choses qu'il ne pouvait voir, entre autres les taches sur le Soleil qui étaient totalement invisibles pour lui ; nous pouvons donc traiter du ciel et du Soleil avec plus de sûreté qu'Aristote. [...]

Simplicio : Mais d'où tirez-vous que ce n'est pas la Terre mais le Soleil qui est au centre des rotations des planètes ?

Salviati : D'observations qui sont tout à fait évidentes et permettent donc de conclure avec nécessité. Voici celles qui de la manière la plus palpable permettent d'écarter la Terre de ce centre et d'y placer le Soleil : toutes les planètes sont parfois plus près, parfois plus loin de la Terre, et les différences sont si importantes que par exemple Vénus, lorsqu'elle est le plus loin de la Terre, se trouve 6 fois plus éloignée de nous que lorsqu'elle est le plus proche de nous [...]. Vous voyez donc à quel point Aristote s'est trompé en croyant qu'elles sont toujours aussi loin de nous.

Galilée, *Dialogue sur les deux grands systèmes du monde*, Première journée, 81 et Troisième journée, 349.

3 Galilée devant l'Inquisition

Cristiano Banti, *Galilée devant l'Inquisition*, 1857.

4 « L'affaire Galilée » vue par Voltaire

La vraie philosophie ne commença à luire aux hommes que sur la fin du XVIe siècle. Galilée fut le premier qui fit parler à la physique le langage de la vérité et de la raison : c'était un peu avant que Copernic, sur les frontières de la Pologne, avait découvert le véritable système du monde [...]. La manière dont ce grand homme fut traité par l'Inquisition, sur la fin de ses jours, imprimerait une honte éternelle à l'Italie si cette honte n'était pas effacée par la gloire même de Galilée. Une congrégation de théologiens, dans un décret donné en 1616, déclara l'opinion de Copernic, mise par le philosophe florentin dans un si beau jour, « non-seulement hérétique dans la foi, mais absurde dans la philosophie ». Ce jugement contre une vérité prouvée depuis en tant de manières est un grand témoignage de la force des préjugés. Il dut apprendre à ceux qui n'ont que le pouvoir à se taire quand la philosophie parle, et à ne pas se mêler de décider sur ce qui n'est pas de leur ressort. Galilée fut condamné depuis par le même tribunal, en 1633, à la prison et à la pénitence, et fut obligé de se rétracter à genoux.

Voltaire, *Essai sur les mœurs et l'esprit des nations*, I, chapitre CXXI, 1756.

Pourquoi Galilée est-il considéré comme un maître et un martyr de la science ?

Répondre aux questions

1. **Expliquez** les arguments scientifiques qui permettent à Salviati de remettre en cause le système géocentrique d'Aristote (**doc. 2**).
2. **Décrivez** Galilée : avec quels objets est-il représenté ? Quelle science incarne-t-il (**doc. 1**) ?
3. **Contextualisez** ce portrait : quelle conclusion peut-on tirer du fait que Galilée soit représenté en 1636 à Florence comme un grand savant (**doc. 1** et **repères**) ?
4. **Citez** les termes appliqués par Voltaire à Copernic et Galilée d'une part, à l'Inquisition d'autre part : quelle leçon tire-t-il du procès de Galilée (**doc. 4**) ?
5. **Datez** le tableau, décrivez sa composition et **interprétez** le message du peintre (**doc. 3**).
6. À l'aide des réponses aux questions précédentes, **expliquez** pourquoi Galilée est considéré comme un maître et un martyr de la science.

Réaliser un diaporama

Réalisez un diaporama expliquant pourquoi Galilée est considéré comme un maître et un martyr de la science. Faites référence à chaque document dans la partie qu'il permet d'illustrer :

I - Un nouveau type de science...

II - ... qui se heurte à l'Église catholique et à la tradition...

III - ... et connaît une postérité glorieuse aux XVIIIe et XIXe siècles.

DOCUMENTS

Des académies pour la science

Quel rôle ont joué les académies dans le développement des sciences?

→ COURS P. 218

1 Le règlement de l'Académie des sciences de 1699

XXVI. L'Académie veillera exactement à ce que, dans les occasions où quelques académiciens seront d'opinions différentes, ils n'emploient aucun terme de mépris ni d'aigreur l'un contre l'autre, soit dans leurs discours, soit dans leurs écrits; et lors même qu'ils combattront les sentiments de quelques savants que ce puisse être, l'Académie les exhortera à n'en parler qu'avec ménagement.

XXVII. L'Académie aura soin d'entretenir commerce avec les divers savants, soit de Paris ou des provinces du royaume, soit même des pays étrangers, afin d'être promptement informée de ce qui s'y passera de curieux pour les mathématiques ou pour la physique [...].

XXIX. L'Académie fera de nouveau les expériences considérables qui se seront faites partout ailleurs, et marquera dans ses registres la conformité ou la différence des siennes à celles dont il était question.

XXX. L'Académie examinera les ouvrages que les académiciens se proposeront de faire imprimer; [...] et nul des académiciens ne pourra mettre aux ouvrages qu'il fera imprimer le titre d'académicien, s'ils n'ont été ainsi approuvés par l'Académie.

XXXI. L'Académie examinera, si le Roi l'ordonne, toutes les machines pour lesquelles on sollicitera des privilèges auprès de Sa Majesté. Elle certifiera si elles sont nouvelles et utiles, et les inventeurs de celles qui seront approuvées seront tenus de lui en laisser un modèle. [...]

XLVIII. Pour aider les académiciens dans leurs études et leur faciliter les moyens de perfectionner leur science, le Roi continuera de fournir aux frais nécessaires pour les diverses expériences et recherches que chaque académicien pourra faire.

Règlement ordonné par le Roi pour l'Académie royale des sciences, le 26 janvier 1699.

TRAITÉ
ÉLÉMENTAIRE
DE CHIMIE,
PRÉSENTÉ DANS UN ORDRE NOUVEAU
ET D'APRÈS LES DÉCOUVERTES MODERNES;
Avec Figures :
Par M. Lavoisier, de l'Académie des Sciences, de la Société Royale de Medecine, des Sociétés d'Agriculture de Paris & d'Orléans, de la Société Royale de Londres, de l'Institut de Bologne, de la Société Helvétique de Basle, de celles de Philadelphie, Harlem, Manchester, Padoue, &c.

TOME PREMIER.

A PARIS,
Chez Cuchet, Libraire, rue & hôtel Serpente.

M. DCC. LXXXIX.
Sous le Privilège de l'Académie des Sciences & de la Société Royale de Médecine.

2 Page de titre du traité de chimie publié par Lavoisier en 1789

3 Les objectifs de la *Royal Society*

Robert Hooke (1653-1703) est salarié comme expérimentateur par la Royal Society *de Londres.*

L'occupation et le dessein de la Société royale sont :

D'avancer la connaissance des choses naturelles et tous les arts utiles, les manufactures, les pratiques mécaniques, les engins et inventions, par des expériences (ne se mêlant pas de théologie, de métaphysique, de morale, de politique, de grammaire, de rhétorique ou de logique);

D'essayer tous les systèmes, théories, principes, hypothèses, éléments, histoires et expériences, des choses naturelles, mathématiques, et mécaniques, inventés, rapportés, ou pratiqués par tout auteur important, ancien ou moderne. Cela, afin de compiler un système complet de solide philosophie, qui explique tous les phénomènes produits par la nature ou par l'art, et qui fournisse un compte-rendu rationnel des causes des choses;

Et toutes ces recherches pour augmenter la gloire de Dieu, pour l'honneur du Roi, fondateur de la Société, et pour l'utilité de son royaume, ainsi que pour le bien général du genre humain.

Robert Hooke, *Royal Society*, manuscrit de 1663.

Animation

4 La fondation de l'Académie des sciences de Paris

Colbert présente au roi les principaux membres de l'Académie des sciences, représentés sur la gauche du tableau. À droite, on voit le plan du canal des Deux-Mers ou canal du Midi construit de 1666 à 1681 par l'ingénieur Pierre-Paul Riquet ; au fond, l'Observatoire, construit de 1667 à 1672 par Claude Perrault.

Henri Testelin, d'après Charles Le Brun, *Présentation par Colbert des membres de l'Académie des sciences à Louis XIV en 1667*, vers 1680.

5 L'utilité des académiciens

Condorcet (1743-1794) est secrétaire perpétuel de l'Académie des sciences de 1776 à 1793.

Vous me paraissez un peu prévenu contre les académies, vous les croyez animées d'un esprit de corps qui les porte à les rendre difficiles. Je leur reprocherais plutôt d'être trop faibles. L'affaire de M. Marat en est une preuve[1]. Le seul tort de l'Académie a été d'avoir eu l'air d'accueillir des expériences données comme nouvelles mais qui étaient connues, et qui n'avaient de neuf que le jargon systématique dont l'auteur les avait revêtues. Les académiciens ont deux utilités incontestables. La première d'être une barrière toujours opposée au charlatanisme dans tous les genres, et c'est pour cela que tant de gens s'en plaignent. La deuxième de maintenir dans les sciences les bonnes méthodes et d'empêcher aucune branche des sciences d'être absolument abandonnée. Elles en ont encore une troisième très importante tant que les savants ne dédaigneront pas l'opinion populaire, c'est de les en rendre indépendants. Un chimiste, un anatomiste, un géomètre, membre d'une Académie, n'a pas besoin de faire des tours de charlatan pour jouir auprès des ignorants de la réputation d'un savant. C'est ensuite à ses ouvrages à lui mériter de la célébrité et de la gloire.

Condorcet, brouillon de réponse à une lettre anonyme, vers 1780.

1. Jean-Paul Marat (1743-1793), médecin et futur révolutionnaire, contestait l'optique de Newton. Ses travaux furent rejetés par l'Académie en 1779-1780. Il dénonça alors le « despotisme académique ».

Quel rôle ont joué les académies dans le développement des sciences ?

Répondre aux questions

1. **Expliquez** le rôle de l'État dans les académies (doc. 1, 3, 4).
2. **Caractérisez** la science telle qu'elle est définie par les académies (doc. 1, 3).
3. **Identifiez** les différentes références aux sciences dans le tableau (doc. 4).
4. **Analysez** les rapports entre la science, la célébrité et les académies (doc. 1, 2, 5).

Écrire une lettre

Complétez la lettre de Condorcet (doc. 5). Vous développerez son argumentaire grâce aux informations fournies dans les documents 1 à 4.

Émilie du Châtelet, femme de science

Comment Mme du Châtelet a-t-elle réussi à s'imposer dans un domaine scientifique réservé aux hommes ?

→ COURS P. 218

La première scientifique française connue

Émilie Le Tonnelier de Breteuil (1706-1749), née dans une famille noble, a reçu une bonne éducation. Son mari, le marquis du Châtelet, lui laisse une grande liberté pour mener sa vie au château de Cirey (Haute-Marne). Elle entretient des relations avec les défenseurs de Newton en France : les grands savants Maupertuis et Clairaut, puis Voltaire. Elle participe en même temps que Voltaire, en 1744, à un concours de l'Académie des sciences sur le feu et son mémoire est publié, ce qui est exceptionnel pour une femme.

Son œuvre majeure, publiée après sa mort, est la traduction et le commentaire des *Principia* de Newton. Elle est admise en 1746 à l'Académie des sciences de Bologne, l'une des rares ouvertes aux femmes.

1 « Une créature pensante »

Qu'on fasse un peu réflexion : pourquoi depuis tant de siècles, jamais une bonne tragédie, un bon poème, une histoire estimée, un beau tableau, un bon livre de physique, n'est sorti de la main des femmes ? Pourquoi ces créatures, dont l'entendement paraît en tout si semblable à celui des hommes, semblent pourtant arrêtées par une force invincible en deçà de la barrière, et qu'on m'en donne la raison, si l'on peut. Je laisse aux naturalistes à en chercher une physique, mais jusqu'à ce qu'ils l'aient trouvée, les femmes seront en droit de réclamer contre leur éducation. Pour moi j'avoue que si j'étais roi, je voudrais faire cette expérience de physique. Je réformerais un abus qui retranche, pour ainsi dire la moitié du genre humain. Je ferais participer les femmes à tous les droits de l'humanité, et surtout à ceux de l'esprit. […] Je suis persuadée que bien des femmes ou ignorent leurs talents, par le vice de leur éducation, ou les enfouissent par préjugé et faute de courage dans l'esprit. Ce que j'ai éprouvé en moi me confirme dans cette opinion. Le hasard me fit connaître de gens de lettres qui prirent de l'amitié pour moi, et je vis avec un étonnement extrême qu'ils en faisaient quelque cas. Je commençai à croire alors que j'étais une créature pensante.

Émilie du Châtelet, préface à sa traduction de l'anglais en français de *La Fable des abeilles* de Bernard de Mandeville, 1735.

2 Portrait de Mme du Châtelet

Marianne Loir, *Portrait de Gabrielle Émilie Le Tonnelier de Breteuil, marquise du Châtelet*, vers 1745.

3 Le travail scientifique

Vous trouverez ici un très beau cabinet de physique, et vous y pourrez faire toutes les expériences que vos lumières vous feront imaginer. […] Je crois que vous avez été bien étonné que j'aie eu la hardiesse de composer un mémoire pour l'Académie. J'ai voulu essayer mes forces à l'abri de l'incognito […]. Je n'ai pu faire aucune expérience, parce que je travaillais à l'insu de M. de Voltaire, et que je n'aurais pas pu les lui cacher. […] L'ouvrage de M. de Voltaire, qui était presque fini avant que j'eusse commencé le mien, me fit naître des idées et l'envie de courir la même carrière. […] M. de Voltaire, au lieu de me savoir mauvais gré de ma réserve, n'a songé qu'à me servir, et ayant été assez content de mon ouvrage, il voulut bien se charger d'en demander l'impression. […] Je vous avoue que, si vous en pouvez avoir la patience, je désirerais passionnément que vous le lussiez. Car si l'Académie a la bonté de l'imprimer, je le voudrais rendre le moins indigne d'elle qu'il me serait possible, et j'espère qu'elle me permettra d'y apporter quelques corrections.

Émilie du Châtelet, *Lettre à M. de Maupertuis*, Cirey, 21 juin 1738.

4 Éloge funèbre de la marquise dans une revue suisse

La fréquentation des gens d'esprit et de savoir devint sa passion dominante. Messieurs de Maupertuis, de Voltaire et plusieurs autres savants eurent toutes ses inclinations. [...] À la compagnie de ces grands hommes, la marquise du Châtelet prit du goût pour les hautes sciences, j'entends celles qui ne sont pas ordinairement à la portée des femmes, telles que sont la géométrie, l'algèbre, l'optique, l'astronomie, la physique et autres sciences de cette espèce, dont les principes, aussi abstraits que difficiles, ne la rebutèrent point. Elle y fit au contraire de si grands progrès, malgré toutes les épines dont elles sont hérissées, que de simple écolière elle devint bientôt maîtresse et fit part de tous ses progrès au public dans plusieurs ouvrages qui parurent peu de temps après. Leur solidité fit dire d'abord et croire à bien des gens qu'elle n'y avait d'autre part que celle d'avoir prêté son nom à quelques savants, qui en étaient les véritables pères et avaient voulu lui en faire honneur; mais ceux qu'elle composa ensuite et dont personne ne lui a plus contesté la propriété firent connaître aux incrédules et aux médisants la véritable origine des premiers. C'est par ces ouvrages qui l'ont occupée, nuit et jour, pendant près de vingt ans, qu'elle est parvenue à se faire dans le monde et dans la République des Lettres un nom dont elle doit avoir été contente.

« Extrait d'une lettre concernant Madame la Marquise du Châtelet », *Journal helvétique*, Neuchâtel, novembre 1749.

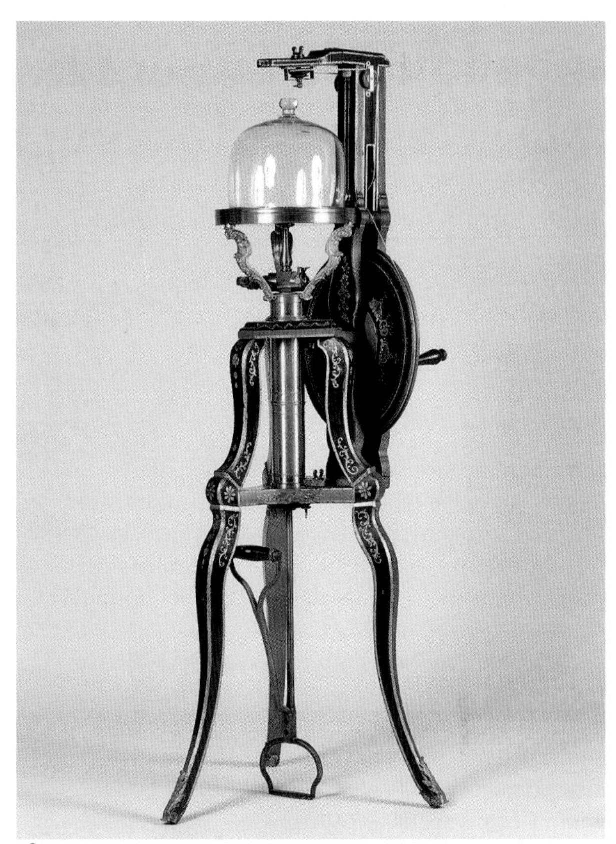

5 Machine pneumatique pour un cabinet de physique

Émilie du Châtelet et Voltaire aménagèrent un cabinet de physique à Cirey. Ils s'adressèrent à l'abbé Nollet, qui fournissait aux riches amateurs de physique expérimentale les instruments nécessaires, comme cette machine pneumatique servant à faire des expériences dans le vide.
Les appareils de Nollet se distinguaient par leur élégance : laquage noir avec finitions rouges et décorations dorées.

Paris, musée des Arts et Métiers, première moitié du XVIIIe siècle.

Comment Mme du Châtelet a-t-elle réussi à s'imposer dans un domaine scientifique réservé aux hommes?

Répondre aux questions

1. **Expliquez** en quoi consiste « l'expérience de physique » que ferait Émilie du Châtelet si elle était le roi et ce qu'elle démontrerait ainsi (**doc. 1**).
2. **Décrivez** ce portrait en distinguant les éléments en rapport avec la science et les attributs classiques de la féminité (**doc. 2**).
3. **Analysez** les relations intellectuelles de Mme du Châtelet avec les savants et le rapport d'une femme à la science à cette époque (**doc. 1, 3 et 4**).
4. **Caractérisez** les différentes formes du travail scientifique effectué par Mme du Châtelet (**doc. 3, 4 et 5**).
5. **Montrez** que Mme du Châtelet fut une grande figure de la science au XVIIIe siècle, malgré les préjugés sexistes de son époque.

Rédiger un argumentaire

1. Classez les informations sur Émilie du Châtelet tirées des documents dans le tableau suivant :

Travail scientifique réalisé	Difficultés rencontrées	Reconnaissance obtenue

2. Puis rédigez un petit texte demandant qu'une rue de votre commune porte le nom d'Émilie du Châtelet, en montrant qu'elle fut une grande figure de la science au XVIIIe siècle, malgré les préjugés sexistes de son époque.

PROF Différenciation

Angélique du Coudray et la science de l'accouchement

Comment Angélique du Coudray a-t-elle mis la science au service des naissances?

→ COURS P. 218

Repères

Accoucher au XVIIe siècle

Dans les campagnes, une « matrone », désignée par les villageois, aide les femmes à accoucher. Dans les villes, des sages-femmes sont payées par la municipalité. À la fin du XVIIe siècle, les chirurgiens spécialisés dans l'accouchement et utilisant des instruments (forceps) apparaissent. Angélique Le Bourcier du Coudray, née en 1712 dans une famille de médecins, devient sage-femme en 1739. Elle obtient en 1759 l'autorisation d'enseigner dans tout le royaume. L'administration soutient son action pour améliorer la formation des sages-femmes. Quand elle prend sa retraite en 1783, elle a formé près de 5000 accoucheuses et permis d'organiser des cours d'obstétrique dans toute la France.

1 La « machine » de Madame du Coudray

Mannequin grandeur nature en tissu de la partie inférieure du corps féminin et du fœtus, vers 1759.

2 Une lettre de l'intendant de Picardie

Le bien que j'ai voulu faire, Messieurs, dans ma généralité en appelant à Amiens la Dame Du Coudray pour y donner des cours publics d'accouchement aux femmes des villes et des campagnes serait de fort peu de durée si cet établissement si avantageux à l'humanité ne se perpétuait pas. Le moyen que l'on a mis en usage avec le plus de soin dans les provinces par où la dame du Coudray a commencé ses cours a été d'envoyer de chaque ville principale auprès de cette dame un bon chirurgien, pour prendre connaissance du mécanisme de la machine dont elle se sert pour ses opérations, afin qu'étant bien instruit il puisse lui-même donner tous les ans dans sa ville un cours d'accouchement et des instructions particulières aux sages-femmes du district dans la saison où elles ne sont point occupées aux travaux de la campagne. Je vous prie de déterminer un bon chirurgien de votre ville à se rendre aux cours particuliers que donnera la Dame Du Coudray et qui commenceront le 20 du mois prochain et de lui faire remettre par le receveur de vos deniers une somme de 200 livres pour le prix des machines dont la Dame Du Coudray se sert pour ses démonstrations. […] Je vous prie de ne pas négliger l'occasion unique qui se présente pour tirer la plupart des sages-femmes des campagnes de l'ignorance où elles se trouvent dans cette partie essentielle de l'art des accouchements, ignorance qui est regardée généralement comme un des plus grands fléaux dont l'humanité soit affligée.

François d'Agay, *Lettre aux chirurgiens et médecins d'Amiens*, 28 mai 1774.

Répondre aux questions

1. **Résumez** le texte en présentant son auteur, son message et ses destinataires. **Montrez** qu'il témoigne d'une inversion du rapport traditionnel entre hommes et femmes (doc. 2).
2. **Caractérisez** la situation des sages-femmes en France et l'action d'Angélique du Coudray selon ce texte de 1774 (doc. 2).
3. **Expliquez** en quoi consiste la « machine » de Mme du Coudray et en quoi elle relève d'une démarche scientifique (doc. 1 et 2).
4. **Justifiez** l'affirmation de l'intendant de Picardie qui affirme agir pour le bien de l'humanité (doc. 2).
5. Complétez le tableau suivant :

	Repères	Doc. 1	Doc. 2
Situation des sages-femmes en France			
Action d'Angélique du Coudray			
Action des pouvoirs publics			

L'*Encyclopédie* de Diderot et d'Alembert : la science à la portée de tous

*Comment l'*Encyclopédie* a-t-elle contribué à la diffusion des sciences au siècle des Lumières ?*

→ COURS P. 218

Repères

Une grande aventure éditoriale

L'Encyclopédie ou Dictionnaire raisonné des sciences, des arts et des métiers :
- 17 volumes de texte (72 000 articles) publiés de 1751 à 1767
- 11 volumes de planches (2 500) publiés de 1762 à 1772
- 140 auteurs dirigés par Diderot (5 000 articles) et d'Alembert, dont Voltaire, Montesquieu, Rousseau, Jaucourt (17 000 articles)
- 25 500 exemplaires vendus (6 éditions)
- Prix de la première édition (1751) : 280 livres, soit presque un an de salaire pour un ouvrier qualifié du bâtiment

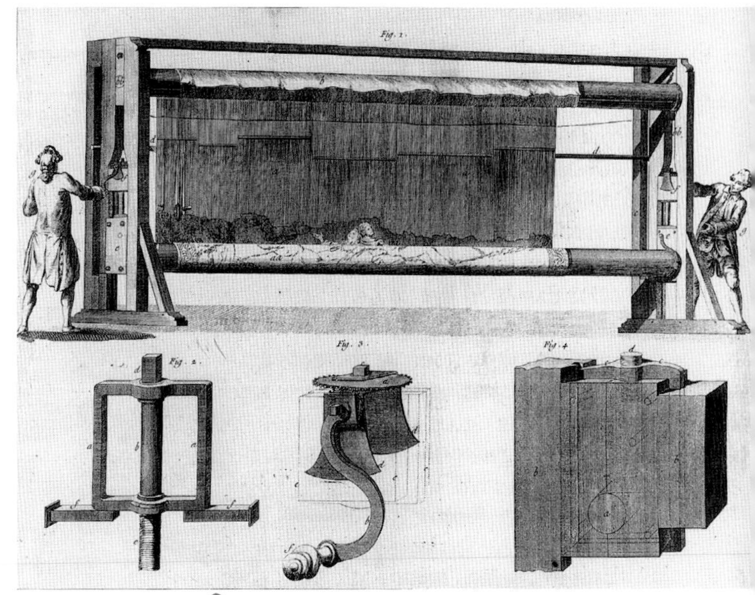

1 Une planche sur la manufacture de tapisserie des Gobelins

2 Un extrait de l'article « expérimental »

Cependant l'esprit de la physique *expérimentale* s'étendit insensiblement. [...] Les académies se formèrent et saisirent avec empressement cette manière de philosopher : les universités plus lentes, parce qu'elles étaient déjà toutes formées lors de la naissance de la physique *expérimentale*, suivirent longtemps encore leur méthode ancienne. Peu à peu la physique de Descartes succéda dans les écoles à celle d'Aristote, ou plutôt de ses commentateurs. [...] Newton parut, et montra le premier ce que ses prédécesseurs n'avaient fait qu'entrevoir, l'art d'introduire la géométrie dans la physique, et de former, en réunissant l'expérience au calcul, une science exacte, profonde, lumineuse, et nouvelle [...] ; l'Angleterre saisit ces vues ; la Société royale les regarda comme siennes dès le moment de leur naissance : les académies de France s'y prêtèrent plus lentement et avec plus de peine, par la même raison que les universités avoient eue pour rejeter durant plusieurs années la physique de Descartes. La lumière a enfin prévalu : la génération ennemie de ces grands hommes s'est éteinte dans les académies et dans les universités, auxquelles les académies semblent aujourd'hui donner le ton ; une génération nouvelle s'est élevée, car quand les fondements d'une révolution sont une fois jetés, c'est presque toujours dans la génération suivante que la révolution s'achève.

D'Alembert, article « Expérimental », *Encyclopédie ou Dictionnaire raisonné des sciences, des arts et des métiers*, volume VI, 1756.

Répondre aux questions

1. **Classez** dans l'ordre chronologique les savants cités par d'Alembert et les deux générations dont il parle (**doc. 2**).
2. **Définissez** les différentes institutions évoquées dans l'article (**doc. 2**).
3. **Justifiez** le terme « révolution » utilisé par d'Alembert à propos de la physique expérimentale (**doc. 2**).
4. **Expliquez** le rôle des planches en vous référant au sous-titre de l'*Encyclopédie* (**doc. 1** et **repères**).
5. À l'aide des réponses aux questions précédentes, **montrez** comment l'*Encyclopédie* a contribué à la diffusion des sciences au siècle des Lumières.

Les physiocrates : la science appliquée à l'agriculture

Par quels moyens les physiocrates veulent-ils moderniser l'agriculture française ?

→ COURS P. 218

Repères

Qui sont les *physiocrates* ou *économistes* ?

Fils d'un laboureur, François Quesnay (1694-1774), médecin, entre au service de la marquise de Pompadour, favorite du roi Louis XV. Il publie en 1758 le *Tableau économique*, ouvrage fondateur de la macro-économie. Il considère l'agriculture comme la seule source de richesse et veut la moderniser en développant les grandes exploitations céréalières et en supprimant les taxes sur le commerce intérieur. Son disciple Pierre-Samuel Dupont de Nemours (1739-1817) a baptisé cette doctrine la *physiocratie* (« le gouvernement par la nature »). Les physiocrates, appelés aussi les « économistes », exercent une grande influence sur les milieux dirigeants de la France dans les années 1750 et 1760.

1 Les riches fermiers et leurs chevaux

Les terres sont communément cultivées par des fermiers avec des chevaux ou par des métayers avec des bœufs. Il n'y a que des fermiers riches qui puissent se servir de chevaux pour labourer les terres. Il faut qu'un fermier qui s'établit avec une charrue de quatre chevaux fasse des dépenses considérables avant que d'obtenir une première récolte [...]. Dans les provinces où il n'y a pas de fermier en état de se procurer de tels établissements, les propriétaires des terres n'ont d'autres ressources pour retirer quelques produits de leurs biens que de les faire cultiver avec des bœufs, par des paysans qui leur rendent la moitié de la récolte. Cette sorte de culture exige très peu de frais de la part du métayer; le propriétaire lui fournit les bœufs et la semence [...]. Le travail des bœufs est beaucoup plus lent que celui des chevaux : d'ailleurs les bœufs passent beaucoup de temps dans les pâturages pour prendre leur nourriture; c'est pourquoi on emploie ordinairement douze bœufs, et quelque fois jusqu'à dix-huit, dans un domaine qui peut être cultivé par quatre chevaux. [...] Une charrue menée par des bœufs laboure dans les grands jours environ trois quartiers de terre, une charrue tirée par des chevaux en laboure environ un arpent et demi[1].

François Quesnay, article « Fermiers » de l'*Encyclopédie*, 1756.

1. L'*arpent* correspond environ à un demi-hectare. Il est divisé en quatre quartiers.

2 *Monseigneur le Dauphin labourant*

Le 15 juin 1768, le dauphin (futur Louis XVI), passant près d'un champ, veut lui-même labourer. Il est suivi de son gouverneur et de ses deux frères avec leurs gouverneurs. Les physiocrates décident de donner à cet événement une grande publicité.

Estampe de François Boizot sur un dessin de Poulin de Fleins, 1769.

3 « Deux hommages rendus à l'agriculture »

Les Éphémérides du citoyen *sont le journal des physiocrates. Cette lettre, publiée dans le journal et signée « A », fut en fait écrite par Quesnay.*

Lettre à l'auteur des *Éphémérides*.
De Versailles, ce 16 juin 1768.

Sans doute vous croyez toujours, Monsieur, qu'il faut aller à la Chine si l'on veut voir des mains augustes manier la charrue ? Eh bien ! détrompez-vous : hier, Monseigneur le Dauphin nous donna ce spectacle aussi attendrissant qu'intéressant. Ce Prince dirigea sa promenade vers un champ qu'on labourait; il examina quelque temps la manœuvre et demanda ensuite à conduire lui-même la charrue : ce qu'il exécuta avec autant de force que d'adresse, au point que le laboureur fut étonné, comme les spectateurs, de la profondeur du sillon et de la justesse de sa direction. L'intérêt que vous prenez, Monsieur, à l'agriculture vous fera goûter autant de plaisir en lisant cette nouvelle que j'ai de satisfaction à vous la mander. [...] L'année passée, Monseigneur le Dauphin suivait en carrosse, avec les Princes ses frères, notre Bien-aimé monarque à la chasse. [...] Le chemin pouvait être abrégé en traversant un champ couvert de blé presque mûr. Le cocher entre dans ce champ; Monseigneur le Dauphin s'en aperçoit; il se précipite à la portière et crie d'arrêter, de changer de route. Ce blé, dit-il, ne nous appartient pas, il ne nous est pas permis de le fouler. On obéit. [...] Il me semble que ces deux hommages rendus à l'agriculture par Monseigneur le Dauphin lui assurent les plus beaux jours.

Éphémérides du citoyen, juillet 1768, tome VII, p. 1.

4 Emblème de la société royale d'agriculture de Paris

La société royale d'agriculture de la généralité de Paris a été créée en 1761. Sa devise latine *ex utilitate decus* signifie : « sa gloire naît de son utilité ». Les sociétés d'agriculture, créées dans les provinces françaises entre 1757 et 1763, réunissent les grands propriétaires influencés par la physiocratie qui veulent moderniser l'agriculture.

Médaille en argent, revers, 1786.

Par quels moyens les physiocrates veulent-ils moderniser l'agriculture française ?

Répondre aux questions

1. **Expliquez** pourquoi Quesnay veut s'appuyer sur les « riches fermiers » pour moderniser l'agriculture. Dans votre réponse vous **définirez** les termes *fermiers* et *métayers* (**doc. 1** et p. 244).
2. **Décrivez** l'événement rapporté par le correspondant du journal et illustré par la gravure et **montrez** qu'il fait l'objet d'une mise en scène par les physiocrates (**doc. 2 et 3**).
3. **Identifiez** les points communs entre le tableau et l'article de Quesnay (**doc. 1 et 2**).
4. **Analysez** la devise et le symbole que la société d'agriculture a choisis. Quel est son objectif (**doc. 4**)?
5. **Montrez** que les physiocrates utilisent de multiples moyens pour promouvoir leur projet, en précisant la nature exacte de chaque document (**doc. 1 à 4**).

Rédiger un rapport

Vous êtes chargé par la société royale d'agriculture de la généralité de Paris de trouver des moyens pour promouvoir la modernisation de l'agriculture française. Rédigez un rapport en vous appuyant sur chacun des documents.

La machine à vapeur de Thomas Newcomen (1712)

En quoi Newcomen a-t-il contribué à une innovation majeure du XVIIe siècle ?

→ COURS P. 218

Repères

Nom	Nationalité et profession	Invention
Denis Papin	Français protestant réfugié en Allemagne Professeur de mathématiques à Marbourg	1687 : décrit le principe de la machine à piston
Thomas Savery	Anglais Technicien dans les mines	1698 : expérimente une pompe à vapeur
Thomas Newcomen	Anglais Forgeron	1705 : fabrique une machine avec l'aide de Savery et du vitrier John Cawley 1712 : met en service la première pompe à vapeur opérationnelle dans une mine
James Watt	Écossais Préparateur de physique à l'université de Glasgow	1769 : met au point la machine à double effet.

1 Des pompes pour les mines

Machines hydrauliques. – Nous comprendrons sous ce titre général les engins avec lesquels on élève les eaux de la mine, par quelque moteur que ce soit. Les plus simples ne sont composés que d'un petit tour ou tambour nommé *treuil*, mu à bras d'hommes, pour descendre ou remonter les eaux. [...] Dans les très grands ouvrages [...], on se sert de pompes dont le piston hausse et baisse au moyen de l'eau échauffée par le feu ; à raison de ce premier agent, elles sont appelées du nom distinctif de *pompes* ou *machines à feu*. [...] Cette machine présente au coup d'œil un appareil très composé ; mais les pièces dont dépendent les opérations essentielles sont en petit nombre ; les autres, qui sont fort multipliées, comme tuyaux, robinets, leviers, etc. ne font que concourir à son jeu et ne servent qu'à régler ses mouvements, de manière que toutes les pompes à feu employées aujourd'hui dans beaucoup de pays ne diffèrent que par quelques pièces accessoires ou par la grandeur, selon l'objet qu'on se propose. Elles sont absolument toutes, quant au fond, dans la dernière forme qu'ont donnée à cette ingénieuse invention le sieur Newcomen, ferronnier, et le sieur Jean Cawley, de Darmouth en Angleterre.

Descriptions des arts et métiers faites ou approuvées par messieurs de l'Académie royale des sciences de Paris, nouvelle édition publiée avec les observations et augmentée de tout ce qui a été écrit de mieux sur ces matières en Allemagne, en Angleterre, en Suisse, en Italie, tome XVI, *Du charbon de terre et de ses mines*, Partie II, 1780.

2 Expériences et essais

Desaguliers, fils d'un protestant français réfugié en Angleterre, fut un vulgarisateur très actif de Newton et de la physique expérimentale.

Presque chacune de ces découvertes est l'effet du hasard. [...] Thomas Newcomen et Jean Calley, vitrier de Darmouth dans le comté de Southampton, firent différentes expériences en particulier. Et en étant venu à faire agir cette machine sur un piston à la fin de l'année 1711, ils proposèrent de tirer l'eau de Griff en Warwickshire ; mais leur invention n'ayant pas été agréée, ils entreprirent dans le mois de mars suivant d'élever l'eau pour M. Back de Wolverhampton, où, après bien des essais pénibles, ils vinrent à bout de faire travailler la machine. Mais comme ils n'étaient ni philosophes pour comprendre les causes du mouvement, ni assez mathématiciens pour en calculer les forces et pour proportionner les parties de la machine, ils trouvèrent heureusement par hasard ce qu'ils cherchaient. Ils étaient fort embarrassés au sujet des pompes, mais se trouvant fort près de Birmingham[1] et ayant le secours de tant d'admirables et ingénieux ouvriers, ils apprirent bientôt la manière de faire les soupapes, les cliquets et les pistons dont ils n'avaient auparavant qu'une idée fort imparfaite.

Desaguliers, *Cours de physique expérimentale*, 1751.

1. Wolverhampton et Birmingham se trouvent dans la région des Midlands, connue pour ses mines et sa métallurgie.

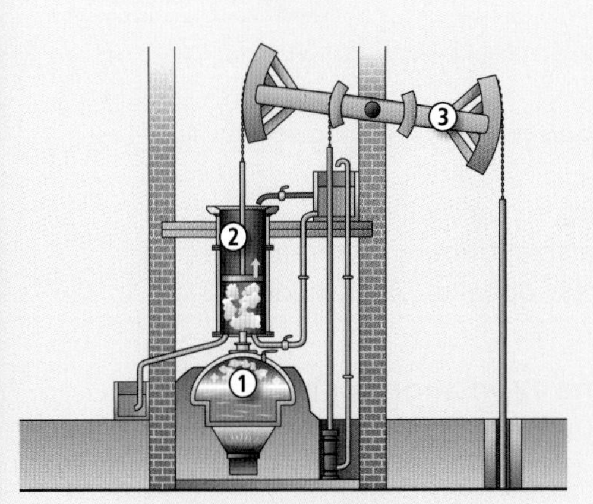

a. La machine à vapeur de Newcomen

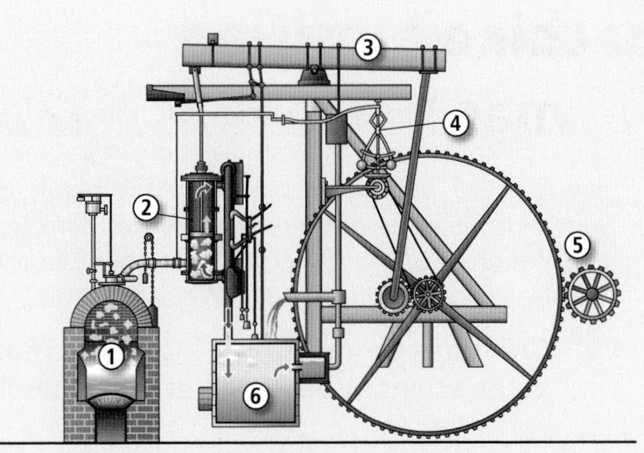

b. La machine à vapeur de Watt

① Chaudière alimentée par du charbon qui crée de la chaleur.

② Cylindre avec piston actionné par la vapeur.

③ Balancier actionné par le mouvement du piston.

④ Régulateur à boules qui permet d'obtenir des mouvements uniformes et régule la vitesse.

⑤ Engrenage et volant actionnés par le mouvement du balancier.

⑥ Condenseur : la vapeur du cylindre est évacuée dans le condenseur. Elle est ramenée à l'état liquide au contact de l'eau froide et évacuée par une pompe.

3 De Newcomen à Watt

La machine de Newcomen n'utilise pas directement la force de la vapeur, mais celle développée par la pression atmosphérique. Watt crée le moteur à double effet : la vapeur agit alternativement sur chaque face du piston. Cette machine consomme moins d'énergie et ne sert pas seulement à pomper l'eau des mines.

Le 300e anniversaire 4

Timbre publié en 2012 par la Poste royale de Grande-Bretagne, dans la série *Britons of distinction*. Il reproduit une photographie de la fin du XIXe siècle.

En quoi Newcomen a-t-il contribué à une innovation majeure du XVIIIe siècle ?

Répondre aux questions

1. **Expliquez** les expressions « machine hydraulique » ou « pompe à feu » utilisées au XVIIIe siècle pour désigner la machine de Newcomen (doc. 1).
2. **Comparez** le rôle des scientifiques et celui des techniciens dans la mise au point de la machine à vapeur (doc. 2).
3. **Interprétez** le rôle que ce timbre commémoratif attribue à Newcomen (doc. 4).
4. **Expliquez** le rôle de Newcomen en le replaçant dans l'histoire de la machine à vapeur (doc. 3 et repères).
5. À l'aide des réponses aux questions précédentes, **montrez** que Newcomen a contribué à une innovation majeure du XVIIIe siècle.

Rédiger un article

Rédigez un article de journal contestant le rôle attribué à Newcomen dans l'invention de la machine à vapeur.
Vous bâtirez votre argumentaire en vous appuyant sur chacun des documents proposés.

Créez une exposition

Aux XVIIe et XVIIIe siècles, les femmes qui s'engagent dans les sciences sont confrontées à des obstacles considérables.
En 2018, un rapport parlementaire révèle que, malgré une meilleure réussite scolaire, les filles sont moins présentes dans les cursus scientifiques et, lorsqu'elles en intègrent un, sont marginalisées dans leur vie professionnelle. Les stéréotypes qui les éloignent de ces carrières perdurent.

CONSIGNE **Créez des posters grâce à Canva et montez une exposition sur les femmes et les sciences des XVIIe et XVIIIe siècles pour aider à penser le présent.**

ÉTAPE 1 Définissez vos objectifs

L'exposition est un moyen de communication; elle constitue un discours, elle est porteuse de sens.
Réfléchissez au message que vous voulez faire passer.
Vous pouvez, par exemple :
- montrer l'apport à la science d'une femme et mettre en valeur le manque de reconnaissance dont elle a été l'objet;
- présenter les arguments que certains hommes, tels Condorcet ou Poullain de la Barre, ont utilisés pour tenter de faire avancer la cause des femmes;
- faire des comparaisons avec la situation des femmes scientifiques au XXIe siècle, etc.

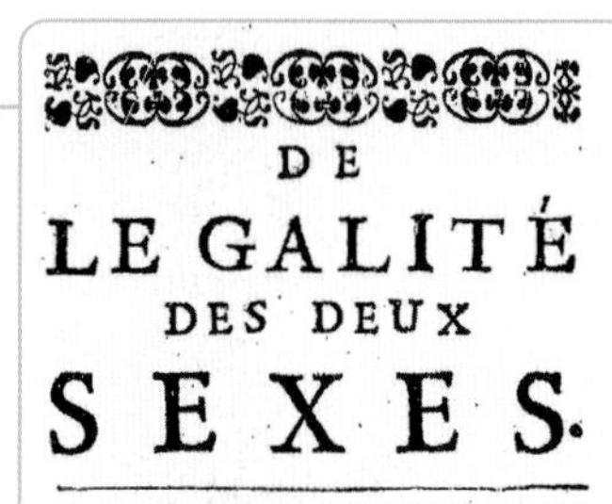
DE
LE GALITÉ
DES DEUX
SEXES.
PREMIERE PARTIE,
Où l'on montre que l'opinion vulgaire est un préjugé, & qu'en comparant sans interest ce que l'on peut remarquer dans la conduite des hommes & des femmes, on est obligé de reconnoistre entre les deux Sexes une égalité entiere.

LEs hommes sont persuadez d'une infinité de choses dont ils ne sçauroient rendre raison; parce que
A

François Poullain de la Barre (1647-1723) est un philosophe français qui pense que l'inégalité de traitement que subissent les femmes n'a pas de fondement naturel, mais procède d'un préjugé culturel. Il préconise qu'elles reçoivent une véritable éducation et de leur ouvrir toutes les carrières, y compris scientifiques.

ÉTAPE 2 Faites des recherches sur le sujet

Identifiez des femmes de sciences dans l'Europe des XVIIe et XVIIIe siècles. Par exemple :
- en Suède, la comtesse Ekeblad (1724-1786) première femme membre de l'Académie royale des sciences de Suède en 1748;
- en Italie, Laura Bassi (1711-1778), mathématicienne et physicienne, première femme au monde à devenir professeur à l'université dans un domaine scientifique;
- en Allemagne, Caroline Herschel (1750-1748), astronome, qui découvre de nouvelles comètes;
- en France, Marie-Anne Paulze (1758-1836), chimiste, illustratrice et collaboratrice de Lavoisier, son époux.

Trouvez des informations sur :
- leur enfance, milieu, éducation, carrière;
- leur rôle et leur apport à la vie scientifique et culturelle;
- les obstacles affrontés mais aussi les soutiens reçus.

Cherchez des documents iconographiques d'époque.

Ce numéro de la revue *Dix-huitième siècle* propose plusieurs articles sur les femmes et les sciences, notamment sur Marie-Anne Paulze de Lavoisier.

ÉTAPE 3 Créez votre poster avec Canva

Canva est un outil gratuit qui permet de créer des visuels pour le web ou pour l'impression. Il propose plus de 50 000 modèles prédéfinis et modifiables facilement. L'outil est collaboratif : plusieurs personnes peuvent partager et modifier la même création.

PORTRAIT DE MARIE-ANNE PAULZE DE LAVOISIER ET SON MARI, PAR JACQUES LOUIS DAVID, 1788

Ce poster présente le rôle scientifique primordial qu'a eu Marie-Anne Paulze, pourtant restée dans l'ombre de son mari.

ÉTAPE 4 Installez, et communiquez sur votre exposition

Choisissez un lieu :
- réel : CDI, hall d'entrée de votre établissement, réfectoire etc.
- virtuel : publiez votre exposition sur le site web de votre lycée, sur le groupe Facebook de votre classe.

Communiquez en créant une affiche :
- trouvez-lui un titre, précisez son thème, sa durée, et son lieu;
- postez l'information sur le site et l'ENT du lycée;
- si l'exposition est virtuelle, n'hésitez pas à utiliser les réseaux sociaux pour en faire la publicité.

Les Lumières et le développement des sciences

SAVOIR EXPLIQUER

L'essor de l'esprit scientifique au XVIIe siècle

- **La rupture avec la tradition**
  # Géocentrisme; Universités; Humanisme; Protestantisme; Langue vernaculaire; Imprimerie; Découverte du « Nouveau Monde »
- **La naissance de la science moderne**
  # Expérimentation; Instruments; Héliocentrisme; Gravitation universelle; Dissection; Circulation sanguine

SAVOIR DATER

1628	Explication de la circulation sanguine par Harvey
1633	Procès de Galilée
1660	Création de la *Royal Society* de Londres
1666	Création de l'Académie des sciences de Paris
1687	*Principes mathématiques* de Newton

Les progrès et la diffusion des sciences au XVIIIe siècle

- **La circulation des savoirs scientifiques**
  # Lumières; Académies; Sociétés savantes; République des sciences; Enseignement; Encyclopédie; Salons
- **Les applications des savoirs scientifiques**
  # Invention, Innovation, Physiocrates; Révolution industrielle; Sciences sociales

1712	Machine à vapeur de Newcomen
1732	Laura Bassi, première femme professeur d'université
1751	Lancement de l'*Encyclopédie*

SAVOIR DÉFINIR

- Géocentrisme → P. 216
- Gravitation universelle → P. 217
- Héliocentrisme → P. 216
- Hermétisme → P. 217
- Innovation → P. 219
- Invention → P. 219
- Physiocrates → P. 218
- République des sciences → P. 218

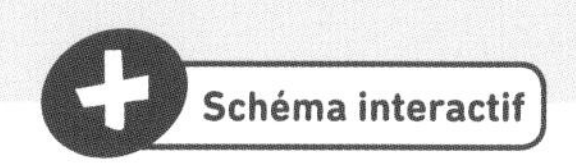

L'ESSOR DES SCIENCES AUX XVIIe ET XVIIIe SIÈCLES

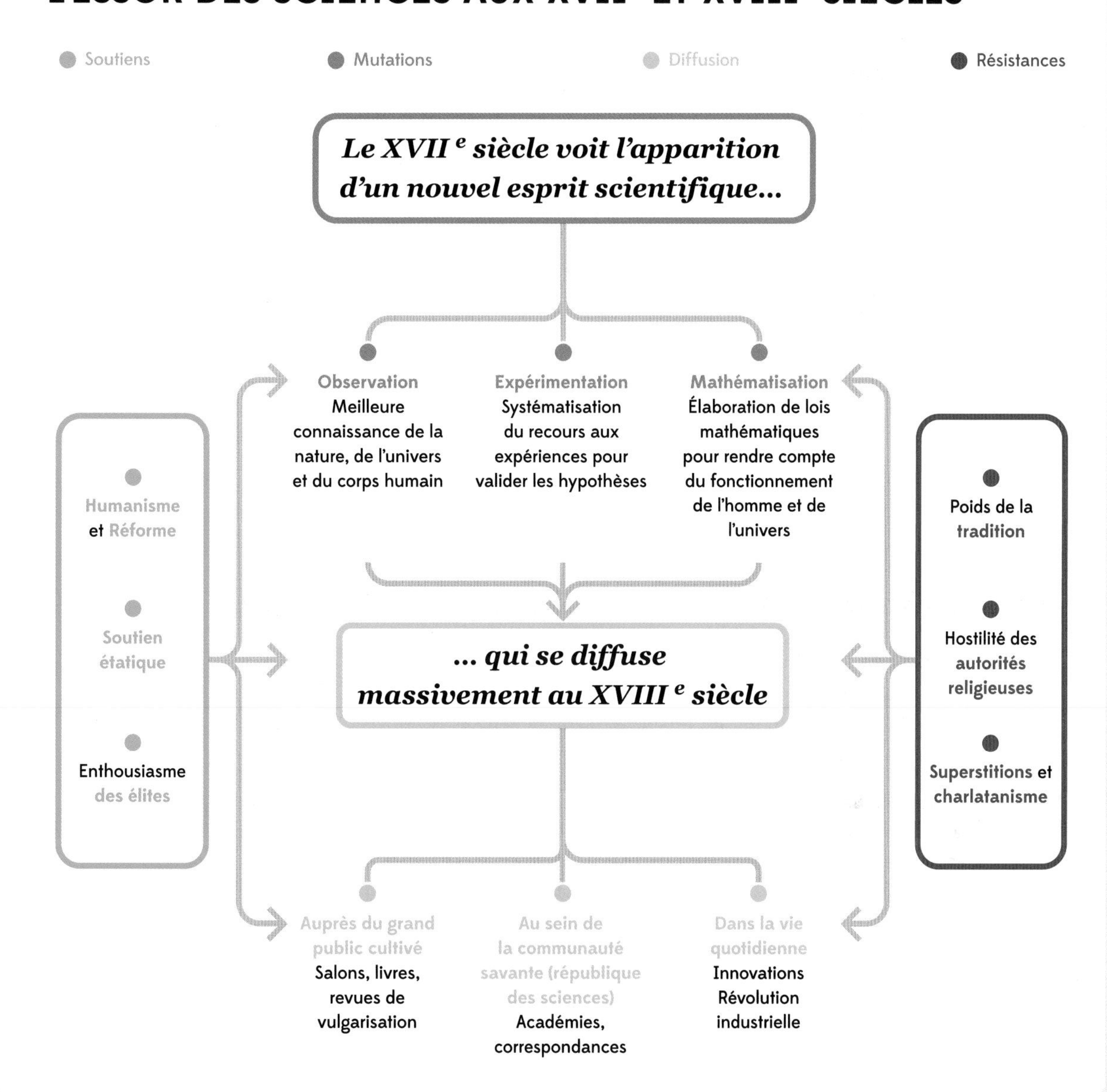

POUR ALLER PLUS LOIN

À LIRE

Marie Thébaud-Sorger
Une histoire des ballons
Centre des monuments nationaux, 2010.
Une histoire richement illustrée de la conquête de l'air au siècle des Lumières.

Diderot et d'Alembert
L'Encyclopédie (anthologie)
« Carrés classiques » Nathan, 2018.
Une compilation d'extraits de la grande œuvre savante du siècle des Lumières.

Jean-Pierre Maury
Newton et la mécanique céleste
« Découvertes »,
Gallimard, 2005.

À VOIR

Arnaud Sélignac
Divine Émilie
2007
Un film retraçant le parcours d'Émilie du Châtelet.

Jean-Daniel Verhaeghe
Galilée ou l'amour de Dieu
2006

À VISITER

Le Muséum national d'histoire naturelle à Paris.

S'AUTOÉVALUER

Imprimez cette page pour vous entraîner.
Référez-vous aux pages indiquées si vous avez besoin d'aide.

Exercices interactifs

1 Cochez la bonne réponse.

Harvey a découvert :
- ☐ la gravitation universelle
- ☐ le microscope
- ☐ la circulation sanguine

.... / 1 → p. 217

Les *Principes mathématiques* de Newton sont écrits :
- ☐ en latin
- ☐ en français
- ☐ en anglais

.... / 1 → p. 216

Les physiocrates s'appelaient aussi :
- ☐ les économistes
- ☐ les fermiers
- ☐ les académiciens

.... / 1 → p. 218

L'*Encyclopédie* a été dirigée par :
- ☐ Voltaire et Rousseau
- ☐ d'Alembert et Diderot
- ☐ Voltaire et Émilie du Châtelet

.... / 1 → p. 227

Mme du Coudray a :
- ☐ traduit Newton
- ☐ participé à l'*Encyclopédie*
- ☐ amélioré la formation des sages-femmes

.... / 1 → p. 226

2 Reliez chaque événement à la bonne date.

Le procès de Galilée •		• 1633	→ p. 220
La fondation de la *Royal Society* de Londres •		• 1660	→ p. 217
Le lancement de l'*Encyclopédie* •		• 1666	→ p. 218
La fondation de l'Académie des sciences de Paris •		• 1687	→ p. 217
La publication des *Principes mathématiques* de Newton •		• 1751	→ p. 216

.... / 5

3 Vrai ou faux ? Cochez la bonne réponse.

Vrai	Faux		
☐	☐	La gravitation universelle est la théorie selon laquelle la Terre est immobile au centre d'un univers fini et les astres gravitent autour d'elle.	→ p. 217
☐	☐	Galilée a été condamné par l'Église parce qu'il était protestant.	→ p. 220
☐	☐	Selon Aristote, le monde supralunaire, fait du cinquième élément, est immuable.	→ p. 216
☐	☐	Une pompe à feu sert à évacuer l'eau dans les mines.	→ p. 230
☐	☐	Descartes est le premier à proposer une physique remplaçant celle d'Aristote.	→ p. 216
☐	☐	Une innovation est une découverte scientifique.	→ p. 218
☐	☐	Les travaux de Newton ont été mal accueillis en France parce qu'il était anglais.	→ p. 219
☐	☐	Émilie du Châtelet est la première femme nommée professeur d'université.	→ p. 219
☐	☐	L'Académie des sciences de Paris a été fondée par Louis XIV.	→ p. 217
☐	☐	Newcomen a perfectionné la machine à vapeur de Watt.	→ p. 230

.... / 10

1 Répondre à des questions de connaissances ▸ BAC TECHNOLOGIQUE

1. Quel rôle joue l'État dans l'essor d'un esprit scientifique aux XVIIe et XVIIIe siècles ?
2. Quelle est la place des techniciens et des techniques dans le développement des sciences aux XVIIe et XVIIIe siècles ?
3. Peut-on parler d'une « République des sciences » dans l'Europe des XVIIe et XVIIIe siècles ?

2 Analyser un document en répondant à une consigne ▸ BAC TECHNOLOGIQUE ET GÉNÉRAL

CONSIGNE

Après avoir présenté le document, analysez ce qu'il nous apprend sur le rôle des langues et sur la place des femmes dans les sciences au XVIIIe siècle.

Une dame de science

Cette traduction que les plus savants hommes de France devaient faire, et que les autres doivent étudier, une dame l'a entreprise et achevée, à l'étonnement et à la gloire de son pays. Gabrielle-Émilie de Breteuil, épouse du marquis du Châtelet-Lomont, lieutenant général des armées du roi, est l'auteur de cette traduction, devenue nécessaire à tous ceux qui voudront acquérir ces profondes connaissances dont le monde est redevable au grand Newton. [...] Madame du Châtelet a rendu un double service à la postérité en traduisant le livre des *Principes* et en l'enrichissant d'un commentaire. Il est vrai que la langue latine, dans laquelle il est écrit, est entendue de tous les savants. Mais il en coûte quelques fatigues de lire des choses abstraites dans une langue étrangère. D'ailleurs le latin n'a pas de termes pour exprimer les vérités mathématiques et physiques qui manquaient aux anciens. [...] Le français, qui est la langue courante de l'Europe, et qui s'est enrichi de toutes ces expressions nouvelles et nécessaires, est beaucoup plus propre que le latin à répandre dans le monde toutes ces connaissances nouvelles.

Voltaire, *Éloge historique de Mme la Marquise du Châtelet* [pour mettre à la tête de la traduction de Newton], 1752.

Aide pour répondre

1. Présentez le document. Utilisez la méthode CANDI (Contexte, Auteur, Nature, Destinataire, Idée générale).
2. Analysez ce qu'il nous apprend sur le rôle des langues dans les sciences. Expliquez en quoi consiste le travail de traduction d'Émilie du Châtelet.
3. Analysez ce qu'il nous apprend sur la place des femmes dans les sciences. Montrez que Madame du Châtelet est une exception dans le monde scientifique de son époque.

3 Rédiger une composition ▸ VERS LA SPÉ

SUJET

La révolution scientifique du XVIIe siècle

Rédigez la composition

▸ VERS LA SPÉ P. 284-287

Aide pour rédiger la composition

- Vous pouvez adopter la problématique suivante :
  pourquoi peut-on parler d'une révolution scientifique au XVIIe siècle et en quoi consiste-t-elle ?
- Vous pouvez adopter le plan suivant :

1. La tradition ébranlée
2. Les percées décisives
3. L'affirmation de la science moderne

CHAPITRE

8 Tensions, mutations de la société d'ordres

et crispations

Louis XIV et son cortège traversant la foule

Le 22 décembre 1665, Louis XIV et son cortège quittent le Louvre afin de se rendre au Palais de justice pour ordonner au Parlement d'enregistrer un édit. Le cortège traverse le pont Neuf et passe devant la statue équestre d'Henri IV.

Marche du roi accompagné de ses gardes passant sur le pont Neuf et allant au Palais, huile sur toile d'Adam Van der Meulen, v. 1666, 188 x 327 cm, musée des Beaux Arts, Grenoble.

REPÈRES La société d'ordres

En classe de 5e :

Vous avez découvert que la société médiévale était divisée en trois ordres : ceux qui prient (le clergé), ceux qui combattent (la noblesse) et ceux qui travaillent (le tiers état).

En classe de 4e :

- Vous avez étudié la critique des inégalités sociales et des privilèges formulée par les auteurs des Lumières.
- Vous avez découvert qu'une opinion publique apparaît en Europe grâce à la diffusion accélérée des informations et des idées.

Dans ce chapitre :

Vous verrez que de fortes inégalités et tensions existent au sein de cette société, entre les trois ordres, mais également à l'intérieur même de ces ordres.

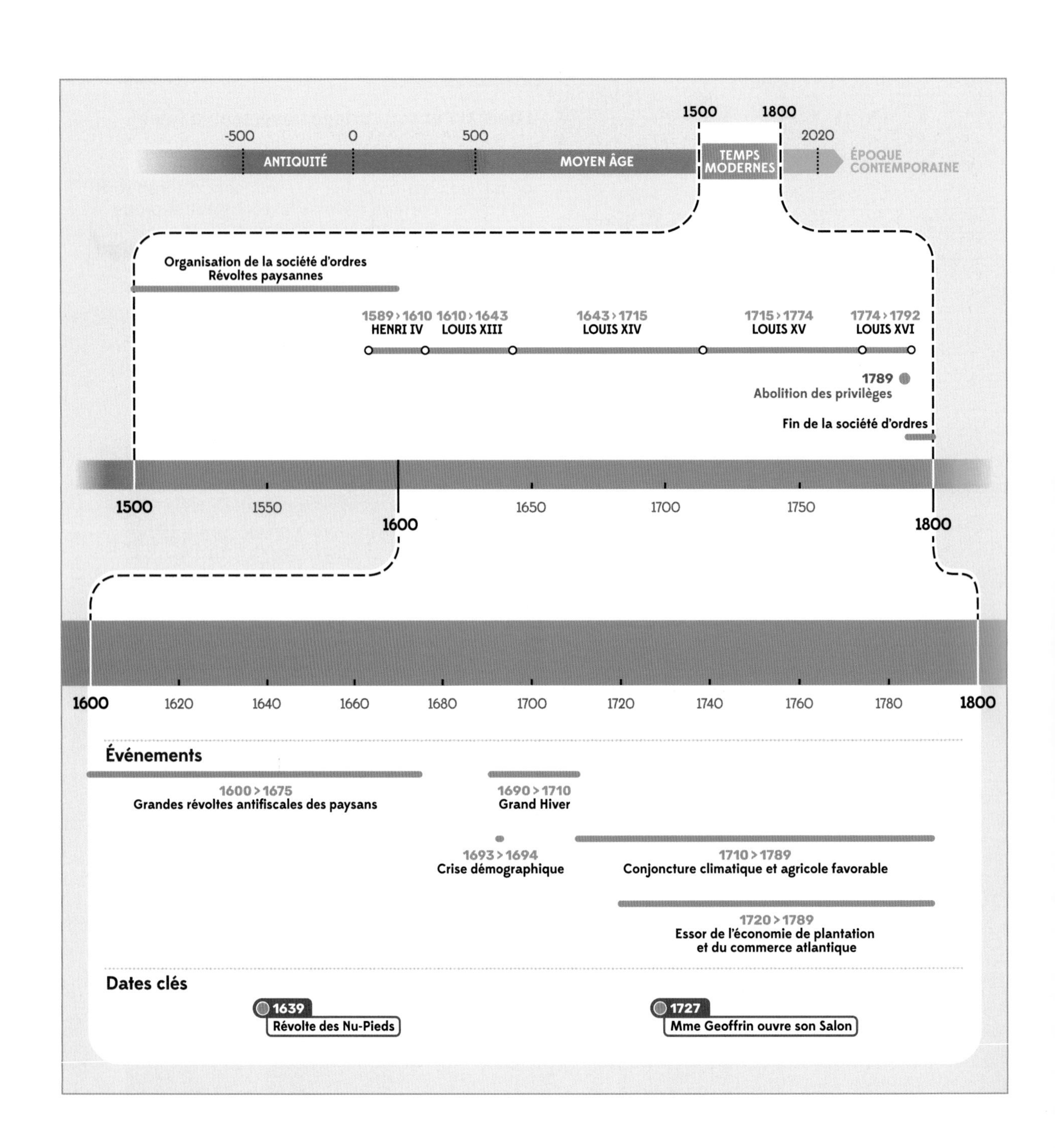

1 La société d'ordres, une société rigide

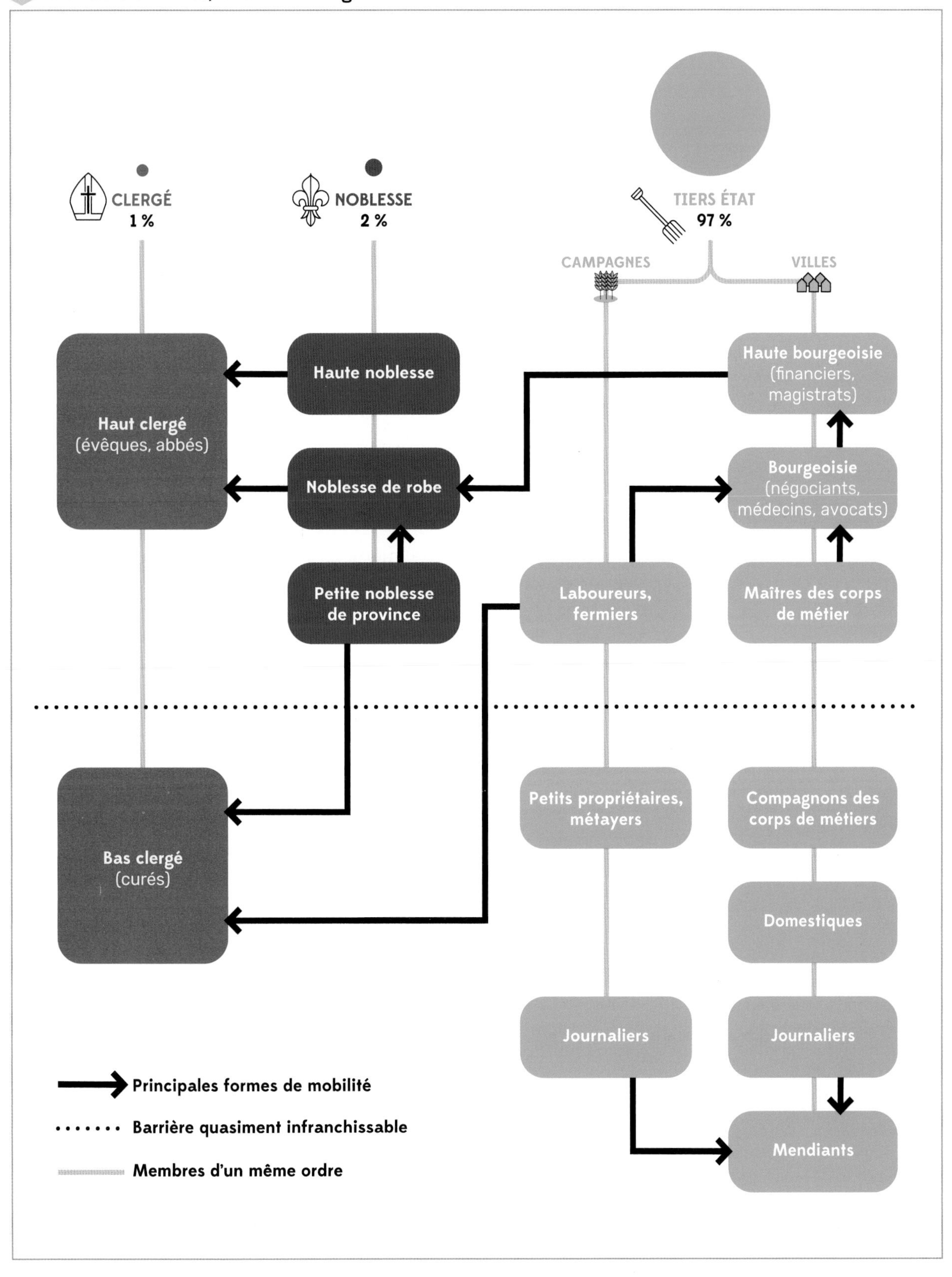

COURS

1

Une société rigide et inégalitaire

La société française des XVIIe et XVIIIe siècles est fondée sur des principes juridiques très inégalitaires. L'impôt est essentiellement payé par les paysans ; les élites sont fondées sur la naissance et non sur le talent et la fortune.

→ DOCUMENTS P. 246

Le sens des mots

L'expression **Ancien Régime** désigne l'organisation politique et sociale de la France de la fin du Moyen Âge à la Révolution française. Elle apparaît en 1790 dans un décret de l'Assemblée constituante : c'est donc une expression rétrospective, inventée par les révolutionnaires pour qualifier ce qu'ils ont renversé (la monarchie absolue et la société d'ordres).

A Les fondements de la société d'Ancien Régime

Privilèges et ordres. Un privilège - étymologiquement une « loi privée » - est un droit ou un avantage accordé par le roi à un individu ou à une catégorie de la population. Dans la société d'Ancien Régime, chaque province, chaque ville, chaque **corps de métier** défend ainsi ses « libertés », c'est-à-dire ses privilèges. Mais les principaux bénéficiaires du système sont le clergé et la noblesse. La division de la société en trois ordres, héritée du Moyen Âge, est considérée comme voulue par Dieu **(doc. 1, p. 241)**. Le roi est le garant de la hiérarchie entre ceux qui prient (*oratores*), ceux qui combattent (*bellatores*) et ceux qui travaillent (*laboratores*).

Le poids de la seigneurie. Les paysans vivent toujours dans le cadre juridique de la seigneurie, même si la féodalité a disparu. La plupart des terres relèvent de la **propriété éminente** d'un seigneur, qui exige à ce titre un droit en argent (cens) ou en nature (champart) et des **corvées**. Celui qui acquitte ces droits seigneuriaux a néanmoins la **propriété utile** de la terre : il peut l'exploiter lui-même ou la louer à un autre paysan.

B Le clergé et la noblesse

Deux ordres dominants. Le clergé, composé de 130 000 membres environ au XVIIIe siècle, jouit d'une puissance considérable. Il bénéficie de la **dîme** et possède environ 10 % des terres du royaume **(doc. 1)**. En plus de sa mission religieuse, il assure l'enseignement, l'assistance aux pauvres et la tenue des **registres paroissiaux**. La noblesse compte près de 300 000 personnes. Traditionnellement, elle est la gardienne du royaume qu'elle doit défendre et administrer. Bien que son rôle politique décline au XVIIIe siècle, elle conserve une position dominante dans la société et détient les plus hautes fonctions dans les institutions judiciaires, l'armée et l'Église.

Deux ordres privilégiés. Leurs privilèges sont d'abord fiscaux : la noblesse et le clergé sont exemptés de la taille, un impôt direct levé par le roi, et de nombreux impôts indirects comme la gabelle, une taxe sur le sel. Le clergé a ses propres tribunaux et les nobles ont droit à un traitement particulier de la part de la justice royale. L'inégalité sociale est bien visible au fait que les nobles sont les seuls à pouvoir porter l'épée ou à pratiquer la chasse (s'ils sont seigneurs).

VOCABULAIRE

- **Corps de métier :** communauté d'artisans possédant le monopole d'une activité dans une ville (on dit aussi « corporation »).
- **Corvées :** journées de travail gratuit que les paysans doivent effectuer pour leur seigneur (sur le domaine de celui-ci, sa propriété utile).
- **Dîme :** impôt prélevé par l'Église sur les récoltes (environ 10 %, variable selon les provinces).
- **Propriété éminente :** propriété théorique exclusive du seigneur sur la terre, qui lui donne certains droits sur les tenanciers (ceux qui la « tiennent de lui »).
- **Propriété utile :** propriété effective de la terre, que l'on peut louer ou vendre (même si en théorie on est le tenancier d'un seigneur).
- **Registres paroissiaux :** livres dans lesquels les curés doivent enregistrer les baptêmes, mariages et enterrements de leur paroisse.

Deux ordres diversifiés. Le haut clergé, c'est-à-dire les évêques, cardinaux et abbés, est issu des familles riches et instruites. Son quotidien se distingue grandement de celui du bas clergé, qui partage le mode de vie et les aspirations du peuple. La haute noblesse, qui porte des titres (duc, marquis, comte, vicomte, baron) et vit à la cour de Versailles, est fort éloignée de la petite noblesse de province, aux revenus souvent modestes. Des tensions existent aussi entre la **noblesse d'épée** et la **noblesse de robe**.

C Le troisième ordre : le tiers état

Un ordre très hétérogène. Le tiers état représente 97 % de la population française et n'a aucune unité. Il regroupe des habitants des villes et des campagnes et comprend des catégories sociales extrêmement variées : des **bourgeois**, des artisans et des paysans parfois aisés, des travailleurs pauvres embauchés à la journée, appelés « journaliers » ou « manouvriers », des domestiques.

Une forte pression fiscale. Les privilèges fiscaux réduisent considérablement les revenus de la monarchie, qui taxe fortement le tiers état pour compenser. La taille pèse essentiellement sur les paysans. L'État a bien créé, à partir de 1695, de nouveaux impôts directs, en théorie universels, mais les privilégiés ont tout fait pour obtenir des réductions ou des exemptions **(doc. 2)**.

L'essor de la bourgeoisie. Au sommet du tiers état, la bourgeoisie est une nouvelle élite du talent et de l'argent, formée de banquiers, de marchands, d'avocats ou encore de médecins. Bénéficiant de l'expansion commerciale de la France au XVIIIe siècle et du développement des professions intellectuelles, elle souhaite jouer un plus grand rôle dans la société.

VOCABULAIRE

Bourgeois : personne enrichie par le commerce ou la finance, faisant partie de l'élite urbaine. Juridiquement, un bourgeois est un habitant d'une ville disposant de certains droits.

Noblesse d'épée : la plus ancienne, qui reste attachée à la fonction militaire.

Noblesse de robe : apparue au XVIe siècle, elle est composée de bourgeois anoblis par l'achat d'un office de justice.

RÉVISER SON COURS

1. Selon quels principes la société d'Ancien Régime est-elle organisée ?
2. En quoi le clergé et la noblesse sont-ils des ordres dominants et privilégiés ?
3. Qu'est-ce que le tiers état ?

1 Qui possède la terre ?

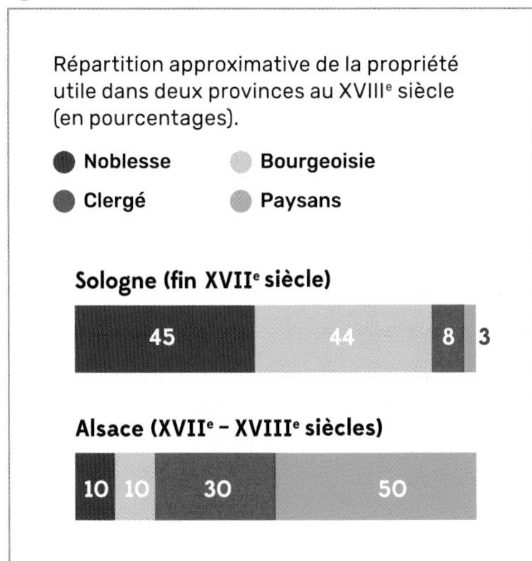

2 De nouveaux impôts directs en théorie universels

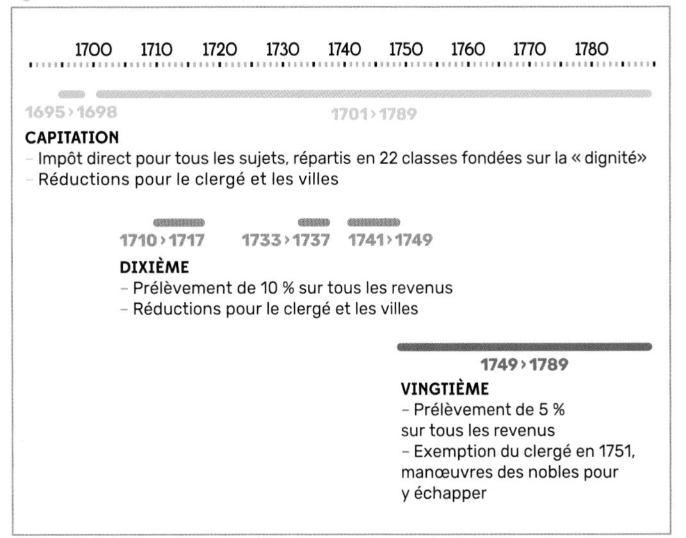

2 Une société en mutation et sous tension

→ DOCUMENTS P. 247, 248, 250, 252, 254

VOCABULAIRE

Économie de plantation : voir p. 160.

Fermiers : exploitants agricoles qui louent une terre moyennant un loyer fixe en argent versé au propriétaire utile.

Laboureurs : paysans qui possèdent le matériel (charrue) et les animaux de trait (chevaux ou bœufs) nécessaires pour labourer les terres qu'ils exploitent.

Négociants : marchands pratiquant le commerce international et maîtrisant des activités complexes (armement des navires, techniques financières, réseau de correspondants à l'étranger).

Métayers : exploitants agricoles qui louent une terre moyennant un loyer en nature versé au propriétaire utile (entre 30 % et 50 % de la récolte selon les régions).

Office anoblissant : fonction dans la justice ou l'administration, que l'État vend à un prix très élevé, car elle donne la noblesse à son acheteur ou à ses descendants.

Traite négrière : voir p. 160.

Les trois quarts des Français sont des paysans aux XVIIe et XVIIIe siècles, et la vie de la plupart d'entre eux reste très difficile. La société urbaine est plus mobile, mais elle connaît aussi de fortes tensions sociales.

A La condition paysanne : une faible amélioration

Une agriculture archaïque. Les paysans travaillent avec de faibles moyens techniques. Les champs sont labourés avec une charrue ou un araire, instrument de labour moins efficace que la charrue, mais la majorité du travail se fait à la force des mains, à l'aide d'outils en bois parfois renforcés de fer, comme la houe ou la faucille pour la moisson. Les rendements sont médiocres et la famine se déclare quand l'hiver est très froid et le printemps trop pluvieux. La pire catastrophe climatique touche la France en 1693-1694, entraînant une surmortalité de 1,6 million de personnes.

Une fiscalité écrasante. Les paysans paient la dîme à l'Église et souvent des droits seigneuriaux sur les terres dont ils ont la propriété utile. Pour les terres qu'ils louent, ils paient un loyer en argent quand ils sont **fermiers** et en nature quand ils sont **métayers**. À cela s'ajoute la fiscalité royale : la taille et les multiples impôts indirects **(doc. 1)**. De nombreuses révoltes paysannes ont lieu au XVIIe siècle, dès que l'État veut augmenter la pression fiscale. Ainsi, les paysans normands se soulèvent en 1639 contre la hausse de la gabelle.

Des progrès relatifs au XVIIIe siècle. La dernière famine est celle du « Grand Hiver », en 1709-1710. Le climat devient un peu moins rude et surtout l'État sait mieux gérer les crises en organisant les secours. L'agriculture se modernise dans certaines régions grâce à la diffusion de l'assolement triennal **(doc. 2)**. Les céréaliculteurs du Bassin parisien dirigent des exploitations de plusieurs centaines d'hectares, composées essentiellement de terres qu'ils louent comme fermiers. À côté de ces riches **laboureurs**, de nombreux paysans ont du mal à survivre : ce sont des tout petits propriétaires, des métayers, des journaliers. Ils partent parfois travailler dans les grandes villes pendant une partie de l'année (migrations saisonnières) ou bien définitivement.

1 Le budget d'un paysan au XVIIIe siècle

Exemple de Jean Hazenis, petit exploitant breton sur 4 hectares (en pourcentages).

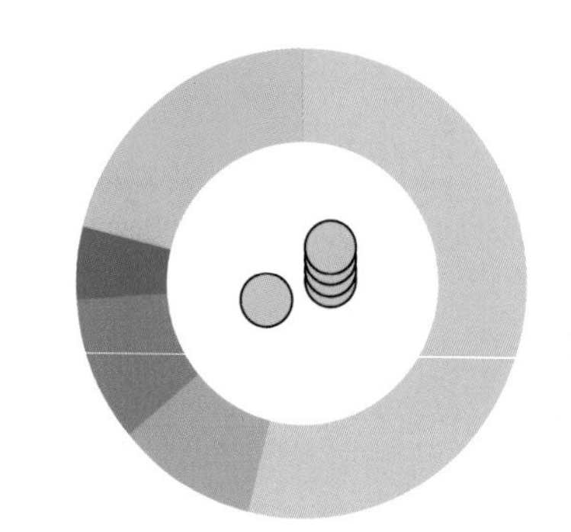

PRÉLÈVEMENTS
- **Fermage 54 %**
- **Droits seigneuriaux 10 %**
- **Dîme 10 %**
- **Impôt royal 5 %**

CE QU'IL LUI RESTE
- **21 %**

Jean Gallet, La Seigneurie bretonne, l'exemple du Vannetais, *1983*.

B Le monde urbain : une société complexe et troublée

L'expansion des villes. Plus exposées aux épidémies, les villes connaissent une mortalité plus forte que les campagnes. C'est donc grâce au solde migratoire qu'elles se développent : des femmes et des hommes quittent leur village pour venir y travailler, notamment comme domestiques. Les ports de la façade atlantique comme Nantes ou Bordeaux attirent des migrants venus de régions de plus en plus éloignées. Ils bénéficient en effet de l'essor du commerce maritime entre la France et ses colonies antillaises, où elle a développé une **économie de plantation** et légalisé l'esclavage par le *Code noir* (1685).

Des inégalités très marquées. La noblesse de robe et les riches bourgeois cohabitent dans les villes avec les travailleurs qualifiés des corps de métiers, les domestiques, les ouvriers non qualifiés qui cherchent un emploi à la journée et les mendiants. Paris est la plus grande ville du royaume, avec plus de 500 000 habitants vers le milieu du XVIIIe siècle. Elle compte de nombreux lieux de sociabilité où se mêlent anciennes et nouvelles élites, comme les salons littéraires. Les femmes jouent un certain rôle dans la vie intellectuelle, même si la société est dominée par les hommes.

Mobilité et crispations sociales. Les financiers et les **négociants**, enrichis notamment par la **traite négrière**, jouent un rôle croissant dans l'économie. Ces grands bourgeois aspirent à un statut plus élevé, ce qui passe, dans la logique de la société d'ordres, par l'accès à la noblesse. Celui-ci est possible par la faveur royale (lettre de noblesse accordée pour services rendus à l'État) ou par l'achat d'un **office anoblissant**, qui permet à une famille d'intégrer la noblesse de robe. Mais cette mobilité sociale est mal vue par la noblesse d'épée, qui défend la hiérarchie traditionnelle (**doc. 1, p. 241**).

Repères

Le *Code noir*

Le statut des esclaves est défini par l'édit de mars 1685 concernant les Antilles, texte préparé par Colbert et terminé par son fils Seignelay. D'autres édits ont ensuite été publiés, notamment celui de mars 1724 concernant la Louisiane. Ces textes sont rassemblés dans un recueil de règlements appelé le Code noir. Dès le XVIIIe siècle, l'expression *Code noir* est utilisée pour désigner seulement l'édit de 1685 ou celui de 1724.

RÉVISER SON COURS

1. **Pourquoi les changements restent-ils très limités dans les campagnes ?**
2. **En quoi le monde urbain est-il révélateur de la complexité de la société ?**

2 L'assolement triennal

L'exploitation est divisée en trois « soles » pour organiser une rotation des cultures. Chaque sole voit alterner les céréales d'hiver, les céréales de printemps et la jachère pendant un cycle de trois ans. La jachère permet de reposer la terre.

La société d'ordres

Quelles sont les oppositions et les tensions qui existent au sein de la société d'ordres?

→ COURS P. 244

1 La société d'ordres

Il faut qu'il y ait de l'Ordre en toutes choses. [...] Car nous ne pourrions pas vivre ensemble en égalité de condition, mais il faut par nécessité que les uns commandent, et que les autres obéissent. Ceux qui commandent ont plusieurs ordres, rangs ou degrés : les souverains seigneurs commandent à tous ceux de leur État, adressant leur commandement aux grands, les grands aux médiocres, les médiocres aux petits et les petits au peuple. Et le peuple, qui obéit à tous ceux-là, est encore séparé en plusieurs ordres et rangs, afin que pour chacun [d'eux], il y ait des supérieurs [...]. Ainsi par le moyen de ces divisions et subdivisions multipliées, il se fait de plusieurs ordres un ordre général, et de plusieurs états un État bien ordonné, auquel il y a une bonne harmonie et consonance, et une correspondance et rapport du plus bas au plus haut. [...]

Les uns sont dédiés particulièrement au service de Dieu; les autres à conserver l'État par les armes; les autres à le nourrir et maintenir par les exercices de la paix. Ce sont nos trois ordres ou états généraux de France, le clergé, la noblesse et le tiers état. Mais chacun de ces trois ordres est encore subdivisé en degrés subordonnés, ou ordres subalternes, à l'exemple de la hiérarchie céleste.

Charles Loyseau,
Traité des ordres et simples dignités, 1613.

2 Une caricature de la société d'ordres
Taille, impôts et corvées, fin XVIIIe siècle, musée Carnavalet, Paris.

Répondre aux questions

1. **Expliquez** pourquoi, d'après Loyseau, les ordres sont légitimes et indispensables au bon fonctionnement de la société (**doc. 1**).
2. **Décrivez** la caricature, en présentant précisément les trois personnages (**doc. 2**).
3. **Interprétez** son message (**doc. 2**).
4. À l'aide des réponses précédentes, **montrez** ce qui oppose les ordres et les tensions qui en découlent dans la société d'Ancien Régime.

Écrire un récit fictif argumenté

Imaginez la réponse du paysan représenté sur le **document 2** à Charles Loyseau. Le paysan devra reprendre les arguments de Loyseau pour les contrer.
Vous pouvez vous aider du cours p. 244

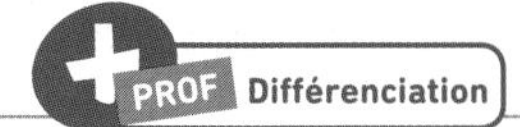

La révolte des Nu-Pieds et la condition paysanne

En quoi la révolte des Nu-Pieds est-elle révélatrice des tensions qui agitent le monde paysan sous l'Ancien Régime ?

→ COURS P. 244

Repères

La gabelle, une taxe sur le sel

Sous l'Ancien Régime, la **gabelle** est un impôt sur la consommation de sel, qui est perçu de diverses manières selon les régions.
La Basse-Normandie bénéficiait d'un régime dérogatoire : le roi se contentait de prélever un quart de la production des salines locales. La rumeur d'une remise en cause de ce privilège déclenche la révolte des Nu-pieds le 30 juillet 1639.

1 Aux origines de la révolte

Avant que la guerre fût déclarée au roi d'Espagne, le peuple était surchargé de beaucoup d'impositions extraordinaires. Cette rupture fut la cause ou le prétexte de les augmenter [...].

En juillet 1639, le sieur de la Benardière Poupinel, lieutenant-criminel à Coutances, étant allé à Avranches, on crut qu'il venait pour établir la gabelle et abolir l'usage du sel blanc [...]. Ce faux bruit passa pour une vérité certaine en l'esprit de ceux qui travaillent à faire le sel blanc. [...]

Néanmoins, les paysans travaillant le sel blanc, capables de tout entreprendre par leur extrême misère, qui fit qu'ils ne craignaient rien pis que ce qu'ils souffraient, l'attaquèrent en son hôtellerie et le tuèrent ainsi que deux de ses serviteurs.

Ce premier exemple fit soulever plusieurs paysans sous un chef qui se faisait nommer Jean Nudspieds et ceux de son parti, les Nu-Pieds. Ils disaient vouloir empêcher la levée de tous impôts établis depuis la mort du roi Henri IV. Ils se saisirent d'un des faubourgs d'Avranches et tinrent la campagne ; et jusqu'à la fin de l'automne, faisant une exacte recherche de ceux qu'ils croyaient faire des levées extraordinaires et ne faisant nul mal aux autres, ce qui faisait que le peuple, bien loin de les attaquer, leur fournissait secrètement des vivres.

Alexandre Bigot de Monville, *Mémoires du président Bigot de Monville sur la sédition des Nu-Pieds et l'interdiction du Parlement de Normandie en 1639*. [français modernisé]

2 La répression de la révolte

Le chancelier Pierre Séguier (1588-1672) est envoyé par Louis XIII pour réprimer la révolte des Nu-Pieds avec Gassion, l'un des chefs de l'armée.

À Avranches, M. Gassion fit une prompte justice de ceux qui furent pris les armes à la main ; on en pendit 12 ; les autres, moins chargés, condamnés aux galères ; et sont à la chaîne [...]. Le prêtre Bastard, un des plus séditieux, et un tanneur (nommé Maillard), qui avait aidé à aller ruiner les maisons du Val Basin, et un nommé Dupont, complice de ceux qui ont tué Poupinel, ont été exécutés à mort ; les autres qui se sont trouvés coupables condamnés aux galères et au bannissement, plus ou moins chargés ; et ceux qui n'ont pu être pris, condamnés par contumace, par jugement du 8 mars 1640, en des peines telles qu'une telle rébellion méritait, et des réparations, pour servir d'exemple à la postérité ; que les fins de tels attentats sont toujours très funestes.

Pierre Séguier, *Journal du voyage du chancelier Séguier en Normandie après la sédition des Nu-Pieds* (1639-1640). [français modernisé]

Réaliser un schéma

PROF Différenciation

Complétez le schéma suivant en citant précisément les documents.

Les causes → La révolte → Les acteurs / Les caractéristiques → Les conséquences

DOCUMENTS

POINT DE PASSAGE

Riches et pauvres à Paris

Comment les contrastes sociaux s'inscrivent-ils dans l'espace parisien ? → COURS P. 244

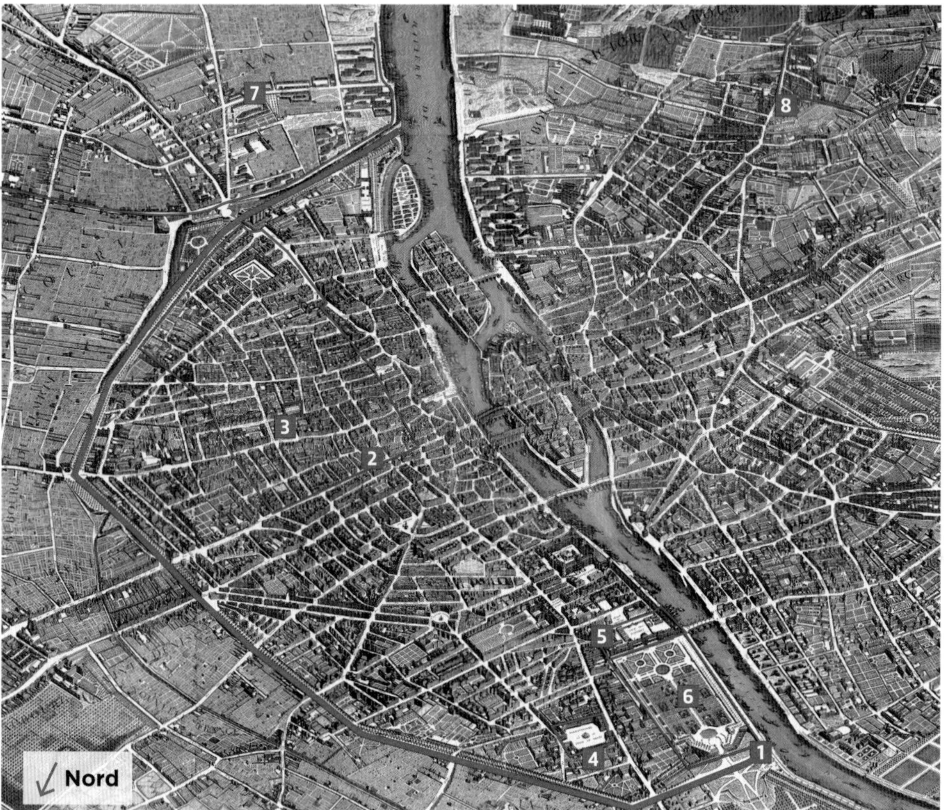

1 Paris au XVIIIe siècle

Paris s'agrandit et s'embellit : les anciennes fortifications de Charles V sont remplacées par des boulevards plantés d'arbres 1; les aristocrates se font construire de magnifiques demeures dans le Marais 2, comme l'hôtel de Soubise 3, autour de la place Vendôme 4 et à proximité du palais des Tuileries 5 et de son jardin 6. Les populations pauvres vivent principalement dans les faubourgs Saint-Antoine 7 et Saint-Marcel 8.

Plan de Bretez-Turgot, 1736.

2 Le jardin des Tuileries à la fin du XVIIIe siècle

La baronne d'Oberkirch (1754-1803), une noble alsacienne, décrit le jardin des Tuileries, aménagé au XVIe siècle, puis ouvert au public au XVIIe siècle.

Après l'Opéra, nous allâmes aux Tuileries, la promenade à la mode. Comme les Parisiens font tout par caprice, ils ont adopté une allée de ce jardin et ne mettent pas le pied dans les autres. On s'y étouffe, on s'y battrait presque. Les boutons des habits des hommes emportent les blondes[1] des mantelets[2], les falbalas[3] sont déchirés par les poignées des épées, et les garnitures de point[4] restent quelquefois tout entières au bout d'un fourreau. Du reste, les gentilshommes commençaient à aller partout sans armes et à ne porter l'épée que lorsqu'ils s'habillent. [...]. Et voilà une institution perdue, voilà une habitude séculaire de la noblesse française jetée aux orties. [...] Il y avait, dit-on, aux Tuileries, quelques femmes entretenues; elles sont moins faciles à reconnaître au premier coup d'œil que je ne pensais, et s'habillent décemment pour se donner l'air d'honnêtes bourgeoises.

Mémoires de la baronne d'Oberkirch, 1869.

1. Dentelles.
2. Vêtements couvrant les épaules et les bras des femmes.
3. Bandes de tissus plissés ornant le bas des robes.
4. Rubans et autres ornements en dentelle.

3 L'hôtel de Soubise

Un hôtel particulier est une résidence nobiliaire, par opposition à la « maison » bourgeoise. Ici, celui des Rohan-Soubise, grande famille de la noblesse d'épée, réaménagé au début du XVIIIe siècle.

Animation

4 Le faubourg Saint-Marcel

Un faubourg est à l'origine un quartier «fors» le bourg, c'est-à-dire en-dehors des murailles de la ville. Avec l'extension de Paris aux XVIIe et XVIIIe siècles, les faubourgs ont été peu à peu intégrés à la ville.

C'est le quartier où habite la populace de Paris, la plus pauvre, la plus remuante et la plus indisciplinable. Il y a plus d'argent dans une seule maison du faubourg Saint-Honoré, que dans tout le faubourg Saint-Marcel, ou Saint-Marceau, pris collectivement. C'est dans ces habitations éloignées du mouvement central de la ville, que se cachent les hommes ruinés, les misanthropes, les alchimistes, les maniaques, les rentiers bornés, et aussi quelques sages studieux, qui cherchent réellement la solitude, et qui veulent vivre absolument ignorés et séparés des quartiers bruyants des spectacles. Jamais personne n'ira les chercher à cette extrémité de la ville : si l'on fait un voyage dans ce pays-là, c'est par curiosité; rien ne vous y appelle; il n'y a pas un seul monument à y voir; c'est un peuple qui n'a aucun rapport avec les Parisiens, habitants polis des bords de la Seine. [...]

Une famille entière occupe une seule chambre, où l'on voit les quatre murailles, où les grabats[1] sont sans rideaux, où les ustensiles de cuisine roulent avec les vases de nuit. Les meubles en totalité ne valent pas vingt écus; et tous les trois mois les habitants changent de trou, parce qu'on les chasse faute de paiement du loyer. Ils errent ainsi, et promènent leurs misérables meubles d'asile en asile. On ne voit point de souliers dans ces demeures; on n'entend le long des escaliers que le bruit des sabots. Les enfants y sont nus et couchent pêle-mêle.

Louis-Sébastien Mercier, *Tableau de Paris*, 1781.

1. Lit misérable.

5 Occupations des hommes du faubourg Saint-Antoine

D'après Raymonde Monnier, *Le Faubourg Saint-Antoine (1789-1815)*, Société des études robespierristes, 1981.

* Journaliers : gagnent leur vie au jour le jour, car ils n'ont pas de métier fixe.

Comment les contrastes sociaux s'inscrivent-ils dans l'espace parisien?

Répondre aux questions

1. **Montrez** que Paris se transforme et s'étend aux XVIIe et XVIIIe siècles (**doc. 1**).
2. **Décrivez** le mode de vie des nobles parisiens (**doc. 1, 2 et 3**).
3. **Identifiez** les catégories sociales qui se croisent au jardin des Tuileries et expliquez en quoi cela gêne la baronne (**doc. 2**).
4. **Décrivez** le mode de vie et les activités des habitants des faubourgs parisiens (**doc. 4 et 5**).
5. À l'aide des réponses précédentes, **expliquez** de quelle manière les contrastes sociaux s'inscrivent dans l'espace parisien.

Extraire et classer des informations

Complétez le tableau en citant précisément et en analysant les documents.

Catégories	Riches	Pauvres
Lieux de vie (quartiers et habitats)		
Occupations (métiers et loisirs)		
Lieux de rencontre entre les différentes catégories sociales		

Le salon de Madame Geoffrin, une femme d'influence au XVIIIe siècle

▶ *Comment les salons permettent-ils aux femmes de jouer un rôle dans la société ?*

→ COURS P. 244

Repères

Les salons, lieux de sociabilité des élites

Le mot **salon** désigne au XVIIIe siècle une réunion qui se tient plusieurs fois par semaine et durant laquelle les participants tiennent des conversations de qualité. La plupart sont tenus par des femmes issues de la noblesse, des « salonnières », comme Madame de Tencin (1682-1749), l'une des premières à ouvrir son salon, ou Julie de Lespinasse (1732-1776).
Madame Geoffrin, malgré ses origines bourgeoises, ouvre son propre salon en 1727 après avoir fréquenté celui de Madame de Tencin.

1 Madame Geoffrin vue par une de ses contemporaines

Louise-Élisabeth Vigée-Lebrun est une artiste peintre reconnue du XVIIIe siècle.

Madame Geoffrin réunissait chez elle tout ce qu'on connaissait d'hommes distingués dans la littérature et dans les arts, les étrangers de marque, et les plus grands seigneurs de la cour. Sans naissance, sans talents, sans même avoir une fortune considérable, elle s'était créé ainsi à Paris une existence unique dans son genre, et qu'aucune femme ne pourrait plus s'y faire aujourd'hui. Ayant entendu parler de moi, elle vint me voir un matin et me dit les choses les plus flatteuses sur ma personne et sur mon talent.

Louise-Élisabeth Vigée-Lebrun, *Souvenirs*, 1835.

Portrait de Madame Geoffrin, huile sur toile de Pierre Allais, 1747.

2 Les invités de Madame Geoffrin

Jean-François Marmontel est un auteur reconnu, proche de Voltaire, habitué des salons parisiens.

Assez riche pour faire de sa maison le rendez-vous des lettres et des arts, et voyant que c'était pour elle un moyen de se donner dans sa vieillesse une amusante société et une existence honorable, Madame Geoffrin avait fondé chez elle deux dîners[1], l'un, le lundi pour les artistes ; l'autre le mercredi pour les gens de lettres [...].

Son vrai talent était celui de bien conter ; elle y excellait, et volontiers, elle en faisait usage pour égayer la table ; mais sans apprêt, sans art et sans prétention, seulement pour donner l'exemple ; car des moyens qu'elle avait de rendre sa société agréable, elle n'en négligeait aucun. [...]

Soit qu'il fût entré dans le plan de Madame Geoffrin d'attirer chez elle les plus considérables des étrangers qui venaient à Paris, et de rendre par là sa maison célèbre dans toute l'Europe ; soit que ce fût la suite et l'effet naturel de l'agrément et de l'éclat que donnait à cette maison la société des gens de lettres, il n'arrivait d'aucun pays ni prince, ni ministre, ni hommes ou femmes de nom qui, en allant voir Madame Geoffrin, n'eussent l'ambition d'être invités à l'un de nos dîners, et ne se fissent un grand plaisir de nous voir réunis à table.

C'était singulièrement ces jours-là que Madame Geoffrin déployait tous les charmes de son esprit, et nous disait : Soyons aimables. Rarement, en effet, ces dîners manquaient d'être animés par de bons propos. [...]

Marmontel, *Mémoires d'un père*, tome II, livre VI, 1800.

1. Désigne à cette époque le déjeuner.

3 Le salon de Madame Geoffrin

Commandé en 1814 par Joséphine de Beauharnais, ce tableau représente une scène fictive de la vie mondaine parisienne. En effet, le peintre représente des philosophes (1 d'Alembert, 2 Montesquieu, 3 Rousseau, 4 Diderot, 5 Marmontel), des salonnières (6 Mlle de Lespinasse, 7 Madame Geoffrin), des hommes politiques (8 le duc de Choiseul), des dramaturges (9 Marivaux), des peintres et des architectes (10 Carle Van Loo et 11 Soufflot) et des savants (12 Buffon). Le buste représente 13 Voltaire, alors en exil.

Lecture de la tragédie L'Orphelin de la Chine *de Voltaire dans le salon de Madame Geoffrin,* huile sur toile d'Anicet Lemonnier, 1755, 129 x 196 cm, châteaux de Malmaison et Bois-Préau.

Comment les salons permettent-ils aux femmes de jouer un rôle dans la société ?

Répondre aux questions

1. **Montrez** que les participants des salons sont issus des catégories les plus influentes de la société (**doc. 1, 2 et 3**).
2. **Décrivez** le fonctionnement d'un salon : lieu, activités, emploi du temps, etc. (**doc. 1, 2 et 3**).
3. **Expliquez** le rôle joué par Madame Geoffrin dans son salon (**doc. 1 et 2**).
4. À l'aide des réponses précédentes, **montrez** comment les salons permettent aux femmes de jouer un rôle dans la société.

Réaliser une carte mentale

1. Écrivez « Le salon de Madame Geoffrin » au centre d'une page.
2. Tracez quatre branches partant de ce titre :
   - **Les acteurs**
   - **Les lieux**
   - **Les activités**
   - **Les rôles**

3. Complétez chaque branche avec les informations tirées des documents.
4. Rédigez une synthèse répondant à la question posée.

Anciennes et nouvelles élites

Comment la noblesse se renouvelle-t-elle pour rester l'ordre dominant?

→ COURS P. 244

Animation

1 Une famille de très haute noblesse

Le duc de Penthièvre est représenté avec son fils, le prince de Lamballe, sa belle-fille, la princesse de Lamballe, et sa fille, Mlle de Penthièvre. Le duc et son fils portent une écharpe bleue, signe d'appartenance à l'ordre militaire du Saint-Esprit, réservé aux nobles. Tous boivent du chocolat, boisson coûteuse.

La Tasse de chocolat, huile sur toile de Jean-Baptiste Charpentier le Vieux, 1768, 176 x 256 cm, château de Versailles.

2 L'ascension sociale des Joly de Fleury

Les Joly de Fleury ont commencé leur carrière dans l'administration judiciaire en Bourgogne au XVe siècle.

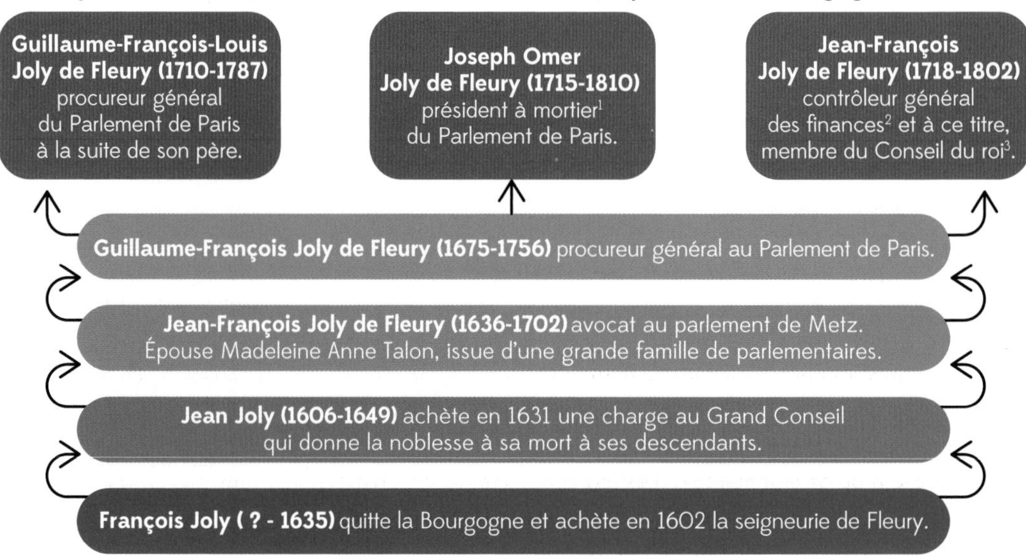

Plusieurs enfants, dont :

1. Charge la plus importante de la justice française d'Ancien Régime. 2. Responsable des finances royales. 3. Institution capitale de la monarchie, chargée de préparer les décisions du roi.

3 La noblesse et le commerce

L'attention que nous avons toujours eue pour faire fleurir le commerce dans notre royaume nous ayant fait connaître l'avantage que l'État retire de l'application de ceux de nos sujets qui se sont attachés avec honneur au négoce, nous avons toujours regardé le commerce en gros comme une profession honorable et qui n'oblige à rien qui ne puisse raisonnablement compatir[1] avec la noblesse [...]. À ces causes [...], nous voulons et nous plaît :

1. Que tous nos sujets nobles par extraction, par charges ou autrement, excepté ceux qui sont actuellement revêtus de charges de magistrature, puissent faire librement toute sorte de commerce en gros, tant au-dedans qu'au-dehors du royaume, pour leur compte ou par commission, sans déroger[2] à leur noblesse.

2. Voulons et entendons que les nobles qui feront le commerce en gros continuent de précéder en toutes les assemblées générales et particulières les autres négociants et jouissent des mêmes exemptions et privilèges attribués à leur noblesse dont ils jouissaient avant que faire le commerce. [...]

4. Seront censés et réputés marchands et négociants en gros tous ceux qui feront leur commerce en magasin, vendant leurs marchandises par balles, caisses ou pièces entières, et qui n'auront point de boutiques ouvertes ni aucun étalage et enseigne à leurs portes et maisons.

Louis XIV, *Édit permettant aux nobles de faire le commerce sans déroger*, 1701.

1. Être compatible. **2.** Perdre la noblesse par l'exercice d'activités jugées « ignobles », comme le travail manuel.

4 Un corsaire anobli

Jean Bart (1650-1702) est un marin de Dunkerque devenu corsaire, puis officier de la Marine royale.

Comme il n'y a pas de moyen plus assuré pour entretenir l'émulation dans le cœur des officiers qui sont employés à notre service, et pour les exciter à faire des actions éclatantes, que de récompenser ceux qui se sont signalés dans les commandements que nous leur avons confiés, et de les distinguer par des marques glorieuses qui puissent passer à leur postérité, nous avons par ces considérations puissantes accordé des lettres de noblesse à ceux de nos officiers qui se sont rendus les plus recommandables ; mais de tous les officiers qui ont mérité cet honneur, nous n'en trouvons pas qui se soit rendu plus digne que notre cher et bien aimé Jean Bart, chevalier de notre ordre militaire de Saint-Louis, capitaine de marine, commandant actuellement une escadre de nos vaisseaux de guerre, tant par l'ancienneté de ses services que par la qualité de ses actions et de ses blessures [...]. À ces causes [...], nous avons anobli et anoblissons par ces présentes, signées de notre main, ledit sieur Jean Bart, ensemble ses enfants, postérité et lignée, tant mâles que femelles nés et à naître en légitime mariage, que nous avons décoré et décorons du titre et qualité de gentilhomme. Voulons et nous plaît qu'ils [...] puissent jouir de tous les honneurs, prérogatives, privilèges, franchises, libertés, exemptions et immunités dont jouissent les autres gentilshommes de notre royaume, comme s'ils étaient d'ancienne et noble race [...].

Louis XIV, *Lettres d'anoblissement en faveur de Jean Bart*, 1694.

Comment la noblesse se renouvelle-t-elle pour rester l'ordre dominant ?

Répondre aux questions

1. **Décrivez** le tableau en insistant sur les caractéristiques du mode de vie aristocratique (**doc. 1**).
2. **Analysez** le parcours des Joly de Fleury en décrivant leur ascension sociale : postes occupés, évolution du nom, accès à la noblesse (**doc. 2**).
3. **Expliquez** comment le roi justifie l'anoblissement, qui peut choquer les familles d'ancienne noblesse (**doc. 4**).
4. **Définissez** le type de commerce qui est compatible avec la noblesse et interprétez l'objectif de cet édit (**doc. 3**).
5. À l'aide des réponses précédentes, **montrez** comment la noblesse se renouvelle pour rester l'ordre dominant.

Réaliser un diaporama

Réalisez un diaporama. Utilisez tous les documents pour illustrer le plan suivant :

I. Les différents moyens d'intégrer la noblesse
II. L'adaptation de la noblesse aux activités utiles
III. Le prestige conservé de la noblesse

Les ports français, l'économie de plantation et la traite

Comment les ports français ont-ils profité au XVIIIe siècle de l'économie de plantation et de la traite ?

→ COURS P. 244

Repères

La **traite négrière** ou « **commerce triangulaire** » consiste à acheter des esclaves en Afrique (contre des produits manufacturés, des armes, de l'alcool) pour les vendre aux Antilles.
Le **commerce en droiture**, pratiqué surtout à Bordeaux, consiste à aller directement aux Antilles pour y vendre des produits de la métropole, agricoles (céréales, vin…) et manufacturés (textiles…).
Dans les deux cas, les navires rapportent en métropole les denrées coloniales produites par les plantations esclavagistes : indigo (colorant bleu produit par un arbuste), café, tabac, et surtout sucre.

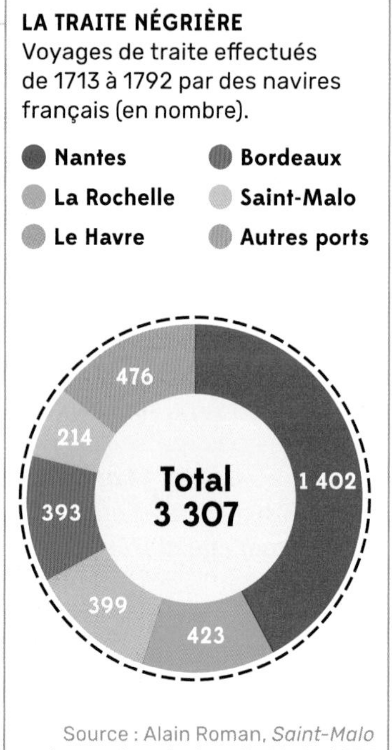

Source : Alain Roman, *Saint-Malo au temps des négriers*, Karthala, 2001.

1 Le commerce avec les « îles à sucre »

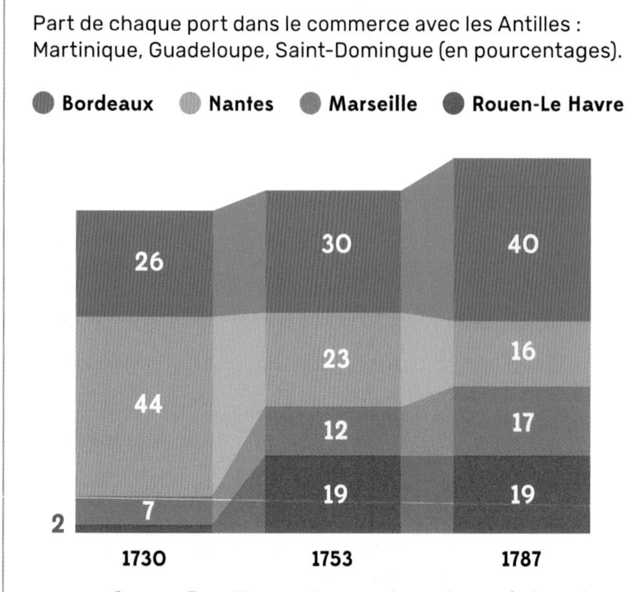

Source : Jean Meyer, « Les paradoxes du succès havrais », dans André Corvisier, *Histoire du Havre et de l'estuaire de la Seine*, Privat, 1987.

2 La carrière d'un armateur nantais

Joseph Mosneron (1748-1833) évoque dans Le Journal de mes voyages *(1804) la carrière de son père Jean Mosneron (1701-1773).*

Il [mon père] vint à Nantes, il y fut de suite employé pour les voyages dans les colonies. Son activité infatigable, sa probité, ses connaissances pratiques le firent bientôt distinguer parmi les autres jeunes gens. […] Il franchit en peu de temps les postes subalternes et parvint à l'âge de 22 ans au grade de capitaine ; il fut constamment employé par différents armateurs et il n'eut pas un moment de vide jusqu'à l'époque de son mariage le 23 mai 1735. Il quitta donc la mer à 35 ans et se donna tout entier à la partie des armements[1]. Plusieurs capitalistes eurent confiance en lui, ils lui firent des avances et s'intéressèrent dans ses entreprises […]. Son grand commerce consistait dans les armements de navires et le temps qu'il ne passait pas au cabinet, il l'employait aux chantiers de construction à faire des marchés pour les fournitures de ses bâtiments. Il voyait et appréciait tout par lui-même. Il avait le plus grand intérêt à le faire, car il était ordinairement fondé[2] pour les deux tiers ou les trois quarts dans la propriété des navires qu'il expédiait. Avec des principes d'économie, avec l'amour du travail et doué des connaissances requises au genre d'affaires qu'il avait embrassé, il parvint à élever sa fortune au-delà de 800 000 livres. C'est ce qui fut trouvé par l'inventaire après son décès qui arriva en mars 1773.

Moi, Joseph Mosneron, armateur négrier nantais (1748-1833), présenté par Olivier Pétré-Grenouilleau, Apogée, 1995.

1. Équipement d'un navire, ici pour une exploitation commerciale.
2. Était propriétaire des deux tiers ou des trois quarts de chaque navire.

Le port de Bordeaux 3

Le peintre Joseph Vernet fut chargé par l'État de réaliser une série de tableaux sur les ports de France (1753-1762). Leur large diffusion fut assurée par des gravures.

Première vue de Bordeaux : prise du côté des Salinières, huile sur toile de Joseph Vernet, 1759, 165 x 263 cm, musée national de la Marine, Paris.

4 Le voyage d'un navire négrier nantais

De retour au port, le capitaine a obligation de faire un rapport à l'administration maritime (l'Amirauté).

En suite de quoi, nous a dit et déclaré qu'ils seraient partis du bas de cette rivière[1] le 26e mars 1741 sous le commandement dudit sieur Rivière, chargé de marchandises propres à faire la traite des Noirs le long de la côte de Guinée [...]. Arrivèrent aux îles Banane[2], Côte d'Ivoire, le 2 mai, où ils perdirent une ancre de 500 livres par la force du vent [...]. Et le même jour 21e mai, ils en partirent pour aller à Mesurade[2], où ils arrivèrent le 31e dudit mois. Y auraient traité, depuis lesdites îles Banane jusque-là, le nombre de deux cent treize nègres de tous sexes et âges, compris ceux de pacotille[3]. [...] Ils furent obligés [...] d'appareiller dudit lieu de la Mesurade ledit jour 4 septembre pour aller à la Martinique, où ils arrivèrent le 1er novembre suivant. [...] Il fut introduit et vendu audit lieu du fort de Saint-Pierre le nombre de cent quatre-vingt-trois nègres, tout appartenant au navire que de pacotille, le surplus étant mort tant pendant la traite que la traversée et vente [...]. Après avoir chargé la quantité de 153 barriques quinze quarts de sucre terré, 20 barriques et 41 quarts de café [...]; il fit voile dudit lieu du fort Saint-Pierre de la Martinique le 21 avril dernier pour venir à Nantes, lieu de la destination du navire; et serait arrivé à Paimbœuf le 24 de ce mois [...] avec les gens de l'équipage, à l'exception de six hommes qui sont morts pendant le cours du voyage et deux autres qui ont déserté [...].

Rapport de mer du capitaine du Saint-Édouard enregistré au greffe de l'Amirauté de Nantes, 27 juin 1742.

1. Le bateau part de Paimbœuf, situé sur la rive sud de l'estuaire de la Loire, à 45 km à l'ouest de Nantes.
2. Les îles Banane se trouvent au large de l'actuelle Sierra Leone et le cap Mesurade au Libéria.
3. Les « nègres de pacotille » sont les esclaves réservés aux officiers du navire négrier.

Comment les ports français ont-ils profité au XVIIIe siècle de l'économie de plantation et de la traite ?

Répondre aux questions

1. **Analysez** la hiérarchie des ports français et son évolution au XVIIIe siècle, en montrant que le commerce avec les Antilles n'implique pas forcément la traite négrière (doc. 1 et Repères).
2. **Caractérisez** les étapes successives de la carrière de Jean Mosneron (doc. 2).
3. **Décrivez** le tableau; **expliquez** ce que le peintre veut montrer et pourquoi l'État lui a passé cette commande (doc. 3).
4. **Résumez** le voyage de ce navire négrier : itinéraire, durée, taux de mortalité des esclaves, marchandises échangées (doc. 4).
5. À l'aide des réponses précédentes, **expliquez** comment les ports français ont profité au XVIIIe siècle de l'économie de plantation et de la traite.

Rédiger un texte argumenté

Vous êtes journaliste et vous devez écrire un article pour évaluer ce que l'essor des ports français au XVIIIe siècle doit à l'économie de plantation esclavagiste et à la traite négrière.

En intégrant tous les documents, rédigez un texte suivant ce plan :

I. **Les produits de l'économie de plantation intéressant les négociants français**
II. **Le travail dans les plantations réalisé par des esclaves déportés d'Afrique**
III. **Les principaux ports français impliqués dans la traite négrière et/ou le commerce avec les Antilles**

PROF Différenciation

Organisez un débat sur la société d'ordres

La société française du XVIIIe siècle est un monde complexe qui voit se côtoyer, et parfois s'affronter, des groupes sociaux et des personnes aux aspirations variées. Alors que certains s'accrochent à leurs statuts privilégiés, d'autres aspirent à les rejoindre ou encore à bousculer l'ordre établi.

CONSIGNE **Incarnez un homme ou une femme du XVIIIe siècle et simulez une joute verbale entre défenseurs et critiques de la société d'ordres.**

ÉTAPE 1 Attribuez les rôles

- Essayez de couvrir le **spectre social** le plus large possible.

En fonction de **l'ordre**
- Dans la **noblesse** : d'épée ou de robe, de cour ou de province…
- Le **clergé** : haut ou bas, d'extraction noble ou roturière…
- Le **tiers état** : riche bourgeois, artisan des villes, paysan cossu ou journalier…

En fonction de **l'engagement**
- **Philosophe** des Lumières
- Noble **réactionnaire**, etc.

Et sans oublier les femmes !
- **Salonnière** noble ou bourgeoise, femme du **peuple**…

- Vous pouvez choisir une personnalité présentée dans le manuel ou créer votre propre personnage.

Pour certaines catégories, comme la paysannerie ou les travailleurs pauvres des villes, il sera nécessaire de faire appel à votre imagination.
Petits métiers de Paris, Claude-Louis Desrais, XVIIIe siècle.

ÉTAPE 2 Effectuez des recherches

- Menez vos recherches du plus général au particulier :
  - Déterminez les **conditions de vie** de votre personnage. Quel est son environnement ? Son milieu social ?
  - Quels sont ses **difficultés** ou au contraire ses **privilèges** ? À quoi aspire-t-il ?
  - Enfin, penchez-vous sur sa **personnalité**. A-t-il reçu une éducation ? Est-il prêt à bouleverser l'ordre établi ou au contraire s'oppose-t-il à sa remise en cause ?

Créez une **fiche** résumant tous ces éléments.

Madame Roland

Née le 17 mars 1754, à Paris. Milieu bourgeois d'artisans aisés (père maître graveur). Reçoit une solide éducation → inhabituel pour une fille. Apprend à lire à 4 ans. Grande lectrice d'auteurs antiques et philosophes des Lumières.
Mariée à 26 ans à Jean-Marie Roland de la Platière, économiste réputé de 20 ans son aîné, notamment pour échapper à la tutelle de son père.
Refuse le statut des femmes de son siècle.
→ collabore au travail de son mari en corédigeant ses discours & articles. S'engage en politique. Ouvre son salon en 1791. Arrêtée et guillotinée en 1793.

ÉTAPE 3 Préparez votre argumentation

Pour convaincre, prenez **connaissance** de vos **adversaires** et de leur **position**.
Méfiez-vous des **anachronismes** : essayez de vous fondre dans **l'état d'esprit de l'époque**.

En vérité, je suis bien ennuyée d'être une femme : il me fallait une autre âme, ou un autre sexe, ou un autre siècle. [...] Mon esprit et mon cœur trouvent de toute part les entraves de l'opinion, les fers des préjugés, et toute ma force s'épuise à secouer vainement mes chaînes. Ô liberté, idole des âmes fortes, aliment des vertus, tu n'es pour moi qu'un nom !

Madame Roland, Lettre du 5 février 1776.

L'appétit intellectuel de Madame Roland n'a d'égal que sa frustration d'être née femme.

Ainsi, toute l'éducation des femmes doit être relative aux hommes. Leur plaire, leur être utiles, se faire aimer et honorer d'eux, les élever jeunes, les soigner grands, les conseiller, les consoler, leur rendre la vie agréable et douce : voilà les devoirs des femmes dans tous les temps, et ce qu'on doit leur apprendre dès l'enfance.

Émile ou De l'éducation, Jean-Jacques Rousseau, 1762.

Cependant, Rousseau exprime ici un tout autre point de vue, dominant à l'époque, dont vous devez avoir connaissance.

Ne rédigez pas tout, vous prendriez le risque de lire vos notes plutôt que d'**incarner** votre **personnage**. Contentez-vous de **noter** sur votre fiche quelques **mots, expressions ou phrases clés**.

ÉTAPE 4 Débattez en classe

Réorganisez la **disposition** de la **classe** afin que tous les débatteurs puissent se voir.

Pour débattre de **manière constructive**, il faut **respecter** certaines **règles** :

- Nommez un président de séance ou **régulateur** qui distribuera la parole. Deux **secrétaires** peuvent se charger de prendre des notes afin de rédiger un compte-rendu.
- Débattre suppose d'**écouter** les **arguments** des **autres élèves** et de s'en servir pour **répondre**.
- Il est important de **respecter** la parole de chacun et d'**attendre son tour** pour parler.

Vous pouvez inviter un groupe d'élèves ou de professeurs extérieurs à la classe pour qu'ils profitent de la qualité de vos débats.

RÉVISER

La société d'ordres

SAVOIR EXPLIQUER

La société française d'Ancien Régime

Une société inégalitaire
Privilèges ; Ordres ; Seigneurie

Les privilégiés
Clergé ; Noblesse ; Exemption d'impôts

Le tiers état
Bourgeoisie ; Pression fiscale

Les mutations des XVIIe et XVIIIe siècles

Dans les campagnes
Rendements ; Climat ; Fermage ; Métayage ; Révoltes paysannes ; Modernisation de l'agriculture ; Assolement triennal ; Laboureurs

En ville
Bourgeoisie ; Commerce ; Ports ; Économie de plantation ; Traite ; Corps de métiers ; Salons

SAVOIR DATER

1639	Révolte des Nu-Pieds
1693-1694	Famine
1709-1710	« Grand Hiver »
1727	Madame Geoffrin ouvre son salon à Paris.

SAVOIR DÉFINIR

- Bourgeois → P. 243
- Corps de métier → P. 242
- Corvées → P. 242
- Dîme → P. 242
- Fermier → P. 244
- Laboureur → P. 244
- Métayer → P. 244
- Négociant → P. 244
- Noblesse (d'épée, de robe) → P. 243
- Office anoblissant → P. 244
- Propriété (éminente, utile) → P. 242

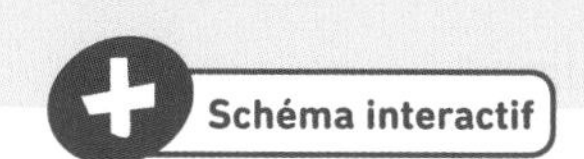

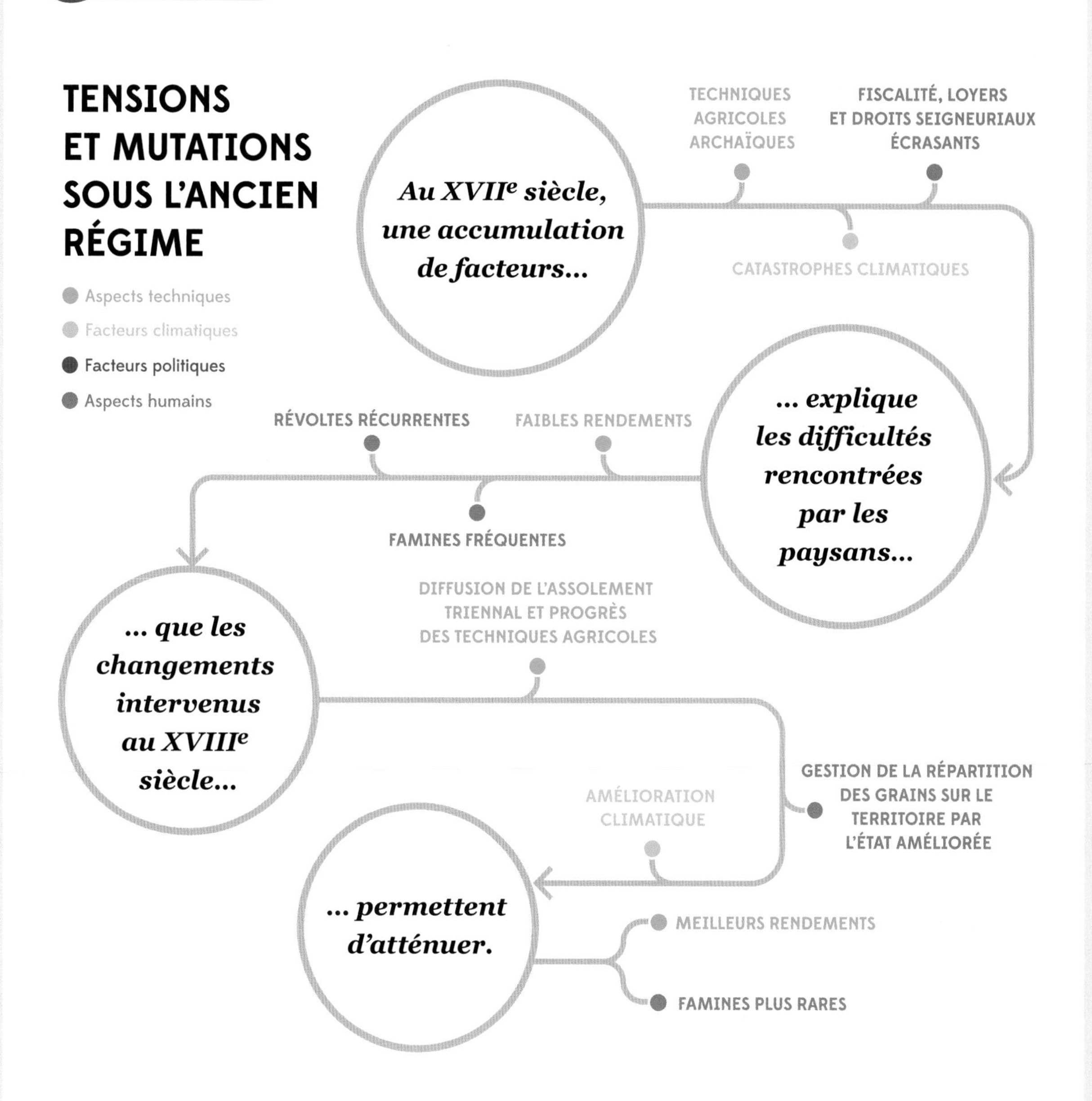

POUR ALLER PLUS LOIN

Patrice Leconte
Ridicule
1996

Stephen Frears
Les liaisons dangereuses
1988

Emmanuel Mouret
Mademoiselle de Joncquières
2018

Beaumarchais
Le Mariage de Figaro
1778

Molière
Le Bourgeois gentilhomme
1670

Le musée Carnavalet à Paris, sur l'histoire de la ville de Paris.
Le musée Cognacq-Jay, sur le goût du XVIIIe siècle.

Le rôle des femmes au XVIIIe siècle
http://classes.bnf.fr/essentiels/albums/femmes/index.htm

S'AUTOÉVALUER

Imprimez cette page pour vous entraîner. Référez-vous aux pages indiquées si vous avez besoin d'aide.

Exercices interactifs

1 Quels sont les trois ordres faisant partie de la société d'Ancien Régime ? .... / 3 → p. 242

- ☐ paysans ☐ tiers état ☐ bourgeoisie ☐ noblesse
- ☐ clergé ☐ artisans ☐ la Cour

2 Qui crée l'un des plus grands salons parisiens en 1727 ? .... / 1 → p. 250

- ☐ Mme Tencin ☐ Mme de Genlis ☐ Mme Geoffrin ☐ Voltaire

3 Quels sont les deux ports français les plus investis dans le commerce avec les Antilles au XVIIIe siècle ? .... / 1 → p. 242

- ☐ Bordeaux ☐ Marseille ☐ Nantes ☐ Dunkerque

4 Quelle est la nouvelle élite qui s'impose face à la noblesse ? .... / 1 → p. 242

- ☐ le tiers état ☐ les femmes ☐ la bourgeoisie ☐ les laboureurs

5 Comment s'appellent les avantages réservés à la noblesse et au clergé ? .... / 1 → p. 242

- ☐ les tailles ☐ les privilèges ☐ les gabelles ☐ les champarts

6 Vrai ou faux ? Cochez la bonne réponse. .... / 3

Vrai	Faux		
☐	☐	La propriété utile d'une terre est la propriété théorique d'un seigneur qui lui donne des droits sur ceux qui l'exploitent.	→ p. 242
☐	☐	Le loyer payé par ceux qui exploitent la terre peut être en argent (le cens) ou en nature (le champart).	→ p. 242
☐	☐	Le clergé possède environ 20 % des terres du royaume.	→ p. 242
☐	☐	L'agriculture se modernise grâce à la diffusion de l'assolement biennal.	→ p. 244
☐	☐	Les villes connaissent une mortalité moins forte que les campagnes.	→ p. 244
☐	☐	Un office anoblissant est une fonction dans la justice ou l'administration achetée à un prix très élevé.	→ p. 244

7 Reliez chacune des notions à la définition qui lui correspond. .... / 6 → p. 244

Bourgeoisie •	• Noblesse la plus ancienne
Noblesse d'épée •	• Communauté d'artisans exerçant la même activité et en possédant le monopole dans une ville
Noblesse de robe •	• Noblesse constituée de bourgeois anoblis
Salons •	• Livre dans lequel sont enregistrés les actes des baptêmes, mariages et décès effectués dans une paroisse
Corps de métier •	• Partie la plus riche du tiers état, élite urbaine
Registre paroissial •	• Maison où l'on reçoit régulièrement, notamment des écrivains, pour converser

8 Placez chaque impôt dans la bonne colonne : taille ; gabelle ; dîme ; dixième ; cens ; champart ; capitation ; vingtième. .... / 4 → p. 242, 244

Taxes demandées par le pouvoir royal	Taxes demandées par le seigneur	Taxes demandées par le clergé
....	....	....
....	....	....
....	....	....

1 Répondre à des questions de connaissances ▸ BAC TECHNOLOGIQUE

1. Quels sont les différents impôts et prélèvements auxquels sont soumis les paysans ?
2. Quelle est la place du clergé dans la société ?
3. En quoi la ville est-elle un lieu de mixité sociale ?

2 Analyser un document en répondant à une consigne ▸ BAC TECHNOLOGIQUE ET GÉNÉRAL

CONSIGNE

Après avoir présenté le document, analysez le statut de l'esclave et de l'affranchi dans la société coloniale.

Extraits du *Code noir*

Art. 12 – Les enfants qui naîtront de mariages entre esclaves seront esclaves et appartiendront aux maîtres des femmes esclaves, et non à ceux de leur mari, si le mari et la femme ont des maîtres différents. [...]

Art. 38 – L'esclave fugitif qui aura été en fuite pendant un mois à compter du jour que son maître l'aura dénoncé en justice aura les oreilles coupées et sera marqué d'une fleur de lys sur une épaule, et s'il récidive un autre mois à compter pareillement du jour de la dénonciation, il aura le jarret coupé et sera marqué d'une fleur de lys sur l'autre épaule, et la troisième fois il sera puni de mort. [...]

Art. 42 – Pourront pareillement les maîtres, lorsqu'ils croiront que leurs esclaves l'auront mérité, les faire enchaîner et les faire battre de verges ou de cordes ; leur défendant de leur donner la torture, ni de leur faire aucune mutilation de membre, à peine de confiscation des esclaves et d'être procédé contre les maîtres extraordinairement. [...]

Art. 58 – Commandons aux affranchis de porter un respect singulier à leurs anciens maîtres, à leurs veuves et à leurs enfants ; en sorte que l'injure qu'ils leur auront faite soit punie plus grièvement que si elle est faite à une autre personne. Les déclarons toutefois francs et quittes envers eux de toutes autres charges, services et droits utiles que leurs anciens maîtres voudraient prétendre, tant sur leurs personnes que sur leurs biens et successions en qualité de patrons.

Édit du roi touchant la discipline des esclaves nègres des îles de l'Amérique française, mars 1685.

Répondez à la consigne

▸ VERS LE BAC P. 278

Aide pour répondre

1. Présentez le document. Utilisez la méthode CANDI (Contexte, Auteur, Nature, Destinataire, Idée générale).
2. Analysez le statut de l'esclave. Montrez que l'esclave est considéré comme la propriété du maître, mais que l'État tente d'empêcher les abus. Expliquez ce que réprime l'article 38 et pourquoi il le fait avec une telle sévérité.
3. Analysez le statut de l'affranchi. Montrez que son statut est ambigu dans une société raciste.

3 Rédiger une composition ▸ VERS LA SPÉ

SUJET

La noblesse dans la société française des XVIIe et XVIIIe siècles

Rédigez la composition

▸ VERS LA SPÉ P. 284-287

Aide pour rédiger la composition

▸ Vous pouvez adopter la problématique suivante :
quelle est la place de la noblesse dans la société française des XVIIe et XVIIIe siècles ?

▸ Vous pouvez adopter le plan suivant :

1. Un ordre privilégié...
2. ... qui subit des remises en cause...
3. ... mais reste dominant

Auguste
(63 av. J.-C.-14 ap. J.-C.)

Octave de son premier nom, fils adoptif de Jules César, il combat dans des guerres civiles, les républicains ayant assassiné son père (en 44 av. J.-C.), puis son rival Marc Antoine. Après sa victoire à Actium (31 av. J.-C.) et les suicides de Cléopâtre et Marc Antoine, il est le seul maître de Rome. En 27 avant J.-C., il fonde le principat, un nouveau régime monarchique mais qui respecte formellement les institutions républicaines comme le Sénat. Sous le surnom d'Auguste, il est le premier empereur romain, jusqu'à sa mort en 14.

Averroès
(vers 1126-1198)

Issu d'une famille de cadis (juges) de Cordoue, c'est l'un des plus grands penseurs de l'Espagne musulmane. Médecin, mathématicien, il s'intéresse surtout à la théologie et à la philosophie. Il commente les œuvres d'Aristote et cherche à séparer clairement la foi et la science. Ce projet inquiète les musulmans traditionalistes, mais exerce ensuite une influence considérable sur les théologiens catholiques de l'Occident.

Laura Bassi
(1711-1778)

Elève très douée, elle reçoit une éducation exceptionnelle pour une fille au XVIIIe siècle. Spécialiste de physique, elle diffuse les théories de Newton. Elle est la première femme admise à l'Académie des sciences de Bologne. Elle épouse en 1738 Giovanni Veratti, professeur de physique à l'Université de Bologne. Sa carrière est soutenue par l'archevêque de Bologne, devenu le pape Benoît XIV. En 1776, elle est la première femme nommée professeur de physique (université de Bologne).

Jean Calvin
(1509-1564)

Théologien français, Jean Calvin rompt avec l'Église catholique en 1533 et définit le protestantisme dit « réformé », plus radical que celui de Luther. Fuyant les persécutions en France, il se réfugie en Suisse. En 1541, il prend la direction de Genève, qui devient l'un des principaux foyers de la Réforme. Formant les pasteurs français, correspondant avec les théologiens de toute l'Europe, Calvin exerce une influence considérable.

Emilie du Châtelet
(1706-1749)

Émilie Le Tonnelier de Breteuil, née dans une famille noble, a reçu une bonne éducation. Son mari, le marquis du Châtelet, lui laisse une grande liberté pour mener sa vie au château de Cirey (Haute-Marne). Elle entretient des relations avec les défenseurs de Newton en France : les grands savants Maupertuis et Clairaut, puis Voltaire. Elle participe en même temps que Voltaire, en 1744, à un concours de l'Académie des sciences sur le feu et son mémoire est publié, ce qui est exceptionnel pour une femme. Son œuvre majeure, publiée après sa mort, est la traduction et le commentaire des *Principia* de Newton. Elle est admise en 1746 à l'Académie des sciences de Bologne, l'une des rares ouvertes aux femmes.

Bernard de Clairvaux
(1090-1153)

Né dans une famille noble de Bourgogne, il entre en 1112 comme moine à l'abbaye de Cîteaux, puis fonde l'année suivante un nouveau monastère à Clairvaux, en Champagne. Il devient vite l'une des plus grandes autorités de l'Église, conseillant les papes et les princes. En 1129, il rédige la règle de l'ordre des Templiers, qui vient d'être fondé pour protéger militairement la Terre sainte. En 1146, à Vézelay, en présence du roi de France Louis VII, il prêche en faveur de la deuxième croisade. Il est canonisé dès 1174 par le pape.

Jean-Baptiste Colbert
(1619-1683)

Fils d'un marchand de Reims, il commence sa carrière en gérant la fortune de Mazarin. Il devient ensuite le principal ministre de Louis XIV, avec les titres de contrôleur général des Finances (1665-1683), secrétaire d'État à la Maison du Roi (1665-1683) et secrétaire d'État à la Marine (1669-1683). Sa politique économique - le colbertisme - est l'application en France du mercantilisme : l'État encourage les exportations, taxe les importations, réglemente les corporations et légalise l'esclavage dans les colonies (*Code Noir* publié en 1685 par son fils Colbert de Seignelay).

Christophe Colomb
(vers 1450-1506)

Marin génois installé au Portugal, il acquiert la conviction qu'on peut atteindre l'Asie en traversant l'Atlantique vers l'ouest. Son projet est refusé par le roi de Portugal mais accepté en 1492 par les souverains espagnols (Ferdinand d'Aragon et Isabelle de Castille). Lors de son premier voyage, il découvre les Caraïbes et leurs habitants, qu'il appelle « Indiens ». Au cours de ses trois autres voyages (1493-1496, 1498-1500, 1502-1504), il explore les côtes américaines tout en restant persuadé qu'il se trouve en Asie. Le navigateur emblématique des Grandes Découvertes n'a donc pas eu conscience d'avoir trouvé le « Nouveau Monde ».

Constantin
(vers 280-337)

Il est considéré comme le premier empereur romain chrétien, même si les historiens discutent encore la date et la sincérité de sa « conversion ». Il est en tout cas à l'origine de l'édit de Milan qui instaure en 313 la liberté religieuse dans l'Empire. Unique empereur en 324, après avoir éliminé ses rivaux, il soutient ouvertement le christianisme. Pour assurer l'unité de l'Église, il convoque le concile de Nicée en 325. Il donne son nom à une nouvelle capitale, Constantinople, fondée en 330 sur le site de l'ancienne ville de Byzance (actuellement Istanbul en Turquie).

Nicolas Copernic
(1473-1543)

Cet astronome polonais, formé en partie en Italie, comprend vers 1514 que la Terre tourne autour du Soleil, contrairement à la théorie géocentrique défendue par Ptolémée et par l'Église. Mais il n'ose pas affirmer ses vues révolutionnaires. Il publie son livre *Des révolutions des sphères célestes* en 1543 juste avant de mourir ; il exerce ensuite une grande influence sur Kepler et Galilée.

Hernán Cortés
(vers 1485-1547)

Né comme beaucoup de *conquistadores* dans une famille noble de l'Estrémadure (sud-ouest de l'Espagne), il s'embarque en 1504 pour les « Indes » (Saint-Domingue, puis Cuba en 1511). Il se lance en 1519 dans la conquête du Mexique, achevée par la prise de México, capitale de l'empire aztèque en 1521. Il justifie ses actes dans plusieurs lettres à Charles Quint. Gouverneur de la Nouvelle-Espagne de 1522 à 1527, il est ensuite progressivement mis à l'écart. Il rentre en Espagne en 1541.

Albrecht Dürer
(1471-1528)

Fils d'un orfèvre d'origine hongroise installé à Nuremberg, il devient le plus grand artiste allemand de la Renaissance. Il est d'abord célèbre pour ses gravures, puis pour sa peinture, influencée par l'art italien. Il réalise de nombreux portraits, dont celui de l'empereur Maximilien, et il est l'un des premiers peintres à pratiquer l'autoportrait. Proche des humanistes, Dürer est aussi un théoricien de l'art, qui réfléchit sur les innovations de la Renaissance (perspective, anatomie).

Érasme
(vers 1469-1536)

« Prince des humanistes », il est l'âme de la République des Lettres qui se met en place en Europe au début du XVIe siècle. Moine et prêtre hollandais, il améliore sa formation à Paris, puis auprès des humanistes anglais. Conseiller de Charles Quint aux Pays-Bas, il se fixe à Bâle en 1521 auprès de son éditeur Froben. Il renonce à la carrière ecclésiastique, pour se consacrer aux études. Il est en contact avec les savants de toute l'Europe par ses voyages et sa correspondance. Il critique l'Église, mais il refuse de suivre les protestants parce qu'ils nient le libre arbitre de l'homme.

La Fayette
(1757-1834)

Héros de la guerre d'indépendance des États-Unis, acteur de la Révolution française, il est le chef des libéraux français à partir de 1815. Ce jeune aristocrate s'engage aux côtés des *insurgents* américains de 1777 à 1782. Revenu en France, il diffuse les idéaux libéraux et adhère à la franc-maçonnerie. Il joue un rôle important au début de la Révolution, en participant à la rédaction de la *Déclaration des droits de l'homme* et en dirigeant la garde nationale. Favorable à la monarchie constitutionnelle, il s'oppose aux jacobins. Il refuse de continuer le combat dans les armées révolutionnaires et se rend aux Autrichiens. Il revient sur la scène politique sous la Restauration, comme chef de l'opposition libérale. Il participe à la Révolution de 1830, mais, déçu par Louis-Philippe, il anime de nouveau l'opposition.

Cassandra Fedele
(1465-1558)

Cette Vénitienne est l'une des très rares femmes admises dans le milieu humaniste. En 1487, elle prononce à l'université de Padoue, à l'occasion de la remise d'un diplôme à son cousin, un *Discours sur les sciences et les arts* qui est imprimé et lui vaut la notoriété. Elle impressionne aussi le sénat de Venise par un discours en latin en faveur de l'éducation des filles. Sa grande culture suscite l'admiration de ses contemporains, comme Laurent de Médicis, Érasme ou la reine d'Espagne Isabelle la Catholique.

François Ier
(1494-1547)

Roi de France de 1515 à 1547, c'est l'un des grands princes de la Renaissance. Il s'entoure d'humanistes et fonde le *Collège des lecteurs royaux* (actuel collège de France) pour promouvoir l'enseignement des langues anciennes. Il appelle en France les artistes italiens pour diffuser les nouvelles formes de l'art. Par ce mécénat, il cherche à accroître le rayonnement de la monarchie française. D'abord tolérant à l'égard des nouveautés religieuses, il réprime les protestants à partir de 1535. Par l'ordonnance de Villers-Cotterêts (1539), il fait du français la langue de la justice et de l'administration.

Galileo Galilée
(1564-1642)

Professeur à l'Université de Padoue depuis 1592, il enseigne les mathématiques, la physique et l'astronomie. En 1609, il perfectionne la lunette astronomique, sans doute inventée l'année précédente aux Pays-Bas. Cela lui permet d'observer le relief de la Lune et les satellites de Jupiter. En 1610, dans son livre *Le Messager des étoiles*, il soutient la théorie héliocentrique de Copernic. Pour cette raison, il est condamné en 1633 par l'Église catholique.

Bartolomé de Las Casas
(1484-1566)

Colon à Saint-Domingue à partir de 1503, il renonce à son *encomienda*, devient prêtre dominicain et s'engage dans la défense des Amérindiens des Caraïbes puis du Mexique. Il a contribué à la publication par Charles Quint en 1542 des *Lois nouvelles*, protégeant en principe les Indiens des violences des colons. Dans la *Controverse de Valladolid* (1550-1551), il défend les Indiens contre Sepulveda. En 1552, il publie la *Très brève relation de la destruction des Indes*, où il dénonce les atrocités de la colonisation du « Nouveau Monde ».

Louis IX (saint Louis)
(1214-1270)

Roi de France de 1226 à 1270, Louis IX dirige la septième croisade (1248-1254) contre l'Égypte. Il est capturé en 1250 et libéré contre une énorme rançon. Il reste en Terre sainte jusqu'en 1254 pour en renforcer les défenses. Il lance la huitième croisade en 1270, visant à convertir l'émir de Tunis. Il meurt de maladie devant Tunis. Il est canonisé en 1297 et devient ainsi « saint Louis ».

Louis XIV
(1638-1715)

À la mort de son père Louis XIII en 1643, il devient roi à l'âge de cinq ans. Sa mère Anne d'Autriche assure la régence avec le cardinal Mazarin, non sans difficultés (la Fronde). À la mort de Mazarin en 1661, Louis XIV commence son « règne personnel ». Servi notamment par Colbert, il renforce la monarchie administrative et mène de nombreuses guerres. Il fait construire le château de Versailles, où le « Roi-Soleil » contrôle la noblesse en organisant le cérémonial de la cour. Par l'édit de Fontainebleau en 1685, il révoque l'édit de Nantes et oblige les protestants à choisir entre la conversion ou l'exil.

Fernand de Magellan
(vers 1480-1521)

Marin portugais ayant participé aux expéditions dans l'océan Indien, Fernão de Magalhães entre ensuite au service de l'Espagne. Il cherche un passage au sud de l'Amérique pour gagner les Moluques (les îles des épices) par la route de l'Ouest. Charles Quint lui donne le commandement d'une flotte qui réalise le tour du monde. Magellan quitte l'Espagne en 1519, découvre le détroit qui porte son nom au sud de l'Amérique, traverse le Pacifique jusqu'aux Philippines, où il trouve la mort en 1521. Un bateau dirigé par Elcano parvient à regagner l'Espagne en 1522 en traversant l'océan Indien puis en contournant l'Afrique.

Martin Luther
(1483-1546)

Ce moine allemand, angoissé par son salut, est amené à rompre avec l'Église catholique : il est à l'origine de la Réforme protestante. En 1517, Martin Luther dénonce dans ses 95 thèses la vente des indulgences. Excommunié par le pape en 1520, condamné par l'empereur Charles Quint, il obtient cependant le soutien de nombreux princes allemands. Luther traduit la Bible en allemand et donne la première définition du protestantisme, avec la confession d'Augsbourg en 1530.

Michel-Ange
(1475-1564)

C'est l'un des plus grands artistes italiens de la Renaissance, considéré par ses contemporains comme un génie. Il travaille à Florence et à Rome et excelle dans la peinture comme dans la sculpture et l'architecture. À Rome, il peint les fresques de la chapelle Sixtine, celles du plafond (1508-1512), puis celles du mur de l'autel (1535-1541) ; il supervise aussi le chantier de la basilique Saint-Pierre (1546-1561). À Florence, il réalise le décor sculpté de la chapelle de San Lorenzo (tombeau des Médicis, 1516-1520).

Montesquieu

(1689-1755)

Issu de la noblesse parlementaire de Bordeaux, Charles de Secondat, baron de la Brède et de Montesquieu, est le principal théoricien d'une monarchie tempérée sur le modèle anglais. Il devient célèbre avec les *Lettres persanes* (1721), satire de la France sous la forme plaisante de l'exotisme. Après de nombreux voyages et des lectures historiques, il publie en 1748 *De l'esprit des lois*, traité inspiré notamment de l'Anglais John Locke. Il définit le bon régime comme fondé sur un équilibre des trois pouvoirs (exécutif, législatif, judiciaire).

Thomas Newcomen

(1663-1729)

Ce forgeron anglais met au point en 1705 une machine à vapeur, avec l'aide de Thomas Savery (technicien dans les mines) et John Cawley (vitrier). Perfectionnée, elle devient en 1712 la première « pompe à feu » ou « machine hydraulique » permettant de pomper l'eau dans les mines. La machine à vapeur est encore améliorée en 1769 par l'Écossais James Watt et elle joue un rôle décisif dans l'industrialisation du Royaume-Uni et de l'Europe.

Isaac Newton

(1642-1727)

Professeur de mathématiques à l'université de Cambridge, il publie en 1687 son œuvre maîtresse, les *Principes mathématiques de la philosophie naturelle*. Il y expose la loi de la gravitation universelle et fonde ainsi la physique moderne. Ses recherches permettent aussi des progrès importants en optique et en astronomie. Elles sont diffusées dans toute l'Europe au XVIIIe siècle, notamment par Émilie du Châtelet et Voltaire.

Périclès

(vers 495-429 av. J.-C.)

Il incarne l'âge d'or de la démocratie athénienne, dans ce Ve siècle que l'on appelle le « siècle de Périclès ». Petit-neveu de Clisthène, constamment réélu stratège de 443 à 431, cet aristocrate renforce le régime démocratique et la puissance athénienne. Avec l'aide du sculpteur Phidias, il dirige les grands travaux sur l'Acropole. Il meurt de la peste en 429, après avoir engagé Athènes dans la guerre du Péloponnèse.

Francisco Pizarro

(vers 1475-1541)

Fils naturel d'un petit noble, illettré, il s'embarque vers 1507 pour l'Amérique. Il participe à plusieurs expéditions, dont celle de Balboa qui traverse l'isthme de Panamá et découvre en 1513 le Pacifique. Après plusieurs voyages de reconnaissance le long des côtes pacifiques de l'Amérique du Sud, il obtient de Charles Quint en 1529 l'autorisation de conquérir le Pérou. Avec quelques dizaines de *conquistadores*, il abat l'empire inca. Il prend Cuzco en 1533 et fonde une nouvelle capitale à Lima en 1535. Il est assassiné en 1541 à la suite de querelles entre les chefs espagnols.

Raphaël

(1483-1520)

Influencé par ses aînés, Léonard de Vinci et Michel-Ange, mort jeune, Raphaël est une figure de référence de la Renaissance italienne. Il travaille à Florence et à Rome. Comme Michel-Ange, il réalise des fresques pour le

Vatican (école d'Athènes) et s'occupe de la construction de la basilique Saint-Pierre. Considéré comme un modèle indépassable par de nombreux peintres, il a exercé une influence considérable sur la peinture occidentale jusqu'au XIXe siècle.

Roger II de Sicile
(1095-1154)

Sous son règne, le royaume normand de Sicile atteint son apogée. D'abord comte de Sicile, il annexe les États normands d'Italie du Sud et se fait couronner roi de Sicile à Palerme en 1130. Il fait de son royaume l'État le mieux administré d'Europe. Il réussit une synthèse originale des cultures latine, grecque et musulmane, en utilisant les ressources de chacune.

Saladin
(1138-1193)

Officier d'origine kurde, il conquiert l'Égypte en 1171, renversant la dynastie des Fatimides. Il fonde la dynastie des Ayyubides, qui règne sur un grand État musulman unifiant l'Égypte et la Syrie. Champion du jihad contre les croisés de Palestine, il prend Jérusalem en 1187. Il doit ensuite faire face à la troisième croisade, dirigée contre lui (1189-1192).

Urbain II
(1035-1099)

Ce pape d'origine française lance l'idée de croisade à l'extrême fin du XIe siècle. Né dans une famille noble de Champagne, Eudes de Châtillon devient pape en 1088 sous le nom d'Urbain II. Il poursuit la « réforme grégorienne », en s'efforçant d'améliorer le clergé et d'imposer la paix de Dieu aux laïcs. En 1095, au concile de Clermont, il lance l'appel à la croisade.

Léonard de Vinci
(1452-1519)

Par ses compétences multiples, il est sans doute le meilleur exemple de l'homme complet de la Renaissance. Célèbre aujourd'hui pour sa peinture, c'est aussi un savant et un ingénieur, qui conçoit toutes sortes de machines, organise des fêtes, étudie l'anatomie, etc. Il propose d'abord ses services au duc de Milan Ludovic le More (1451-1508). Il travaille ensuite à Rome, puis finit sa vie à la cour du roi de France François Ier (1515-1547).

Voltaire
(1694-1778)

François Marie Arouet est plus connu sous le nom de Voltaire. Écrivain engagé dans les grands combats de son temps, correspondant avec toute l'Europe depuis son domaine de Ferney, Voltaire incarne le « philosophe », c'est-à-dire l'intellectuel des Lumières. Après un séjour en Angleterre, il défend les idéaux de tolérance (*Lettres philosophiques* ou *Lettres anglaises*, 1733). Après un séjour en Prusse auprès de Frédéric II (1750-1753), il prend ses distances avec le despotisme éclairé. Il met sa notoriété au service des victimes de l'obscurantisme comme le protestant Calas (1762). Il montre tout son talent dans ses contes philosophiques (*Zadig*, *Candide*).

George Washington
(1732-1799)

Originaire de Virginie, il prend la tête en 1775 de l'armée des *Insurgents*, ces colons d'Amérique du nord révoltés contre le pouvoir britannique. Grâce à l'aide française, il remporte la victoire décisive de Yorktown (1781) sur les Anglais. Il est l'un des signataires de la constitution des États-Unis en 1787. Premier président des États-Unis (1789-1797), il a donné son nom à la capitale fédérale et au 42e État de l'Union créé en 1889.

A

Académies : du nom du jardin (*Académos*) où le philosophe grec Platon enseignait, le terme désigne une assemblée de savants et de lettrés. (p. 130)

Acculturation : modification des pratiques culturelles d'une société au contact d'une autre. (p. 107)

Affranchissement : acte par lequel le propriétaire d'un esclave lui rend sa liberté. (p. 187)

Âge d'or : période considérée rétrospectivement comme particulièrement prospère ou glorieuse. (p. 32)

Al-Andalous : nom donné par les Arabes à la partie de la péninsule espagnole occupée par les musulmans. (p. 78)

Amérindiens : terme désignant les populations autochtones d'Amérique. (p. 104)

Anglicans : membres de l'Église officielle d'Angleterre, religion inspirée par le protestantisme, mais dont le culte reste proche du catholicisme. (p. 184)

Arsenaux : bases de la marine de guerre avec des entreprises d'État pour la construction des navires, des canons, etc. (p. 160)

Astrolabe : instrument de mesure de la position des astres qui permet de calculer la latitude. (p. 102)

B

***Bill of Rights* :** loi constitutionnelle de 1689 limitant les pouvoirs du roi et précisant ceux du Parlement. (p. 184)

Boulè : conseil formé de 500 citoyens tirés au sort chaque année. Il prépare le travail de l'*Ecclésia* et contrôle les magistrats. (p. 46)

Bourgeois : personne enrichie par le commerce ou la finance, faisant partie de l'élite urbaine. Juridiquement, un bourgeois est un habitant d'une ville disposant de certains droits. (p. 243)

Boussole : instrument de navigation utilisant le champ magnétique de la Terre qui permet de s'orienter dans l'espace. (p. 102)

C

Calendriers : systèmes de mesure du temps par division en jours, semaines, mois et années. (p. 32)

Calife : successeur du prophète et chef de la communauté musulmane. (p. 76)

Canon : ensemble des règles servant à définir les proportions idéales du corps humain (du grec *canon* : règle utilisée pour mesurer le corps humain). (p. 132)

Chiites : partisans d'Ali, gendre et fils adoptif de Mohamed, évincé de la succession du prophète. (p. 76)

Classes censitaires : catégories dans lesquelles les citoyens sont répartis en fonction de leur richesse et qui déterminent leurs droits (exercice des magistratures) et leurs devoirs (type de service militaire, impôts). (p. 46)

Clercs : membres du clergé. (p. 134)

***Colleganza* :** association de marchands et d'investisseurs pour financer une opération commerciale et en partager les bénéfices. (p. 80)

Collèges : établissements d'enseignement secondaire. (p. 218)

Colonies : cités créées par l'État, dont les institutions sont calquées sur celles de Rome. (p. 49)

Comptoirs : établissements commerciaux installés dans un port étranger. (p. 106)

Comptoirs : ports établis en pays étranger permettant à une puissance de faire du commerce. (p. 80)

Constitution : loi fondamentale qui définit le fonctionnement d'un État, en précisant les relations entre les différents pouvoirs, ainsi que les droits et les devoirs des citoyens. (p. 188)

Contrat de change : système de change et de crédit permettant à un marchand de partir à l'étranger sans emporter d'argent liquide et de régler ses fournisseurs en monnaie locale. Cela suppose que le marchand soit client d'une banque présente dans les deux pays. (p. 80)

Corps de métier : communauté d'artisans possédant le monopole d'une activité dans une ville (on dit aussi « corporation »). (p. 242)

Corvées : journées de travail gratuit que les paysans doivent effectuer pour leur seigneur (sur le domaine de celui-ci, sa propriété utile). (p. 242)

Croisade : pèlerinage armé pour délivrer un lieu saint chrétien ou pour combattre des populations jugées ennemies du christianisme. (p. 77)

Culte impérial : culte dédié aux empereurs et à d'autres membres de la famille impériale, divinisés après leur mort sur décision du Sénat. (p. 49)

D

Dèmos : le peuple. Comme en français, le terme désigne à la fois le peuple souverain (le corps civique) et le petit peuple (par opposition aux riches). (p. 47)

***Devotio moderna* :** mouvement spirituel apparu aux Pays-Bas et en Allemagne à la fin du XIVe siècle, fondé sur la prière personnelle et un mode de vie austère, à l'image de la vie du Christ. (p. 134)

Dhimmi : statut juridique fixant la situation des chrétiens et des juifs en territoire musulman, leur assurant une protection contre des droits limités et un impôt spécial à payer. (p. 79)

Dîme : impôt prélevé par l'Église sur les récoltes (environ 10 %, variable selon les provinces). (p. 242)

E

Ecclésia **:** assemblée du peuple, dont les citoyens sont membres de droit. Elle vote les lois, élit certains magistrats, décide de la paix et de la guerre. (p. 46)

Économie de plantation : économie fondée sur la production dans une colonie et l'exportation vers la métropole de produits bruts (sucre, café, coton...), grâce aux esclaves fournis par la traite négrière. (p. 160, 244)

Empire : régime monarchique qui succède à la République romaine. Le terme dérive d'*imperium* (pouvoir de commandement des plus hauts magistrats) et d'*imperator* (général victorieux). (p. 48)

Encomienda **:** domaine confié par l'État espagnol à un colon, qui peut faire travailler la population indigène et doit théoriquement la faire évangéliser par un missionnaire. (p. 104)

Étiquette : ensemble des règles organisant la vie de la famille royale à la cour et codifiant les préséances (hiérarchie entre les courtisans lors des cérémonies). (p. 159)

Eucharistie : cérémonie chrétienne commémorant le dernier repas du Christ, au cours de laquelle les fidèles communient en mangeant du pain et en buvant du vin. (p. 134)

Évangélique : qui se rapporte au christianisme des origines, plus pur, moins hiérarchique. (p. 134)

Évangélisation : diffusion de l'Évangile, de la doctrine chrétienne, pour convertir une population non européenne. (p. 104)

Exclusif : principe par lequel une métropole oblige ses colonies à commercer exclusivement avec elle (et non avec d'autres États ou colonies). (p. 106, 160, 187)

Excommunié : exclu de la communauté des chrétiens. (p. 134)

F

Ferme générale : société privée chargée de collecter une partie des impôts. Le fermier est un particulier à qui l'État afferme (soustraite) la collecte d'un impôt. (p. 160)

Fermiers : exploitants agricoles qui louent une terre moyennant un loyer fixe en argent versé au propriétaire utile. (p. 244)

Funduqs **:** dans les ports arabes, quartiers réservés aux commerçants étrangers et à leurs marchandises. (p. 80)

G

Géocentrisme : théorie selon laquelle la Terre est immobile au centre d'un univers fini et les astres gravitent autour d'elle. (p. 216)

Gouverneurs : représentants du roi (généralement issus de la haute noblesse) dans une province, chargés de l'ordre public et des forces armées. (p. 158)

Gravitation universelle : force par laquelle tous les corps s'attirent, ce qui permet d'expliquer le mouvement des astres et des marées. (p. 216)

Guerres médiques : guerres menées par les Grecs contre les Perses de 490 à 479 av. J.-C. Les Mèdes sont un peuple apparenté aux Perses. (p. 46)

H

Habeas Corpus **:** acte du Parlement anglais de 1679 garantissant les individus contre les arrestations arbitraires. (p. 184)

Hégire : exil de Mohammed contraint de quitter La Mecque pour Médine. (p. 32)

Héliée : tribunal du peuple, formé de citoyens tirés au sort qui rendent la justice, dans des procès souvent politiques. (p. 46)

Héliocentrisme : théorie selon laquelle le Soleil est le centre de l'univers et les astres (dont la Terre) gravitent autour de lui. (p. 130, 216)

Hermétisme : ensemble des « sciences occultes » transmises depuis l'Antiquité à des initiés. Les deux principales sont l'astrologie, qui postule l'influence des astres sur les personnes, et l'alchimie, qui cherche à transformer les métaux en or. (p. 217)

Humanisme : mouvement intellectuel qui prône un retour aux sources antiques et l'épanouissement de l'individu. (p. 130)

I

Indigo : arbuste produisant une teinture bleue utilisée par l'industrie textile européenne. (p. 106)

Indulgences : fait d'accorder le pardon total des péchés en échange d'un don financier fait à l'Église. (p. 134)

Innovation : application d'une invention à l'économie. (p. 218)

Insurgents **:** nom donné par l'Angleterre à ses colons américains rebelles, qu'on peut traduire par « révoltés ». Eux-mêmes se désignent comme les *Patriots*. (p. 187)

Invention : création d'un procédé ou d'un instrument nouveau. (p. 218)

J

Jihad : guerre sainte menée par les musulmans. On distingue le « grand Jihad » (lutte intérieure menée par le croyant pour se purifier) du « petit Jihad » (guerre pour défendre ou étendre les territoires de l'Islam). (p. 79)

Laboureurs : paysans qui possèdent le matériel (charrue) et les animaux de trait (chevaux ou bœufs) nécessaires pour labourer les terres qu'ils exploitent. (p. 244)

Laïcs : chrétiens qui ne sont pas des clercs. (p. 134)

Langue vernaculaire (ou vulgaire) :
langue courante, populaire (italien, français, allemand...), par opposition aux langues savantes (hébreu, grec, latin). (p. 130, 216)

Limes : frontières de l'Empire romain. Il s'agit soit d'une frontière linéaire clairement délimitée et fortifiée, soit d'une zone tampon à la délimitation approximative. (p. 48)

Loyalistes : colons américains opposés à l'indépendance, qui soutiennent l'Angleterre dans sa lutte contre les *Insurgents*. On estime qu'ils représentent environ 20 % de la population des treize colonies. (p. 187)

M

Mécènes : personnes qui protègent les artistes et leur commandent des œuvres. (p. 132)

Mercantilisme : doctrine économique fondant la puissance d'un État sur ses réserves d'or et d'argent et cherchant en conséquence à réduire les importations et à développer les exportations. Sa version française est appelée « colbertisme ». (p. 160)

Métayers : exploitants agricoles qui louent une terre moyennant un loyer en nature versé au propriétaire utile (entre 30 % et 50 % de la récolte selon les régions). (p. 244)

Missionnaires : religieux chargés de la mission d'évangélisation. (p. 104)

Mondialisation : processus de mise en relation d'espaces (même très éloignés) par des flux de diverses natures ayant pour conséquence de rendre ces espaces interdépendants les uns des autres. (p. 106)

***Money Bill* :** loi de finances permettant au Parlement de consentir à l'impôt et de déterminer le niveau des taxes. (p. 184)

***Mudéjars* :** populations musulmanes passées sous domination chrétienne après la *Reconquista*. (p. 79, 81)

N

Nefs : navires à coque large, munis d'un ou deux mâts, utilisés pour le transport de marchandises. (p. 80)

Négociants : marchands pratiquant le commerce international et maîtrisant des activités complexes (armement des navires, techniques financières, réseau de correspondants à l'étranger). (p. 244)

Noblesse d'épée : la plus ancienne, qui reste attachée à la fonction militaire. (p. 243)

Noblesse de robe : apparue au XVIe siècle, elle est composée de bourgeois anoblis par l'achat d'un office de justice. (p. 243)

O

Œuvres : bonnes actions effectuées dans la perspective du salut. (p. 134)

Office anoblissant : fonction dans la justice ou l'administration, que l'État vend à un prix très élevé, car elle donne la noblesse à son acheteur ou à ses descendants. (p. 244)

Ordres religieux : communautés de religieux respectant une règle de vie commune. Ils vivent généralement dans un monastère, mais il peut s'agir aussi d'ordres militaires. (p. 77)

P

Païennes : issues d'une religion polythéiste (terme péjoratif utilisé par les chrétiens). (p. 132)

Patriarche : titre donné à quelques évêques importants choisis par l'empereur, dont celui de Constantinople. (p. 76)

Pèlerinage : voyage entrepris vers un lieu saint pour des raisons religieuses. (p. 78)

Périodisation : division du temps en séquences chronologiques. (p. 32)

Perspective linéaire : pour donner l'illusion de la profondeur, l'artiste fait converger toutes les lignes de la scène représentée vers un point de fuite correspondant au point de vue du spectateur. (p. 132)

Physiocrates : économistes français de la seconde moitié du XVIIIe siècle qui veulent moderniser l'agriculture, considérée comme la seule vraie source de richesse. (p. 218)

Portulans : cartes de navigation représentant les éléments utiles aux marins (ports, courants, vents dominants, récifs...). (p. 102)

Principat : régime fondé par Auguste, qui prend le titre de *princeps* (« le premier »). Devient un synonyme d'Empire. (p. 48)

Propriété éminente : propriété théorique exclusive du seigneur sur la terre, qui lui donne certains droits sur les tenanciers (ceux qui la « tiennent de lui »). (p. 242)

Propriété utile : propriété effective de la terre, que l'on peut louer ou vendre (même si en théorie on est le tenancier d'un seigneur). (p. 242)

Puritains : protestants anglais qui reprochent à l'Église anglicane d'être restée trop proche du catholicisme. (p. 184)

R

Reconquista **:** nom donné par les rois chrétiens à la conquête progressive des territoires musulmans d'Espagne par les chrétiens. (p. 78)

Régime parlementaire : régime fondé sur un équilibre entre le pouvoir exécutif et le pouvoir législatif. L'exécutif a le droit de dissoudre le Parlement et celui-ci peut renverser le gouvernement. (p. 184)

Régime présidentiel : organisation de l'État fondée sur une stricte séparation des pouvoirs. Le président ne peut dissoudre l'assemblée et celle-ci ne peut renverser le gouvernement. (p. 188)

Registres paroissiaux : livres dans lesquels les curés doivent enregistrer les baptêmes, mariages et enterrements de leur paroisse. (p. 242)

République : régime de Rome de 509 à Auguste, pendant lequel la « chose publique » (*res publica*) est gouvernée par le peuple et le Sénat. (p. 48)

République des sciences : communauté internationale des savants (à l'époque, on parle aussi, dans le même sens, de république des lettres). (p. 218)

Romanisation : influence exercée par Rome sur la vie politique et culturelle des peuples qu'elle a conquis. (p. 49)

S

Salut : fait d'être pardonné de ses péchés après la mort et d'échapper à l'Enfer. (p. 134)

Schisme : séparation d'une partie des croyants d'une religion, qui décident de fonder une nouvelle Église. (p. 76)

Secrétaires d'État : équivalent des ministres actuels. On en compte quatre : Affaires étrangères, Guerre, Marine (et colonies) et Maison du roi, c'est-à-dire les affaires intérieures. (p. 158)

Stratèges : magistrats élus exerçant le commandement des armées. (p. 47)

Sunnites : communauté musulmane opposée aux chiites sur la question de la succession du prophète. Ils se considèrent comme les défenseurs de la tradition (Sunna) de l'islam. (p. 76)

Suzerains : seigneurs ayant reçu l'hommage d'autres seigneurs inférieurs, qui leur ont juré fidélité. (p. 77)

T

Thalassocratie :
du grec *thalassa* (« mer ») et *kratos* (« pouvoir »), empire fondé sur la puissance maritime, commerciale et militaire. (p. 80)

Théocratie :

du grec *theos* (« dieu ») et *kratos* (« pouvoir »), système dans lequel le détenteur du pouvoir affirme le détenir directement de Dieu. (p. 76)

Traite négrière : commerce des esclaves noirs. On appelle « traite atlantique » celle qui est développée par les Européens entre l'Afrique et l'Amérique. (p. 104, 160, 244)

Transsubstantiation : doctrine catholique selon laquelle le pain et le vin deviennent corps et sang du Christ durant l'Eucharistie. (p. 135)

V

Vassaux : seigneurs ayant juré fidélité à d'autres seigneurs qui leur sont supérieurs. (p. 77)

Vaudou : religion pratiquée dans les Caraïbes et ayant pour spécificité de mélanger des éléments des cultes païens (africains et amérindiens) et catholiques. (p. 107)

Vulgate : traduction en latin de la Bible par saint Jérôme (de 390 à 405) à partir des textes originaux en hébreu et en grec. L'Église la considère comme la seule version valable de la Bible. (p. 130, 134)

p. 70

1. Une alliance militaire de cités grecques.

2. Une minorité d'hommes qui ont la citoyenneté.

3. Elle refuse aux cités grecques de sortir de la ligue de Délos après la paix de 448 av. J.-C.

4. Les thèses. Ils siègent à l'Ecclésia et accèdent progressivement à toutes les magistratures au cours du IVe siècle. Ce sont les rameurs.

5. Le culte impérial.

6. Un service permettant à l'empereur d'assurer des échanges officiels et administratifs avec les provinces.

7. Périclès : institue le *misthos*, réalise le grand chantier de rénovation de l'Acropole avec l'argent de la ligue de Délos.
Auguste : met fin à la guerre civile, instaure un nouveau régime politique.
Constantin : fait de Constantinople se capitale, instaure la tolérance religieuse par l'édit de Milan, notamment au profit des chrétiens.

8. Les différentes pratiques religieuses sont respectées (temple de Kalabsha en l'honneur de Mandoulis en Égypte), les organisations politiques antérieures sont conservées (cités notamment).

9. 1) Apogée de la démocratie athénienne ; 2) Victoire de Sparte sur Athènes à l'issue de la guerre de Péloponnèse ; 3) Début du principat d'Auguste ; 4) Conversion de Constantin au christianisme.

10. Les Perses lors des guerres médiques. Sparte lors de la guerre du Péloponnèse.

11. Thucydide.

p. 96

1.

	L'Empire byzantin	Les territoires musulmans	L'Occident chrétien
Religion	Christianisme orthodoxe	Islam	Christianisme romain
Langue de la religion	grec	arabe	latin

2. 1085 : Conquête de Tolède par les chrétiens.
1099 : Prise de Jérusalem par les croisés.
1145 : Appel à la croisade de Bernard de Clairvaux à Vézelay.
1204 : Sac de Constantinople par les croisés.
1187 : Prise de Jérusalem par Saladin.

3. Ils appellent tous les musulmans au Jihad.

4. La croisade et la Reconquista.

5. Thalassocratie : empire fondé sur la puissance maritime commerciale et militaire.

Colleganza : association de plusieurs marchands vénitiens avec un financier pour partager les risques et les bénéfices des convois maritimes.

Funduq : dans les ports arabes, ensemble de bâtiments qui accueillent les commerçants d'un pays étranger et leurs marchandises.

Chiites : partisans d'Ali, gendre et fils adoptif de Mohamed, évincé de la succession du prophète.

Mudéjars : populations musulmanes passées sous domination chrétienne après la Reconquista.

p. 124

1. L'Empire ottoman

2. La Caravelle, la boussole, l'astrolabe

3. Christophe Colomb ➔ Découverte de l'Amérique
Vasco de Gama ➔ Contournement de l'Afrique par le cap de Bonne-Espérance
Fernand de Magellan ➔ Premier tour du monde
Jacques Cartier ➔ Découverte du Québec
Pedro Álvares Cabral ➔ Découverte du Brésil

4. L'Espagne et le Portugal

5. La hausse de la mortalité des populations amérindiennes causée par une exposition aux maladies apportées par les conquistadores.

6.

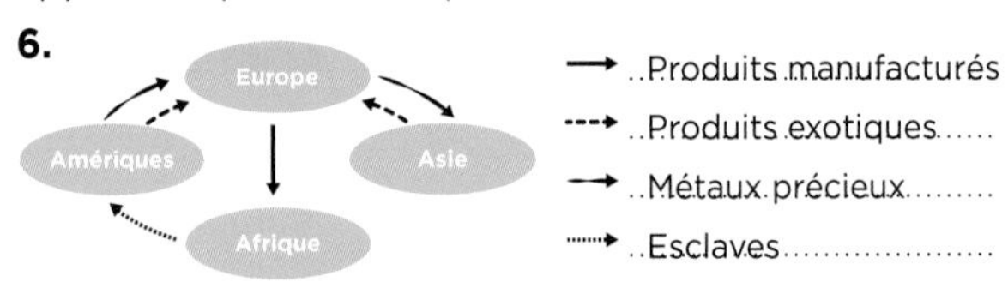

7. Sepúlveda ➔ deuxième citation ;
Las Casas ➔ première citation

p. 152

1. Léonard de Vinci : perspective.
Jan Van Eycke : peinture à l'huile.

2. Indulgences

3. Faculté des arts : musique et arithmétique.
Faculté supérieure : droit et théologie.

4. Montaigne

5. Michel-Ange

6. 1) Disposer les caractères dans un composteur, 2) Encrer la plaque, 3) Placer le feuillet sous la presse, 4) Contrôler d'éventuels défauts d'impression sur le feuillet.

7.

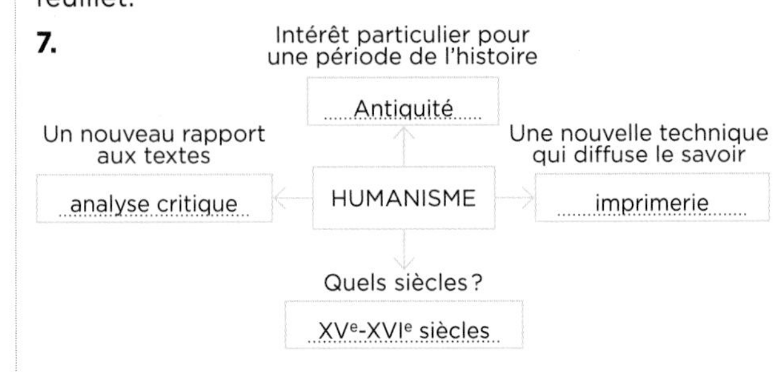

8. Œuvres : bonnes actions effectuées dans la perspective du salut.

Évangélique : qui se rapporte au christianisme des origines, plus pur, moins hiérarchique.

Salut : fait d'être pardonné de ses péchés après la mort pour échapper à l'enfer.

CHAPITRE 5 p. 178

1. Vauban

2. Louis XIV

3. Parlements, États généraux

4. 1664

5. L'intendant

6. Absolutisme : gouvernement monarchique dans lequel le roi est délié des lois et concentre les pouvoirs législatifs.

Mercantilisme : Doctrine économique du XVIIe siècle fondant la richesse des États sur l'accumulation de réserves d'or et d'argent.

7. Édit de Nantes, 1598 ; édit de Fontainebleau, 1685 ; ordonnance de Villers-Cotterêts, 1539.

8. vrai ; vrai ; faux ; faux ; vrai ; faux.

9. Lois fondamentales : ensemble de règles coutumières qui limitent la souveraineté du roi.

Loi salique : Loi excluant les femmes de la succession.

Loi de catholicité : loi imposant au souverain la foi catholique.

10. Richelieu, Mazarin et Colbert.

CHAPITRE 6 p. 210

1. Pays de Galles, 1536 ; Écosse, 1707 ; Irlande, 1801.

2. 1628 : l'acceptation de la Pétition du Droit par le roi.

1649 : la décapitation de Charles 1er.

1689 : fin de la Glorieuse Révolution.

1774 : les *Coercive Acts*.

1776 : la déclaration d'indépendance américaine. 1787 : l'adoption de la Constitution des États-Unis.

3. La loi d'*Habeas Corpus* et le *Bill of Rights*.

4. Régime politique dans lequel les pouvoirs du Parlement s'équilibrent avec ceux du roi.

5.

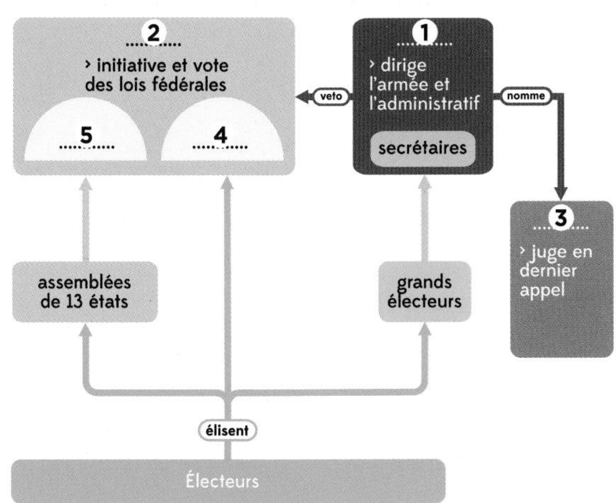

CHAPITRE 7 p. 236

1. La circulation sanguine ; en latin ; les économistes, d'Alembert et Diderot ; amélioré la formation des sages-femmes.

2. Le procès de Galilée : 1633. La fondation de la Royal Society de Londres : 1660. Le lancement de l'Encyclopédie : 1751. La fondation de l'Académie des sciences de Paris : 1766. La publication des Principes mathématiques de Newton : 1687.

3. La gravitation universelle est la théorie selon laquelle la Terre est immobile au centre d'un univers fini et les astres gravitent autour d'elle : **FAUX**.

Galilée a été condamné par l'Église parce qu'il était protestant : **FAUX**.

Selon Aristote, le monde supralunaire, fait du cinquième élément, est immuable : **VRAI**.

Une pompe à feu sert à évacuer l'eau dans les mines : **VRAI**.

Descartes est le premier à proposer une physique remplaçant celle d'Aristote : **VRAI**.

Une innovation est une découverte scientifique : **FAUX**.

Les travaux de Newton ont été mal accueillis en France parce qu'il était anglais : **VRAI**.

Émilie du Châtelet est la première femme nommée professeur d'université : **FAUX**.

L'Académie des sciences de Paris a été fondée par Louis XIV : **VRAI**.

Newcomen a perfectionné la machine à vapeur de Watt : **FAUX**.

CHAPITRE 8 p. 260

1. Tiers état ; noblesse, clergé.

2. Mme Geoffrin.

3. Bordeaux.

4. La bourgeoisie.

5. Les privilèges.

6. faux ; vrai ; faux ; vrai ; faux ; vrai.

7. Bourgeoisie : partie la plus riche du tiers état. Noblesse d'épée, noblesse la plus ancienne. Noblesse de robe : noblesse constituée de bourgeois anoblis. Salons : maison où l'on reçoit régulièrement, notamment des écrivains, pour converser. Corps de métier : communauté d'artisans exerçant la même activité et en possédant le monopole dans une ville. Registre paroissial : livre dans lequel sont enregistrés les actes des baptêmes, mariages et décès effectués dans une paroisse.

8.

Taxes demandées par le pouvoir royal	Taxes demandées par le seigneur	Taxes demandées par le clergé
taille, gabelle,	cens,	dîme
dixième,	champart	
capitation, vingtième		

CAHIER VERS LE BAC

Ce cahier a pour objectif de vous aider à maîtriser les exercices spécifiques à l'histoire au lycée :
- l'analyse de document(s), qui permet de comprendre, expliquer et critiquer une source historique ;
- la réponse argumentée à une question historique.

Vous serez ainsi préparés à aborder les épreuves communes en première puis en terminale.

Pour aller plus loin et vous préparer à la spécialité HGGSP ou aux études supérieures, ce cahier propose aussi de vous initier à la composition ou dissertation.

VERS LE BAC

L'ensemble de questions

L'analyse de document(s)

La question problématisée

VERS LA SPÉCIALITÉ

La composition, ou dissertation, est un exercice qu'il vous sera nécessaire de maîtriser si vous choisissez la spécialité HGGSP, mais aussi si vous vous orientez vers certaines filières de l'enseignement supérieur comme la philosophie, les lettres, les langues, l'histoire, la géographie, les sciences politiques, économiques ou sociales. Vous devrez montrer que vous savez analyser un sujet, que vous maîtrisez les connaissances pour le traiter et savez les organiser. Il vous faudra rédiger un texte comportant une introduction dégageant les enjeux du sujet et comportant une problématique, plusieurs parties structurées et une conclusion.

La composition

Les épreuves communes de contrôle continu de Première

L'ensemble de questions (1h)

▸ SÉRIE TECHNOLOGIQUE

Cette partie de l'épreuve est spécifique au tronc commun de première technologique. Votre capacité à rédiger des réponses courtes à des questions est évaluée. Il vous sera par exemple demandé de justifier une affirmation, citer des acteurs, proposer ou choisir des dates-clés ou une définition pour une notion.

L'analyse de document(s) (1h)

▸ SÉRIES GÉNÉRALE ET TECHNOLOGIQUE

Cette partie de l'épreuve est commune à toutes les séries.
En 1re technologique, l'analyse est conduite en répondant à des questions tandis qu'en 1re générale, elle est accompagnée d'une consigne. Cette dernière suggère une problématique et des éléments de construction de l'analyse, c'est-à-dire souvent un plan à suivre.
Vous devez montrer que vous comprenez le sens général du (ou des) document(s), que vous pouvez en sélectionner des informations et les expliciter en vous appuyant à la fois sur leur contenu et sur vos connaissances personnelles.

La question problématisée (1h)

▸ SÉRIE GÉNÉRALE

Cette partie de l'épreuve est spécifique au tronc commun de 1re générale. Vous devez rédiger une réponse argumentée à un sujet formulé sous forme de question. L'intitulé de la question suggère des éléments de construction de la réponse, c'est-à-dire souvent un plan à suivre. Votre capacité à analyser le sujet est évaluée. Vous devez maîtriser les connaissances nécessaires, pouvoir les sélectionner et les organiser pour répondre à la problématique de la question.

Présenter un document

Avant d'analyser l'apport historique d'un document, il faut apprendre à le présenter. Une bonne présentation doit permettre à une personne qui n'a pas le document sous les yeux de comprendre ce que vous étudiez.

SUJET

Impérialisme et démocratie à Athènes

Après avoir présenté le document, expliquez comment sont désignés et contrôlés les stratèges et montrez que leur fonction atteste de l'impérialisme d'Athènes.

Connaissances mobilisées : **Chapitre 1, p. 40 à 71**

La fonction de stratège

Toutes les fonctions militaires sont électives, à commencer par les dix stratèges, autrefois pris à raison de un par tribu, aujourd'hui à choisir parmi l'ensemble des citoyens. Ils sont ainsi répartis à main levée : un stratège des hoplites, qui commande les hoplites en campagne ; le stratège du territoire, qui en assure la garde, et quand le pays vient à être menacé par la guerre, conduit les opérations sur le territoire ; les deux stratèges du Pirée, [...] qui assurent la garde des installations du port ; un stratège des symmories[1] qui établit un catalogue des triérarques[2] [...]. Les autres sont envoyés en expédition selon les circonstances. À chaque prytanie[3], ils sont confirmés dans leurs fonctions par un vote à mains levées ; si l'un d'eux n'est pas confirmé, il est traduit devant un tribunal ; s'il est condamné, on fixe la peine ou l'amende, s'il est acquitté, il reprend aussitôt ses fonctions. Ils sont souverains quand ils commandent et peuvent chasser de l'armée ou condamner à une amende quiconque n'obéit pas à leurs ordres ; mais ils n'ont pas coutume d'infliger des amendes.

Aristote, *La Constitution d'Athènes*, LXI, milieu du IVe siècle avant J.-C.

1. Groupe de citoyens riches qui se répartissent les charges de triérarques (à partir de la 2de moitié du IVe siècle).
2. Citoyens riches ayant la charge de construire et d'entretenir pendant un an un vaisseau de guerre appelé trière.
3. Un dixième de l'année civile.

Le **titre du document** est choisi par les auteurs du manuel pour vous aider à cerner le sujet.

La **source du document** apporte des informations précieuses :
- l'auteur ;
- l'ouvrage dont provient l'extrait, constitué de plusieurs livres (ici le 61e) ;
- la date à laquelle il a été écrit.

Méthode

1 Identifier la nature du document

CONSEIL

Les sources historiques sont de natures très variées.
Elles peuvent être écrites, iconographiques, architecturales, archéologiques, artistiques, statistiques, etc.

2 Présenter l'auteur

- S'il est connu, situez sa fonction, ses idées, son rôle historique grâce à vos connaissances.
- S'il est inconnu, essayez de déduire quelques informations de l'extrait et de sa source.
- Identifiez son point de vue.

Application guidée

- *Il s'agit d'un texte savant décrivant le régime politique athénien et son fonctionnement.*

- *Aristote (384-322 av. J.-C.) est un philosophe grec qui exerce une influence considérable sur la pensée de son époque et jusqu'à nos jours. Il est supposé connu.*

Son point de vue est celui d'un spécialiste. Aristote est l'auteur, avec ses élèves, de quelque 150 traités décrivant les institutions politiques d'un grand nombre d'États.

Méthode

3 Identifier les destinataires

▸ Le destinataire détermine le **ton et les arguments** employés. Trouver pour qui le document a été produit permet de comprendre les intentions de l'auteur.

4 Repérer la date et présenter le contexte

▸ Mobilisez vos connaissances pour décrire la **situation politique**, **économique**, **sociale** ou **culturelle** dans laquelle le document a été produit.

5 Résumer l'idée générale

▸ Synthétisez en une phrase la teneur du document.

6 Rédiger la présentation du document.

Application guidée

- *Aristote écrit pour instruire ses contemporains, particulièrement les élites cultivées grecques.*

- *Ce texte est écrit au milieu du IVe siècle avant J.-C, il est donc contemporain des institutions qu'il décrit.*

Athènes est la seule cité grecque à avoir adopté un régime démocratique dès la fin du VIe siècle, étroitement lié à son impérialisme. Cela donne une importance essentielle à la fonction de stratège que Périclès a par exemple occupé pendant 15 années consécutives.

À la date du texte, Athènes a cependant perdu son Empire, et sa démocratie, comme le rôle des stratèges, s'est affaiblie.

- *Aristote décrit la manière dont sont désignés et contrôlés les stratèges, ainsi que les fonctions qui leur incombent.*

Sur la copie

Rédigé au milieu du IVe siècle avant J.-C., ce document est un extrait de La Constitution d'Athènes. Écrit par Aristote avec la contribution de ses élèves, cet ouvrage fait partie d'une série de quelques 158 traités décrivant les institutions politiques d'un grand nombre d'États. Le but de son auteur est d'instruire ses contemporains, plus particulièrement les élites cultivées grecques. Cas unique en Grèce, Athènes est une cité-État démocratique depuis la fin du VIe siècle. L'Empire qu'elle a bâti au Ve siècle et qui lui permet de financer son fonctionnement a donné une place centrale aux stratèges, notamment Périclès qui a occupé cette fonction de 443 à 429 av. J.-C. Dans cet extrait, Aristote décrit la manière dont ils sont désignés et contrôlés, ainsi que les fonctions qui leur incombent.

CONSEIL

Pour ne rien oublier, vous pouvez retenir l'acronyme **CANDI** (Contexte, Auteur, Nature, Destinataires, Idée principale)

CONSEIL

Pensez à souligner les titres d'ouvrage.

Analyser un document en répondant à une consigne

Pour analyser un document, il faut d'abord le comprendre, en extraire les informations pertinentes et enfin mobiliser ses connaissances personnelles pour l'éclairer.

SUJET

L'Empire romain

Expliquez le regard que porte Strabon sur la péninsule Ibérique et ses peuples. Analysez les moyens utilisés pour romaniser la province puis leur succès.

Connaissances mobilisées :
Chapitre 1, p. 40 à 71

La romanisation des peuples de la péninsule Ibérique

Aux conditions si favorables de ce pays, les Turdétans ont ajouté l'avantage des mœurs civilisées et du sens politique. Ces qualités sont dévolues également aux Celtici, mais à un moindre degré. Les Celtici, en effet, vivent le plus souvent en fédérations de villages. En dépit de leurs traditions, les Turdétans, surtout ceux du Bétis[1], se sont entièrement convertis au genre de vie des Romains et ne se souviennent pas même de leur propre langue. Ils ont pour la plupart reçu le droit latin et accueilli chez eux des colonies romaines, si bien qu'il ne s'en faut pas de beaucoup qu'ils soient tous Romains. Les fondations de villes, telles que *Pax Augusta* chez les Celtici, *Augusta Emerita*[2] chez les Turdules, *Caesaraugusta*[3] chez les Celtibères et quelques autres colonies encore illustrent bien ce changement du statut politique. Et de fait, les Ibères qui ont adopté les nouvelles formes d'existence sont dits *togati*[4]. On compte au nombre d'entre eux même les Celtibères, qui étaient considérés autrefois comme les plus sauvages de tous.

Strabon, *Géographie*, III, 2, 15, début du Ier siècle ap. J.-C.

1. Nom latin du Guadalquivir, qui a donné son nom à la province de Bétique.
2. Mérida.
3. Saragosse.
4. En toge.

Méthode

1 Présenter le document

Même si ce n'est pas précisé dans la consigne, présentez rapidement le document selon la méthode **CANDI** (voir p. 276).

2 Analyser la consigne

Bien qu'elle ne soit constituée que d'une ou deux phrases, la consigne **propose** souvent un **plan à suivre** qu'il faut repérer.

3 Comprendre le document

Lisez plusieurs fois le texte :

- une première fois pour en repérer **l'idée principale** ;
- puis plusieurs fois, le crayon à la main, pour repérer les **termes importants**, les éléments qu'il faut expliquer, les **mots difficiles**.

Application guidée

- *Il s'agit d'un texte du géographe grec Strabon, extrait de sa Géographie écrite à l'époque d'Auguste. La longue conquête de la péninsule Ibérique est achevée et une première étape de la romanisation s'effectue, bien que tous ses habitants ne soient pas encore citoyens.*

- *Cette consigne appelle à construire une réponse en trois parties :*
– une explication du regard porté par l'auteur sur les peuples ibériques ;
– une analyse des moyens utilisés pour romaniser la province ;
– une analyse des résultats obtenus.

- *Par exemple, lorsque vous soulignez le terme « droit latin », écrivez dans la marge : « les peuples ibériques obtiennent des droits, mais tous ne sont pas encore citoyens romains ».*
Pour le mot « colonies romaines », notez : « cités dont les institutions sont calquées sur Rome ».
Pour « togati », écrivez : « ils portent le vêtement caractéristique des Romains ».

Méthode

4 Extraire les éléments utiles du document

▸ Soulignez et annotez dans le texte les passages utiles et à citer. Utilisez une couleur différente pour chaque partie de la consigne.

5 Mobiliser ses connaissances

▸ Utilisez vos connaissances personnelles pour **expliquer**, **compléter**, **confirmer ou infirmer** les éléments de réponse du texte.

6 Rédiger la réponse à la consigne

Application guidée

→ *Le regard porté par l'auteur sur la péninsule Ibérique et ses peuples*

→ *Les moyens utilisés pour romaniser la province*

→ *Les résultats de cette romanisation*

• *Par exemple, vos connaissances vous permettent d'expliquer que « la fondation des villes » est au cœur de la romanisation. Le modèle d'urbanisme se diffuse, notamment à travers un plan type et la construction de théâtres, aqueducs, etc. Par ailleurs, le nom des villes rappelle souvent qu'elles ont été fondées par l'empereur (Augusta).*

Sur la copie

Ce document est un texte du géographe grec Strabon, extrait de sa Géographie écrite au début du Ier siècle ap. J.-C à l'époque d'Auguste. La longue conquête de la péninsule Ibérique est achevée et une première étape de la romanisation s'effectue. Dans cet extrait, Strabon décrit et compare différents peuples ibériques et l'état de leur romanisation.

Strabon porte un regard positif sur cette nouvelle province, décrite comme un pays « aux conditions si favorables ». Il évoque plusieurs peuples : les Turdétans, les Celtici, les Turdules, et enfin les Celtibères. Il conçoit entre eux une hiérarchie très fine. En effet, les Turdétans, qui ont « l'avantage des mœurs civilisés et du sens politique », sont les plus civilisés de tous. Les Celtici le sont aussi, « mais à un moindre degré ». En revanche, les Celtibères, « autrefois considérés comme les plus sauvages de tous », ont été plus lents à être romanisés.

Que ce soit dans les colonies ou les villes préexistantes, la diffusion du modèle romain d'urbanisme et l'acquisition de droits sont des vecteurs de romanisation essentiels.
Le géographe évoque la fondation de villes telles que Pax Augusta chez les Celtici, Augusta Emerita chez les Turdules ou Caesar Augusta chez les Celtibères, dont les noms rappellent qu'elles ont été fondées par l'empereur Auguste. Ces colonies romaines, nouvellement fondées, « illustrent bien ce changement du statut politique ». Il s'agit en effet de cités de droit romain dont les institutions sont calquées sur Rome. Leurs habitants sont tous des citoyens. Cependant la plupart des Ibères ont « reçu le droit latin » seulement, c'est-à-dire qu'ils vivent dans des cités latines, où seuls les magistrats peuvent devenir des citoyens romains, les autres habitants ayant moins de droits.

Strabon dresse un bilan très positif de cette romanisation. Il évoque des peuples qui « se sont entièrement convertis au genre de vie des Romains et ne se souviennent pas même de leur propre langue. » Beaucoup « ont adopté de nouvelles formes d'existence » et portent l'habit romain. Ils sont donc « dits togati », précise-t-il. C'est d'ailleurs à leur capacité à oublier leur propre culture pour adopter celle des Romains que Strabon juge favorablement ces peuples. Ils sont devenus civilisés « en dépit de leurs traditions », même « les plus sauvages de tous ». La seule limite à cette romanisation est que beaucoup ne sont pas encore citoyens, mais « il ne s'en faut pas beaucoup qu'ils soient tous Romains ». Il faut cependant attendre pour cela l'édit de Caracalla, en 212, qui donne la citoyenneté romaine à tous les habitants libres de l'Empire.

VERS LE BAC ANALYSE DE DOCUMENTS

▸ BAC TECHNOLOGIQUE ET GÉNÉRAL

Confronter des documents

Pour comprendre un fait historique, l'historien doit toujours confronter les sources. Elles peuvent être de différentes natures, apporter des informations complémentaires et présenter des points de vue opposés.

SUJET

La Première croisade

Comparez la manière dont les auteurs expliquent la victoire des chrétiens, ainsi que les raisons pour lesquelles ils combattent.

Connaissances mobilisées : **Chapitre 2, p. 72 à 96**

1. La prise de Jérusalem racontée par un croisé

Le vendredi, de grand matin, nous donnâmes un assaut général à la ville sans pouvoir lui nuire ; et nous étions dans la stupéfaction et dans une grande crainte. Puis, à l'approche de l'heure à laquelle Notre-Seigneur Jésus-Christ consentit à souffrir pour nous le supplice de la croix, nos chevaliers postés sur le château se battaient avec ardeur, entre autres le duc Godefroi et le comte Eustache son frère. À ce moment, l'un de nos chevaliers, du nom de Liétaud, escalada le mur de la ville. Bientôt, dès qu'il fut monté, tous les défenseurs de la ville s'enfuirent des murs à travers la cité et les nôtres les suivirent et les pourchassèrent en les tuant et les sabrant jusqu'au temple de Salomon, où il y eut un tel carnage que les nôtres marchaient dans leur sang jusqu'aux chevilles. [...] Les croisés coururent bientôt par toute la ville, raflant l'or, l'argent, les chevaux, les mulets et pillant les maisons, qui regorgeaient de richesses. Puis, tout heureux et pleurant de joie, les nôtres allèrent adorer le Sépulcre de notre Sauveur Jésus et s'acquittèrent de leur dette envers lui.

Histoire anonyme de la première croisade, fin XIe - début XIIe siècles.

2. La prise de Jérusalem racontée par un musulman

La Ville sainte fut prise du côté du nord, dans la matinée du vendredi 22 du mois de Shaban [15 juillet]. Aussitôt la foule prit la fuite. Les Francs restèrent une semaine dans la ville, occupés à massacrer les musulmans. [...]. Les Francs massacrèrent plus de 70 000 musulmans dans la mosquée al-Aqsâ : parmi eux on remarquait un grand nombre d'imams, de savants, et de personnes d'une vie pieuse et mortifiée – qui avaient quitté leur patrie pour venir prier dans ce noble lieu. Les Francs enlevèrent d'al-Sakra plus de quarante lampes d'argent, chacune du poids de 3 000 dirhams. Ils y prirent aussi un grand lampadaire d'argent qui pesait 40 ratls de Syrie, ainsi que 150 lampes d'une moindre valeur. Le butin fait par les Francs était immense. [...] Les princes n'étaient pas d'accord ensemble. Voilà pourquoi les Francs se rendirent maîtres du pays.

Ibn al-Athîr, *Al-Kamil fi al-Tarikh (Histoire complète)*, XIIIe siècle.

Méthode

1 Identifier la nature et les auteurs des documents

2 Identifier leur thème commun et le contexte de production

- Mettez en évidence la **logique** qui a incité à présenter les deux documents ensemble. Aidez-vous des titres des documents
- **Comparez** les dates de rédaction. Précisez si la situation a évolué entre les deux.

Application guidée

- *Les deux documents sont des récits historiques. Le document 1 est rédigé par un auteur chrétien anonyme, alors que le document 2 est l'œuvre d'un auteur musulman, Ibn al-Athîr.*
- *Les deux documents racontent la prise de Jérusalem par les croisés en 1099. Leurs auteurs appartiennent à des camps opposés.*
Le premier texte a été rédigé rapidement après les événements (fin XIe, début XIIe siècle) par un homme qui a participé au siège de Jérusalem.
Le deuxième a été écrit plus d'un siècle après les faits. Entre-temps les musulmans, menés par Saladin, ont réussi à reprendre la ville aux chrétiens.

Méthode

3 Identifier les objectifs des auteurs

- Les objectifs sont-ils les mêmes ou s'opposent-ils ? Vous devez avoir un **regard critique** sur les **intentions** des auteurs.

4 Prélever et confronter les informations

- Classez les informations par **thème** : identifiez les **points communs** et les **différences**.
- **Comparez** les documents. Ne vous contentez pas de les étudier l'un après l'autre.

5 Rédiger la réponse à la consigne

Application guidée

- *Les deux auteurs ont pour objectifs de raconter la manière dont la prise de Jérusalem s'est déroulée ainsi que d'expliquer pour l'un la victoire, pour l'autre la défaite de leur camp.*

- *Par exemple, sur les causes de la victoire :*
  – dans le document 1, l'auteur affirme que les chrétiens doivent leur victoire à Dieu : les chevaliers « allèrent adorer le Sépulcre de notre Sauveur Jésus et s'acquittèrent de leur dette envers lui. » ;
  – en revanche, Ibn al-Athîr explique la défaite des musulmans par leur division : « les princes n'étaient pas d'accord ensemble ».

Sur la copie

La prise de la Jérusalem par les croisés en 1099 est décrite dans le document 1 par un auteur chrétien, contemporain des événements et ayant participé aux combats, puis dans le document 2 par Ibn al-Athîr, auteur musulman du XIIIe siècle. Dans les deux cas, les auteurs sont des historiens et ont pour objectifs d'expliquer les causes de leur victoire ou de leur défaite, ainsi que la manière dont la prise de la ville s'est déroulée.

Dans le document 1, l'auteur affirme que les chrétiens doivent leur victoire à Dieu. D'ailleurs, une fois la ville prise, les chevaliers « allèrent adorer le Sépulcre de notre Sauveur Jésus et s'acquittèrent de leur dette envers lui. » Ce n'est pas non plus un hasard pour lui que ce soit « à l'approche de l'heure à laquelle Notre-Seigneur Jésus-Christ consentit à souffrir pour nous le supplice de la croix » que les Francs arrivent enfin à escalader le mur de la ville et à en faire fuir les défenseurs. Pour l'auteur, il s'agit là d'un signe de la grâce de Dieu. En revanche, Ibn al-Athîr explique la défaite des musulmans de manière beaucoup plus simple, par la division de leurs chefs : « les princes n'étaient pas d'accord ensemble ».

Les deux auteurs s'accordent sur les violences et les vols qui ont accompagné l'entrée des chrétiens dans Jérusalem. L'auteur chrétien ne nie pas l'appât du gain des troupes franques. D'ailleurs, avant même qu'ils n'aillent prier pour remercier Dieu, il explique que « les croisés coururent bientôt par toute la ville, raflant l'or, l'argent, les chevaux, les mulets et pillant les maisons, qui regorgeaient de richesses ». Ibn al-Athîr confirme ces vols, et les documente avec beaucoup de précision. Par exemple « quarante lampes d'argent, chacune du poids de 3 000 dirhams », « le butin fait par les Francs était immense », précise-t-il. Quant aux violences, il évoque le massacre de « 70 000 musulmans dans la mosquée al-Aqsâ », insistant sur la qualité des victimes non-combattantes : « un grand nombre d'imams, de savants, et de personnes d'une vie pieuse et mortifiée ». La durée de ces violences est exceptionnelle, les Francs passent une semaine, « occupés à massacrer les musulmans ». Le témoignage chrétien le confirme : « il y eut un tel carnage que les nôtres marchaient dans leur sang jusqu'aux chevilles ». Bien que l'auteur chrétien évoque l'intervention divine dans la victoire et la reconnaissance des Francs envers leur Dieu, il n'est nullement question des motivations religieuses des croisés dans ce cours extrait, qui laisse à penser que l'auteur n'est pas dupe de ce qui motive les soldats chrétiens lorsqu'ils prennent la ville.

+ Copie complète

Répondre à une question problématisée

Cet exercice consiste à exposer des arguments de manière organisée pour répondre à la question posée. Cette partie de l'épreuve commune du bac ne dure qu'une heure : il est important d'être méthodique.

SUJET

Pourquoi les projets de réforme de l'Église conduisent-ils à une division de la chrétienté occidentale ?

Connaissances mobilisées :
Chapitre 4, p. 126-152

Méthode

1 Analyser la question

- Recopiez les **termes** de la question au **brouillon**, puis interrogez-vous sur chacun d'entre eux.
- Identifiez son **cadre spatio-temporel**.

→ Pour aller plus loin, **voir page 284.**

2 Sélectionner et organiser ses connaissances

- Mobilisez les **dates**, **idées** et **faits** qui sont nécessaires pour répondre à la question. Notez-les au **brouillon** pour ne rien oublier, mais ne rédigez pas.

→ Pour aller plus loin, **voir page 285.**

3 Construire le plan de la réponse

- Le plan forme la structure de **l'argumentation**.
- Chaque partie du devoir apporte des **éléments de réponse** à la question problématisée
- Le plan peut être **thématique**, **chronologique** ou **mixte** (chronothématique).

→ Pour aller plus loin, **voir page 285.**

Application guidée

- « Chrétienté occidentale » désigne l'espace européen unifié sous l'autorité du pape jusqu'au XVIe siècle (par opposition à la chrétienté orientale, de religion orthodoxe).
- « Projets de réforme de l'Église » renvoie aux nombreuses propositions faites par les humanistes et par des clercs comme Luther pour apporter une réponse à la crise traversée par l'Église à la fin du Moyen Âge.
- « Division » renvoie à la situation de la fin du XVIe siècle : la chrétienté occidentale est partagée entre plusieurs Églises protestantes et l'Église catholique.

Exemple de travail au brouillon :

Crise traversée par l'Église à la fin du Moyen Âge :

↳ angoisse des fidèles pour leur salut, avec les épidémies et les guerres vécues comme des châtiments divins ;

↳ abus du clergé, volonté des humanistes de revenir à un christianisme évangélique ;

↳ critique du système des indulgences, vécu comme un marchandage du salut par le pape.

→ Un plan mixte convient ici. Il permet d'expliquer la division de la chrétienté occidentale en évoquant l'origine des réformes, le contenu de celles-ci et leurs conséquences sur l'unité du continent

Exemple :

I. L'origine des réformes religieuses

A. L'angoisse spirituelle

B. Les abus du clergé

C. Le marchandage du salut

II. Les différents projets de réforme

A. La rupture de Luther avec l'Église

B. Les multiples formes du protestantisme

C. La réforme catholique

III. La chrétienté occidentale divisée

A. Les guerres de religion

B. Les tentatives pour imposer la paix civile

Méthode / Application guidée

4 Introduire la question

Réutilisez les termes de la question en les explicitant. Précisez ou justifiez les **bornes chronologiques**. Rappelez le **contexte**, c'est-à-dire les éléments nécessaires à la compréhension du sujet. Il peut être social, économique, politique, culturel.

Rappelez la question problématisée, ou « problématique »

→ Pour aller plus loin, **voir page 286.**

Exemple d'introduction :

Jusqu'au XVIe siècle, la chrétienté occidentale est unifiée religieusement sous l'autorité du pape. Mais à la fin du Moyen Âge, l'Église est ébranlée et des projets de réforme demandant un retour aux sources du christianisme voient le jour. En quoi ceux-ci conduisent-ils à une division de la chrétienté, entre catholiques et protestants ?

5 Rédiger sa réponse argumentée

Le **développement** est composé de **paragraphes** repérés par des **alinéas**. Chacun correspond à une **idée directrice** à justifier.

Chaque idée est accompagnée d'exemples, de termes, de dates et de **faits précis**.

Exemple pour la partie II, A

- *Idée : Luther fonde le protestantisme*

Argumentation : *en 1517, dans ses 95 thèses, Martin Luther explique que le salut ne s'obtient pas par les œuvres mais par la seule grâce de Dieu, la foi du croyant en cette grâce. Il est exclu de l'Église catholique, parce qu'elle n'accepte pas cette interprétation du christianisme, qui devient alors le protestantisme.*

6 Formuler les transitions

Entre deux paragraphes, les phrases de transition permettent de suivre la **logique du raisonnement**. Il faut utiliser pour cela des connecteurs logiques.

Exemple de transition entre les parties II et III : *la multiplication des projets de réforme conduit à la création de plusieurs Églises chrétiennes dont la cohabitation s'avère très difficile.*

7 Conclure le devoir

En conclusion, **résumez** en une phrase la **réponse à la problématique** exposée dans votre développement.

Si vous avez du temps, proposez une **ouverture** qui évoque les **conséquences et suites possibles** du phénomène étudié.

→ Pour aller plus loin, **voir page 287.**

Exemple de conclusion : *les solutions proposées pour réformer l'Église aboutissent donc à un schisme entre catholiques et protestants. L'Europe occidentale vit désormais dans le pluralisme religieux. La tolérance instaurée en France par l'édit de Nantes (1598) consiste seulement à « tolérer », c'est-à-dire à supporter l'existence d'une autre religion. Le terme n'a pris un sens positif qu'avec les philosophes des Lumières.*

CONSEIL

- Faites bien attention à la **syntaxe**, à la **grammaire** et à **l'orthographe**. Utilisez un **langage soutenu**, des phrases **simples** et **courtes**.
- Écrivez au **présent de narration**. Les événements ayant déjà eu lieu, le futur ne convient pas.
- **Sautez des lignes** entre l'introduction et le développement, puis entre celui-ci et la conclusion afin de mettre en valeur l'organisation de votre propos.
- Conservez cinq minutes pour la **relecture**.

▸ BAC GÉNÉRAL

Analyser un sujet et formuler la problématique

L'analyse du sujet se fait au brouillon. Elle permet de bien le comprendre et d'éviter ainsi hors sujet et contresens. Elle mène à l'élaboration d'une problématique qui est le fil directeur de votre raisonnement, et donc de votre plan.

SUJET

Chrétiens latins et musulmans en Méditerranée entre le XIe et le XIIIe siècle.

Connaissances mobilisées : **Chapitre 2, p. 72-96**

Méthode	Application guidée
1 Définir les termes du sujet Recopiez-les au **brouillon**, puis interrogez-vous sur chacun d'entre eux.	***Quoi ?*** *Le « et » du sujet implique d'étudier la manière dont les deux civilisations interagissent.*
2 Définir les acteurs du sujet	***Qui ?*** *Les « chrétiens latins » ou chrétiens d'Occident font partie de l'Église romaine, unifiée sous l'autorité du pape.* *Les musulmans sont divisés sur le plan religieux et politique. Ils sont d'origines diverses : Arabes, Berbères, Turcs...* *Les Byzantins ne sont pas dans le sujet.*
3 Préciser le cadre spatio-temporel du sujet Fixez les limites **géographiques** et **chronologiques** du sujet afin de ne pas le dépasser (ce qui mène à des hors-sujet) ni le restreindre (ce qui mène à un devoir incomplet).	***Où ?*** *Il s'agit d'étudier les espaces méditerranéens où chrétiens latins et musulmans entrent en contact : Proche-Orient, Espagne et Sicile surtout.* ***Quand ?*** *La période du XIe et le XIIIe siècle ou Moyen Âge central, est celle des croisades et de l'intensification de la Reconquista.*
4 Identifier l'intérêt du sujet Les questions à se poser portent le plus souvent sur : - les causes (pourquoi ?) ; - la nature du phénomène étudié (comment ?) ; - son évolution ou ses conséquences.	*→ **Pourquoi ?** Les contacts sont dus à une volonté d'expansion et de contrôle. Mais aussi au commerce et à la volonté d'apprendre.* *→ **Comment ?*** *La guerre, la circulation des hommes et des biens, d'idées et de savoirs créent ces rencontres.* *→ **Avec quelles conséquences ?*** *- des divisions profondes et durables ;* *- la création d'espaces de coexistence originaux en Espagne, en Sicile et dans les États latins d'Orient ;* *- des échanges culturels, qui permettent notamment à l'Occident de profiter des savoirs musulmans.*
5 Formuler la problématique La problématique réduit l'ensemble de ce questionnement à **une seule phrase**, qui sera le **fil conducteur** de votre **raisonnement**.	*Quelles sont les caractéristiques des échanges et des contacts que chrétiens latins et musulmans nouent en Méditerranée ?*

Construire un plan pour organiser ses idées

Un plan structure votre raisonnement. Il sert à organiser l'argumentation qui répond à votre problématique.

SUJET

L'expansion européenne aux XVe et XVIe siècles

Connaissances mobilisées :
Chapitre 3, p. 98 à 124

Méthode

1 Analyser le sujet et formuler la problématique

Voir page 284.

2 Organiser ses connaissances

- L'analyse du sujet vous a mené à **noter vos connaissances au brouillon**.
- Choisissez des stylos de différentes couleurs et **regroupez** les **idées**, les **arguments** et les **exemples** qui forment des **ensembles cohérents**. Chaque ensemble formera une **partie du développement**.

3 Choisir un type de plan adapté au sujet

- Le **plan thématique** est adapté aux sujets qui appellent à faire une **comparaison**, un **bilan**, ou un **tableau** d'un phénomène.
- Le **plan chronologique** est adapté à l'analyse d'une évolution. Chaque partie correspond à une période.
- Un **plan mixte (ou chronothématique)** permet une **approche par thèmes** tout en mettant en évidence des **ruptures chronologiques**. Il permet d'étudier les **causes**, les **caractéristiques** et les **conséquences** d'un phénomène.

4 Annoncer le plan dans l'introduction

- Cette étape permet au lecteur de suivre votre raisonnement (voir p. 286).

Application guidée

- *Pourquoi les Européens partent-ils explorer des terres et des mers inconnues et quelles sont les conséquences de leurs expéditions ?*

- ***Idée** : les Européens recherchent de nouvelles routes commerciales.*

***Argumentation** : les musulmans sont des concurrents commerciaux, car ils contrôlent le commerce des épices de l'océan Indien à la Méditerranée orientale avec leurs partenaires vénitiens.*

- ***Idée** : les Européens cherchent à défendre la chrétienté qu'ils sentent menacée.*

***Argumentation** : L'avancée des Ottomans à l'Est inquiète les puissances européennes. Elles croient pouvoir trouver en Orient des princes chrétiens avec lesquels s'allier.*

→ Ces connaissances trouveront leur place dans la partie I.A.

- *Un plan mixte convient ici :*

I. Comment expliquer ce basculement vers l'Atlantique ?
A. Des motivations économiques et religieuses
B. Des progrès scientifiques et techniques
II. De l'exploration à la conquête
A. Portugal et Espagne en compétition
B. La soumission du « Nouveau Monde » et l'effondrement des sociétés amérindiennes
III. Les conséquences de ces découvertes
A. La mise en place d'un ordre colonial
B. Une première mondialisation

▸ BAC GÉNÉRAL

Rédiger une introduction et une conclusion

SUJET

La révolution humaniste

Connaissances mobilisées :
Chapitre 4, p. 126 à 152

Rédiger une introduction

L'introduction a pour but de dégager l'intérêt du sujet et de présenter la manière dont vous allez le traiter. C'est le premier élément dont le correcteur prend connaissance ; il influence son impression sur la copie. Avant de rédiger l'introduction, vous devez avoir analysé le sujet, formulé la problématique et construit le plan au brouillon.

Méthode

1 Présenter le sujet

- Commencez par une « **accroche** » destinée à attirer l'attention du lecteur.
- Dégagez **l'intérêt historique** et **explicitez les termes du sujet**.
- Évoquez son **cadre spatio-temporel**, en le justifiant.
- Définissez le **contexte**, c'est-à-dire les éléments nécessaires à sa compréhension. Il peut être social, économique, politique, culturel.

2 Annoncer la problématique

- Votre argumentation a pour but d'y répondre. Attention à **bien la relier** à ce qui précède.

3 Annoncer le plan

- Utilisez pour cela des **connecteurs logiques** : tout d'abord, ensuite, puis, enfin, etc.

4 Rédiger l'introduction

Application guidée

*→ **Accroche** : on peut par exemple utiliser une citation d'Érasme, extraite de sa lettre du 21 février 1517 à Guillaume Budé (voir document 2 page 136)*

*→ **Quoi** ? L'humanisme est un mouvement intellectuel caractérisé par l'étude des textes anciens et la foi en l'être humain dont il prône l'épanouissement.*

*→ **Quand** ?*
Pendant la Renaissance, qui est la période qui succède au Moyen Âge et s'étale sur les XVe et XVIe siècles.

*→ **Où** ? Le courant naît en Italie puis se diffuse au reste de l'Europe.*

*→ **Qui** ? Les humanistes sont des savants, des éditeurs et imprimeurs, des artistes, etc.*

→ Comment la révolution humaniste a-t-elle bouleversé la culture européenne ?

Plan thématique :
I. L'Antiquité pour modèle
II. La confiance en l'homme
III. L'Europe humaniste

Sur la copie

« Dieu immortel, quelle époque je vois sur le point de naître ! », écrit Érasme dans une lettre à Guillaume Budé le 21 février 1517. Cette citation montre que les humanistes ont conscience de vivre une époque exceptionnelle de renouvellement de la pensée, une véritable révolution. L'humanisme est un mouvement intellectuel caractérisé par l'étude des textes anciens et la foi en l'être humain, dont il prône l'épanouissement. Il naît en Italie et se développe aux XVe et XVIe siècles pour se diffuser dans toute l'Europe.

CONSEIL

Utilisez les éléments précédents en rédigeant votre introduction selon la règle des « 3 P » : Présentation du sujet, Problématique, Plan.

Comment cette révolution humaniste a-t-elle bouleversé la culture européenne ?
Nous montrerons, dans une première partie, que l'humanisme se pose en rupture avec le Moyen Âge en cherchant à faire renaître un « âge d'or » de l'Antiquité. Ensuite, nous verrons que le mouvement assigne une place toute nouvelle à l'homme, objet de réflexion, d'admiration et d'inspiration artistique. Enfin, nous expliquerons comment l'humanisme gagne toute l'Europe, notamment grâce à la révolution du livre imprimé et l'établissement d'une « République des lettres ».

Rédiger une conclusion

La conclusion est l'aboutissement de votre raisonnement. Elle a pour but de faire la synthèse de votre travail et peut l'ouvrir sur des perspectives plus larges.

Méthode

1 Présenter le bilan du devoir

- Le bilan **résume ce qui a été dit** dans le développement. Il offre une **réponse à la problématique** posée dans l'introduction et doit être nuancé.
- **Attention !** le bilan ne doit pas être trop long, ni aborder des aspects du sujet oubliés. Il ne s'agit ni de répéter, ni de compléter le développement.

2 Proposer une ouverture

- L'ouverture évoque les **conséquences et suites possibles** du phénomène étudié.
- **Attention !** il s'agit d'un exercice risqué. L'ouverture ne doit être ni trop vague ni trop lointaine dans le temps.

3 Rédiger la conclusion

Application guidée

→ Chaque partie a fait l'objet d'un bilan intermédiaire dans votre développement.

Bilan de la partie I : la redécouverte et l'étude des textes anciens originaux ont mené au développement d'un esprit critique.

Bilan de la partie II : l'exaltation des capacités de l'homme a marqué une véritable rupture avec le Moyen Âge et a impliqué de donner à l'éducation une plus grande place.

Bilan de la partie III : la révolution du livre imprimé a bouleversé les échanges culturels et permis l'émergence d'une communauté internationale de savants.

→ Une des conséquences de la révolution humaniste peut être évoquée : en exaltant la liberté d'initiative et l'esprit critique, elle a contribué à une autre révolution, religieuse celle-ci.

Sur la copie

L'humanisme a marqué une véritable rupture avec le Moyen Âge. L'exaltation des capacités de l'homme à s'améliorer a impliqué de donner une place plus grande à l'éducation. Ajoutés à cela, la redécouverte et l'étude des textes anciens originaux prônés par les humanistes a mené au développement de l'esprit critique. Enfin, l'entrée dans une civilisation du livre imprimé a bouleversé les échanges culturels au sein de la « République des lettres ». Dans un contexte de forte attente spirituelle, cette révolution humaniste contribue à une autre, cette fois religieuse : la réforme protestante.

CONSEIL

Utilisez les éléments précédents en rédigeant votre conclusion selon la règle : bilan + ouverture.

Crédits photographiques

La leçon de dessin, huile sur panneau de Jan Steen (49,3 x 41 cm), 1665, J. Paul Getty museum, Malibu, Californie. © Digital image courtesy of the Getty's Open Content Program

p. 25 : Steve Debenport/Premium Access/ Getty Images - **p. 30-31 :** David Rumsey Map Collection - **p. 34 :** Reseau Canopé/Le musée national de l'Education - **p. 35 :** Editions Perrin - **p. 36 :** Archives Lassaliennes, Lyon - **p. 38 :** Oxford University Press - **p. 40-41 :** Thomas Daskalakis/NDP Photo Agency - **p. 49 :** Shutterstock - **p. 50 :** Photo © The British Museum, Londres, Dist. RMN-Grand Palais/The Trustees of the British Museum - **p. 51 :** Jean-Claude Golvin/Éditions Errance - **p. 52 :** Gianni Dagli Orti/Aurimages - **p. 53 :** (g) Konstantinos Kontos/La Collection ; (d) Gianni Dagli Orti/Aurimages - **p. 55 :** Luisa Ricciarini/Leemage - **p. 56 :** (ht) Erich Lessing/ AKG-Images ; (b) Creatista/Istock Photo - **p. 57** : Bridgeman Images - **p. 58 :** (ht) Collection personnelle ; (b) Alamy/Photo 12 - **p. 59 :** (ht) De Agostini Picture Library/Scala, Florence ; (b) Bildarchiv Steffens/AKG-Images - **p. 60** : (ht) SGM/Bridgeman Images ; (b) Walter Geiersperger/Getty Images - **p. 62 :** (ht) Nimatallah/AKG-Images (b) C. Sappa/De Agostini Picture Library/Bridgeman Images - **p. 64 :** Collection Joinville/AKG-Images - **p. 65 :** (htg) Sailorr/Adobe Stock ; (htd) Jon Arnold Images/Hemis.fr/Architectes : Giovanni Guerrini/ Ernesto Lapadula/Mario Romano ; (b) Keystone France/Gamma-Rapho - **p. 72-73 :** Aisa/Leemage - **p. 82 :** (ht) BIS/Ph. Coll. Archives Larbor ; (m) BIS/Collection Archives Nathan ; (b) Oronoz/ Photo12 - **p. 83 :** BIS/Collection Archives Nathan - **p. 84 :** CGB - **p. 86 :** Oronoz/Album/AKG-Images - **p. 87 :** (g) Jean-Paul Dumontier/La Collection ; (d) BIS/Ph. H. Josse/Archives Larbor - **p. 88 :** World History Archive/Aurimages - **p. 90 :** Dagli Orti/Aurimages - **p. 91 :** (ht) Bürgerbibliothek, Berne ; (b) Erich Lessing/AKG Images - **p. 98-99 :** The Stapleton Collection/Bridgeman Images - **p. 103 :** De Agostini/AKG-Images - **p. 108 :** BNF - **p. 109 :** The British Library Board/Leemage - **p. 110 :** The Granger Coll NY/Aurimages - **p. 111 :** The Granger Coll NY/ Aurimages - **p. 112 :** René-Gabriel Ojéda/RMN-Grand Palais (musée du Louvre) - **p. 114 :** (ht) Dagli Orti/Aurimages ; (m) Granger Coll NY/ Aurimages ; (b) Iberfoto/Roger-Viollet - **p. 115 :** BNF - **p. 116 :** (ht) Oronoz/Photo12 ; (b) Archives Charmet/Bridgeman Images - **p. 117 :** (ht) Bridgeman Images ; (b) Glasgow University Library, Scotland/Bridgeman Images - **p. 118 :** (ht) BNF ; (b) Photo © Muséum national d›Histoire naturelle, Dist. RMN-Grand Palais/ Image du MNHN, bibliothèque centrale - **p. 119 :** (ht) AKG-Images ; (b) Photo Scala, Florence, courtesy of the Ministero Beni e Att. Culturali e del Turismo - **p. 126-127 :** Electa/ Leemage - **p. 130 :** Veneranda Biblioteca Ambrosiana/Mondadori Portfolio/Bridgeman Images - **p. 132 :** BIS/Ph. Giacomelli, Venise/ Archives Larbor - **p. 133 :** Photo © Archives Alinari, Florence, Dist. RMN-Grand Palais/Georges Tatge - **p. 137 :** Bridgeman Images - p. 138 : Dagli Orti/Aurimages - **p. 139 :** AKG-Images - **p. 140 :** (ht) Raffael/Leemage ; (b) Ingolf Pompe/ Hemis.fr - **p. 141 :** (g) Electa/Leemage ; (d) Alinari/Bridgeman Images - **p. 142 :** André Held/AKG-Images - **p. 143 :** Photo Josse/Leemage - **p. 144 :** Eurasia Press/Photononstop - **p. 145 :** Bridgeman Images - **p. 146 :** AKG-Images - **p. 154-155 :** Photo © RMN-Grand Palais (Château de Versailles)/Gérard Blot - **p. 164 :** (ht) BNF ; (b) Coll. BHVP-Grob/Kharbine-Tapabor - **p. 165 :** Photo © RMN-Grand Palais (musée du Louvre)/Thierry Le Mage - **p. 167 :** (ht) Photo © RMN-Grand Palais (Château de Versailles)/ Christian Jean/Jean Schormans ; (b) BIS/Ph. Hubert Josse/Archives Larbor - **p. 168 :** Photo © RMN-Grand Palais (Château de Versailles)/ Gérard Blot - **p. 169 :** Photo © Château de Versailles, Dist. RMN-Grand Palais/Christophe Fouin - **p. 170 :** BIS/Archives Larbor - p. 171 : Bridgeman Images - **p. 172 :** (ht) BNF ; (b) Comptoir des Monnaies - **p. 173 :** Photo © RMN-Grand Palais (Château de Versailles)/Gérard Blot - **p. 175 :** Photo © Château de Versailles, Dist. RMN-Grand Palais/ Christophe Fouin - p. 179 : Interfoto/La Collection - **p. 180-181 :** The New-York Historical Society/ Bridgeman Images - **p. 190 :** Saint Louis Art Museum, Missouri, USA/Museum Purchase/ Bridgeman Images - **p. 191 :** Photo © National Galleries of Scotland, Dist. RMN-Grand Palais/Scottish National Gallery Photographic Department - **p. 192 :** © Parliamentary Art Collection, WOA 900. www.parliament.uk/art - **p. 193 :** Photo © The British Museum, Londres, Dist. RMN-Grand Palais/The Trustees of the British Museum - **p. 194 :** BIS/Photo Archives Nathan - **p. 195 :** (ht) From The New York Public Library, b16781246 ; (b) BNF - **p. 196 :** BIS/ Ph © Metropolitan Museum of Art - **p. 197 :** De Agostini/Leemage - **p. 199 :** Capitol Collection/ Bridgeman Images - p. 200 : Abecassis/Leemage - **p. 201 :** Heritage Auctions, HA.com - **p. 202 :** Photo12 - **p. 203 :** BIS/Ph. Coll. Archives Nathan - **p. 204 :** Granger/Bridgeman Images - **p. 205 :** The Metropolitan Museum of Art, New-York - **p. 212-213 :** Photo © The National Gallery, Londres, Dist. RMN-Grand Palais/National Gallery Photographic Department - **p. 220 :** Photo Scala, Florence - **p. 221 :** Rabatti & Domingie/AKG-Images - **p. 222 :** Granger Coll NY/Aurimages - **p. 223 :** Bridgeman Images - **p. 224 :** Photo © RMN-Grand Palais/A. Danvers - **p. 225 :** Musée des Arts et Métiers-Cnam/Photo Pascal Faligot - **p. 226 :** (g) Coll. Diry/Kharbine-Tapabor ; (d) Bruno Maurey, Musée Flaubert et d›histoire de la médecine, CHU Rouen - **p. 227 :** BIS/Ph. Coll. Archives Bordas - **p. 228 :** BIS/Ph. Coll. Archives Larbor - **p. 229 :** CGB - **p. 231 :** Photo Glasgow Museums, Scotland/Stamp design © Royal Mail Group Limited - **p. 238-239 :** Photo Josse/Leemage - **p. 246 :** Bridgeman/Leemage - **p. 247 :** Bridgeman Images - **p. 248 :** (ht) Photo © RMN-Grand Palais/Image RMN-GP ; (b) Arnaud Chicurel/Hemis.fr - **p. 250 :** Studio Sebert - **p. 251 :** Photo Josse/Leemage - **p. 252 :** Photo Josse/Leemage - **p. 253 :** Bianchetti/Leemage - **p. 255 :** Photo © RMN-Grand Palais/Image RMN-GP - **p. 256 :** (g et d) BNF - **p. 257 :** (g) Bridgeman Images ; (d) BIS/Ph. Jean Tarascon/ Archives Larbor - **p. 262 :** (1) Erich Lessing/ AKG-Images ; (2) BIS/Ph. Coll. Archives Larbor ; (3) SPL/AKG-Images ; (4) BIS/Ph. Coll Archives Larbor ; (5) Photo © RMN-Grand Palais/A. Danvers ; (6) BIS/Ph. H. Josse © Archives Larbor - **p. 263 :** (1) BIS/Ph. Hubert Josse © Archives Larbor ; (2) BIS/Ph. Gustavo Tomsich © Archives Larbor ; (3) Nimatallah/AKG-Images ; (4) BIS/Ph. Coll. Archives Larbor ; (5) BIS/Ph. Dagli Orti © Archives Larbor ; (6) Photo Josse/ Leemage - **p. 264 :** (1) Bridgeman Images ; (2) Photo12 ; (3) Veneranda Biblioteca Ambrosiana/ Mondadori Portfolio/Bridgeman Images ; (4) BIS/ Ph. Hubert Josse © Archives Larbor ; (5) Photo Scala, Florence - **p. 265 :** (1) Gianni Dagli Orti/ Aurimages ; (2) BIS/Collection Archives Nathan ; (3) Ph. Hubert Josse © Archives Larbor ; (4) BIS/ Ph. Coll. Archives Nathan ; (5) BIS/Ph. Hubert Josse © Archives Larbor ; (6) Raffael/Leemage - **p. 266 :** (1) BIS/Ph. H. Josse © Archives Larbor ; (2) BIS/Ph. © National Portrait Gallery - Archives Larbor ; (3) Photo © The British Museum, Londres, Dist. RMN-Grand Palais/The Trustees of the British Museum ; (4) BIS/Ph. Algar Coll. Archives Larbor ; (5) BIS/© Archives Larbor - **p. 267 :** (1) Collection Dagli Orti/Aurimages ; (2) BIS/Ph. Coll. Archives Larbor ; (3) BIS/Ph. Coll. Archives Larbor ; (4) The Granger Coll NY/ Aurimages ; (5) BIS/Ph. © Archives Nathan ; (6) The Metropolitan Museum of Art, New-York

Édition : Anne Chauvellier et Fabienne Helou, avec l'aide de Guénaëlle Lumalé et Mathilde Boisserie
Contenus éditoriaux fournis par l'ONISEP (p. 14-15 et 28-29) : *rédaction :* Séverine Maestri, Michel Muller ; *coordination :* Emmanuel Percq ; *édition :* Isabelle Dussouet ; *infographie :* WeDoData
Conception graphique et couverture : Frédéric Jély
Mise en pages : Dominik Raboin
Iconographie : Geoffroy Mauzé
Cartographie : AFDEC
Charte graphique des schémas : WeDoData
Frises, schémas, graphiques : Emilie Coquard
Relecture : Stéphanie Girardot
Fabrication : Adeline Caillot

Dépôt légal : août 2019
N° éditeur : 10257516
Imprimé en Allemagne par Mohn Media

Le papier de cet ouvrage est composé de fibres naturelles, renouvelables, fabriquées à partir de bois provenant de forêts gérées de manière responsables.